Schriftenreihe zur Zeitschrift für Unternehmensgeschichte
Band 11

In Verbindung mit Lothar Gall, Carl-Ludwig Holtfrerich,
Manfred Pohl, Klaus Tenfelde.
Herausgegeben im Auftrag
der Gesellschaft für Unternehmensgeschichte
von Hartmut Berghoff, Peter Borscheid,
Wilfried Feldenkirchen, Jakob Tanner

Schriftenreihe zur Zeitschrift für Unternehmensgeschichte

Es liegen bisher vor

Olaf Mertelsmann

Zwischen Krieg, Revolution und Inflation

Die Werft Blohm & Voss
1914–1923

Verlag C. H. Beck München

Der vorliegenden Arbeit liegt die Dissertation zugrunde, die vom Autor 2000
an der Universität Hamburg eingereicht wurde.

Mit 16 Abbildungen und 38 Tabellen
Die Abbildungen entstammen dem Firmenarchiv
von Blohm & Voss

Bibliografische Information der Deutschen Bibliothek

Die Deutsche Bibliothek verzeichnet diese Publikation
in der Deutschen Nationalbibliografie;
detaillierte bibliografische Daten sind im Internet über
http://dnb.ddb.de abrufbar.

ISBN 3 406 51060 4

Umschlagentwurf: Uwe Göbel, München
© Verlag C. H. Beck oHG, München 2003
Satz und Layout: Walter Lachenmann, Waakirchen
Druck und Bindung: Kösel, Kempten
Gedruckt auf säurefreiem, alterungsbeständigem Papier
(hergestellt aus chlorfrei gebleichtem Zellstoff)
Printed in Germany

www.beck.de

Vorwort

Die Werft Blohm & Voss prägt bis heute das Bild des Hamburger Hafens, ein Herzstück des Wirtschaftsleben der Stadt. Weder ein Einheimischer noch ein Tourist kann sie übersehen. Als gebürtiger Hamburger zählt der Blick auf das Werftgelände schon zu den Kindheitserinnerungen. Während des Studiums interessierte ich mich für die Geschichte Hamburgs während des Ersten Weltkrieges und der Weimarer Republik. Prof. Klaus Saul lenkte meine Aufmerksamkeit dann auf das Firmenarchiv von Blohm & Voss.

Das vorliegende Buch ist die überarbeitete Fassung meiner Dissertation am Fachbereich Geschichte der Universität Hamburg aus dem Jahre 2000, die von Prof. Bernd-Jürgen Wendt betreut wurde. Ihm und dem Zweitgutachter Prof. Saul gilt mein besonderer Dank. Kritische Anmerkungen und hilfreiche Verbesserungsvorschläge kamen von Dr. Andreas Meyhoff, Dr. Martin Korol, Rüdiger Gruhn, Dr. Stefan Lange und meiner Frau Marju. Sämtliche Fehler und Unzulänglichkeiten sind jedoch selbstverständlich mir anzulasten.

Die Recherchen erfolgten in Hamburger Archiven sowie in den Bundesarchiven in Koblenz, Freiburg und Berlin. Bedanken möchte ich mich an dieser Stelle bei Herrn Dr. Harro Christiansen von der Firma Blohm & Voss und den anderen beteiligten Archivaren.

Während der Arbeit an der Dissertation war ich als Gastlektor an der Universität Tartu, Estland, und später an der Pädagogischen sowie der Staatlichen Universität Novosibirsk, Rußland, tätig. Gefördert wurde ich von der Robert-Bosch-Stiftung und dem Deutschen Akademischen Austauschdienst. Ohne die wohlwollende Unterstützung meiner estnischen und russischen Vorgesetzten, Prof. Karl Lepa, Prof. Jüri Kivimäe, Dr. Jevgenij Petrov und Dr. Tamara Permenova, wäre dieses Buch in der vorliegenden Form nicht entstanden.

Die Verleihung des 2. Preises für Unternehmensgeschichte der Gesellschaft für Unternehmensgeschichte im Jahr 2001 und die Aufnahme in die Schriftenreihe der Gesellschaft erscheinen mir als große Auszeichnung und ich möchte mich dafür herzlich bedanken.

Hamburg, im Frühjahr 2003   *Olaf Mertelsmann*

Inhalt

Einleitung

Vor dem Ausbruch des Ersten Weltkrieges stellte der Schiffbau eine wichtige industrielle Technologie dar. Er galt, auch später noch, als eine Schlüsselindustrie.[1] Das Tempo der technischen Entwicklung war hoch. Die deutsche Handelsflotte wuchs ebenso wie der deutsche Export erheblich. Gleichzeitig erfolgte ein Flottenwettrüsten mit Großbritannien, so daß der Kriegsschiffbau ebenfalls eine große Bedeutung erlangte. Daher expandierten die deutschen Schiffbauer. Die deutsche Schiffsproduktion rangierte bei Kriegsausbruch mit Abstand hinter Großbritannien schon auf Platz zwei in der Welt.

Die 1877 gegründete Werft Blohm & Voss war vor dem Krieg zur größten deutschen Privatwerft herangewachsen und der wichtigste industrielle Arbeitgeber Hamburgs. Der Werftgründer Hermann Blohm hatte eine maßgebliche Rolle in den örtlichen Arbeitgeberverbänden und den Vereinen der Werftindustrie inne. Die Belegschaft des Unternehmens besaß dagegen einen hohen gewerkschaftlichen Organisierungsgrad und repräsentierte eine gut ausgebildete und kämpferische Facharbeiterschaft. Was sich bei Blohm & Voss ereignete, konnte eine Signalfunktion für den deutschen Schiffbau und für die übrigen Industriebetriebe Hamburgs haben. Großangelegte Streiks und Konflikte gingen von der Werft aus.

Der Erste Weltkrieg, die Revolution, der Versailler Vertrag und die Inflation brachten schließlich tiefgreifende Änderungen für das Unternehmen wie für die Beschäftigten. Blohm & Voss soll als Fallbeispiel für die Entwicklung eines Unternehmens von 1914 bis 1923 betrachtet werden. Der zeitliche Rahmen erstreckt sich somit vom Kriegsausbruch bis zum Ende der Hyperinflation. Da es sich um eine dominierende Werft handelte, lassen sich gewisse Rückschlüsse auf die Branche ziehen.

Im ersten Kriegsjahr galt es, den Übergang von der Friedens- zur Kriegswirtschaft zu bewältigen. Diese Umstellung erfolgte nicht etwa abrupt, sondern zog sich fast über das ganze Jahr hin. Das Unternehmen produzierte im Krieg dann hauptsächlich für die Marine und wurde zur wichtigsten U-Bootwerft. Eine zunehmende Regulierung des Wirtschaftslebens durch den Staat und eine kriegsbedingte Inflation setzten ein. Ebenso mußten Personal- und Materialmangel bewältigt werden. Im Laufe des Krieges sank der Lebensstandard der Bevölkerung erheblich, schließlich hungerte sie. Streiks und Lohnkonflikte ereigneten sich auch auf den Werften.

---

1 Vgl. Weniger, Heinz: Schiffbau (II). Wirtschaft des Schiffbaus, in: Handwörterbuch der Sozialwissenschaften, Bd. 9, Stuttgart/Tübingen/Göttingen 1956, S. 124.

Revolution und Waffenstillstand bildeten dann einen Einschnitt. Schon vorher aber hatten die Werften Vorbereitungen für den Übergang zur Friedensproduktion getroffen. Die Umstellung auf eine Friedenswirtschaft in der Zeit der Demobilmachung erwies sich als schwieriger als erwartet. Die unmittelbare Zukunft erschien ungewiß. Wegen der ungeklärten Reparations- und Entschädigungsfrage konnte der Handelsschiffbau nach dem Krieg nicht wie geplant anlaufen. Rohstoff- und Lebensmittelversorgung blieben problematisch. Blohm & Voss fand Beschäftigung durch staatlich finanzierte Überbrückungsarbeiten. Gleichzeitig blieben die politischen Verhältnisse unruhig.

Erst der Wiederaufbau der Handelsflotte von 1920 bis 1923 mitten in der Inflation lastete die Werft aus. Es bleibt aber zu fragen, ob dieses großangelegte Bauprojekt überhaupt sinnvoll war. 1922 schließlich erreichte Blohm & Voss wie die gesamte Branche einen historischen Höchststand an abgelieferter Tonnage. Mit dem endgültigen Zusammenbruch der Währung ging die Auslastung dann erheblich zurück, und die sogenannte Werftenkrise setzte ein.

Wie konnte sich das Unternehmen in dem sich stark wandelnden Umfeld an die Kriegswirtschaft, die «Übergangswirtschaft» nach der Revolution oder die Geldentwertung anpassen? Welche Lernfähigkeit besaß es? Welche Rolle spielten staatliche Interventionen oder auch Subventionen für Blohm & Voss? Wie wichtig war die Herausbildung eines Werftkartells? Wie entwickelte sich die finanzielle Lage des Unternehmens? War die Werft Kriegs- oder Inflationsgewinner?

Studien einzelner Unternehmen und Industriezweige bieten die Möglichkeit, die Anpassungsmechanismen an die Folgen der großen Umbrüche von 1914 bis 1923 detaillierter zu untersuchen und eventuell besser zu verstehen. Eine Fallstudie ermöglicht es aber auch, beispielsweise die Entwicklung von Arbeitszeiten oder von nominalen und realen Einkommen der Beschäftigten für ein konkretes Unternehmen zu untersuchen, sofern entsprechende Daten überliefert sind. Eine Firma wie Blohm & Voss mußte sich aber nicht nur an Umstände anpassen, sie konnte ihrerseits auch Einfluß ausüben.

Zum derzeitigen Stand der Unternehmensgeschichte sei auf die Einführung von Toni Pierenkemper hingewiesen.[2] Der historische Rahmen der vorliegenden Untersuchung wurde durch ein internationales Forschungsprojekt «Inflation und Wiederaufbau in Deutschland und Europa 1914–1924» und dessen Publikationen in den 1980er Jahren gründlich thematisiert.[3] Von besonderer Be-

---

2   Pierenkemper, Toni: Unternehmensgeschichte. Eine Einführung in ihre Methoden und Ergebnisse, Stuttgart 2000.

3   Am wichtigsten sind die von Gerald D. Feldman, Carl-Ludwig Holtfrerich, Gerhard A. Ritter und Peter-Christian Witt herausgegebenen Sammelbände: Die deutsche Inflation.

Eine Zwischenbilanz, Berlin/New York 1982; Die Erfahrung der Inflation im internationalen Zusammenhang und Vergleich, Berlin/New York 1984; Die Anpassung an die Inflation, Berlin/New York 1986; Konsequenzen der Inflation, Berlin 1989.

deutung sind die Arbeiten Gerald D. Feldmans zu Weltkrieg und Nachkriegszeit.[4] Das Standardwerk zur Inflation legte Carl-Ludwig Holtfrerich vor.[5]
Niall Fergusons Untersuchung zur Inflation bezieht sich besonders auf die Lage
in Hamburg und widmet dem Schiffbau breiten Raum.[6] Peter J. Lyth beschäftigte sich dagegen mit dem Hamburger Mittelstand während der Inflation.[7]
Mit thematisch ähnlichen Gegenständen wie die vorliegende Arbeit befaßten sich
in letzter Zeit Birgit Buschmann[8], Achim Hopbach[9] und Regina Roth[10].

Mit der Situation auf den Werften im 19. Jahrhundert bzw. im Kaiserreich
setzten sich Johanna Meyer-Lenz[11] und Marina Cattaruzza[12] auseinander. Michael Epkenhans untersuchte die wilhelminische Flottenrüstung der Vorkriegszeit.[13] Die Entwicklung der Arbeitsbeziehungen auf den Hamburger Großwerften beschreibt Hans-Joachim Bieber in einem längeren Aufsatz.[14] Über den Wiederaufbau der Handelsflotte liegt eine zeitgenössische Arbeit von Hans Priester
vor.[15] Volker Ullrich hat unter anderem über den Kriegsalltag in Hamburg und
die Arbeiterbewegung der Hansestadt während des Ersten Weltkrieges gearbeitet.[16] Ursula Büttner verfaßte das Standardwerk über die Geschichte Hamburgs
in der Weimarer Republik.[17] Die Untersuchung Andreas Meyhoffs befaßt sich
ebenfalls mit der Geschichte der Werft Blohm & Voss, allerdings während des Na-
tionalsozialismus.[18]

4   Besonders Gerald D. Feldman: Army, Industry
    and Labor in Germany, 1914–1918, Prince-
    ton 1966; Gerald D. Feldman: The Great Dis-
    order. Politics, Economics, and Society in the
    German Inflation, 1914–1924, New York/
    Oxford 1993.
5   Holtfrerich, Carl-Ludwig: Die deutsche Infla-
    tion 1914–1923, Berlin/New York 1980.
6   Ferguson, Niall: Paper and iron. Hamburg bu-
    siness and German politics in the era of infla-
    tion 1897–1927, Cambridge 1995.
7   Lyth, Peter J.: Inflation and the Merchant
    Economy. The Hamburg Mittelstand, 1914–
    1924, München/New York/Oxford 1990.
8   Buschmann, Birgit: Unternehmenspolitik in
    der Kriegswirtschaft und in der Inflation. Die
    Daimler-Motoren-Gesellschaft 1914–1923,
    Stuttgart 1998.
9   Hopbach, Achim: Unternehmer im Ersten
    Weltkrieg. Einstellungen und Verhalten würt-
    tembergischer Industrieller im «Großen
    Krieg», Leinfelden-Echterdingen 1998.
10 Roth, Regine: Staat und Wirtschaft im Ersten
    Weltkrieg. Kriegsgesellschaften als kriegswirt-
    schaftliche Steuerungsinstrumente, Berlin
    1997.
11 Meyer-Lenz, Johanna: Schiffbaukunst und
    Werftarbeit in Hamburg 1838–1896, Frank-
    furt/Main 1995.

12 Cattaruzza, Marina: Arbeiter und Unterneh-
    mer auf den Werften des Kaiserreiches, Stutt-
    gart 1988.
13 Epkenhans, Michael: Die wilhelminische Flot-
    tenrüstung 1908–1914. Weltmachtstreben,
    industrieller Fortschritt, soziale Integration,
    München 1991.
14 Bieber, Hans-Joachim: Die Entwicklung der
    Arbeitsbeziehungen auf den Hamburger
    Großwerften zwischen Hilfsdienstgesetz und
    dem Betriebsrätegesetz (1916–1920), in: Mai,
    Gunther (Hg.): Arbeiterschaft 1914–1918 in
    Deutschland. Studien zu Arbeitskampf und
    Arbeitsmarkt im Ersten Weltkrieg, Düsseldorf
    1985, S. 77–154.
15 Priester, Hans E.: Der Wiederaufbau der deut-
    schen Handelsschiffahrt, Berlin 1926.
16 Ullrich, Volker: Kriegsalltag. Hamburg im Er-
    sten Weltkrieg, Köln 1982; Ullrich, Volker:
    Die Hamburger Arbeiterbewegung am Vor-
    abend des Ersten Weltkrieges bis zur Revolu-
    tion 1918/19, 2 Bde., Diss. phil., Hamburg
    1976.
17 Büttner, Ursula: Politische Gerechtigkeit und
    sozialer Geist: Hamburg zur Zeit der Weima-
    rer Republik, Hamburg 1985.
18 Meyhoff, Andreas: Blohm & Voss im «Dritten
    Reich». Eine Hamburger Großwerft zwischen
    Geschäft und Politik, Hamburg 2001.

Anläßlich von Jahrestagen und Jubiläen erschienen eine Reihe von Festschriften über Blohm + Voss. Zwei Schriften wurden von der Firma anläßlich des 50- und des 100jährigen Jubiläums selber herausgegeben.[19] Hans-Georg Pragers Buch liefert zahlreiche schiffbautechnische Informationen, aber er gibt auch einen Überblick über die Firmengeschichte.[20] Hans Jürgen Witthöfts kürzlich erschienener, aufwendig illustrierter Band geht im Sinne einer Firmenchronik vor und liefert ebenfalls historische Informationen.[21] Beiden Autoren ist gemeinsam, daß sie das Firmenarchiv genutzt haben. Aus dem Umkreis des Unternehmens liegen noch zwei Biographien von Ernst Voss und Walther Blohm vor.[22] Der Kritik Toni Pierenkempers an Firmenfestschriften ist sicherlich auch in Hinblick auf die erwähnten Publikationen zuzustimmen. Aber ebenso seiner Einschätzung, daß sie einen wichtigen Fundus an Quellen für die unternehmenshistorische Arbeit darstellen.[23]

Das historische Firmenarchiv von Blohm & Voss (B&V) befindet sich heute im Hamburger Staatsarchiv (StA) und dient als Hauptquelle. Die Überlieferung ist relativ gut. So sind Wochenberichte, Protokolle der Besprechungen der Firmenleitung, der Briefwechsel oder interne Berichte an den Aufsichtsrat erhalten. Dem Zeitraum bis 1920 kann recht detailliert nachgegangen werden. Für die Inflation ist die Dokumentation schon bedeutend lückenhafter. Besonders die finanziellen Verhältnisse bleiben undurchsichtig. Da Hermann Blohm und später sein Sohn Rudolf eine wichtige Rolle im Verbandswesen einnahmen, sind umfangreiche Materialien zu diesem Themenkomplex erhalten. Diese Akten vermitteln natürlich eher den Blickwinkel der Firmenleitung.

Im Hamburger Staatsarchiv ergänzen die sogenannten Kriegsakten des Senats, Unterlagen des Demobilmachungskommissars (DMK) und weiterer Behörden das Bild aus der Perspektive der Landesregierung. Die Bestände der Deutschen Werft und des Deutschen Flottenvereins in Hamburg erwiesen sich dagegen nicht als ergiebig. Im Archiv der Handelskammer Hamburg (HkH) liegen die Unterlagen der Industriekommission der Handelskammer vor. Die Lebenserinnerungen zweier Mitglieder der Firmenleitung, Eduard Blohm[24] und Carl Gottfried Gok[25], sind ebenfalls überliefert. Allerdings wurden diese Erinnerungen unter kritischem Vorbehalt genutzt.

19 Blohm & Voss (Hg.): Blohm & Voss. Hamburg 1877–1927, Hamburg 1927; Blohm + Voss (Hg.): Blohm + Voss 1877–1977, Hamburg 1977.
20 Prager, Hans Georg: Blohm + Voss. Schiffe und Maschinen für die Welt, Herford 1977.
21 Witthöft, Hans Jürgen: Tradition und Fortschritt. 125 Jahre Blohm + Voss, Hamburg 2002. Witthöft hat meine Dissertation bereits einarbeiten können, was an einigen Stellen zu bemerken ist.

22 Asmussen, Georg (Hg.): Ernst Voß. Lebenserinnerungen und Lebensarbeit des Mitbegründers der Schiffswerft von Blohm & Voss, Berlin 1924; Wiborg, Susanne: Walther Blohm. Schiffe und Flugzeuge aus Hamburg, Hamburg 1993.
23 Vgl. Pierenkemper, Unternehmensgeschichte, S. 30 ff.
24 StA Familie Blohm 2.
25 BArchK N1034/1.

Im Bundesarchiv-Militärarchiv Freiburg liegen im Bestand des Reichsmarine-amtes (RM3) Dokumente zur Situation der Werften im Krieg vor. Im Bundes-archiv Berlin finden sich in den Beständen Reichskanzlei (R43I), Reichsfinanz-ministerium (R2) und Reichsministerium für Wiederaufbau (R3301) Materia-lien zu Fragen des Schiffbaus, besonders des Wiederaufbaus der Handelsflotte. Im Bestand des Reichsarbeitsministeriums (R3901) sind Dokumente zur Lage der Arbeiter und Angestellten der Werften überliefert. Diese Materialien von Regie-rung und Militär runden das Bild ab.

Das Unternehmen und seine Leitung

Die Werft wurde 1877 von Hermann Blohm und Ernst Voss gegründet und auf einem gepachteten Grundstück auf der Elbinsel Kuhwärder eingerichtet. Das Unternehmen sollte eiserne Dampfer und Schiffsmaschinen bauen.[26] Nach ei-nem nicht ganz einfachen Start gelang es allmählich, Hamburger Reeder als Kun-den zu gewinnen, und die Werft konnte wachsen. Gefördert wurde die Auswei-tung in den ersten Jahren durch zwei Brüder Hermann Blohms, die für günstige Kredite sorgten.[27] Um die finanzielle Situation des Unternehmens nach einem Ausbau zu entlasten, wurde die Firma 1891 in eine Kommanditgesellschaft auf Aktien (KGaA) mit einem Kapital von sechs Millionen Mark umgewandelt, und es wurden Obligationen in Höhe von insgesamt 1,2 Millionen Mark ausgegeben. Praktisch war Hermann Blohm alleiniger Inhaber, er mußte aber einen Teil der Aktien als Sicherheit bei seinen Brüdern hinterlegen. Ernst Voss übergab ihm 1910 seinen Aktienanteil im Nennwert von 200.000,– Mark.[28] Als die Werft we-gen eines weiteren Ausbaus erneut frisches Kapital benötigte, wurde 1912 der Gesellschaftervertrag geändert und das Grundkapital auf 12 Millionen Mark er-höht. Vorzugsaktien im Nennwert von sechs Millionen mit einer gesicherten Di-vidende von 5,5 % übernahmen die Berliner Handelsbank, die Hamburger Ver-einsbank sowie die Firmen L. Behrens & Söhne, Joh. Beerenburg-Gossler und M. M. Warburg. Die Stammaktien mit einem Nennwert von ebenfalls sechs Mil-lionen hielt Hermann Blohm.[29]

Um den Aufbau der Firma besser zu verstehen, muß zuerst auf die Rechts-form eingegangen werden. Blohm & Voss war eine Kommanditgesellschaft auf Aktien (KGaA), eine im Kaiserreich und in der Weimarer Republik eher selten anzutreffende Rechtsform. Eine KGaA ist eine juristische Person als eine beson-dere Form der Aktiengesellschaft (AG). Die Aktionäre sind die Kommanditisten. Mindestens ein Gesellschafter, der Komplementär, im Regelfall jedoch mehrere Komplementäre, haften den Gläubigern gegenüber unbegrenzt mit seinem oder

---

26 Vgl. Witthöft, Tradition und Fortschritt, S. 5 f.   28 Ebd., S. 32.
27 Ebd., S. 24.   29 Ebd., S. 112.

ihrem Vermögen. Die Aktionäre haften dagegen nur mit ihrer Einlage. Der Aktionärsverband hat in Aufsichtsrat und Generalversammlung eigene Organe. Er hat eine Selbständigkeit nur nach innen – im Verhältnis zu den Komplementären. Nach außen besteht er nur in Gemeinschaft mit diesen und wird durch die Komplementäre vertreten. Den Komplementären steht Vertretung und Geschäftsführung aus eigenem Recht zu, vergleichbar mit dem Vorstand einer AG. Im Extremfall ist die KGaA also eine Art Aktiengesellschaft mit zwar unbeschränkt haftenden, aber von den Aktionären wenig abhängigen Vorstandsmitgliedern.

Im Falle von Blohm & Voss besaßen nur Hermann Blohm und ab 1916 auch seine Söhne Rudolf und Walther die Stammaktien, die überhaupt über ein Stimmrecht auf der Aktionärsversammlung verfügten. Die Vorzugsaktien warfen eine gesicherte Dividende ab, besaßen aber kein Stimmrecht. So konnte die Finanzierungsbasis erweitert werden, während die Gründerfamilie das Unternehmen praktisch allein dominierte und die übrigen Aktionäre faktisch einflußlos blieben.

In den Jahren vor dem Krieg verliefen Entwicklung und Erweiterung des Unternehmens, von konjunkturellen Schwankungen abgesehen, relativ kontinuierlich. Die wirtschaftlichen Ergebnisse waren stabil und positiv, so daß die Gewinne in ein weiteres Wachstum investiert werden konnten und dennoch eine ansehnliche Dividende gezahlt wurde. Zur Finanzierung des Ausbaus des Unternehmens wurde auch auf Kredite und Anleihen zurückgegriffen.[30] Gewisse Schwankungen in der Entwicklung traten besonders nach 1907 im Zusammenhang mit einer Konjunkturkrise im Schiffbau auf. Die Vergrößerung der Werft läßt sich durch die Größe der Belegschaft dokumentieren. Diese wuchs von rund 3.000 Beschäftigten um die Jahrhundertwende auf über 11.000 im Jahr 1914 an.[31]

Tab. 1: Dividenden von Blohm & Voss vor dem Krieg

Geschäftsjahr	Dividende	Geschäftsjahr	Dividende
1901/02	9 %	1907/08	7 %
190203	9 %	1908/09	4 %
1903/04	7 %	1909/10	6 %
1904/05	9 %	1910/11	4 %
1905/06	9 %	1911/12	7 %
1906/07	9 %	1912/13*	4 % / 5,5 %

* Im Geschäftsjahr 1912/13 erhielten die Stammaktien 4% und die Vorzugsaktien 5,5% Dividende.
Quelle: Epkenhans: Wilhelminische Flottenrüstung, S. 461; Geschäftsbericht 1912/13.

Ernst Voss, der Mitgründer der Werft, schied 1913 altersbedingt als persönlich haftender Gesellschafter aus, und er wechselte in den Aufsichtsrat.[32] Hermann Blohm war bis 1929 persönlich haftender Gesellschafter, sein Sohn Rudolf wurde

30 Vgl. ebd. S. 86.
31 Vgl. Prager, Blohm + Voss, S. 65; «Brutto = Arbeiterbestand», StA B&V 2177.
32 Vgl. zum folgenden Prager, Blohm + Voss, S. 227.

Abbildung 1: Hermann Blohm und Ernst Voss, die Gründer der Werft

1914, dessen Bruder Walther 1916 als Gesellschafter aufgenommen, und sie blieben es bis 1955. Der Aufsichtsrat bestand bei Kriegsausbruch neben Ernst Voss aus Alfred und Otto Blohm, beides Neffen von Hermann Blohm, dem Hausbankier Max M. Warburg, dem Reeder Eduard Woermann als Vertreter der Hamburger Schiffahrtsgesellschaften, dem Senator Dr. Otto Westphal sowie F. A. Schwarz von der Vereinsbank. Im Jahr 1920 kam es durch den Tod von Ernst Voss und Eduard Woermann sowie durch das Ausscheiden von F. A. Schwarz zur Aufnahme von F. C. H. Heye, Direktor Frege von der Vereinsbank und Johannes S. Amsinck. Im Vorjahr war bereits Senator Westphal verstorben, der langjährige Vorsitzende des Aufsichtsrats, dessen Posten Alfred Blohm übernahm. Seit Mai 1922 entsandte der Betriebsrat zwei gewählte Vertreter in den Aufsichtsrat, den Ingenieur Carl Jacob und den Arbeiter Adolf Tonn,[33] die bis 1930 bzw. 1933 die Interessen der Belegschaft vertraten. Faktisch blieb die Werft aber unter weitgehender Kontrolle der Familie Blohm, war somit eigentlich ein Familienbetrieb. Dies lag auch im Interesse der Unternehmensgründer, die einen fremden Einfluß vehement ablehnten.[34]

---

33 Betriebsrat an Firmenleitung, 9.5.22, StA B&V 489. Mit der Entsendung von Betriebsratsmitgliedern in den Aufsichtsrat endete vorerst dessen exakte Informierung über die finanzielle Lage des Unternehmens.

34 Wiborg, Walther Blohm, S. 18.

In vielen Großunternehmen verloren die Familien der Betriebsgründer schon vor dem Krieg allmählich die Kontrolle über das Unternehmen und wurden von Managern sowie den Vertretern der Banken und der Aktionäre in der Firmenleitung abgelöst.[35] Begünstigt durch die Rechtsform als KGaA, erfolgte diese Entwicklung bei Blohm & Voss nicht. Hermann Blohm und später seine beiden Söhne und eben keine von Banken delegierte Manager leiteten das Unternehmen. Einige Mitglieder der Firmenleitung waren verwandt mit der Familie oder zumindest eingeheiratet. Hermann Blohm bezeichnete sich selber stets als «Werftbesitzer», wozu er aufgrund seines Aktienpaketes und als Komplementär auch berechtigt war. Wirkliche Konflikte zwischen der Familie Blohm auf der einen und den übrigen Aktionären auf der anderen Seite sind für den zu untersuchenden Zeitraum nicht überliefert.[36] Die Stammaktien mit Stimmrecht und dem gleichen Nennwert wie die Vorzugsaktien befanden sich anfangs ausschließlich im Besitz von Hermann Blohm. 1916 erwarben seine Söhne ebenfalls Stammanteile. Sie machten die Hälfte des Aktienkapitals von zwölf bzw. später 20 Millionen Mark aus. Diese Stammaktien wurden nicht an der Börse gehandelt. Die Inhaber der Vorzugsaktien ohne Stimmrecht mit einer gesicherten Dividende von 5,5 % intervenierten dagegen nicht in der Unternehmenspolitik. Die Aktien hatten jeweils einem Nennwert von 1.000,– Mark. Ihr Besitz war in Hamburger Geschäftskreisen breiter gestreut.

An der Spitze des Unternehmens stand bei Kriegsausbruch weiterhin der Gründer Hermann Blohm[37], Jahrgang 1848, der den Betrieb selbstherrlich, wenn auch nach eigenem Verständnis als Patriarch führte. Dabei forderte er bedingungslosen Einsatz und Gehorsam und förderte bewußt den Ruf der Strenge, der ihm anhaftete.[38] Er repräsentierte die Firma nach außen, betreute die Börsengeschäfte des Unternehmens, widmete sich aber auch dem gesellschaftlichen Leben. Blohm engagierte sich für die Gründung des Arbeitgeberverbandes Hamburg-Altona, dessen Vorsitzender er bis 1918 war. Er war auch Vorsitzender des Streikabwehrfonds dieses Verbandes, des Hamburger Verbandes der Eisenindustrie, des Vereins deutscher Schiffswerften (VdS), bis 1907 der Industriekommission der Hamburger Handelskammer und der Norddeutschen Gruppe der Metallindustriellen/Abteilung Seeschiffswerften. Des weiteren saß er im Vorstand

35 Dieser Prozeß wurde in der Literatur ausführlich beschrieben, z.B. Siegrist, Hannes: Vom Familienbetrieb zum Managerunternehmen, Göttingen 1981; Feldenkirchen, Wilfried: Die Eisen- und Stahlindustrie des Ruhrgebiets 1879–1914, Wiesbaden 1982; Gall, Lothar u.a.: Die Deutsche Bank 1870–1995, München 1995.

36 Weder in den Lebenserinnerungen Eduard Blohms (StA Familie Blohm 2) noch in denen von Carl Gottfried Gok (BArchK N1034/1), in der Biographie Walther Blohms (Wiborg)

oder in den Firmenakten wird von solchen Auseinandersetzungen berichtet.

37 H. Blohm (1848–1930), ein gebürtiger Lübecker, studierte 1869–71 Maschinenbau in Zürich und 1871–72 Schiffbau in Berlin. Er hielt sich 1873–76 in Newcastle und Glasgow auf, um den britischen Schiffbau kennenzulernen, und kehrte mit dem Plan einer Werftgründung nach Deutschland zurück. Neue Deutsche Biographie, Bd. 2, Berlin 1955, S. 312 f.

38 Wiborg, Walther Blohm, S. 32 und 51.

des Centralverbandes Deutscher Industrieller (CVDI) und des später gegründeten Kriegsausschusses der deutschen Industrie sowie zahlreicher weiterer Organisationen. Obschon manche dieser Posten eher Ehrenämter ohne wirklichen Einfluß darstellten, war Blohm mit Sicherheit der wichtigste Industrielle der Hansestadt und eine führende Stimme des deutschen Schiffbaus. Ebenso wie Ernst Voss verfügte er über eine umfangreiche Englanderfahrung, während seine Söhne sich schon stärker in Richtung auf die Vereinigten Staaten hin orientierten und von dort Ideen und Anregungen übernahmen.

Politisch war er nationalistisch eingestellt, lehnte aber als überzeugter Hanseat die Verleihung eines Adelsprädikates durch den Kaiser ab.[39] Nach außen legte Blohm gerne eine kämpferische Rhetorik besonders gegenüber der Arbeiterbewegung an den Tag. Die Akten zeigen eher den nüchtern kalkulierenden Kaufmann und engagierten Unternehmer, der einem Hochtechnologieunternehmen vorstand. Zwar setzte er sich Ende 1917 gegen zu «lasche» Friedensverhandlungen ein,[40] trat aber ansonsten als überzeugter Freihändler nicht durch Kriegszielforderungen hervor. Wegen zahlreicher Verpflichtungen überließ Blohm schon vor dem Krieg das Tagesgeschäft den Direktoren vor Ort. Während des Krieges veränderte er sich, zog sich stärker zurück und übergab, durch die Revolution erschüttert, die Betriebsleitung seinen Söhnen.[41] Er ließ dann fast alle Ämter ruhen, von denen die Mehrzahl schließlich sein Sohn Rudolf bekleidete.

Der zweite Werftgründer Ernst Voss[42] legte 1913 altersbedingt seinen Posten als Gesellschafter nieder, erschien aber immer noch an drei Tagen wöchentlich, um «nach dem Rechten zu sehen». Er war eng befreundet mit Hermann Blohm und hatte bis zu seinem Rückzug aus dem Geschäftsleben die alltäglichen Abläufe auf der Werft geleitet.[43] Wie Blohm und die gesamte Firmenleitung war er nationalistisch eingestellt.

An seine Stelle trat sein Neffe, der Schiffbauingenieur Hermann Frahm, unter anderem der Erfinder der nach ihm benannten Schlingertanks, der Einzelprokura hatte und seit 1904 den Posten eines Technischen Direktors bekleidete. In seine Zuständigkeit fielen die Konstruktion und der Bau von Schiffen. Er besaß als Schiffskonstrukteur Kontakte in der ganzen Welt. Kaufmännisch oder wirtschaftspolitisch trat er dagegen selten in Erscheinung. Dies oblag dem Kaufmännischen Direktor Rudolf Rosenstiel, der zusammen mit einem zweiten Mitglied der Firmenleitung ebenfalls Prokura innehatte und den Posten eines 2. Prokuristen bekleidete. Rosenstiel besaß einen Ruf als Fachmann für die Organisation

39 Wiborg, Walther Blohm, S. 25.
40 Telegramm an den Kriegsausschuß der deutschen Industrie, 28.12.17, StA B&V 243.
41 Wiborg, Walther Blohm, S. 29 und 31.
42 Ernst Voss (1842–1920), ein gebürtiger Rendsburger aus einfachen Verhältnissen, studierte in Zürich und arbeitete anschließend mehrere Jahre in England. In den 1870er Jahren ließ er sich als Ingenieur des Schiffmaschinenbaus und Sachverständiger für Schiffahrt in Hamburg nieder. Witthöft, Tradition und Fortschritt, S. 3.
43 Asmussen, Ernst Voß, S. 101.

des gesamten Bürobetriebes, den er bei seinem Firmeneintritt 1903 neu strukturiert hatte. Er verfügte über eine Ausbildung als Schiffbautechniker und als Kaufmann. Zusammen mit Frahm bestimmten beide bei Kriegsausbruch faktisch die Tagesgeschäfte des Unternehmens, dagegen behielt Hermann Blohm sich gerne das letzte Wort vor. Rosenstiel, 1903 von der HAPAG gekommen, mußte als Jude schließlich 1936 aus dem Unternehmen ausscheiden und emigrierte nach Südamerika. Zum Ausbau der internationalen Geschäfte wurde Carl Gottfried Gok von Rosenstiel 1911 angeworben.[44] Gok, der über umfangreiche Auslandserfahrungen verfügte, stieg später zum Werftdirektor auf und saß seit 1924 insgesamt sieben Jahre lang für die DNVP und anschließend drei Jahre für die NSDAP im Reichstag. Er stellte eine Verbindung zwischen Unternehmen und deutschnationaler Politik her. Der 3. Prokurist war der Leiter des Werkstattbetriebes, Oberingenieur Friedrich Pecht.[45]

Im Frühjahr 1915 kehrte Rudolf Blohm[46], der ältere Sohn Hermann Blohms, von der Front zurück, um Geschäfte in der Türkei in die Wege zu leiten. Im Herbst 1918 wurde auch sein Bruder Walther[47] freigestellt. Beide sollten einen größeren Einfluß auf den Betrieb gewinnen und Frahm sowie Rosenstiel schrittweise zurückdrängen. Nachdem sie als Gesellschafter aufgenommen worden waren, lösten sie ihren Vater allmählich ab. Rudolf Blohm sollte sich eher der Repräsentation nach außen, sein Bruder dem Betrieb selber widmen. Nach dem Krieg standen sie der jungen Republik ablehnend gegenüber und traten als Förderer der DNVP und anderer nationalistischer Organisationen auf.

Eduard Blohm, ein Neffe Hermann Blohms, dessen Aufgabe als SchiffbauBetriebsleiter unter anderem die Koordinierung der Meister war, verfügte wie sechs weitere Mitglieder der Firmenleitung über eine Zeichnungsberechtigung, sofern ein zweites Mitglied dieses Kreises ebenfalls unterschrieb.[48] Im Laufe der Zeit wurden noch fünf Direktoren ernannt.[49] Etwa 15 bis 20 Personen repräsentierten die Firmenleitung, neben den bereits Erwähnten handelte es sich um weitere leitende Angestellte, die sich alle gewöhnlich donnerstags um 10.30 Uhr zu ihrer wöchentlichen Besprechung, der sogenannten Donnerstagssitzung, einfanden. Bei diesem Anlaß wurde das Vorgehen bei einzelnen Bauprojekten geklärt, wurden Informationen ausgetauscht, Entscheidungen besprochen und gefällt. Trotz der dominierenden Stellung Hermann Blohms und später seiner Söhne

---

44 Rosenstiel an Gok, 25.2.11, BArchK N1034/ 2.

45 Wiborg, Walther Blohm, S. 36.

46 Rudolf Blohm (1885–1979) studierte nach einer Ausbildung bei Blohm & Voss in München, Danzig und Berlin. Anschließend unternahm er eine längere Studienreise nach Großbritannien, Nord- und Südamerika. Er trat im Sommer 1914 in das Unternehmen ein, wurde dann aber zum Kriegsdienst eingezogen. Witthöft, Tradition und Fortschritt, S. 127.

47 Walther Blohm (1887–1963) studierte Maschinenbau und bereiste vor dem Krieg Amerika. Er wurde 1914 eingezogen, aber noch während des Kriegsdienstes seit 1916 in Entscheidungen der Firmenleitung miteinbezogen. Vgl. Wiborg, Walther Blohm.

48 Schreiben vom Juli 1913, StA B&V 101.1.

49 Wiborg, Walther Blohm, S. 36.

läßt sich die Form der Unternehmensleitung in weiten Bereichen keineswegs als starr hierarchisch beschreiben. Es erfolgten permanent Lernprozesse, um sich an die ständig wechselnde Situation anzupassen und geeignetere Problemlösungen zu finden. Nicht nur die technologische Innovation war von Bedeutung. Es galt, die Organisationsstrukturen auf die Bedürfnisse von Krieg oder Demobilmachung abzustimmen, die Unternehmensstrategie mit den sich wechselnden Verhältnissen in Einklang zu bringen oder auch die Buchhaltung «inflationstauglich» zu machen. Ohne dieses fortgesetzte Lernen wären das Geschäftsergebnis und die unternehmerische Leistung insgesamt sicher schlechter ausgefallen.

Gegenüber der Sozialdemokratie und den Gewerkschaften stand die Firmenleitung einerseits politisch in einer erbitterten Gegnerschaft. Andererseits wurde in einer Art pragmatischer Kooperation erfolgreich zusammengearbeitet. Die Firmenleitung vertrat zwar energisch den «Herr-im-Haus»-Standpunkt, trotzdem kam es schon vor dem Krieg zu einer tariflichen Übereinkunft mit den Gewerkschaften. Reaktionäre politische Ansichten gingen mit einer Modernisierung von Arbeitsverhältnissen und Arbeitsbeziehungen einher, wie zum Beispiel die Entwicklung eines Tarifsystems.[50]

Entwicklungstendenzen der Werftindustrie bis zum Kriegsausbruch

In den Jahren vor dem Krieg stand der deutsche Schiffbau im Zeichen des Wachstums (siehe Tab. 2). Von 1900 bis 1913 verdoppelte sich die Produktion der Privatwerften auf über 500.000 BRT. Rund ein Zehntel der abgelieferten Tonnage entfiel auf Kriegsschiffe für die Kaiserliche Marine. Doch tatsächlich war die Rüstungsproduktion erheblich wichtiger. Wegen des höheren Arbeitsaufwandes und des größeren Materialverbrauchs, einschließlich der Bewaffnung, war ein Kriegsschiff entsprechend teurer. Der Bau dauerte wesentlich länger, im Normalfall benötigte er drei Jahre. Epkenhans schätzt, daß der wertmäßige Anteil der Rüstungsproduktion an der Gesamtfertigung in der Vorkriegszeit etwa 30 % betrug.[51]

Das Produktionswachstum verlief nicht kontinuierlich. Aufgrund eines Rückgangs des Welthandels in einer Konjunkturkrise gingen die Bestellungen zurück, und der Schiffbau verringerte sich in den Jahren von 1907 bis 1910. 1911 wurde das Produktionsniveau von 1906 übertroffen und stieg bis Kriegsausbruch weiter an. Die deutschen Werften produzierten weitgehend für den Binnenmarkt. Der

50 Der Geschäftsführer des Arbeitgeberverbandes Hamburg-Altona, Freiherr von Reiswitz, warb schon seit 1904 dafür, Tarifverträge auch im Handwerk einzuführen. Knips, Achim: Deutsche Arbeitgeberverbände der Eisen- und Metallindustrie, Stuttgart 1996, S. 18.

51 Epkenhans, Die wilhelminische Flottenrüstung, S. 221.

Tab. 2: Schiffsproduktion
auf deutschen Privatwerften
1900–1913 in BRT

Jahr	Produktion insgesamt	Handels- schiffe	Kriegsschiffe für die Kaiserliche Marine
1900	258.288	242.362	7.064
1901	271.016	232.856	19.372
1902	238.509	211.852	21.898
1903	276.818	248.562	28.256
1904	251.555	227.125	24.430
1905	297.391	266.761	30.630
1906	378.724	355.053	22.970
1907	355.063	324.655	28.304
1908	266.182	227.902	38.280
1909	314.360	293.330	20.690
1910	253.613	209.270	42.820
1911	392.837	343.293	47.314
1912	466.390	414.328	51.100
1913	514.615	458.755	53.620

Quellen: Tab. 8 und 10, Epkenhans,
Die wilhelminische Flottenrüstung, S. 462 f.

Anteil der Handelschiffe für ausländischer Auftraggeber sank von 13 % im Jahr
1900 auf 7 % vor Kriegsausbruch. Die deutschen Reeder bestellten aber stets
mehr Schiffsraum im Ausland, als ausgeführt wurde. Um die Jahrhundertwende
wurde ein Viertel der Kriegsschifftonnage exportiert, vor dem Ersten Weltkrieg
etwa 4 %.[52]

International dominierte Großbritannien den Schiffbau. Der britische Anteil an
der Weltproduktion betrug etwa zwei Drittel. Die deutschen Werften waren gegenüber den britischen nicht wirklich konkurrenzfähig, unter anderem bauten sie
langsamer.[53] Zwar hatten sie vor dem Krieg den technologischen Rückstand auf-
geholt, aber ein vergleichbarer Frachter war immer noch bis zu ein Zehntel teurer.[54] Trotzdem hatte sich Deutschland zum zweitgrößten Schiffbauer in der Welt
entwickelt. Der deutsche Anteil belief sich 1913 auf 14 % der Weltproduktion.[55]

Die deutschen Privatwerften expandierten beständig. Im Zeitraum von 1900
bis 1913 verdoppelte sich ihr Aktienkapital nahezu von 59 auf 114 Millionen
Mark, der Personalstand stieg von 42.000 auf 72.500 Arbeiter und Angestellte an.
Die Zahl der Hellinge, also der Schiffbauplätze, verdeutlicht diese Expansion.
Von 1899 bis 1913 stieg die Anzahl der Hellinge, die über 100 m lang waren, von
43 auf 84 und die mit einer Länge von über 200 m von drei auf 20.[56] In den Ge-

52 Vgl. ebd., S. 462.
53 Ebd., S. 232 f.
54 Cattarruzza, Arbeiter und Unternehmer,
   S. 61.

55 Ferguson, Paper and iron, S. 42.
56 Vgl. Epkenhans, Die wilhelminische Flottenrüstung, S. 217 f.

schäftsjahren 1907/08 bis 1913/14 investierte allein Blohm & Voss rund 32 Millionen Mark in die Vergrößerung und Modernisierung des Betriebes.[57]

Gegenüber anderen Industriezweigen verfügte der Schiffbau über einige Besonderheiten. Generell war die Produktion großen Schwankungen unterworfen, wie sich auch aus Tabelle 2 ergibt. Es handelte sich um eine Auftragsindustrie, die stark vom Kunden und seinen Anforderungen abhängig war. Die Produktionsdauer war für einige Objekte relativ lang, mitunter mehrere Jahre. Gleichzeitig bestanden hohe Kapitalerfordernisse, besonders für die Großschiffwerften. Ein rascher technischer Fortschritt zwang zu Modernisierung und Ausbau. Da die Wirtschaftlichkeit eines Schiffes mit zunehmender Größe stieg, denn Antriebskosten und erforderliche Besatzung wuchsen in geringerem Maße als die Transportleistung, nahm die durchschnittliche Schiffsgröße kontinuierlich zu. Sie stieg im Welthandel von 656 BRT 1890, auf 1.042 BRT zehn Jahre später und 1.942 BRT 1924.[58] Parallel mußten auch Docks und Bauplätze wachsen.

Ein Auslöser der Expansion der Werften war der Rüstungswettlauf mit Großbritannien. Dieses Flottenwettrüsten war der Versuch, die deutsche Schlachtflotte auf zwei Drittel der Größe der britischen auszubauen, der jedoch letztlich scheiterte. Durch den «Dreadnoughtsprung», benannt nach einer neuen Klasse von Kriegsschiffen, wuchsen die Ausmaße der Schlachtkreuzer noch. Wegen dieses Wettrüstens verschlechterten sich die Beziehungen zu Großbritannien zunehmend, und die maritime Rüstung verbrauchte einen immensen Anteil des Reichshaushaltes.[59] Hinter diesem Bau-Programm stand der Staatssekretär des Reichsmarineamtes (RMA), Alfred von Tirpitz, der die deutschen Werften zu vorher ungeahnten Investitionen und zu beständiger Expansion drängte. Diese ließen sich zumindest beeinflussen oder zu einer expansionsorientierten Unternehmenspolitik verleiten.

Der Kriegsschiffbau, zu dem anfangs nur fünf Privatwerften zugelassen waren, die Schichau-Werft, die AG Weser, die Germania, der Bremer Vulkan und Blohm & Voss, konnte sich trotzdem als riskantes Geschäft erweisen. Das Reichsmarineamt verfügte zwar über einen großen Haushalt, war aber in ein relativ enges finanzielles Korsett eingebunden. Auch bestand die Notwendigkeit, technisch stets auf dem neusten Stand zu sein. Dies erforderte von den beteiligten Unternehmen kostspielige Investitionen. Qualitäts- oder innovationsorientierte Erwägungen besaßen Vorrang vor reinen Kosten-Nutzen-Rechnungen. Selbst wenn der Kreis der Anbieter klein war, bestand keine Abnahmegarantie. Aus der Perspektive der Werften war die Marine zudem ein schwieriger Geschäftspartner mit ihren Bauaufsichten und Abnahmekommissionen. Ein Kriegsschiff blockierte

57 Errechnet nach einer statistischen Übersicht, StA B&V 911.

58 Vgl. Dehning, Ernst: Schiffbauindustrie, in: Handwörterbuch der Staatswissenschaften, 7. Bd., 4. Auflage, Jena 1926, S. 213–225.

59 Vgl. die Schlußfolgerungen bei Epkenhans, Die wilhelminische Flottenrüstung, S. 409– 417.

wegen seiner längeren Bauzeit die Kapazitäten einer Werft für eine längere Zeit-
spanne als ein Handelsschiff. Auch konnte das Reichsmarineamt als einziger Ab-
nehmer eventuell den Preis erheblich drücken.[60]

Im Falle einer Konjunkturkrise wie seit 1907, als der Welthandel zurückging
und die Reedereien nicht mehr ausreichend neue Schiffe bestellten, waren die
Kriegsschiffwerften wegen der daraus resultierenden Unterbeschäftigung und des
schärferen Wettbewerbs gezwungen, selber den Preis für Kriegsschiffe zu senken.
Im Einzelfall mochte er sogar einen Stand erreichen, der die Selbstkosten nicht
mehr deckte.[61] Dies war für die betroffene Werft immer noch besser, als den Betrieb ruhen zu lassen. In den folgenden Jahren begann auch die Marine die Preise
zu drücken, da sie nicht über ausreichende finanzielle Mittel für ihr Bauprogramm verfügte.[62]

Untereinander befanden sich die deutschen Werften in einer scharfen Konkurrenz, insbesondere in einer Zeit rückläufiger Bestellungen, wenn Kapazitäten
brachlagen. Große Bauprojekte wurden ja nur wenige vergeben. Trotzdem gelang es der Mehrzahl der Großwerften nach langem Tauziehen, einen Prozeß der
Kartellbildung einzuleiten, der durch den Kriegsausbruch aber erst einmal unter-
brochen wurde. Epkenhans sieht dies als Indiz dafür, daß sich der Industriezweig
1914 in einer Krise befand.[63] Eine weitere Entwicklung war ein Trend zur vertikalen Konzentration. Reedereien hatten schon traditionell Anteile an Werften
besessen. Aber auch die Schwerindustrie drängte in den Schiffbau, so hatte Krupp
die Germaniawerft erworben.

Die Ertragssituation von Großwerften wie der AG Weser, dem Stettiner Vulcan, Blohm & Voss und den Howaldtswerken war um die Jahrhundertwende sehr
gut, sie konnten teilweise sogar zweistellige Dividenden ausschütten. Danach
gingen die Gewinne aber zurück. Die AG Weser und die Howaldtswerke gerieten in eine Krise, konnten mehrere Jahre lang keine Dividenden verteilen. Im
Jahr 1913 betrug die Durchschnittsdividende der genannten Werften dann
1,24 %.[64] Die Germaniawerft machte angeblich im Jahrzehnt vor Kriegsausbruch
nur in einem Jahr keine Verluste.[65] Nun bilden Bilanzen nicht unbedingt die geschäftliche Realität ab, aber offensichtlich waren die Erträge rückläufig. Eine Ursache war sicherlich in der Politik des Reichsmarineamtes zu suchen, das erfolgreich die Preise für Kriegsschiffe drückte. Eine weitere waren stagnierende Han-
delsschiffspreise bei steigenden Material- und Lohnkosten selbst in der Hochkonjunktur des Handelsschiffbaus 1912/13.[66]

Der deutsche Schiffbau befand sich vor Kriegsausbruch offensichtlich in einer
Strukturkrise. Die Kapazitäten konnten nur ausgelastet werden, wenn die deutsche Handelsflotte und Marine in hohem Tempo weiter wuchsen. In den meisten

---

60 Vgl. ebd., S. 148–152.
61 Ebd., S. 225.
62 Ebd., S. 229.

63 Ebd., S. 289.
64 Ebd., S. 461.
65 Ebd., S. 456.

Jahren bestanden jedoch erhebliche Überkapazitäten, welche die unterbeschäftigten Werften erheblich belasteten. Gleichzeitig war die Ertragssituation nicht befriedigend. Zahlreiche Großwerften befanden sich in einer prekären finanziellen Lage, wie die AG Weser oder die Howaldtswerke. Auf dem internationalen Markt waren die deutschen Werften hingegen nicht wirklich konkurrenzfähig, auch die einheimischen Reeder kauften mehr im Ausland, als deutsche Werften exportierten.

Dennoch erfolgte vor dem Krieg ein erheblicher Modernisierungsschub in der deutschen Schiffbauindustrie, der es ermöglichte, das technologische Niveau der bis dahin führenden britischen Werften zu erreichen. In diesem Zusammenhang war die Gründung der Schiffbautechnischen Gesellschaft von 1899 von großer Bedeutung, die sich mit wissenschaftlichen und praktischen Fragen des Schiffbaus beschäftigte.[67] Hermann Blohm saß bis 1918 in dominierender Position in ihrem Vorstand.[68]

Ein weiterer Bestandteil der genannten Modernisierung war eine beständige «Auslese», Verjüngung und Disziplinierung der Belegschaften insbesondere durch die Einführung eines Arbeitsnachweises und des dazugehörigen Arbeitsnachweisbüros.[69] Hier spielte der Arbeitgeberverband Hamburg-Altona eine wichtige Rolle auch als Vorbild für andere Verbände. Die Vermittlung von Arbeitskräften erfolgte weitgehend über Zwangsnachweise, in Hamburg ausschließlich durch den Arbeitgebernachweis, der auf die Qualifikation, aber auch auf die politische Einstellung eines Bewerbers achtete.[70] Eine direkte Anwerbung durch die Unternehmen war jedoch nicht zugelassen.

Die Firmenleitung von Blohm & Voss rationalisierte und intensivierte zunehmend den Produktionsablauf. Tradierte handwerkliche Arbeitsmethoden wurden durch eine eher industrielle Fertigung abgelöst. Diese Tendenz zur Modernisierung der Produktion deckte sich weitgehend mit dem Fortschrittsbegriff der Gewerkschaften und wurde von ihnen deshalb mehr oder weniger mitgetragen.[71] Die gesteigerte Produktivität sollte sich in höheren Löhnen niederschlagen. So wurden zum Beispiel Stechuhren und Tageskarten eingeführt,[72] aber auch ein Alkoholverbot wurde verhängt.[73]

Diese Maßnahmen reichten offensichtlich nicht aus, um wirklich konkurrenzfähig zu werden. Trotzdem versuchten deutsche Werften, im Ausland aktiv zu werden.[74] Doch zunehmend setzten traditionelle Abnehmerländer wie Rußland darauf, eine eigene Werftindustrie zu errichten. So baute ein deutsches Konsor-

66 Ebd., S. 231.
67 Cattaruzza, Arbeiter und Unternehmer, S. 21.
68 Vgl. StA B&V 371.
69 Vgl. Cattaruzza, Arbeiter und Unternehmer, S. 133 ff.
70 Vgl. Faust, Anselm: Arbeitsmarktpolitik im Deutschen Kaiserreich, Stuttgart 1986, S. 56 ff.

71 Cattaruzza, Arbeiter und Unternehmer, S. 179 f.
72 Prager, Blohm + Voss, S. 74.
73 Cattaruzza, Arbeiter und Unternehmer, S. 173.
74 Vgl. Epkenhans, Die wilhelminische Flottenrüstung, S. 297–312.

Abbildung 2: Besuch Kaiser Wilhelms II. beim Stapellauf der *Bismarck* im Juni 1914

tium unter Leitung von Blohm & Voss mit vornehmlich französischem Kapital bis 1913 die größte und modernste Kriegsschiffwerft des Zarenreiches, die Putilov-Werft in St. Petersburg.[75]

Der Besuch des Kaisers bei Blohm & Voss anläßlich des Stapellaufes der *Bismarck*, eines Passagierschiffes, am 20. Juni 1914 war dann eine der letzten Demonstrationen deutscher Seemachtansprüche zu Friedenszeiten. Die Werftindustrie befand sich zu diesem Zeitpunkt aber in einer Strukturkrise, deren Hauptursachen Überkapazitäten nach einer Periode beständigen Wachstums, sinkende Erträge und die mangelnde internationale Konkurrenzfähigkeit waren.

---

75 Prager, Blohm + Voss, S. 104; Spasskogo, I. D.
   (Hg.): Sudostroenie v načale XX vv., St. Petersburg 1995, Bd. 3, S. 186.

I. Die Werft im Ersten Weltkrieg

I.1 Schiffbau im Krieg

I.1.1 Die Umstellung von der Friedens- auf die Kriegsproduktion

Das Deutsche Reich trat wirtschaftlich mehr oder weniger unvorbereitet in den Weltkrieg ein, denn die Regierung rechnete mit einer kurzen Dauer des Konflikts. Nur das Reichsmarineamt hatte auf eine potentielle Seeblockade Deutschlands durch Großbritannien hingewiesen.[1] Einzig das Problem der Lebensmittelversorgung wurde – wenn auch ungenügend – berücksichtigt, die Frage der Rohstoffzufuhr dagegen vorerst kaum beachtet. Die Reichsleitung erwartete eine hohe Arbeitslosigkeit und damit verbundene soziale Unruhen, aber keine späteren Engpässe in der industriellen Produktion und auch keine mangelnde Bedarfsdeckung der Streitkräfte. Die Vorbereitungen der Behörden erwiesen sich als wenig koordiniert, unfertig und der Situation nicht angemessen. Durch die Verkündung des Belagerungszustandes ging ein Teil der Exekutive im Reich auf die Kommandierenden Generäle der 24 Stellvertretenden Generalkommandos über, in die das Land aufgeteilt war. Diese dominierten dann das politische, soziale und ökonomische Leben, ohne allerdings wirklich aufeinander abgestimmt und in diesen Bereichen kompetent zu sein.[2]

In der Hafenstadt Hamburg ging die wirtschaftliche Aktivität durch die alliierte Fernblockade zurück, die Arbeitslosigkeit stieg rapide an. Blohm & Voss zählte zu den besonders Betroffenen. Das Unternehmen war auf Großschiffe spezialisiert. Nachdem die Werft seit 1909 hauptsächlich für die Marine gebaut hatte, wandte sie sich 1913 wieder verstärkt der zivilen Produktion zu.[3] Nach Kriegsausbruch stellten die Reedereien ihre Aufträge jedoch bis auf weiteres zurück. Das letzte größere Kriegsschiff, die *Derfflinger*, lieferte die Firma am 1. September 1914 ab. Nur noch einzelne Reparaturen und Umbauten von Handelsschiffen zu Hilfskreuzern konnten durchgeführt werden. Allerdings sorgten Lieferungen und Arbeiten für Spezial- und Werkstattschiffe der Marine für einen gewissen

1 Vgl. Burchardt, Lothar: Friedenswirtschaft und Kriegsvorsorge. Deutsche wirtschaftliche Rüstungsbestrebungen vor 1914, Boppard 1968, S. 238–241; Ehlert, Hans Gotthard: Die wirtschaftliche Zentralbehörde des Deutschen Reiches 1914 bis 1919, Wiesbaden 1982, S. 30–33; Reichsarchiv (Hg.): Der Weltkrieg 1914 bis 1918, Kriegsrüstung und Kriegswirtschaft, 1. Bd., Berlin 1930, Bd. 1, S. 395 ff.

2 Vgl. Feldman, Army, Industry and Labor, S. 31 ff.

3 Vgl. Baustatistik StA B&V 192.2; Prager, Blohm + Voss, S. 238 ff.

Ausgleich.[4] Trotzdem mußte von Ende August bis zum 22. Oktober in vielen Betriebsteilen kurzgearbeitet werden.[5] Durch eine verkürzte tägliche Arbeitszeit nur bis 13.00 Uhr sollten Entlassungen umgangen werden, «um der voraussichtlich eintretenden Hochkonjunktur im Schiffbau nach erfolgtem Friedensschluß gewachsen zu sein».[6] Insgesamt seien jedoch durch die Kriegsereignisse keine störenden Hindernisse im Geschäftsgang eingetreten, so lautete die Einschätzung dann im November 1914.[7]

Zu diesem Zeitpunkt bereitete der Krieg der Werft ganz andere Schwierigkeiten. Wie sollten die Preissteigerungen des Materials bei Schiffen, deren Bau zu Festpreisen abgeschlossen worden war, verbucht und bezahlt werden?[8] Was sollte mit den in Großbritannien abgeschlossenen Versicherungen der Werft geschehen? Wie sollten die Preise der Regiebauten kalkuliert werden, bei denen die tatsächlich anfallenden Kosten zuzüglich einer Betriebskostenpauschale und einer fixierten Gewinnspanne vergütet wurden? Mußte der Einkaufspreis oder der derzeitige Marktwert von Baumaterialien in Rechnung gestellt werden? Auf diese Fragen fanden die deutschen Werften schnell Antworten. Die Unternehmen entwickelten entsprechende Regiebauverfahren, handelten mit dem Reichsmarineamt die Konditionen der Rüstungsfertigung aus, entwickelten eine angemessene Verbuchung und versuchten, sich mit den Reedern über den Handelsschiffbau zu einigen. Blohm & Voss zahlte die Versicherungsbeiträge für seine britischen Versicherungen auf ein deutsches Sperrkonto ein.[9] Von Bedeutung für die Werft war es auch, die schriftliche Verbindung mit ihren Vertretern im nun feindlichen Rußland aufrechtzuerhalten, was durch eine amerikanische Firma mit Sitz in Stockholm ermöglicht wurde.[10] Den meisten deutschen Mitarbeitern gelang die Ausreise aus dem Zarenreich, einige wurden jedoch interniert.

Blohm & Voss hatte noch kurz vor Ausbruch des Krieges wegen des Preises für den Schlachtkreuzer *Derfflinger* erwogen, aus dem Kriegsschiffbau auszusteigen.[11] Doch dieser spielte ab 1915 eine dominierende Rolle. Sechs Turbinenanlagen für Zerstörer der russischen Marine waren im August 1914 im Auftrag der Petersburger Putilov-Werft bei Blohm & Voss in Bau bzw. schon fertiggestellt.[12] Das Zarenreich hatte damals auf dem Feld des Zerstörerbaus eine führende Position inne. Der neuartige Turbinenantrieb gewährleistete immerhin eine Höchstgeschwindigkeit von 36,5 Knoten. Eine Turbinenanlage befand sich schon mit der

4   Wochenbericht, 21.9.14, StA B&V 204.
5   Donnerstagssitzung, 22.10.14, StA B&V 13.1.
6   Donnerstagssitzung, 17.9.14, ebd.
7   Geschäftsbericht vom 21.11.14, StA B&V 28.
8   Besprechung von AG Weser, B&V, Germania und Vulcan, 19.10.14, StA B&V 60.
9   Vgl. StA B&V 167.
10 B&V an die MAN, 15.9.14, StA B&V 58.17.
11 StA Familie Blohm 2, S. 282. Die Firma hatte beim Bau der Kreuzer *Derfflinger* und *Seydlitz*

etwa 2,2 Millionen Mark Verlust gemacht (Epkenhans, Michael: Krupp and the Imperial German Navy, in: The Journal of Military History 64 (2000), S. 345).
12 Vgl. zum folgenden StA Familie Blohm 2, S. 285; Christiansen, Harro: Der Bau von Kriegsschiffen auf Hamburger Werften 1871–1945, in: Duppler, Jörg (Hg.): Hamburg zur See, Herford 1989, S. 147.

Abbildung 3: Der Zerstörer B 111 im Sommer 1915 kurz vor der Ablieferung an die Marine

Bahn auf dem Weg nach Rußland, als nach Verkündung der Mobilmachung der Transport in Ostpreußen an der Grenze aufgehalten werden konnte. Also schlug die Betriebsleitung dem Reichsmarineamt vor, deutsche Zerstörer bauen zu lassen, um diese Antriebsanlagen zu nutzen. Die Idee wurde aber von der Torpedobootkommission mit der Begründung abgelehnt, diese Zerstörer paßten wegen ihrer Größe nicht in die deutschen Torpedobootverbände. Nach Erhalt der Antwort setzten sich Hermann Blohm und der technische Direktor Frahm umgehend ins Auto und fuhren nach Berlin, um mit Admiral von Tirpitz zu sprechen. Dieser nahm das Angebot an, allerdings unter der Auflage, daß die zwei zu bestellenden Schiffe in einer Rekordzeit von sechs Monaten zu bauen seien. Die endgültige Bestellung erging am 11. August.[13] Diese Zerstörer erwiesen sich in der Folge als die schnellsten Einheiten der kaiserlichen Marine, so daß noch vier weitere geordert wurden. Damit wurde das Unternehmen in den Kreis der deutschen Torpedooboothersteller aufgenommen, der aus sechs Betrieben bestand. Zwei Schlachtkreuzer für die Marine wurden noch im August bei Blohm & Voss in Auftrag gegeben.

---

13 Manuskript zum 50jährigen Firmenjubiläum,
    StA B&V 192.2.

Sämtliche Neubestellungen des Reichsmarineamtes nach Kriegsausbruch unterlagen dem Regiebauverfahren, bei dem die Lohn- und Materialkosten zuzüglich eines Betriebskostenzuschlages von 100 % auf die Lohnkosten erstattet wurden.[14] Hinzu kam eine zehnprozentige Gewinnzulage. Über die alten Aufträge zu Festpreisen wurde allerdings noch lange verhandelt.

Weder das Unternehmen noch die Marine erwarteten eine längere Kriegsdauer. Dennoch begann die Werft mit dem sinnlosen Bau von zwei Schlachtkreuzern, der unter Friedensbedingungen mindestens zwei Jahre erfordert hätte. Im Krieg wäre es im Gegenteil notwendig gewesen, relativ schnell zu fertigende Schiffe mit einem hohen strategischem Wert zu produzieren. Die Realität sollte das bald deutlich demonstrieren. Militärische Erfolge wurden hauptsächlich von U-Booten, Zerstörern und Torpedobooten erkämpft, während zur selben Zeit die deutsche *Luxury Fleet* mit ihren Großkampfschiffen in den Häfen vor sich hin rostete. Trotz ihres geringen Kampfwertes ließ das Reichsmarineamt 1918 an beiden Schlachtkreuzern auf der Werft weiterbauen.

Im letzten Quartal des Jahres 1914 machten sich erstmals Rohstoff- und Personalmangel in einzelnen Bereichen des Produktionsablaufs bemerkbar, nicht jedoch in den Büros. Besonders folgenreich waren die Einberufungen von Meistern, Vorarbeitern und Ingenieuren. Auf diese Probleme wird später noch genauer eingegangen. Die eigentliche Umstellung auf die Kriegswirtschaft mit ihren umfangreichen Bewirtschaftungsinstitutionen und Regulierungen sowie der direkten Ausrichtung auf den Bedarf der Front erfolgte im Reich wie auf der Werft jedoch erst im zweiten Kriegsjahr.

Im Januar und im Mai 1915 konnte noch der Bau von zwei Schwimmdocksektionen für die österreichisch-ungarische Marine in Pola abgeschlossen werden, die wegen der Seeblockade jedoch nicht dorthin zu transportieren waren. Aber die wirtschaftliche Flaute nach Kriegsausbruch war doch so groß, daß die Werft im Frühjahr 1915 als Arbeitsbeschaffungsmaßnahme die Konstruktion von Kriegsschiffen für das Ausland erwog, um die Unterbeschäftigung in den Entwicklungsbüros zu vermindern. Ende März fragte die Fijenoord-Werft aus Rotterdam an, ob die Firma nicht zwei kleine Kreuzer im Auftrag der holländischen Regierung konstruieren wolle.[15] Blohm & Voss war im Prinzip einverstanden, aber nur, wenn Krupp die Artillerie lieferte.

Bei einem Treffen mit dem niederländischen Werftdirektor und der Germania-Werft wurde die Vorgehensweise besprochen.[16] Da sich weitere Konkurrenten ebenfalls um das Projekt bewarben, kam es zu einer Absprache mit der de Schelde-Werft, die zusammen mit englischen Firmen mit Sitz in Coventry die

14 Vgl. die Notizen über Regieverträge für die Budgetkommission, 24.2.15, und die Darstellung der Handhabung des Beschaffungswesens, Herbst 1915, BArchM RM3/11709.

15 Aktennotiz zur Anfrage der Firma Fijenoord, 30.3.15, StA B&V 1040.

16 Besprechung mit Dir. van Gelder (Fijenoord) und der Germania-Werft, 20.4.15, ebd.

Kreuzer bauen wollte. Sollten Fijenoord, Blohm & Voss und Krupp den Zuschlag erhalten, dann würde de Schelde den zweiten Kreuzer nach Hamburger Plänen bauen und Blohm & Voss je Schiff 350.000,– Mark, 3,5 % des Baupreises des ersten Schiffes und 3 % des zweiten sowie den Auftrag für die Turbinenanlage erhalten. Sollte das de Schelde-Projekt angenommen werden, waren immerhin noch 100.000,– Mark als Kompensation für Blohm & Voss vorgesehen. Dazu waren trotz des Krieges Absprachen mit der britischen Konkurrenz nötig. Da das Reichsmarineamt Ende April der unterbeschäftigten Werft dann aber doch U-Boot-Aufträge erteilte, sollte statt dessen die Germania-Werft an den Kreuzer-Entwürfen weiter arbeiten.[17] Darauf fragte die Firma Krupp, Eigentümerin der Germania, beim Reichsmarineamt um Erlaubnis an. Die Antwort lautete, daß keine Bedenken bestünden, solange nur die deutschen Geheimhaltungsvorschriften eingehalten würden. Die Tatsache, daß neun Monate nach Kriegsausbruch zwei bedeutende deutsche Werften für das neutrale Ausland Kriegsschiffe konstruieren wollten, interessierte die Behörden kaum. Noch besaßen die Unternehmer einen großen Handlungsspielraum.

Im April 1915 erschien Geheimrat Veith, der Leiter der Abteilung für Maschinenbauangelegenheiten des Reichsmarineamtes,[18] als Gast zum Frühstück in der Firma.[19] Aller Wahrscheinlichkeit nach sollte er in Tirpitz' Auftrag Hermann Blohm zur Aufnahme des U-Bootbaus überreden. Bisher verfügte der Betrieb über keine Erfahrungen in diesem Metier, das Unternehmen betrachtete sich als Großschiffwerft. Zahlreiche Umbauten der Helgen und Docks waren notwendig, um eine U-Bootproduktion aufnehmen zu können. Blohm erwies sich zuerst als ablehnend, stimmte aber schließlich zu. Der erste Auftrag lag am 30. April 1915 vor. Neun Monate nach Kriegsbeginn wurde auch die größte deutsche Privatwerft in das U-Boot-Programm einbezogen. Damit wurde ihre Auslastung halbwegs gesichert. Ursprünglich hatten nur die Germania-Werft und die Kaiserliche Werft in Danzig U-Boote produziert. Während des Krieges kamen die AG Weser in Bremen, die Vulcan-Werft in Hamburg und Stettin, der Bremer Vulkan, Blohm & Voss und die Schichau-Werft hinzu.[20]

Der U-Bootbau lief erfolgreich an. Die Belegschaft zog engagiert mit und arbeitete anfangs mit besonderem Nachdruck an diesen Aufträgen. Es sollten 91 U-Boote fertiggestellt werden,[21] rund ein Viertel der gesamten deutschen Produktion. Sie umfaßten eine Bandbreite von Kleinbooten des Typs BII mit einer Verdrängung von 270 Tonnen, einer Länge von 55 m und einer Geschwindigkeit von 9 Knoten bis hin zu den nicht mehr vollendeten U-Bootkreuzern des Baumusters

---

17 Vgl. B&V an die Germania-Werft, 1.5.15, Anfrage von Krupp beim RMA, 3.5., Antwort des RMA, 16.5., ebd.
18 Hildebrand, Hans H.: Die organisatorische Entwicklung der Marine nebst Stellenbesetzung, Bd. 1, Osnabrück 2000, S. 66.
19 Vgl. StA Familie Blohm 2, S. 289.
20 Vgl. Fock, Harald: Kampfschiffe. Marineschiffbau auf deutschen Werften – 1870 bis heute, Hamburg 1995, S. 24.
21 Witthöft, Tradition und Fortschritt, S. 109.

Abbildung 4: U-Bootfertigung im Krieg

P mit einer Verdrängung von 2.150 Tonnen, 97 m Länge und einer Geschwindigkeit von bis zu 18 Knoten.[22] Hierbei kooperierte die Firma mit zahlreichen Part-
nern. Gemeinsam mit Siemens-Schuckert und der MAN beteiligte sie sich auch an
der Entwicklung neuer U-Boottypen. Ansonsten wurden bereits bestehende Kon-
struktionspläne der Kaiserlichen Werften, der Germania-Werft und der AG Weser,
meist gegen Zahlung einer Lizenzgebühr, übernommen. Kleinere U-Boote konnten auch sektionsweise mit der Bahn transportiert werden.[23] Eine vollständige
Endmontage fand erst im Zielhafen statt. Es wurde auch erprobt, mehrere Boote
zur selben Zeit in einem Schwimmdock zu fertigen und auszurüsten.[24]

   Durch die Aufnahme des U-Bootbaus verbesserte sich die finanzielle Lage des
Unternehmens. Investitionen für einen weiteren Ausbau der Werft konnten ins
Auge gefaßt werden,[25] freilich eher in Hinblick auf die Friedenszeit, um die Kon-
kurrenzfähigkeit zu erhöhen.

22 Prager, Blohm + Voss, S. 108.
23 Ebd., S. 109.
24 Christiansen, Der Bau von Kriegsschiffen,
     S. 148.

25 Bericht für den Aufsichtsrat, 20.5.15, StA
     B&V 28.

Abbildung 5: Der im Krieg durchgeführte Erweiterungsbau der Maschinenfabrik II 1916

Am Projekt des Ausbaus wurde permanent weitergearbeitet. Als im August 1915 darüber nachgedacht wurde, ob die Betriebsanlagen für die U-Bootproduktion erweitert werden sollten, bemerkte Hermann Blohm vollkommen korrekt, daß vorerst eine Freistellung von geeigneten Arbeitskräften genüge.[26] Diese Investitionen würden die Firma von staatlichen Aufträgen abhängig machen und die Wettbewerbsfähigkeit für die Zeit nach dem Krieg erheblich belasten. Blohm

26 H. Blohm an den Geh. Kommerzienrat
    Edmund Schmidt, 6.8.15, StA B&V 224.5.

erkannte, daß die neu begonnenen Großkampfschiffe in das Kriegsgeschehen nicht mehr eingreifen konnten. Er meinte aber auch, daß «die Vergebung von Neubauten als sehr grosszügig und weitblickend anzusehen ist, die sowohl den Werften als auch deren Unterlieferanten für einen gewissen Zeitraum Arbeit sichert und sie dadurch leistungsfähig erhält».[27] Noch zu diesem Zeitpunkt war also der Faktor der Beschäftigungssicherung bedeutender als die Produktion für den direkten Kriegsbedarf.

Der Bankier Max M. Warburg, der auch im Aufsichtsrat saß, regte im Herbst 1915 an, das Kapital der Firma zu erhöhen, um sich der Kriegskonjunktur anzupassen und nicht anderen den Vortritt zu lassen.[28] Blohm äußerte Bedenken, weil er auf eine solide Finanzierungspolitik setzte, worauf Warburg auf die anzunehmende Kapitalknappheit nach Friedensschluß hinwies. Im Sommer 1916 kam es schließlich zu einer Kapitalerhöhung von zwölf auf 20 Millionen Mark, die je zur Hälfte durch neu emittierte Stamm- und Vorzugsaktien finanziert wurde.

Große Sorgen bereiteten dem Reichsmarineamt die Preissteigerungen. Schon im Herbst 1915 lagen die Kosten für Torpedoboote und U-Boote in einer Beispielkalkulation des Amtes zwischen 29 und 47 % über dem Friedensniveau.[29] Deshalb fielen die Entscheidungen für weitere Bestellungen mitunter erst nach langem Nachdenken und Zögern.

Zu einer Wende in der Kapazitätsauslastung des Unternehmens kam es ausgerechnet in der Zeit, in der schon der uneingeschränkte U-Bootkrieg propagiert wurde, in der zweiten Hälfte des Jahres 1916. Blohm & Voss geriet in eine Auftragsflaute! Das Reichsmarineamt bestellte nicht ausreichend neue U-Boote, weil es seit Tirpitz' Demission im März 1916 einen strengen Sparkurs eingeschlagen hatte. Im Bericht des Geschäftsjahres 1915/16 mußte noch die Unterauslastung der Anlagen vermerkt werden, die inzwischen in den Dienst der Marine gestellt waren. Erst der Bericht des folgenden Jahres vermerkte, daß die Werft «noch ausgesprochener als im Vorjahr [...] fast ausschließlich für die Kaiserliche Marine tätig gewesen» sei.[30] Nun war die Unterbeschäftigung endgültig beendet. Doch bauten Unternehmer schon in anderer Richtung vor. Schon im März 1916 fand ein Treffen einflußreicher Großindustrieller unter Beteiligung Rudolf Blohms zu Fragen der Demobilisierung und ihrer Vorbereitung statt.[31]

---

27 Ebd. Die Rechtschreibung der Quellen wird beibehalten und nicht modernisiert.

28 Warburg an H. Blohm, 22.10.15, Antwort Blohms, 26.10., Schreiben Warburgs, 26.10., StA B&V 29.

29 Durchführung des Beschaffungswesens, Herbst 1915, Anlage 8, BArchM RM3/11709.

30 Berichte für den Aufsichtsrat über die Geschäftsjahre 1915/16 und 1916/17, StA B&V 30.2.

31 Treffen von Unternehmern in Düsseldorf, 16.3.16, StA B&V 9.1.

I.1.2   Die Auswirkungen der Kriegswirtschaft auf Materialbeschaffung und Personalbestand

Der bedeutendste Zulieferer für die Werft war das 1905 gegründete Schiffbaustahlkontor.[32] Hierbei handelte es sich um die zentrale Verkaufsstelle derjenigen Mitglieder des Stahlwerksverbandes, die für den Schiffbau produzierten. Blohm & Voss bestellte die Stahlerzeugnisse jeweils für einen kompletten Schiffsauftrag mit Hilfe des Kontors, das die Preise kalkulierte und die Lieferungen des Stahls der Syndikatsmitglieder organisierte. Der Werft wurden die jeweils beteiligten Stahlwerke genannt, an die dann direkt die Aufträge ergingen. Bei Engpässen kümmerte sich das Kontor um Ersatz. Es war allerdings möglich, nicht syndizierte Stahlprodukte direkt ab Werk zu bestellen. Das Kartell verlangte im Durchschnitt höhere Preise, als bei freiem Wettbewerb zu erzielen waren, und führte deshalb auch zu höheren Gewinnen der Lieferanten, die zudem bei Nichteinhaltung von Verträgen im Gegensatz zu den Abnehmern keine Konventionalstrafen zu zahlen hatten. Andererseits erleichterte das Kontor aber die Arbeit der Werften, denn es wurden 121 unterschiedliche Stahlprofile und 384 verschiedene Stärken in der deutschen Schiffsindustrie verbaut.[33] Diese jeweils einzeln zu unterschiedlichen Lieferbedingungen direkt zu ordern hätte zwar zu einer Preisersparnis geführt, aber auch zu Zeitverzögerungen und zu höheren Transaktionskosten.

Während des Krieges blieb das Schiffbaustahlkontor bestehen, es konnte aber, da es praktisch über das Liefermonopol verfügte, gut von den Behörden kontrolliert werden. Unmut machte sich dagegen breit, wenn das Kontor entgegen vorheriger Absprachen die Lieferkonditionen verschlechterte. So drohte Rudolf Rosenstiel im Februar 1916, daß in Zukunft einige Stahlwerke sich bemühen würden, «mit den Werften direkt Geschäfte zu machen, und damit eine Bresche in die bestehenden Vereinigungen zu legen».[34]

Bei Kriegsausbruch hatten die zuständigen Militärbehörden vermutlich keine genaue Vorstellung von der Bedeutung des Kontors, denn dessen Leiter wurde prompt eingezogen.[35] Verständlicherweise folgten daraufhin organisatorisches Chaos und Unregelmäßigkeiten in der Materialbelieferung. Im gesamten Kriegsverlauf blieb das Kontor der wichtigste Lieferant. Trotz einiger Querelen hielt die Betriebsleitung wie die übrige Werftindustrie an dieser angestammten Geschäftsbeziehung fest, die inzwischen Teil des Bewirtschaftungssystems geworden war. Immerhin stiegen die Preise für eine Tonne Schiffbaustahl von 114,– auf 307,50 Mark an (siehe Tab. 3). Aber auch andere Materialien wurden zwei- bis sechsmal

---

32 Vgl. zum folgenden Leckebusch, Günther: Die Beziehungen der deutschen Seeschiffswerften zur Eisenindustrie an der Ruhr in der Zeit von 1850 bis 1930, Diss. wiss. soz., Köln 1963, S. 73–75.

33 Cattaruzza, Arbeiter und Unternehmer, S. 31.
34 Rosenstiel an Dir. Glitz, Schiffbaustahlkontor, 25.2.16, StA B&V 236.1.
35 Besprechung im RMA, 28.9.14, StA B&V 9.1.

Tab. 3: Entwicklung der Schiffbau-Stahlpreise pro Tonne in Mark*

II./1914	114,–	I./1915	142,50	I./1917	267,50
III.	114,–	II.	150,–	II.	297,50
IV.	127,–	III.	160,–	III. – IV.	307,50
		IV.	167,50	1918	307,50
		I./1916	185,–		
		II. – IV.	200,–		

* im jeweiligen Quartal
Quelle: Reichskanzlei: Schiffbau und Schiffbauangelegenheiten, BArchB R 43I/2146.

so teuer.[36] Das Kontor beabsichtigte im Herbst 1917, nur noch Lieferverträge mit einer Laufzeit von einem Vierteljahr abzuschließen, um Preiserhöhungen besser weiterreichen zu können.[37]

Im Sommer 1915 begann die neu eingerichtete Kriegsrohstoffabteilung auf der Werft knappe Metalle und andere Schiffbaumaterialien zu beschlagnahmen. Eine Beschlagnahme bedeutete allerdings nichts anderes, als daß das Material zwar auf dem Betriebsgelände verblieb, sein Verbrauch aber genehmigungspflichtig wurde. Für den Einsatz bestimmter Baustoffe beim Kriegsschiffbau war jetzt eine Antragsstellung erforderlich, immer umfangreichere Formulare mußten ausgefüllt werden.[38] Eine Flut von Regelungen trat allmählich in Kraft. So existierten auf dem Metallgebiet am 1. Januar 1917 schon 65 unterschiedliche Verordnungen, von denen 25 im Laufe des Jahres ihre Gültigkeit verloren, während 70 neue hinzukamen.[39] Die zusätzliche Verwaltungsarbeit verursachte einen Zuwachs der Angestelltenschaft, die sich durch einen immer dichteren Dschungel staatlicher Vorschriften hindurchkämpfen mußte.

Ein noch größeres Problem waren die Beschaffung und der Einsatz von Materialien für den Handelsschiffbau. Hier ließ die Werft teilweise beschlagnahmte Güter ohne Genehmigung verbauen.[40] In diesem Bereich ging die Firma erstmals dazu über, knappe Metalle wie Bronze durch Eisen zu ersetzen.[41] Im Laufe der Zeit wuchs die allgemeine Rohstoffknappheit, und eine steigende Anzahl von Schiffbaumaterialien unterlag der Zwangsbewirtschaftung.

Auch in der Rüstungsproduktion mußten nun Ersatzmaterialien genutzt werden. So genehmigte das Reichsmarineamt in Einzelfällen die Verwendung des minderwertigeren Thomas-Stahls anstelle von Siemens-Martin-Stahl.[42] Häufig wurden Stoffe gleicher Festigkeit, die aber eine höhere Abnutzung aufwiesen, eingesetzt wie Stahl mit niedrigem Nickelgehalt anstelle von hochprozentigem Nickelstahl.[43] Einige Ersatzmaßnahmen wirkten aber kontraproduktiv, da sie

36 Preisvergleich für Baustoffe, BArchB R 2/ B320.
37 Besprechung von KA und Schiffbaustahlkontor, 4.10.17, StA B&V 245.2.
38 Vgl. die Klage der Werft bei einer Besprechung im RMA, 10.9.15, StA B&V 9.1.
39 Goebel, Otto: Deutsche Rohstoffwirtschaft im Weltkrieg, Stuttgart 1930, S. 173.

40 Donnerstagssitzung, 9.9.15, StA B&V 13.1.
41 Donnerstagssitzung, 11.3.15, ebd.
42 Donnerstagssitzung, 19.10.16, ebd.
43 Durchführung des Beschaffungswesens, Herbst 1915, Anlage 6, BArchM RM3/ 11709.

über das Ziel hinausschossen. Sie führten zwar zu kurzfristigen Einsparungen, doch die Ersatzstoffe waren ungeeignet und mußten ihrerseits ersetzt werden. So sollten gegen den Willen der Ingenieure auf Weisung des Reichsmarineamtes beim U-Bootbau Zink- anstelle von Kupferkabeln für die elektrischen Leitungen verwendet werden. Ein halbes Jahr später war dann doch Kupfer einzusetzen, und sämtliche Kabel mußten neu verlegt werden.[44] Zink korrodiert in feuchter Umgebung bedeutend schneller als Kupfer, was bei einem U-Boot im Einsatz praktisch immer zutraf. Das elektrische System mußte beim Gebrauch von Zinkkabeln versagen. Bei Beachtung von physikalischen Grundkenntnissen hätte das Reichsmarineamt diesen peinlichen Vorfall leicht vermeiden können. Lieferschwierigkeiten oder auch Zeitplanüberschreitungen bei Unterlieferanten verzögerten ebenfalls den Weiterbau.[45] Da allein bei der U-Bootproduktion in Deutschland über 1.000 Zulieferer eingespannt waren,[46] erwiesen sich deren mangelnde Zuverlässigkeit und fehlende Koordination untereinander angesichts des sich verstärkenden Rohstoffmangels als zusätzliches Problem.

Die größten Verzögerungen erzeugte aber das Hindenburg-Programm. Dieser von der 3. OHL (Obersten Heeresleitung) im Herbst 1916 geforderte, großangelegte Ausbau der Rüstungsindustrie hatte nicht nur zahlreiche Investitionsruinen, wie nicht fertiggestellte neue Produktionsstätten, sowie den Abzug von Soldaten aus der Armee zur Folge, sondern führte ebenso zur Transport- und Kohlekrise vom Winter 1916/17.[47] Der Brennstoffmangel traf auch die Werft. In diesem Winter mußten die Arbeiter nicht nur hungern, sie sollten noch dazu frieren. Bereits im November waren Nacht- und Überstunden einzuschränken, um Energie zu sparen.[48] Eine ähnliche Anweisung erging im Januar 1917 nochmals. Des weiteren wurden jetzt die Dampfheizungen abgestellt. Im Februar folgten erneut Sparvorschriften für Kohle. Die Firmenleitung glaubte, mit Hilfe der zugesagten Belieferungen die Produktion gerade noch aufrechterhalten zu können. Nur eine Woche später mußte die Granatendreherei schließen.[49] Sie war im Januar 1915 eingerichtet worden und bis Februar 1917 in Betrieb. Dort wurden im Auftrag der Firma Krupp bis zu 15.000 Granaten im Monat gefertigt.[50]

In der folgenden Woche wurde die Arbeitszeit im Schiffbau aufgrund des Kohlenmangels auf die Zeit von 7.00 bis 18.00 Uhr beschränkt und zusätzlich die Ableistung von Überstunden verboten. Zu einer Entspannung der Situation kam es erst im März. Seitdem mußte aber der Verbrauch von Kohle der Linienkom-

---

44 Donnerstagssitzungen, 29.11.17 und 27.6.18, StA B&V 13.2.

45 Vgl. z.B. Donnerstagssitzung, 14.9.17, StA B&V 13.1.

46 Marine-Archiv (Hg.): Der Krieg zur See. Der Handelskrieg mit U-Booten. Bd. 1–3, bearbeitet von Arno Spindler, Berlin 1932–1934, Bd. 1, S. 175.

47 Vgl. Feldman, Army, Industry and Labor, S. 266–273.

48 Donnerstagssitzung, 9.11.16, StA B&V 13.1.

49 Vgl. die Donnerstagssitzungen, 25.1., 1., 8. und 15.2. sowie 1.3.18, StA B&V 13.2.

50 Vgl. Aufstellung der Granatenproduktion für die NIACC, StA B&V 262.

mandantur Altona und dem Reichsmarineamt im einzelnen gemeldet und nachgewiesen werden. Von der Kohleknappheit waren ebenso die Unterlieferanten betroffen, was für weitere Bauverzögerungen sorgte.[51] Das Problem der Kohleversorgung war exemplarisch für die Wirtschaftspolitik der 3. OHL. Durch das ehrgeizige und zu groß angelegte Hindenburg-Programm war sie die Verursacherin der Kohlenkrise, die auch bei Blohm & Voss die Arbeit stark verlangsamte. Trotz der hausgemachten Energiekrise, die die Werften fast lahmlegte, wirkten die 3. OHL und das Reichsmarineamt, unterstützt von vielen nationalistischen Gruppen, auf den uneingeschränkten U-Bootkrieg hin.

Das Kriegshilfsdienstgesetz vom Dezember 1916 erschwerte die Materialbelieferung insofern noch zusätzlich, weil es einen weiteren Preisschub für Schiffbauteile in Gang setzte.[52] Um die Abwanderung von Arbeitskräften zu stoppen, erhöhten die Zulieferer die Löhne und damit die Produktionskosten. Das konnten sie problemlos tun, da die Preise nicht fixiert waren, sondern sich an den Gestehungskosten orientierten. In der folgenden Zeit verschlechterte sich die Rohstoffversorgung derart, daß im Herbst 1917 sogar Schrott beschlagnahmt werden mußte.[53] Im November wurde bei sämtlichen geplanten Neubauten die Zustimmung der Beschaffungsbehörden notwendig, Bauzeichnungen und Bedarfsnachweise waren einzureichen.[54] Jeder Werft wurde ein Kontingent bestimmter Metalle für streng definierte Zwecke zugeteilt, um die Vorräte bis Ende 1919 strecken zu können. Eine monatliche Bedarfsrechnung war zu erstellen, die Kontrolle erfolgte über das zuständige Beschaffungsamt. Die Werften erhielten Sammelbezugsscheine für bestimmte Metalle und für einen vorgegebenen Verwendungszweck in einem klar definierten Zeitraum.

Aber nicht nur Metalle wurden rationiert. Beispielsweise mußte auch eine Bestellung von Scheuerlappen von der zustimmenden Senatskommission an die Reichsbekleidungsstelle in Berlin weitergeleitet werden.[55] Immer mehr Bedarfsgüter waren für die Firma erst nach einem bürokratischen Hürdenlauf erhältlich. Im Januar 1918 trat erneut ein Kohledefizit ein, die Firmenleitung erwog zusätzliche «Feiertage».[56] Allerdings verbesserte sich die Kohleversorgung in der zweiten Jahreshälfte wieder, und der Betrieb vermochte sogar, einen zusätzlichen Vorrat für die erwartete Umstellung auf die Friedenswirtschaft anzulegen.[57]

Als ein weiteres zentrales Problemfeld erwies sich der Mangel an geeigneten Arbeitskräften. Die Werft versuchte, mit Kriegsgefangenen, Frauen, Jugendli-

---

51 Besprechung im RMA, 15.6.17, StA B&V 9.3.
52 Zu den durch das Hilfsdienstgesetz veranlaßten Preissteigerungen vgl. Feldman, Gerald, D.: Vom Weltkrieg zur Weltwirtschaftskrise: Studien zur deutschen Wirtschafts- und Sozialgeschichte 1914–1932, Göttingen 1984, S. 33.

53 Besprechung im Kommissariat der Eisenzentrale, 1.12.17, StA B&V 9.3.
54 Besprechung im RMA, 5.11.17, ebd.
55 Vgl. StA Senat-Kriegsakten BIIb96/52.
56 Donnerstagssitzung, 4.1.18, StA B&V 13.2.
57 Vgl. die Äußerung Rosenstiels auf der Sitzung mit einer Kommission des Arbeiterrates, 7.2.19, StA B&V 9.4.

Tab. 4: «Brutto=Arbeiterbestand* am letzten eines jeden Monats»

	1914	1915	1916	1917	1918
Januar	11.824	7.271	8.510	10.157	12.045
Februar	11.865	7.398	8.606	10.468	11.920
März	11.645	8.352	8.730	10.585	12.006
April	11.108	8.683	9.287	10.992	12.457
Mai	11.054	8.700	9.471	11.677	12.329
Juni	10.854	8.256	9.762	11.733	12.236
Juli	10.837	8.001	10.237	12.268	12.159
August	7.221	8.093	10.185	12.356	11.996
September	7.208	7.810	10.050	12.120	12.635
Oktober	7.387	7.672	9.844	12.147	12.487
November	7.341	7.788	9.499	12.135	9.628
Dezember	6.924	8.022	9.408	11.888	9.338
Durchschnitt	9.606	8.005	9.465	11.549	11.767

* Hiermit ist die Zahl der beschäftigten Arbeiter gemeint.
Quelle: StA B&V 2177.

chen und werftfremden Facharbeitern oder durch Reklamation eigener Arbeits-kräfte von der Front die Lücken zu stopfen, was aber in der zweiten Kriegshälfte immer weniger gelang. Bei Kriegsausbruch gab es dieses Problem noch nicht. Durch die schlechte Auftragslage sank der Arbeitskräftebedarf erst einmal ab, und auch 1915 lag der Personalbestand noch deutlich unter dem Vorkriegsniveau (vgl. Tab. 4). Während die Werft im Juli 1914 noch 10.854 Arbeiter beschäftigte, wa-ren es im Folgemonat durch die Einberufungen nur noch 7.221. Diese Zahl stabi-lisierte sich bis Februar 1915, und erst im März sollte sie abrupt ansteigen, wäh-rend sie zum September erneut absank. Im Dezember 1916 beschäftigte die Firma nur 9.408 Arbeiter, als doch eigentlich die Vorbereitungen für den unein-geschränkten U-Bootkrieg einen Höhepunkt erreichen sollten. Danach wuchs der Bestand wieder und überstieg sogar ab Juli 1917 frühere Höchststände. Hinzu kamen damals noch etwa 1.500 Angestellte. Etwa die Hälfte der Belegschaft be-stand aus wehrdienstfähigen Männern. Wegen des oftmals zu niedrigen, stets schwankenden Personalstandes konnten in den ersten beiden Kriegsjahren die Produktionskapazitäten der Werft nicht voll ausgenutzt werden.

Vor dem Krieg war an die Werft die Anweisung ergangen, im Mobilma-chungsfall einzelne Arbeiter zu reklamieren, also vom Wehrdienst zurückstellen zu lassen. Allerdings waren Angehörige von Spezialtruppen, wie zum Beispiel Pioniere, von dieser Regelung ausgeschlossen. Diesen Verbänden gehörte aber die Mehrzahl der wehrpflichtigen Techniker, Ingenieure, Meister oder Vorarbeiter an. Die Werft reklamierte vorerst keine ungedienten Arbeiter, während die AG Weser in Bremen versuchte, ihr gesamtes Personal freistellen zu lassen.[58] Wegen des in Kürze zu erwartenden Sieges und der schlechten Auftragslage ließ Blohm & Voss nur unentbehrliche Fachleute freistellen. So rissen die Einberufungen große Löcher in den Produktionsfluß. Nun sah Hermann Blohm den Kriegsdienst allerdings auch als eine vaterländische Pflicht an. Deshalb wurde selbst sein Sohn Walther erst im Herbst 1918 reklamiert,[59] obwohl dies schon früher leicht möglich gewesen wäre. Viele Einberufene wollten zumindest in den beiden ersten Kriegsjahren nicht freigestellt werden, sondern lieber kämpfen.[60] Als sich Anfang 1915 kein baldiges Kriegsende abzeichnete, reklamierte die Werftleitung verstärkt Einberufene, um fachlich ungeeignete Neueingestellte entlassen zu können.[61] Hier erwiesen sich die Militärbehörden als ziemlich entgegenkommend. Die Anträge auf Zurückstellung wurden vom Stellvertretenden Generalkommando, im Falle von Marineangehörigen von der Fabrikenkommission des Reichsmarineamtes bearbeitet. Ebenfalls zu Beginn des Jahres 1915 mußten jedoch auf Betreiben des Reichsmarineamtes Arbeiter an die benachbarte Vulcan-Werft abgegeben werden.[62] Nach dem Einsetzen des U-Bootbaus im Frühjahr 1915 wurde eine größere Zahl von Zurückstellungen gefordert, nämlich 1.680.[63] Das Militär zeigte zwar die Freistellung von 1.225 Mann an, aber nur 1.043 erschienen auf der Werft, denn die betroffenen Truppenteile verfügten nicht über eine ausreichende Anzahl entsprechend qualifizierter Arbeiter, und einige Reklamierte wanderten sofort zur Vulcan-Werft ab.

Im Sommer 1915 wurde ein Facharbeitermangel spürbar, insbesondere von Nietern und Stemmern.[64] Der Personalbestand verblieb aber weiterhin auf einem niedrigen Niveau. Die Reklamationen konnten von nun an direkt bei Marinebaurat Allardt von der Bauaufsicht des Reichsmarineamtes auf der Werft erfolgen.[65] So wurden in der folgenden Zeit regelmäßig vom Arbeiteramt der Firma Listen von namentlich zu reklamierenden Arbeitern erstellt und eingereicht. Vorschläge konnten auch von Meistern und Ingenieuren unterbreitet werden. Einerseits beabsichtigte die Firmenleitung, den Arbeiterbestand für eine Fortsetzung des Handelsschiffbaus im Krieg und nach einem möglichen Friedensschluß auf einem bestimmten Niveau zu halten. Andererseits ließ sie aber auch kriegsverwendungsfähige Angestellte und Arbeiter einziehen, sofern geeigneter Ersatz vorhanden war.[66] Wenig störte es die Marine, daß noch im Oktober 1915 beim Han-

58 StA Familie Blohm 2, S. 284.
59 Wiborg, Walther Blohm, S. 29.
60 Vgl. Wochenberichte, 19.12.14, StA B&V 204, 9.10.15, StA B&V 232.1; B&V an RMA, 7.10.15, BArchM RM3/5336; B&V an die Inspektion des U-Bootwesens, 9.10.15, BArchM RM3/5342.
61 Donnerstagssitzung, 14.1.15, StA B&V 13.1.

62 StA Familie Blohm 2, S. 288.
63 B&V an das RMA, 24.4.15, BArchM RM3/5334.
64 Donnerstagssitzung, 15.7.15, StA B&V 13.1.
65 StA Familie Blohm 2, S. 286.
66 Vgl. Donnerstagssitzungen, 9.9. und 28.10.15, StA B&V 13.1.

delsschiffbau 620 Arbeitskräfte beschäftigt waren, während Hermann Blohm zur selben Zeit erklärte: «Wenn Sie uns kriegsverwendungsfähige Leute nehmen, so entbinden Sie uns von unseren Verpflichtungen», und hiermit weitere Einberufungen kategorisch ablehnte.[67]

Tab. 5: Die Kriegstauglichkeit der Belegschaft im Mai 1915

	Anzahl	Kriegsverwendungsfähig unter 39 Jahre	Kriegsverwendungsfähig über 39 Jahre	Garnisons- bzw. arbeitsverwendungsfähig
Angestellte	935	388	105	90
Arbeiter	7.709	2.886	743	1.062

Quelle: Übersicht vom 22.5.15, BArchM RM3/5343.

Später sollte sich die Lage ändern. Auf dem zunehmend kleiner werdenden freien Arbeitsmarkt ließen sich in der zweiten Kriegshälfte kaum noch Arbeitskräfte finden, zumal die Löhne der Werftindustrie gegenüber anderen Branchen immer mehr zurückfielen, weil das Reichsmarineamt durch seine Preispolitik die Einkommen drückte. Seit 1916 betrug der Lohnrückstand im Vergleich zum Durchschnitt der deutschen Metallindustrie etwa 5 %, ein Jahr später schon ein Fünftel.[68] Am Ende einer erneuten Auftragsflaute vom Frühjahr bis zum Herbst 1916 erwog die Betriebsleitung, wiederum 425 Arbeiter für den Dienst an der Front abzustellen.[69] Die Bauaufsicht der Marine wollte kriegs- durch garnisonsdienstfähige Arbeiter ersetzen, erwartete aber beim U-Bootbau die gleichen Leistungen.[70] Dagegen protestierte die Betriebsleitung, insbesondere nachdem ein Zehntel der Kriegsverwendungsfähigen abgezogen wurde. Daher könne sie sich nicht mehr an die abgesprochenen Liefertermine halten. Erst als Mitte Dezember 1916 langsam erste Schritte in Richtung auf die Vorbereitung des uneingeschränkten U-Bootkrieges unternommen wurden, sah die Firmenleitung neue Einstellungen im Umfang von 2.000 Arbeitern vor.[71] Allerdings wurden tatsächlich nur 400 Reklamierte zugewiesen.[72] Während der gesamten Kriegszeit bestanden große Probleme, Meister vom Wehrdienst freistellen zu lassen.[73] Sie bildeten zwar das Rückgrat der Produktion, waren aber als Angehörige von Spezialtruppen, meist im mittleren Unteroffiziersrang, weitaus schwerer zu reklamieren als einfache Arbeiter, die über den Dienstgrad eines Gefreiten selten hinauskamen.

67 Aktenvermerk über die Reise der Fabrikenkommission nach Hamburg, 25.10.15, BArchM RM3/5343.
68 Vgl. Bajohr, Stefan: Die Hälfte der Fabrik. Geschichte der Frauenarbeit in Deutschland 1914 bis 1945, Marburg 1979, S. 32.
69 Donnerstagssitzung, 19.10.16, StA B&V 13.1.
70 Bauaufsicht an B&V, 28.10.16, B&V an Bauaufsicht, 30.10. und 6.11.16, StA B&V 923.
71 Besprechung im RMA, 16.12.16, StA B&V 9.2.
72 Wochenbericht, 27.1.17, StA B&V 232.1.
73 StA Familie Blohm 2, S. 295.

Abbildung 6: Das Steinwärder Ufer der Werft 1916

Ein Problem für den Betrieb war die Fluktuation von Arbeitskräften. Bis zum Ende des Jahres 1916 existierte ein probates Mittel, die Abwanderung von Arbeitern zu erschweren. Die Verweigerung des Abkehrscheines seitens der Firma führte dazu, daß kündigende Arbeiter erst zwei Wochen später eine neue Stelle antreten konnten. Sofern sie als Wehrpflichtige für die Werftarbeit reklamiert worden waren, setzten sie sich der Gefahr einer Einberufung aus. Die Verabschiedung des Vaterländischen Kriegshilfsdienstgesetzes im Reichstag am 5. Dezember 1916 verschlechterte die Möglichkeit, Arbeiter solcherart an den Betrieb zu binden. Das Hilfsdienstgesetz sah zwar einerseits eine Dienstpflicht für die Altersgruppe von 17 bis 60 Jahren vor, um neue Ressourcen zu mobilisieren, andererseits aber auch die Einrichtung von Angestellten- und Arbeiterausschüssen.[74] Für den Fall der Verweigerung des Abkehrscheines durch den Arbeitgeber sollten paritätisch besetzte Schlichtungsausschüsse zuständig sein.

Ein Ziel des Kriegsamtes, das hinter diesen Maßnahmen stand, war die Steigerung der Produktion. Doch statt dessen setzte ein gewisses Chaos auf dem Arbeitsmarkt ein. Denn jetzt vermochten Beschäftigte den bisherigen Arbeitsplatz

---

74 Vgl. zum folgenden Feldman, Army, Industry
    and Labor, S. 197–249 und 301–310.

leichter aufzugeben und die Stellung zu wechseln, sofern dies zum Beispiel mit einer Verdienststeigerung verbunden war. Dadurch wanderte für die Werftarbeit reklamiertes Personal in besser zahlende Branchen wie die Munitionsindustrie ab und konnte nicht zurückgehalten werden. Der Personalbestand zahlreicher kriegswichtiger Industriezweige mit relativ niedrigen Löhnen sank. Blohm & Voss war davon betroffen: «Die Bestimmungen des Hilfsdienstgesetzes erschweren unsere Arbeiten außerordentlich, da der Arbeitsplatzwechsel dadurch in jeder Weise gefördert wird. Abkehrscheine werden vorläufig von uns nicht ausgegeben.»[75] Im Bericht für den Aufsichtsrat vermerkte die Firmenleitung: «Wo seine Wirkung nicht die Aufrechterhaltung wichtiger Industriezweige überhaupt verhindert, ist dieses auf die Einsicht militärischer Behörden zurückzuführen, die im Interesse der Kriegsbereitschaft über das Gesetz hinweg vernünftige Vorbeugemaßnahmen durchführen, durch die die ärgsten Schäden, wenn auch nicht beseitigt, so doch beträchtlich eingeschränkt werden.»[76]

Durch die Spruchpraxis der Schlichtungskommission war es Arbeitern angeblich möglich geworden, «durch Faulheit und Disziplinlosigkeit einen Abkehrschein zu erpressen.»[77] Diese Probleme fielen zusammen mit dem Steckrübenwinter, der Kohlenkrise und der Vorbereitung des uneingeschränkten U-Bootkrieges. Der Zeitpunkt war also zumindest aus Sicht der Unternehmensleitung alles andere als günstig für eine Intensivierung der deutschen Kriegsanstrengungen. Insgesamt gelangte aber nur ein Bruchteil der Fälle eines Arbeitsplatzwechsels vor einen Schlichtungsausschuß. Im Laufe des Jahres 1917 entschieden die Schlichtungsausschüsse immer öfter zugunsten des Unternehmens gegen den Beschäftigten.[78] Außerdem hielten sich die Werftbesitzer vermehrt an Absprachen, die einen Wechsel von einer Firma zur anderen nicht ohne weiteres zuließen.

Wie stark die Fluktuation der Arbeitskräfte tatsächlich war, belegen Zahlen aus zwei Geschäftsjahren während des Krieges. Im Geschäftsjahr 1916/17 wurden 12.637 Arbeiter eingestellt und 11.033 verließen das Unternehmen, davon kündigten 7.010 selber und 1.675 wurden einberufen. Ein Jahr später standen 9.867 Einstellungen 9.414 Abgängen gegenüber, von denen 1.291 auf einer Einberufung und 5.632 auf einer Kündigung durch den Arbeitnehmer beruhten.[79] Allerdings lag die Fluktuation vor dem Krieg höher. So stellte die Werft im Geschäftsjahr 1912/13 20.352 Arbeiter ein und 18.425 verließen den Betrieb.[80]

Durch Reklamation branchenfremder Facharbeiter, die zum Teil relativ alt, kriegsversehrt oder für den Militärdienst untauglich waren, wurde ebenfalls ver-

75 Donnerstagssitzung, 4.1.17, StA B&V 13.2.
76 Interner Bericht über das Geschäftsjahr 1916/17, StA B&V 30.2.
77 Donnerstagssitzung, 18.1.17, StA B&V 13.2.
78 Bieber, Die Entwicklung der Arbeitsbeziehungen, S. 101.
79 Handschriftliche Übersicht zum Geschäftsjahr 1917/18, StA B&V 30.3.
80 Bericht für den Aufsichtsrat über das Geschäftsjahr 1912/13, StA B&V 30.1b.

sucht, den Personalstand zu halten oder gar zu erhöhen. Sie kamen aber meist
von auswärts, wurden in Baracken untergebracht und versuchten wegen der
mangelhaften Ernährung und der harten Arbeit, die Werft schnellstmöglich wieder zu verlassen.[81] Fern der Familie, ohne Beziehungen und Gemüsegarten, womöglich gar mit kleineren Lebensmittelrationen als am Heimatort,[82] waren sie
schlechter gestellt als die Hamburger Arbeiter. Auch kamen sie oft mit der Werftarbeit nicht zurecht.

Noch im Oktober 1917 wurden kriegsverwendungsfähige Belegschaftsmit-
glieder vom Kriegsamt abgezogen.[83] Erst 1918 wurden alle U-Bootwerften formell gegen Einberufungen gesperrt.[84] Die Fahrt eines Mitarbeiters des Arbeitsnachweises nach Warschau, wo angeblich Arbeiter verfügbar seien, verlief dagegen ergebnislos.[85] Einzelne Anwerbeversuche in Skandinavien blieben erfolglos.
Die Abstellung belgischer Zwangsarbeiter wurde nicht für praktikabel gehalten.
Statt dessen wich die Firma auf Frauen, Kriegsgefangene und Jugendliche aus.
Auf deren Rekrutierung wird später noch eingegangen.

Besonders bei Kriegsende bot die Zurückstellung von der Front zahlreiche
Chancen zur Korruption. Mehrere Arbeiter beklagten sich schriftlich beim Generalkommando in Altona darüber, daß Kaufleute reklamiert worden seien und
auf der Werft ein «Herrenleben» führten.[86] Einem Meister Jarchow, dem die Nie-
terei unterstand und der mehrfach in diesem Zusammenhang auffällig wurde,
verdankten zum Beispiel zwei Gastwirte und der Sohn eines Hofbesitzers ihre
unrechtmäßige Reklamierung.[87] Sie gingen zeitweilig sogar ihrer ursprünglichen
Tätigkeit nach, anstatt auf der Werft zu arbeiten. Ein Mitarbeiter des werfteige-
nen Arbeiteramtes ließ sich dagegen das Ausfüllen der Reklamationsanträge von
den Ehefrauen der zu Reklamierenden bezahlen.[88] Dies belegt einen allmähli-
chen Verfall der Staatsmacht. Bezeichnend ist auch, daß eine im Juni 1918 eingerichtete staatliche Meldestelle zur Überwachung der Rückstellungsaufträge vom
Unternehmen verdächtigt wurde, unkorrekt zu handeln, nämlich Büromaterial
zu verschieben.[89]

I.1.3 Der Bau von Handelsschiffen im Krieg

Aus der Sicht der Kriegswirtschaft war der Bau von Handelsschiffen ein fast un-
glaublicher Vorgang. Während der Materialschlachten im Westen entschied die
Produktivität der Fabriken in der Heimat über Sieg oder Niederlage. Rohstoffe

81 StA Familie Blohm 2, S. 297.
82 Die Lebensmittelversorgung war Ländersache,
    so gab es in Bayern meist größere Zuteilungen
    als in Hamburg.
83 Donnerstagssitzung, 5.10.17, StA B&V 13.2.
84 Bieber, Die Entwicklung der Arbeitsbezie-
    hungen, S. 90.

85 Wochenbericht, 9.10.15, StA B&V 232.1.
86 Vgl. Brief an General von Falk ohne Datum,
    StA B&V 478.
87 Vgl. Aktennotizen vom 14.11.17, 29.5. und
    3.10.18, ebd.
88 Bericht, 22.11.17, ebd.
89 Aktennotiz, 4.6.18, ebd.

und kostbare Arbeitskraft mußten sparsam eingesetzt werden. Trotzdem befanden sich im Krieg bei Blohm & Voss acht größere Handels- bzw. Passagierschiffe in Bau, von denen nur eines, die *Warundi*, im Juni 1918 abgewrackt wurde.[90] Die Aufträge waren schon vor dem Krieg erteilt worden, darunter auch ein Passagierschiff für eine italienische Reederei, die *Ausonia*, die allerdings nicht fertiggestellt wurde. Die *Cap Polonio* konnte noch während des Krieges im Sommer 1916 vollendet werden. Sie war in einem halbfertigen Bauzustand im Auftrag des Reichsmarineamtes nach umfangreichen Umbauten schon im Februar 1915 eine Woche lang als Hilfskreuzer im Einsatz gewesen.[91] Jedoch erwies sie sich erwartungsgemäß als unbrauchbar. Der Rückbau nahm dann mehr als ein Jahr in Anspruch, ansonsten hätte sie bedeutend früher abgeliefert werden können. An sämtlichen anderen Handelsschiffen wurde weiterhin gearbeitet, oder sie blockierten nach einer Konservierung die Betriebsanlagen.

Blohm & Voss war nicht die einzige Werft, die mitten im Krieg an zivilen Schiffen baute. Es betraf die gesamte deutsche Schiffbauindustrie (vgl. Tab. 6). Nicht nur alte Aufträge wurden erfüllt. Der Bau von Seeschiffen mit insgesamt weit über 400.000 BRT Tragfähigkeit, immerhin etwa die durchschnittliche jährliche deutsche Vorkriegsproduktion, wurde aufgenommen. Durch die Seeblokkade der Alliierten war an eine umfangreiche Handelsschiffahrt nicht zu denken, diese Schiffe wurden während des Krieges für den künftigen Frieden produziert. Der Staat, der einerseits an Arbeitskräfte-, Rohstoff- und selbst Lebensmittelmangel litt, duldete, ja er unterstützte andererseits sogar die zivile Produktion auf den Werften. Vor dem Krieg stellte die Handelsflotte des Deutschen Reiches immerhin die zweitgrößte der Welt dar und war unverzichtbar für die exportorientierte Wirtschaft. Durch direkte Kriegshandlungen und Beschlagnahmung ging allerdings die Hälfte während des Krieges verloren, ein weiterer Teil saß in neutralen Häfen fest.[92] Sollte die Wirtschaft im Friedensfall wieder in Gang kommen, war der Wiederaufbau dieser Flotte vonnöten. Dies leuchtete den Behörden ein, und sie beschäftigten sich mit diesem Thema.

Schon im Mai 1915 setzten erste Verhandlungen zwischen Staat und Reedereien über eine Entschädigung für die Kriegsverluste und den Neubau von Handelsschiffen ein.[93] Im Sommer 1916 nahm sich das Reichsamt des Inneren des Problems an. Ein Sachverständiger schätzte, daß in diesem Jahr 244.000 BRT zivilen Schiffsraums fertiggestellt werden könnten. Dagegen taxierte Hermann Blohm die Leistungsfähigkeit der Werften im Handelsschiffbau zu diesem Zeitpunkt auf nahezu Null und wies darauf hin, daß eine solche Fertigung immer zu Lasten der Marine gehe. Im Friedensfall sei eine Leistung von etwa 600.000, spä-

90 Prager, Blohm + Voss, S. 239 f.
91 Ebd., S. 106 f.
92 Vgl. Priester, Der Wiederaufbau, S. 8–12.
93 Böhm, Ekkehard: Anwalt der Handels- und

Gewerbefreiheit. Beiträge zur Geschichte der Handelskammer Hamburg, Bd. 2, Hamburg 1981, S. 245.

ter bis zu einer Million BRT jährlich möglich.[94] Tatsächlich wurden 1915 noch
242.000 BRT Handelsschifftonnage abgeliefert, im Folgejahr 183.000 BRT, was
etwa einem Drittel der Gesamtbaukapazität entsprach. Anschließend wurden die
Vorbereitungen durch die Gründung des Reichsausschusses für den Wiederaufbau der Handelsflotte und die Tätigkeit des Kriegsausschusses der deutschen
Werften noch intensiviert, die Produktion ging aber zurück.

Tab. 6: Auf deutschen Werften für deutsche Rechnung fertiggestellte und in Bau befindliche Handelsschiffe	Abgelieferte Schiffe		In Bau	
Jahr	Anzahl	BRT	Anzahl	BRT
1913	656	423.907	1.011	1.296.812
1914	550	433.547	913	1.184.392
1915	310	242.977	619	967.016
1916	265	183.277	614	1.075.368
1917	186	59.932	570	1.068.992
1918	160	35.588	499	1.080.330

Quelle: Statistisches Jahrbuch für das Deutsche Reich 1921/22.

Als in einer Zeit ohnehin schon geringer Auslastung im März 1915 1.200 Arbeiter von der Front zur Werft zurückkehrten,[95] wollte die Firmenleitung, die bereits begonnenen Handelsschiffe umgehend fertigstellen und schnellstmöglich liefern. Die alten Verträge hatten ja noch Bestand. Jedoch wünschte die HAPAG eine
spätere Ablieferung, weil zur Zeit keine finanziellen Mittel vorhanden wären.[96]
Im Mai 1915 beschloß die Firmenleitung dennoch, den Handelsschiffbau zu fördern, bevor der Kriegsschiffbau den größten Teil der Arbeiter band. Diese Entscheidung erfolgte erstaunlicherweise acht Tage nach der ersten umfangreichen U-
Bootbestellung durch das Reichsmarineamt. Erst im August verfügte die Unternehmensleitung eine allmähliche Einstellung der zivilen Produktion. Schon zwei
Monate darauf wurden diese Neubauten vom Reichsmarineamt als «mittelbare»
Kriegslieferung eingestuft. Obwohl die Schiffe nicht kriegswichtig waren, wurde
ihr Bau von der Marine gefördert. Die Lobbyarbeit der Werften erwies sich als erfolgreich. Das Reichsmarineamt leitete die Anträge auf Rohstoffzuteilung nun
empfehlend an die Kriegsrohstoffabteilung (KRA) weiter. Diese hatte seit September sogar die Kupferbelieferung für die Handelsschiffe blockiert. Die Fertigstellung der Schiffe sollte nacheinander erfolgen. Allerdings durften offiziell keine
reklamierten Arbeiter eingesetzt werden, um Konflikte mit den Behörden zu vermeiden. Der Handelsschiffbau stagnierte erst wieder im Winter. Deshalb beab-

94 Besprechung über Schiffraumbeschaffung
   nach dem Krieg im Reichsamt des Inneren,
   7.7.16, BArchB R2/A2952.
95 Donnerstagssitzungen, 4. und 11.3.15, StA
   B&V 13.1.
96 Besprechung mit der HAPAG, 10.4.15, StA
   B&V 9.1.
97 Vgl. die Donnerstagssitzungen vom 7.5., 5.8.,
   14.10., 25.11.15 und 3.3.16, StA B&V 13.1.

sichtigte die Firmenleitung im März 1916, die Unterlieferanten anzumahnen, um im Falle des Weiterbaus ausreichend Material zur Verfügung zu haben.[97] Allmählich zweifelte aber auch das Reichsmarineamt am Sinn des Handelsschiffbaus, nachdem vorher schon die Bauaufsicht auf der Werft wiederholt Bedenken angemeldet hatte. Darauf antwortete die Firmenleitung, es würden nur alte, körperlich oder geistig zurückgebliebene Arbeiter eingesetzt.[98] Ein Anlernen sei einzig auf Handelsschiffen möglich, nur allernötigste Konservierungsarbeiten würden durchgeführt oder der Handelsschiffbau in Ausnahmefällen als «Pufferarbeit» eingesetzt. Die Konservierung sollte eine Schädigung der begonnenen Bauten zum Beispiel durch Rost verhindern und eine schleunige Wiederaufnahme der Fertigung bei Friedensschluß ermöglichen, aber Docks und Helgen wurden so blockiert. Ob die Beschäftigung von bis zu 700 Arbeitern über neun Monate lang bei der Fertigstellung der *Cap Polonio* von April 1915 bis Januar 1916 tatsächlich als Pufferarbeit bezeichnen werden kann,[99] sei dahingestellt. Jedenfalls intervenierte die Fabrikenkommission des Reichsmarineamtes nicht. Ihr gegenüber trat Hermann Blohm ohnehin ausgesprochen resolut auf.

Im Mai 1916 befanden sich bei Blohm & Voss Frachtschiffe mit einer Tragfähigkeit von 10.000 Tonnen auf den Helgen und von 15.000 Tonnen im Wasser.[100] Eine Handelsschifftonnage von insgesamt 218.000 lag bei den zehn größten deutschen Privatwerften auf den Helgen und 161.000 Tonnen im Wasser. Etwa zur selben Zeit fragte der Staat an, wieviel ziviler Schiffsraum im Falle eines fiktiven Friedenstermines gefertigt werden könne, in welchem Umfang der Bau in der Kriegszeit notwendig und machbar sei, da etwa zwei Millionen BRT Handelsschifftonnage zu ersetzen seien.[101] Die Firma erwiderte, sie vermöge in den nächsten beiden Jahren Aufträge über etwa 130.000 Tonnen Tragfähigkeit zu übernehmen.[102] Als Folge der Anfrage setzte eine Welle von Neubestellungen ein, deren Ausführung allerdings erst für den Frieden geplant war. Es wurden 115 Dampfer mit bis zu 6.000 und 134 mit mehr als 6.000 Tonnen Tragfähigkeit über den Kriegsausschuß der deutschen Werften geordert.[103] Zwischen Mai 1916 und Januar 1917 erhöhte sich der Auftragsbestand der deutschen Werften um etwa 400.000 BRT.[104]

Auch später wurde die Fertigstellung von Frachtdampfern als Pufferarbeit genutzt. Noch im Juni 1917 erhoben die Werften die Forderung nach der Freistellung weiterer Arbeiter und Materialien für den Handelsschiffbau.[105] Zwei Monate

98 Schreiben an das RMA, 14.3.16, StA B&V 911.
99 R. Blohm an das RMA, 8. 4. 1916, StA B & V 911.
100 Aktennotiz, 2.5.16, StA B&V 9.2.
101 Besprechung mit dem Verein Hamburger Rheder, 1.5.16, ebd.
102 Aktennotiz, 3.5.16, ebd.

103 Verteilung angemeldeter Neubauten, Kriegsausschuß der Deutschen Reederei am 15.8.16, StA B&V 245.1.
104 Beschäftigungsgrad der antwortenden Werften im Januar 1917, ebd.
105 Besprechung mit dem Kriegsausschuß der Deutschen Reedereien am 8.6.17 und am selben Tag im Reichsamt des Inneren, ebd.

danach aber erschien der Firmenleitung von Blohm & Voss die Anzahl der für den
Weiterbau der Frachtschiffe benötigten Arbeiter als überschätzt.[106] Die Betriebsleitung ermahnte nochmals die Meister, im Handelsschiffbau keine kriegsverwendungsfähigen Arbeiter einzusetzen, um Konflikte mit dem Militär zu vermeiden.
Im Herbst wurden die Liefermöglichkeiten für den Handelsschiffbau mit dem
Schiffbaustahlkontor erneut geklärt. Das Reichsmarineamt wollte diese Zivilpro-
duktion fördern, soweit es mit der Materialbeschaffung für den Krieg vereinbar
sei.[107] Allerdings sollten keine Neubauten mehr zugelassen werden. Trotzdem
wurde weitergebaut. Erst im letzten Kriegsjahr wurde die Produktion von Materialien für den Handelsschiffbau absolut untersagt, der Fortbau kam zum Erlie-
gen.[108] Am 1. November 1918, als das Scheer-Programm zur Steigerung der U-
Bootproduktion auf vollen Touren anlief und das Reich bereits die Friedensfühler
ausstreckte, plante die Betriebsleitung weiter in die Zukunft hinein: «Ein allmähli-
cher Uebergang zum Handelsbau werde zunächst grosse Anforderungen an das
Reparaturgeschäft stellen und für den Neubau mehr vorbereitender Natur
sein.»[109] Durch die Revolution und den Waffenstillstand wenige Tage darauf erfolgte dieser Übergang schneller als erwartet. Mit Hilfe der Rüstungsproduktion
konnten aber auch wertvolle technologische Erkenntnisse für den Handelsschiffbau gewonnen werden. So sammelte die Firma nützliche Erfahrungen bei der Fertigung von schnellaufenden Dieselmotoren für die Überwasserfahrt von U-Booten, die später dann auf die zivile Produktion übertragen wurden.[110]

Die Unternehmensleitung handelte nicht etwa aus mangelndem Patriotismus,
wenn sie weiterhin zivilen Schiffbau betrieb, denn es bestand ja ein erklärtes Ziel
des Staates darin, die deutsche Handelsflotte, die in Teilen zerstört oder beschlagnahmt war, schnellstmöglich im Frieden wieder aufzubauen. Der deutsche Export benötigte sie dringend. Dafür, daß an die Möglichkeit gedacht wurde, im
Frieden gebrauchte Handelsschiffe auf dem internationalen Markt zu kaufen, die
wahrscheinlich günstiger als Neubauten in Deutschland gewesen wären, finden
sich keine Belege. Weiterhin bestanden mit einzelnen Reedereien noch die alten
Verträge zu Festpreisen mit Terminvorgaben und angedrohten Konventionalstrafen. Sie wurden erst im Laufe der Zeit geändert oder annulliert. Die militärische
Produktion war nicht so lukrativ und würde nicht unbegrenzt andauern, so daß
die Firma wie alle anderen Großwerften die zivile Produktion beibehielt, um die
Marktposition zu sichern und das gute Verhältnis zu den Reedereien zu bewahren. Die Firma orientierte ihre Produktionsstrategie hauptsächlich am betrieblichen Interesse und bemühte sich deshalb, die Friedensproduktion aufrechtzuer-

106 Donnerstagssitzung, 23.8.17, StA B&V 13.2.
107 Besprechung mit dem Schiffbaustahlkontor,
     4.10.17, Besprechung im RMA über die Be-
     reitstellung von Handelsschiffraum im Frie-
     den, 28.11.17, StA B&V 245.2.
108 Schiffbaustahlkontor an B&V, 2.7.18, StA
     B&V 244.2.
109 Donnerstagssitzung, 1.11.18, StA B&V 13.2.
110 Christiansen, Der Bau von Kriegsschiffen,
     S. 148.

halten. In diesem Zusammenhang handelte Blohm & Voss ähnlich wie die von Hopbach untersuchten Unternehmer in Württemberg.[111] Sobald das traditionelle Tätigkeitsfeld eines Unternehmens erneut einen guten Absatz versprach, schwand bei den Industriellen die Bereitschaft, Militäraufträge zu übernehmen. Für den Erfolg der Kriegswirtschaft war dieses Verhalten wohl schädlich, wurde aber durch die staatliche Politik heraufbeschworen. Immerhin blieb ein Teil der Werftkapaziät über lange Zeit ungenutzt oder wurde durch die zivile Produktion gebunden. Nach dem Krieg beschlagnahmten die Alliierten die in den Werften liegenden Handelsschiffbauten.

I.2 Die Arbeitsverhältnisse

I.2.1 Die Arbeitsorganisation

An der Spitze des Unternehmens standen neben Hermann Blohm und später seinen Söhnen die Direktoren und Prokuristen sowie weitere leitende Angestellte. Dieser Führungszirkel wurde recht gut bezahlt und war durch Tantiemen ebenso wie der Aufsichtsrat am Gewinn beteiligt. Diese Tantiemen beliefen sich beispielsweise 1915 auf 338.014,– Mark, ein Jahr später auf 353.844,– Mark und 1918 schon auf 653.338,– Mark, lagen damit etwa halb so hoch wie die ausgeschüttete Dividende dieser Jahre.[112] Bei einer solchen Vergütungspraxis ließen sich kompetente leitende Angestellte rekrutieren.

Die Betriebsleitung verfügte über einen Angestelltenapparat, der etwa ein Zehntel aller Beschäftigten der Werft ausmachte. Dieser wurde vor dem Krieg von Rudolf Rosenstiel, einem anerkannten Experten auf diesem Gebiet, tiefgreifend reorganisiert.[113] Er legte besonderen Wert auf Buchhaltung und Registratur, hatte aber auch im Bereich der Personalpolitik in den Büros das letzte Wort. Rosenstiel orientierte sich unter anderem auch an amerikanischen Methoden von Verbuchung, Kontrolle und Organisation. Gemeinsam mit anderen Werften wurde versucht, ein einheitliches Verbuchungsverfahren für U-Boote und Handelsschiffe unter den Bedingungen des Regiebaus zu erstellen.[114] In den kaufmännischen Büros wurden Kosten kalkuliert, Angebotspreise gebildet, Verträge erstellt, für die auch juristischer Rat nötig war, sowie Kunden und Lieferanten betreut. Die Lohn- und Akkordbüros errechneten die Höhe der auszuzahlenden

111 Hopbach, Achim: Der Erste Weltkrieg in der Erfahrungswelt württembergischer Unternehmer, in: Hirschfeld, Gerhard/Gerd Krumeich/Dieter Langewiesche/Hans-Peter Ullmann (Hg.): Kriegserfahrungen. Studien zur Sozial- und Mentalitätsgeschichte des Ersten Weltkriegs, Stuttgart 1997, S. 255.

112 Rechnungsabschlüsse für den Aufsichtsrat 1915, 1916 und 1918, StA B&V 30.2–3.

113 Als Beispiel für Rosenstiels Konzeption vgl. den Organisationsvorschlag für die Putilov-Werft, 24.1.14, StA B&V 236.1.

114 Die Bemühungen erstreckten sich bis 1921, waren aber nicht erfolgreich, StA B&V 14.

Löhne, während das Personalamt für Einstellungen und Entlassungen zuständig war und eng mit dem Arbeitsnachweis des Arbeitgeberverbandes Hamburg-Altona kooperierte. Das Herzstück der Firma bildeten die technischen Büros der Zeichnungs- und Konstruktionsabteilungen. Dort wurde geplant und entwickelt sowie die Blaupausen für Werkstätten, Hellinge und Docks erstellt. Allein die Konstruktionsbüros für Maschinenbau, Schiffbau und Elektrotechnik versechsfachten ihren Bestand an Ingenieuren, Technikern, Zeichnern und sonstigen Angestellten im Kriegsverlauf von etwa 45 auf rund 300.[115]

Das Rückgrat des Betriebs waren die Meister. Ihnen oblag die Qualitätssicherung, denn trotz genauer Planung blieb die eigentliche Produktion teilweise doch noch ein handwerkliches Einzelverfahren. Der Meister oder der Arbeiter entschied dann, wie ein bestimmtes Bauteil ausgeführt wurde. Beispielsweise war das Befestigen der Bleche ein solches Einzelverfahren.[116] Eduard Blohm betreute, organisierte und leitete die Meister an.[117] Es existierte ein kompliziertes Gefüge der persönlichen Beziehungen zwischen den Meistern, den Schirrmeistern, die eine oder mehre Arbeiterkolonnen leiteten und den Arbeiterkolonnen selber. Die Mehrzahl der Meister war zuvor schon viele Jahre als Arbeiter bei Blohm & Voss beschäftigt gewesen. Eine langandauernde Sozialisation im Betrieb war Voraussetzung, bevor sie in diese Position aufstiegen. Sie waren das Bindeglied zwischen Arbeiterschaft und Unternehmen, mußten einerseits über persönliche Autorität bei den Arbeitern und entsprechende Erfahrung sowie Fachwissen verfügen, andererseits aber auch das Vertrauen der Firma, insbesondere Eduard Blohms, genießen. Mancher war ein guter zweiter Mann oder Untermeister, versagte dann aber in einer Rolle als Werkstattleiter.

Hartmut Berghoff hat auf die Bedeutung von Unternehmenskultur und Herrschaftstechnik in paternalistischen Unternehmen hingewiesen.[118] Seine Beschreibung trifft zum Teil auf den damaligen Zustand bei Blohm & Voss zu. Die Umgangssprache in den Werkstätten, aber auch zwischen Vorgesetzten und Arbeitern war Plattdeutsch.[119] Die regelmäßige Präsenz des Firmengründers Ernst Voss im Betrieb praktisch bis zu seinem Tod 1920, die Anwesenheit Eduard Blohms und später auch Walther Blohms an den Produktionsstätten, die direkte persönliche Kommunikation sowie die Stammarbeiterschaft als eigentliches Humankapital des Unternehmens, all dies sorgte für einen gewissen sozialen Zusammenhalt. Die Firma fühlte sich im Sinne paternalistischer Traditionen verantwortlich für diese Stammbelegschaft. Deshalb sorgte sie für Sonderzuteilungen und andere Vergünstigungen. Es gab einen Mythos bestimmter Schiffe und das Image Hermann Blohms als «harter Hund». Andererseits sprechen viele Argu-

115 Prager, Blohm + Voss, S. 109.
116 Cattaruzza, Arbeiter und Unternehmer, S. 69.
117 Vgl. StA Familie Blohm 2, S. 311 f.
118 Siehe Berghoff, Hartmut: Unternehmens-
kultur und Herrschaftstechnik. Industrieller Paternalismus: Hohner von 1857 bis 1918, in: Geschichte und Gesellschaft 23 (1997), S. 167–204.
119 StA Familie Blohm 2, S. 330.

mente gegen das Bestehen einer rein paternalistischen Unternehmenskultur auf
der Werft, etwa die moderne Betriebsstruktur und der von Rudolf Rosenstiel erfolgreich reorganisierte kaufmännische Bereich. Die Konfliktbereitschaft der Firmenleitung gegenüber der organisierten Arbeiterschaft bei gleichzeitiger Anerkennung der kollektiven Interessenvertretung erscheint wenig traditionell. Insgesamt bestand bei der Firma also eher eine Mischform von paternalistischen und
modernen Strukturen.

Es fiel der Firmenleitung schwer, den Arbeitsablauf exakt zu steuern oder zu
kontrollieren. Sie versuchte, die Effizienz und Intensität der Produktion zu steigern, Lohn- und Materialkosten sowie die Dauer einzelner Arbeitsgänge präzise
zu erfassen und so zu einer möglichst rationellen Arbeitsorganisation zu gelangen. Im Krieg bestand zwar noch die Möglichkeit, durch die Drohung mit der
Einberufung zusätzlichen Druck auf einzelne Arbeiter ausüben zu können, doch
die eigentliche Nahtstelle zwischen Produktion und Führungsetage bildeten weiterhin die Meister.

Das ausgeklügelte Akkordsystem bot einen Arbeitsanreiz und eine Chance zur
Flexibilisierung der Löhne.[120] Lohnarbeit ohne Akkorde nur auf Basis eines festen Stundenlohnes wurde in der Produktion als ineffektiv betrachtet. Durch Akkorde konnte ein Zuschlag von bis zu 50 % je Arbeitsstunde erzielt werden. Es
gab Stückakkorde für einzelne, besonders leicht zu bemessende Arbeiten. Der
Regelfall waren aber die Gruppenakkorde, bei denen die Akkordüberschüsse an-
teilig, nach Lohnhöhe gestaffelt, an die Mitglieder einer Kolonne sowie an den
zuständigen Schirrmeister verteilt wurden. Einem Schirrmeister unterstanden
zumeist mehrere Gruppen. Wurden Überschüsse von über 50 % erzielt, kürzte sie
das Akkordbüro automatisch. Deshalb reduzierten besonders produktive Kolon-
nen ihre Arbeitsanstrengungen, während bei schwachen Leistungen teilweise die
Zahlen frisiert wurden. Es bestanden kurz-, mittel- und langfristige Akkorde, die
sich gegebenenfalls noch überlagerten. Akkorde konnten im Falle eines Arbeitsplatzwechsels verfallen. Das Abrechnungsverfahren war kompliziert und für die
Arbeiter nicht immer einsichtig. Die Höhe der Akkorde wurde weniger vom Akkordbüro angesetzt, als vielmehr zwischen Meistern, Schirrmeistern, Vorarbeitern und Arbeitern quasi als Abkommen über ein gerechtes Einkommen ausge-
handelt.

Die Arbeit in den Werkstätten und beim Schiffbau blieb für die technische
Leitung und die Akkordbüros ein schwer durchschaubarer Vorgang. Abweichun-
gen von bis zu 40 % zwischen Kostenvoranschlag und tatsächlichen Kosten waren
durchaus möglich. «Weit über das Kaiserreich hinaus bildeten die Helgen und
Schiffbauhallen den Ort, an dem über Arbeitsplanung und -koordination sowie
über die Produktionskosten entschieden wurde», lautet die Einschätzung von

120 Vgl. zum folgenden Cattaruzza, Arbeiter
    und Unternehmer, S. 70 ff.

Marina Cattaruzza.[121] Wurden einzelne Meister dann eingezogen, hemmte dies den Arbeitsbetrieb ungemein und stärkte die Position der Facharbeiter.

In der Literatur findet sich die Behauptung, die Werftarbeit habe sich schon vor dem Krieg durch niedrige Löhne ausgezeichnet, die teilweise unter dem Existenzminimum gelegen haben sollen.[122] Im Rahmen der starken Differenzierung der Arbeiter existierten auch Niedriglohngruppen, allerdings waren die Durchschnittslöhne bei Blohm & Voss vor dem Krieg um etwa ein Zehntel höher als im Durchschnitt der gesamten Metallindustrie, das änderte sich aber im Laufe des Krieges.[123] Werftarbeit war somit eine gut bezahlte, qualifizierte Tätigkeit. Werftarbeiter stellten eine Elite innerhalb der Hamburger Arbeiterschaft dar. Das Unternehmen zahlte die höchsten Stundenlöhne der privaten Schiffbauindustrie und verfügte in Hamburg über die qualifiziertesten und diszipliniertesten Werftarbeiter. Allerdings ergab sich diese Disziplinierung als Folge eines langwierigen Prozesses, an dem verstärkte innerbetriebliche Kontrolle, aber letztlich auch die gewerkschaftliche Organisierung der Arbeiter ihren Anteil hatten. Nach 1890 wurde die Mittagspause auf eine Stunde gekürzt, Familienmitglieder durften die Werft nicht mehr betreten, die Arbeiter das Betriebsgelände mittags nicht mehr verlassen.[124] Blohm & Voss war die einzige Hamburger Werft, die ein Alkoholverbot durchsetzen konnte. Dies erforderte viel Zeit. «In den ersten Jahren war der Montagmorgen zum Teil schlimm. [...] Daß der Schnapskonsum etwa nach 1910 zurückging, ist wohl das Verdienst der Sozialdemokratie, die den Leuten den Schnapsgenuß verekelte»,[125] so der Kommentar Eduard Blohms. Ebenfalls der Disziplinierung der Belegschaft diente die Arbeitsordnung, die über ein ausgeklügeltes System von Sanktionen verfügte. So wurden Zuspätkommen, unentschuldigtes Fehlen oder Kleindiebstähle mit einer Geldstrafe geahndet.

Die handwerkliche Schiffbauweise wurde schon vor dem Krieg zunehmend von einer industrialisierten Fertigung durch Arbeiter verschiedener Qualifikation, Erfahrung und Spezialisierung in differenzierter Arbeitsteilung abgelöst. Eine detaillierte und umfangreiche Untersuchung über die Werftarbeit legte bereits Johanna Meyer-Lenz vor.[126] Deshalb soll hier nur kurz die Arbeit der Schiffbauer und der Nieter beschrieben werden, um einen Arbeitsablauf exemplarisch zu beleuchten: Die Schiffbauer übertrugen auf dem Schürboden die Daten der Konstruktionszeichnungen auf geeignete Bleche oder Winkel und transportierten sie dann in die Winkelschmiede oder in die Schiffbauhalle. Dort wurde das Baumaterial weiter bearbeitet. Anschließend brachten sie es zur Montage auf die

121 Ebd., S. 2.
122 Ullrich, Die Hamburger Arbeiterbewegung, S. 36 f.
123 Vgl. die durchschnittlichen Tagesverdienste für die Metallindustrie (Bajohr, Die Hälfte der Fabrik, S. 32) und den Auszug aus der Lohnstatistik der Norddeutschen Gruppe/ Abteilung Seeschiffswerften, BArchB R2/ B320.
124 Vgl. Cattaruzza, Arbeiter und Unternehmer, S. 171 ff.
125 StA Familie Blohm 2, S. 261.
126 Meyer-Lenz, Schiffbaukunst und Werftarbeit.

Hellinge und befestigten es provisorisch mit Schrauben am Schiffskörper. Insbesondere diese Wege ließen sich durch die Meister oder die Aufsichtsbeamten nur schwerlich kontrollieren und gewährten Raum für zusätzliche Pausen. Eine Nieterkolonne, die aus Vormann, Helfer, Gegenhalter und einem meist jugendlichen Nietenwärmer bestand, nietete das Bauteil anschließend fest. Hierzu wurden die Nieten einzeln auf einer kleinen Feldschmiede vom Nietenwärmer zum Glühen gebracht. Er warf die glühende Niete dann durch die Luft dem Vormann zu, der sie mit einer Zange oder einem Eisennetz auffing. Der Vormann schlug danach die noch glühende Niete in das Nietloch zu einem Nietkopf ein. Dabei fixierte der Gegenhalter die Niete von der anderen Seite des Bauteiles her. Beim Schlagen wechselte sich der Vormann mit dem Helfer ab. Dieser Arbeitsgang mußte mit hoher Geschwindigkeit erledigt werden, da die Niete schnell auskühlte. Besonders beim Nieten an der Außenhaut des Schiffes war präzise Arbeit gefordert, diese erbrachte auch die höchsten Akkordsätze.[127] Eine Kolonne vermochte es, ungefähr 300 Nieten täglich einzuschlagen.[128]

Die Arbeit war körperlich sehr anstrengend, erforderte Geschick, Übung, Erfahrung und hohe Konzentration und barg eine große Unfallgefahr, denn eine spezielle Schutzkleidung wurde noch nicht getragen. Besonders gefährlich waren herabfallende Bauteile oder ein Nachlassen der Konzentration. Es wurde fast ausschließlich unter freiem Himmel gearbeitet, ohne Rücksicht auf das Wetter. Auch erforderten viele Tätigkeiten eine gebückte Haltung. Das führte dann im Alter zu Wirbelsäulenproblemen und Rheuma.[129] Nerven- und Erkältungskrankheiten waren weit verbreitet. Schädliche Gase oder der Einsatz pneumatischer Niethämmer, die auf lange Sicht zu Nervenstörungen, Handzittern oder Gehörlosigkeit führen konnten, taten ein Übriges, die Gesundheit zu beeinträchtigen. Ebenso ließen die hygienischen Bedingungen zu wünschen übrig. Konflikte mit Meistern, Vorarbeitern und dem Werkschutz konnten die Konzentration und damit die Sicherheit beeinflussen. Es gab 1912 auf den Hamburger Werften insgesamt 18 tödliche Unfälle. Auf je 1.000 Arbeiter wurden in diesem Jahr 79 Arbeitsunfälle gemeldet.[130] Die Nordwestdeutsche Eisen- und Stahlberufsgenossenschaft stufte die Werften in die höchste Gefahrenklasse ein.[131] Der Krankheitsstand lag über dem Reichsdurchschnitt.

Die Platz- und Hofarbeiter, Handlanger und Träger waren meist Ungelernte. Bohrer, die nicht übereinstimmende Nietlöcher ausbohrten, und Stemmer, die Nietungen verdichteten, wurden im Regelfall angelernt. Die Innenarbeiten auf

127 Vgl. Cattaruzza, Arbeiter und Unternehmer, S. 48 ff.

128 Plagemann, Volker: Industriekultur in Hamburg. Des Deutschen Reiches Tor zur Welt, München 1984, S. 114.

129 Cattaruzza, Arbeiter und Unternehmer, S. 69.

130 Vgl. Ullrich, Die Hamburger Arbeiterbewegung, S. 38 f.

131 Vgl. Kral, Helmut: Die Streikkämpfe der Arbeiter der deutschen Seeschiffswerften vor dem Ersten Weltkrieg und die Haltung des Metallarbeiterverbandes, Diss. phil., Berlin (Ost) 1962, S. 76–78.

den Neubauten wurden dagegen von gelernten Malern, Klempnern, Elektrikern, Schlossern usw. ausgeführt. Auch die Tätigkeit der Schiffszimmerer und Schmiede erforderte handwerkliches Können. Der Maschinenbau war eine eigene Abteilung.

Im Laufe des Krieges änderten sich zwar nicht die Inhalte, aber die Bedingungen der Arbeit. Wegen der schlechten Ernährungslage und der seit 1916 rapide sinkenden Reallöhne nahmen Entkräftung und Überlastung der Arbeiter zu. Zeitweilig stieg auch die Arbeitsdauer deutlich über das Vorkriegsniveau hinaus an. Zudem waren fachfremde Arbeitskräfte wie Frauen, Kriegsgefangene und reklamierte Facharbeiter anderer Branchen die schwere Werftarbeit nicht gewohnt. Hinzu kam noch der Zeitdruck bei eiligen Militäraufträgen. Einzelne Meister setzten die Arbeiter dann rücksichtslos ein, um die Vorgaben einzuhalten. Dies alles führte zu einem Ansteigen der Fehlrate, des Krankheitsstandes und der Unfälle auf der Werft.[132] Andererseits bewirkte der Krieg eine Verstärkung der Gewerbeaufsicht, die Einführung von neuen Sicherheitsbestimmungen und eine allmähliche Verbesserung der hygienischen Verhältnisse. Allerdings galt in bezug auf die Gesundheitsgefährdung ein ähnlicher Grundsatz wie in anderen Branchen: Je qualifizierter und erfahrener ein Arbeiter war, desto besser waren seine Arbeitsbedingungen. Jedoch führte die Werftarbeit auf lange Sicht nahezu immer zu einem körperlichen Verschleiß.

Schrittweise wurden die Arbeitsabläufe modernisiert, sei es durch technische Neuerungen, wie die verstärkte Nutzung pneumatischer Niethämmer, oder die beginnende Einführung des Punktschweißverfahrens, sei es durch zunehmende Elektrifizierung zwecks Beleuchtung oder zur Stromversorgung von Spezialwerkzeugen wie elektrischen Hobeln oder Fräsen oder durch neuerrichtete modernere Produktionsanlagen. Auch kam es zu einer weitgehenden Normierung von Bauteilen und Produktionsverfahren, da mehrere Werften die gleichen U-Boottypen fertigten. Mit Formen der Zeitmessung einzelner Arbeitsgänge oder der Einsparung von Zeichnungsarbeit durch eine Normalspezifikation wurde experimentiert. Die lange vor dem Krieg beginnende Rezeption und Adaption des Taylorismus setzte sich fort. Rudolf Blohm hatte 1913/14 Großbritannien und die Vereinigten Staaten bereist, um sich dort mit neuen Management- und Produktionsmethoden vertraut zu machen. Sie dienten als Anregung für eine Reorganisation.[133] Damit setzte bei Blohm & Voss schon etwa 10 Jahre früher als in den meisten Zweigen der deutschen Wirtschaft die Rezeption amerikanischer Modernisierungskonzepte ein.[134] Blohm besuchte Taylor persönlich, vertrat aber

132 Vgl. die Wochenberichte des Werkschutzes zu Fragen der Sicherheit, StA B&V 429.

133 Vgl. die Berichte R. Blohms, StA B&V 204. Er konnte zum Beispiel in Amerika die Tätigkeit einer Consulting-Firma beobachten und der Umstrukturierung eines Betriebs

beiwohnen. Allerdings zeigte er sich recht erstaunt über den Umgangston zwischen Leitungsebene und Arbeitern.

134 Vgl. Nolan, Mary: Visions of Modernity. American Business and the Modernization of Germany, New York/Oxford 1994.

die Auffassung, bei der Übertragung von dessen Methoden auf deutsche Verhältnisse vorsichtig und langsam vorgehen zu müssen.[135] Die unterschiedliche Mentalität der Beschäftigten in Deutschland und den USA sowie die andere Betriebsstruktur erlaubten keine abrupten Änderungen. Deshalb war es ein langer Prozeß von einem eher empirischen Weg der Produktion hin zu wissenschaftlichen, analytischen Methoden des Managements. Diese Tendenzen verstärkten sich nach dem Krieg noch.[136]

Nach Kriegsausbruch bestand bei Blohm & Voss eine Art kurzfristiger «Burgfrieden». Die Arbeiter bemühten sich bei Militäraufträgen um eine schleunige Erledigung. Die gewöhnliche Widerspenstigkeit gegenüber der Unternehmensleitung verschwand in solchen Fällen. Eduard Blohm berichtet in diesem Zusammenhang: «Während ich sonst immer ängstlich vermieden habe, es die Leute merken zu lassen, welche Arbeit eilig war, weil ich wußte, daß sie dann die Arbeit zurückhielten [...], haben die Leute sich alle bei diesen Booten bemüht, mit der Arbeit voranzukommen.»[137] Mit der Zeit verschwand aber diese stille Übereinkunft.

Einer Intensivierung der Arbeit standen die Lebensumstände entgegen, die zu steigender Arbeitsunlust führten. Das große und teilweise recht unübersichtliche Werksgelände lud geradezu ein, Freiräume zu suchen. So häuften sich seit 1915 die Beschwerden über Bummelei, das Ausdehnen von Pausen, unnötige Botengänge oder Spaziergänge im Betrieb.[138] Durch die Verarmung der Arbeiter nahm die Zahl der Diebstähle beständig zu.[139] Deshalb wurde ein Zutrittskartensystem eingeführt, das nur das Betreten bestimmter Teile des Geländes erlaubte.[140] Allerdings bestrafte die Betriebsleitung Diebstähle meist nicht sehr hart. Bei kleineren Delikten wurden die Arbeiter zwar ermahnt, aber ihre Namen nicht festgehalten. Erst ein größerer Schaden führte zur Entlassung, manchmal auch zur Anzeige bei der Polizei. Diebstahl war im Hafengebiet eine alltägliche und fast normale Erscheinung, die sich in Zeiten materieller Not häufte, was aber ebenso auf Spannungen zwischen Arbeitgebern und Beschäftigten hinwies.[141] Bei Kriegsende bezifferte die Firma ihre Verluste durch Diebstahl schon auf etwa eine halbe Million Mark jährlich.[142] Im Zweiten Weltkrieg wurde er dann deutlich strenger geahndet.

135 R. Blohm an Hugo Müller, 12.12.18, StA B&V 58.13.
136 Vgl. zu dieser Entwicklung bei Siemens: Homburg, Heidrun: Scientific Management and Personel Policy in the Modern German Enterprise, 1918–1939: The Case of Siemens, in: Gospel, Howard F./Craig R. Littler (Hg.): Managerial Strategies and Industrial Relations, London 1983, S. 137–156.
137 StA Familie Blohm 2, S. 286.
138 Vgl. z.B. die Donnerstagssitzung vom 15.4.15, StA B&V 13.1.
139 Vgl. die Wochenberichte des Werksschutzes zum Thema Diebstahl, StA B&V 429.
140 Donnerstagssitzung, 26.8.15, StA B&V 13.1.
141 Vgl. Grüttner, Michael: Working-class Crime and the Labour Movement: Pilfering in the Hamburg Docks, 1888–1923, in: Evans, Richard J. (Hg.): The German working class 1888–1933, London 1982, S. 53– 79.
142 B&V an den Reichsausschuß für den Wiederaufbau der Handelsflotte, 3.8.20, StA B&V 249.2.

I.2.2 Die Arbeiter

Die Werftarbeiterschaft war keine homogene Einheit, sondern zeichnete sich durch eine starke Binnendifferenzierung aus. Das galt für die zu verrichtenden Arbeiten, die in unterschiedliche Kategorien und Lohngruppen eingeteilt waren, aber ebenso für die Dauer der Betriebszugehörigkeit, die Spezialisierung, die Ausbildung oder die Leistungsfähigkeit. Schon vor dem Krieg gab es Eignungstests und eine gezielte Berufsberatung für Ausbildungsplatzbewerber.[143] Neben einem Stammpersonal, bestehend aus gelernten Handwerkern wie Schiffszimmerleuten, Werftarbeitern, die eine handwerkliche Ausbildung genossen hatten und jetzt als Nieter oder Stemmer arbeiteten, angelernten Arbeitern sowie den Meistern, Unter- und Schirrmeistern, gab es auch Angelernte, Ungelernte, Hilfsarbeiter und Lehrlinge. Insbesondere die wenig Qualifizierten, Neueingestellten und die Zugewanderten hatten eine geringe Bindung an den Betrieb, ein niedrigeres Einkommen und einen sehr geringen gewerkschaftlichen Organisierungsgrad. Der Krieg brachte ganz neue Gruppen von Arbeitskräften in den Betrieb: vom Kriegsdienst zurückgestellte Arbeiter aus anderen Branchen, Arbeiterinnen, Jugendliche und Kriegsgefangene. Seit 1916 wurden auch Kriegsinvaliden systematisch angelernt.[144]

Seit 1880 bildete die Werft in zehn Lehrberufen aus.[145] Die Zahl der Lehrlinge stieg rapide auf über 800 im Jahr 1917 an.[146] Sie sollten systematisch ausgebildet werden, um die Kriegsverluste auszugleichen und die Größe der Stammbelegschaft zu erhöhen. Bezeichnenderweise wurde Ende 1917 die Werftschule für Schiffbaulehrlinge als betriebseigene Berufsschule eingerichtet, die theoretischen Unterricht praxisnah im Sinne einer Arbeits- und nicht einer «Paukschule» vermitteln sollte.[147] Das Projekt der eigenen Werksschule setzte Walther Blohm durch. Ein differenzierter Lehrkörper von Fachkräften und eine sorgsame Auswahl der Bewerber sollte zu einem hohen Leistungsniveau führen. Die Werksschule ersetzte den Unterricht an der staatlichen Berufsschule, wurde aber von der Firma finanziert.[148] Alleine im Sommer 1918 wurden je Schüler 306,– Mark ausgegeben.[149]

Die ortsfremden, vielfach vom Kriegsdienst zurückgestellten Arbeiter lebten oft in unzureichenden Sammelunterkünften, von ihren Familien getrennt, und mußten ungewohnte Arbeitsvorgänge verrichten. «Man konnte es den Ortsfremden nicht verdenken, daß sie lieber in ihrer Heimat als in Hamburg bei sehr

143 Schmidt, Otto: Die Geschichte des Ausbildungswesens von Blohm + Voss, S. 13, StA Werftschule 1.
144 Donnerstagssitzung, 20.7.16, StA B&V 13.1.
145 Schmidt, Die Geschichte des Ausbildungswesens, S. 11, StA Werftschule 1.
146 Bericht für den Aufsichtsrat über das Ge-

schäftsjahr 1916/17, B&V 30.2.
147 Prager, Blohm + Voss, S. 111.
148 Vgl. Schmidt, Die Geschichte des Ausbildungswesens, StA Werftschule 1.
149 Beinhoff, Walther: Die Werftschule von Blohm & Voss Hamburg, in: Die pädagogische Reform 44 (1920), ebd.

schlechter Unterkunft und mangelhafter Ernährung arbeiteten», so Eduard Blohm.[150] Die Neuzugänge erhielten einen weitaus geringeren Lohn als die alte Stammbelegschaft, was die Kluft zwischen den einzelnen Gruppen noch vergrößerte. Zur selben Zeit wurden große Teile der erfahrenen Arbeiterschaft eingezogen. Dies führte zu einer weiteren Desintegration der Werftarbeiter, die traditionell durch die «Kragenlinie»[151], die Mentalität, aber auch eigene Speiseräume von den Angestellten getrennt waren. Noch größer war die Distanz zur Unternehmensleitung. Zwar schrieb Eduard Blohm ganz patriarchalisch: «Wir hatten stramme Kerls gehabt, mit denen man, wie man wohl sagt, den Deubel aus der Hölle holen konnte.»[152] Doch Hermann Blohm brachte in einem Brief an Wilhelm Groener, den Chef des Kriegsamtes, die Haltung der Firmenleitung auf den Punkt: «Fragen zwischen Arbeitgeber und Arbeiter sind Machtfragen.» Blohm wolle «mit der Arbeiterschaft das Errungene erhalten und weiter ausbauen; dazu gehört eine Arbeiterschaft, die leistungsfähig und pflichttreu, aber nicht durch Zugeständnisse und Versprechungen aufrührerisch gemacht ist.»[153] Die Firma gewährte den Familien ihrer einberufenen Arbeiter zusätzlich zur kommunalen Unterstützung einen weiteren Zuschuß zum Lebensunterhalt. Diese Pflege des Stammpersonals kostete zusammen mit einer teilweisen Gehaltsfortzahlung für einberufene Angestellte 1914 immerhin etwa 300.000,– Mark.[154]

Werftarbeit sollte nicht zu einer Idylle stilisiert werden. Die Arbeiter von Blohm & Voss waren wohl vor dem Krieg disziplinierter als ihre etwas renitenteren Kollegen auf der Vulcan-Werft. Sie zückten im Streit seltener das Messer, als das in Stettin oder Danzig der Fall war, aber Schlägereien und Gewalt gegen unliebsame Vorgesetzte oder Streikbrecher standen durchaus auf der Tagesordnung.[155] Durch den Krieg und die Auflösung des Arbeiterstammes wurden solche Tendenzen noch verstärkt, wie Meldungen über Disziplinschwierigkeiten an die Firmenleitung belegen.

Vor dem Krieg neigten besonders jüngere, weniger qualifizierte und unverheiratete Arbeiter zu häufigem Stellenwechsel, oftmals gar in andere Branchen.[156] Das war in der Hafenstadt Hamburg mit ihren vielfältigen Beschäftigungsmöglichkeiten in der Eisenindustrie nicht ungewöhnlich. Die Firma nutzte die ständige Fluktuation sogar sinnvoll aus, um eine besser bezahlte Stammbelegschaft zu halten und ansonsten den Personalbestand leichter an die Auftragslage anpassen zu können. Meist wurde diese mobile Lebensphase durch Heirat und Familiengründung beendet. Werftarbeit zeichnete sich generell durch einen zy-

---

150 StA Familie Blohm 2, S. 297.
151 Die Kragenlinie bezeichnet den Unterschied zwischen den eine saubere Tätigkeit verrichtenden Angestellten, die ein Hemd mit meist weißem Kragen trugen (engl. »white collar employee«), und den Arbeitern.
152 StA Familie Blohm 2, S. 285.
153 H. Blohm an Generalleutnant Groener, 6.6.17, StA B&V 825.
154 Geschäftsbericht für den Aufsichtsrat, 21.11. 14, StA B&V 28.
155 Vgl. Cattaruzza, Arbeiter und Unternehmer, S. 181 und 234.
156 Vgl. Ullrich, Die Hamburger Arbeiterbewegung, S. 24 f.

klischen Verlauf der Beschäftigung aus, die der jeweiligen Auftragslage entsprach und die der Betriebsleitung durchaus gelegen kam. Durch den Krieg wurde die Fluktuation zwar eingeschränkt, aber nicht beseitigt. Blohm & Voss verzeichnete zwischen Oktober 1916 und Oktober 1917 einen Zugang von 12.173 und einen Abgang von 10.026 Beschäftigten.[157] Gegen den Zugang aus anderen Betrieben gab es seitens der Firmenleitung gewisse Reserven. Die Arbeiter könnten dort mit radikalen Ideen in Kontakt gekommen sein. So vermied die Unternehmensleitung nach Möglichkeit ein Zusammentreffen ihrer Arbeiter mit denen der Vulcan-Werft, denn diese galten als undisziplinierter und radikaler.[158] Gegen das unerlaubte Fehlen wurde stets vorgegangen, zu Beginn des Krieges noch mit Geldstrafen oder Entlassungen, später beispielsweise durch eine Kürzung der Familienzulage im Falle des «Blaumachens».[159] Der Arbeitskräftemangel vergrößerte jedoch letztlich die Freiräume der qualifizierten Arbeitskräfte, sie waren unabkömmlich. Die Machtverschiebung der Vorkriegszeit zugunsten der Betriebsleitung konnte in bezug auf Fragen der Selbständigkeit und Unabhängigkeit der Arbeiter teilweise rückgängig gemacht werden.[160]

Vor dem Krieg verfügten die Gewerkschaften, insbesondere der Deutsche Metallarbeiterverband (DMV), über einen großen Rückhalt auf der Werft. So waren 1908 immerhin 78 % der Hamburger Werftarbeiter Gewerkschaftsmitglieder.[161] Doch die Arbeiter unterwarfen sich nie vollständig der gewerkschaftlichen Disziplin. Zahlreiche Gewerkschaftsmitglieder waren bei Kriegsausbruch eingezogen worden, im März 1915 befanden sich 40,6 % der männlichen Hamburger Mitglieder im Feld.[162] Ungelernte Arbeiter traten jedoch eher selten in die Gewerkschaft ein. Da die Gewerkschaften mit den Behörden und Unternehmern kooperierten, sank ihr Rückhalt in der Arbeiterschaft weiter ab. Im Laufe des Krieges erreichte der Organisationsgrad auf den Werften einen Tiefstand. So waren Ende 1916 weniger als 30 % der Hamburger Werftarbeiter Gewerkschaftsmitglied.[163] Allerdings bildete weiterhin besonders die besser verdienende, schwer ersetzbare und qualifizierte Facharbeiterschaft den eigentlichen Kern bei Protestaktionen.[164]

Über die Länge der Arbeitszeit im Krieg besteht allgemein ein recht einheitliches Bild in der Forschung. Insbesondere in der Rüstungsindustrie sei die tägliche Arbeitsbelastung nicht selten auf über 12 Stunden angestiegen und durch eine

---

157 Ullrich, Volker: Massenbewegungen in der Hamburger Arbeiterschaft im Ersten Weltkrieg, in: Herzig, Arno / Dieter Langewiesche / Arnold Sywottek (Hg.): Arbeiter in Hamburg. Unterschichten, Arbeiter und Arbeiterbewegung seit dem ausgehenden 18. Jahrhundert, Hamburg 1983, S. 408 f.
158 Vgl. StA Familie Blohm 2, S. 288.
159 Donnerstagssitzung, 5.11.14, StA B&V 13.1;

RMA an B&V, 5.11. und 29.11.15, StA B&V 812.1.
160 Zur Vorkriegszeit: Cattaruzza, Arbeiter und Unternehmer, S. 149.
161 Kral, Die Streikkämpfe, S. 102.
162 Ullrich, Die Hamburger Arbeiterbewegung, S. 159.
163 Bieber, Die Entwicklung der Arbeitsbeziehungen, S. 94.
164 Ullrich, Massenbewegungen, S. 411.

Zunahme der Überstunden bis zur Erschöpfung gearbeitet worden.[165] Volker Ullrich schreibt: «Auf den Hamburger Werften waren Arbeitszeiten von 15 bis 16 Stunden (einschließlich der Sonntage) die Regel; es kam vor, daß Arbeiter 36 Stunden lang hintereinander Überstunden machten.»[166] Tatsächlich existieren jedoch kaum verläßliche Zahlen über die Arbeitszeitentwicklung im Krieg.[167] Entsprechende Unterlagen der einschlägigen Lohnbüros sind meist vernichtet worden. Bei Blohm & Voss ist jedoch glücklicherweise umfangreiches statistisches Material erhalten geblieben, das präzisere Angaben erlaubt.

In der Vorkriegszeit wie während des Krieges betrug die tarifliche Arbeitszeit auf den Hamburger Werften 55 Stunden an sechs Tagen wöchentlich, davon 5 Stunden am Samstag. Überstunden bis zu drei Stunden vor oder zwei Stunden nach der regulären Arbeitszeit wurden mit 25 %, Nacht- sowie Sonntagsarbeit mit einem Zuschlag von 50 % vergütet.[168] Bei Blohm & Voss wurde in einem System von 13 bzw. 14 Schichten gearbeitet. Nach Ausbruch des Krieges versuchte die Firmenleitung, die Höhe der Nachtschicht- und Sonntagszuschläge teilweise auf 25 % zu reduzieren.[169] Trotzdem blieb Überarbeit ein entscheidender Kostenfaktor.

Die Wochenberichte für die Mitglieder der Unternehmensleitung und eine Statistik für den Senat liefern ein etwas anderes Bild als das von Ullrich gezeichnete.[170] Die durchschnittliche regulär geleistete Arbeitszeit pro Arbeiter – über Angestellte liegen keine Daten vor – betrug vor dem Krieg 52 bis 53 Stunden wöchentlich und die Fehlrate somit etwa 5 % angesichts einer tariflichen Arbeitszeit von 55 Stunden. Im zweiten Quartal 1914 wurden im Durchschnitt 52,5 Stunden, im ersten Quartal 1915 53,4 Stunden und im zweiten Quartal erneut 52,5 Stunden wöchentlich regulär gearbeitet. Die Fehlrate änderte sich kaum, sank sogar ein wenig ab, was auf eine durchaus hohe Motivation und eine starke Disziplinierung der Belegschaft hinweist. Der Schirrmeister eines Nietertrupps etwa leistete im zweiten Quartal 1914 in der Woche durchschnittlich 0,9 «Überstunden und dergleichen», im ersten Quartal 1915 schon 2,2 und im zweiten 8,3. Ein normaler Maschinenmeister konnte schon vor dem Krieg 24,2 und ein Jahr später gar 34,2 «Überstunden» verbuchen. Diese Beispiele zeigen, daß Überstunden unterschiedlich verteilt waren, einzelne Gruppen deutlich mehr, andere Gruppen sehr viel weniger Überarbeit leisteten. Handelte es sich aber tatsächlich um Überstunden, konnte ein Maschinenmeister wirklich ein Vierteljahr lang 89

165 Beispielsweise Bieber, Hans-Joachim: Gewerkschaften in Krieg und Revolution, 2 Bände, Hamburg 1981, Bd. 1, S. 200.
166 Ullrich, Kriegsalltag, S. 81.
167 Bieber, Gewerkschaften in Krieg und Revolution, Bd. 1, S. 200.
168 Cattaruzza, Arbeiter und Unternehmer, S. 170.

169 Donnerstagssitzung, 12.11.14, StA B&V 13.1.
170 Vgl. zu den folgenden Angaben die Wochenberichte für Mitglieder der Unternehmensleitung, StA B&V 204, 223.3, 232.1 und 238.3, sowie StA Senat-Kriegsakten AIIp24.

Stunden wöchentlich arbeiten? Das vermochte er nicht, denn die Rubrik «Überstunden und dergleichen» in der zitierten Statistik für den Hamburger Senat bezieht sich auch auf geleistete Stunden außerhalb der regulären Arbeitszeit. Der Maschinenmeister arbeitete tatsächlich 60 bis 65 Stunden, davon aber 34 Stunden mit Zuschlag für Dienst zu ungünstigen Zeiten.

Ein präziseres Bild entwerfen die Wochenberichte, die für die Zeit von März 1915 bis März 1918 fast komplett erhalten sind. Sie geben den wöchentlichen Arbeiterstand, durchschnittliche Tageslöhne, geleistete Überarbeit und in der zweiten Kriegshälfte auch die reguläre Arbeitszeit an. Diese Berichte sind zuverlässig und beinhalten eine Zusammenfassung der wichtigsten Kennziffern der Lohnbuchhaltung. Die Zeitangaben sind genau, weil damals schon Stechuhren und Tageskarten eingesetzt wurden und Überstunden teurer waren. Sie wurden vor dem Krieg von der Firmenleitung sparsam eingesetzt, wenn ein Ablieferungstermin nahte und eine Konventionalstrafe drohte. Schließlich konnte Überstundenarbeit leicht zu einem unkalkulierbaren Kostenanstieg führen. Bei den Arbeitern war, motiviert durch den Mehrverdienst, die Bereitschaft zu Überarbeit recht groß. Allerdings bezog schon der Taylorismus eine klare Haltung gegenüber dieser Form der Mehrarbeit: Ein Zuviel an Überarbeit führt zu Produktivitäts- und Qualitätsverlust.

Kurz vor Kriegsausbruch lag die durchschnittliche Überstundenzahl bei ungefähr zwei bis drei Stunden pro Kopf und Woche, präzisere Angaben sind nicht überliefert. In der zweiten Jahreshälfte 1914 wurde, wie oben schon vermerkt, teilweise sogar kurzgearbeitet, im ersten Quartal 1915 stieg die Arbeitszeit über das Vorkriegsniveau an. Im zweiten Quartal erreichte die durchschnittliche Überstundenzahl 5,0 Stunden wöchentlich, bedingt durch die nun einsetzenden Kriegsaufträge. Die Firma versuchte aber, die anfallenden Überstunden gleichmäßig zu verteilen. So sollte jedes Gewerk nur an drei Tagen in der Woche Überarbeit leisten. Wer sonntags arbeitete, sollte einen anderen Tag frei haben. Erklärtes Ziel war, «eine Überanstrengung der einzelnen Leute zu vermeiden».[171] Trotzdem stieg die Überstundenzahl an, vom dritten Quartal 1915 bis zum dritten 1916 betrug die wöchentliche Arbeitszeit etwa 60 Stunden.

Tab. 7: Durchschnittliche wöchentliche Überstundenzahl je Arbeitskraft

* Es konnte jeweils nur eine Woche ausgewertet werden.
Quellen: Errechnet nach den Wochenberichten, StA B&V 204, 223.3, 232.1 und 238.3.

März/1915	5,1	III./1916	8,2	I./1918	3,4
II. Quartal	5,0	IV.	6,6	6.4.18*	2,8
III.	6,7	I./1917	3,4	Juli	3,7
IV.	5,9	II.	5,8	3.8.18*	3,2
I./1916	6,6	III.	5,9	September	3,3
II.	7,1	IV.	5,1		

171 Wochenbericht, 20.5.16, StA B&V 224.6.

Wie bereits angeführt, variierte die Überarbeit zwischen den einzelnen Arbeiterkategorien und auch den Werkstätten. Durchschnittszahlen bleiben immer abstrakt. Aber diese Zahlen widersprechen den vermuteten 12 bis 14 Stunden Arbeitszeit täglich, allein bei einem regelmäßigen Zwölfstundentag betrügen sie mindestens 11 Überstunden wöchentlich. Es wurden auch zunehmend Überstunden «geschunden», der Arbeitsplatz frühzeitig verlassen, aber möglichst spät ausgestempelt.[172] Allerdings war im dritten Quartal 1916 der Höchststand der Überstunden schon erreicht. Die Firmenleitung blieb skeptisch: «Die Sonntags- und Nachtarbeit soll im allgemeinen vermieden werden, weil unsere Arbeiterzahl zu gering ist, und die vorhandenen Arbeitskräfte geschont werden müssen.»[173] Im ersten Quartal 1917 sank die Zahl der Überstunden ab, was mit der schlechten Versorgung und zu spät eintreffenden Bestellungen erklärt werden kann. Ab dem zweiten Quartal 1917 läßt sich auch die regulär geleistete Arbeit pro Woche unter Berücksichtigung von Feiertagen rekonstruieren, nämlich 50,3 Stunden bei zusätzlich 5,8 Überstunden. Die Fehlrate belief sich also auf 8,5 %. Im dritten Quartal sank die reguläre Arbeitszeit dann auf 50,0 Stunden bei 5,9 Überstunden, im ersten Quartal 1918 sollte sie mit 49,5 Stunden bei 3,5 Überstunden einen Tiefstand erreichen. Bis zum Kriegsende ist die Dokumentation lückenhaft, das Niveau verblieb aber wohl auf diesem Stand.

Die Betriebsleitung setzte wenig daran, diesen Zustand zu ändern. So hieß es in einer Besprechung: «Der Arbeiterausschuss hat Klage geführt wegen unnötig gemachter Ueberstunden, in denen nichts geleistet wird. Wenn auch der Ausschuss die Notwendigkeit von Ueberarbeit kaum beurteilen kann, so unterstützt diese Beschwerde unser Bestreben, die Ueberarbeit immer mehr einzuschränken.»[174] Das von Ullrich erwähnte Beispiel einer 36-Stunden-Schicht war ein Einzelfall, der von der Betriebsleitung scharf verurteilt wurde.[175] 1918 wurde bei Blohm & Voss tatsächlich weniger gearbeitet als vor dem Krieg, was im deutlichen Widerspruch zur gängigen Auffassung steht. Allerdings liegen Daten aus anderen Unternehmen bisher kaum vor.[176]

Tab. 8: Regulär geleistete wöchentliche Arbeitszeit je Arbeitskraft in Stunden

Quellen: Errechnet nach den Wochenberichten, StA B&V 204, 223.3, 232.1 und 238.3.

II. Quartal/1917	49,9	I. Quartal/1918	49,5
III.	50,0	Juli	48,4
IV.	50,7	September	49,0

Ullrich kommt zu seinem Ergebnis von einer unvorstellbar hohen Überarbeit, weil seine Quellen die sozialdemokratische Presse («Hamburger Echo»), Unterlagen der Gewerkschaft und subjektive Erinnerungen von Arbeitern waren, aber

---

172 Donnerstagssitzung, 15.6.16, StA B&V 13.1.
173 Donnerstagssitzung, 18.2.18, StA B&V 13.2.
174 Donnerstagssitzung, 18.7.18, ebd.
175 Donnerstagssitzung, 5.4.17, ebd.

176 Irmgard Steinisch liefert für die Kriegszeit keine Zahlen (Steinisch, Irmgard: Arbeitszeitverkürzung und sozialer Wandel, Berlin/New York 1986).

nicht die Statistik des Lohnbüros.[177] Einzelne arbeiteten sicherlich viel, aber die Mehrzahl überschätzte die Dauer der Arbeitszeit, weil sie die Arbeit durch die schlechte Lebensmittelversorgung als anstrengender als vor dem Krieg erinnerte. Auch paßte ein Unmaß an Überarbeit hervorragend in das ideologisch gefärbte Bild der Gewerkschaften von industrieller Ausbeutung und Kriegsgewinnlertum. Festzuhalten bleibt, daß bei Blohm & Voss weniger gearbeitet wurde als bisher vermutet. Weitere Stichproben bei anderen Unternehmen sind jedoch nötig, um ein Gesamtbild von der Arbeitszeit im Krieg zu gewinnen. Die Dauer der Arbeitszeit wurde durch die höheren Kosten und die geringere Produktivität von Überstunden begrenzt. Die Mehrkosten konnten allerdings durch die Einführung des Regiebauverfahrens auf den Auftraggeber abgewälzt werden. Dennoch sprachen für die Betriebsleitung auch dann gute Gründe dafür, die Arbeitszeiten nicht weiter auszudehnen. Es sollten die menschlichen Ressourcen geschont werden. Bei einer immer schlechteren Versorgungslage waren die Arbeiter körperlich hierzu auch gar nicht mehr in der Lage. Eine Zunahme des Krankenstandes und des unentschuldigten Fernbleibens von der Arbeit, um auf dem Schwarzmarkt oder bei Hamsterfahrten Lebensmittel zu ergattern, taten ein Übriges. So lag im Sommer 1917 die Absenzrate bei 8–9 %, montags bei über 12 %, um ein Jahr später noch weiter anzusteigen.[178]

Die Ermittlung der Lohnentwicklung wirft zahlreiche Probleme auf. Zwar läßt sich aufgrund der erhaltenen Wochenberichte und vereinzelter anderer statistischer Angaben die Höhe der Nominallöhne errechnen. Dabei handelt es sich aber um das durchschnittliche Tageseinkommen aller Arbeiter. Hierbei muß berücksichtigt werden, daß die Löhne sehr stark differierten, je nach Arbeitergruppe, Akkordhöhe, Leistung von Überstunden, Dauer der Betriebszugehörigkeit, Alter und Familienstand. Finanzielle Sonderleistungen wie Teuerungs- oder Familienzulagen, die etwa 1915 für reklamierte Arbeiter von auswärts 2,– Mark täglich betrugen,[179] können nicht erfaßt werden, ebensowenig Sonderzuteilungen von Lebensmitteln und knappen Waren durch den Betrieb.

Im Jahr 1914 betrug der durchschnittliche Stundenverdienst bei Blohm & Voss 68,1 Pfennig und war somit der höchste von allen deutschen Seeschiffswerften (siehe Tab. 9). Das ergab an einem 10-Stunden-Arbeitstag ein Einkommen von 6,81 Mark. Dies lag an den generell höheren Tariflöhnen in Hamburg, innerhalb der Hansestadt erklärt sich der Vorsprung gegenüber der Konkurrenz durch die Qualifikationsstruktur und die Akkorde der Belegschaft. Die erhaltenen Wochenberichte erlauben eine Rekonstruktion zumindest der durchschnittlichen nominellen Tagesverdienste der Arbeiter, wobei allerdings die gesondert ausge-

---

177 Die Firmenleitung benötigte genaue Daten, die Statistiken wurden nur intern verwendet, und es gibt keinen Anlaß, an ihrer Zuverlässigkeit zu zweifeln.

178 B&V an RMA, 3.8.17, StA B&V 911; Bieber, Die Entwicklung der Arbeitsbeziehungen, S. 128.

179 RMA an B&V, 5.11.15, StA B&V 812.1.

Tab. 9: Durchschnittsstundenverdienst auf deutschen Seeschiffwerften 1914

	Stundenlohn in Pf.	Anzahl der Arbeiter
A. *Unterweser:* AG Weser	61,2	5.242
Seebeck AG	61,2	1.110
Tecklenborg AG	60,7	2.422
Bremer Vulkan	59,2	2.582
Rickmers	55,5	280
Friedrichs & Co.	58,1	469
Unterweser m.b.H.	55,5	268
B. *Hamburg:* Blohm & Voss	68,1	7.326
Vulcan-Werke	65,3	3.210
Reiherstieg Schiffswerft	65,0	1485
Stülcken Sohn	66,5	608
Janssen & Schmilinsky	63,5	197
Wichhorst	65,9	199
Henry Koch, Lübeck	60,5	560
AG Neptun	59,2	1.410
C. *Schleswig-Holstein:* Germaniawerft	66,1	5.121
Howaldtswerke	60,1	2.936
Flensburger Schiffbau-Gesellschaft	58,8	1.762
Stocks & Kolbe	62,8	140
D. *Stettin:* AG Vulcan	55,7	5.222
Stettiner Oderwerke AG	59,0	968
Riecke & Co. AG	58,7	467

Quelle: Auszug aus der Lohnstatistik der Norddeutschen Gruppe/Abt. Seeschiffswerften, BArchB R2/B320.

zahlten Teuerungszulagen, die bis zu 3 % der Gesamtlohnsumme betrugen, nicht mit einbezogen werden können.

Tabelle 10 Spalte 2 zeigt die Entwicklung der gezahlten durchschnittlichen Tageslöhne der Arbeiter vom November 1914 bis Juli 1918. Zunächst liegen diese Löhne unter dem oben genannten Vorkriegsniveau, was auf die Unterbeschäftigung nach Kriegsausbruch zurückgeführt werden kann. Im Jahr 1915 betrugen die Löhne im Durchschnitt der Monate 6,90 Mark, 1916 7,71 Mark und 1917 9,05 Mark. Vergleicht man die Löhne am Beginn und am Ende der verzeichneten Entwicklung, so betrug der Anstieg 87 %.[180]

180 Vgl. die Wochenberichte, StA B&V 204, 223.3, 232.1 und 238.3. Rechnerisch liegt eine Sechs-Tage-Woche zugrunde, obwohl eigentlich nur an fünfeinhalb Tagen gearbeitet wurde. Dies erklärt den Unterschied zwischen Tages- und Stundenverdienst.

Tab. 10: Durchschnittliche Tageslöhne der Arbeiter bei Blohm & Voss, nominal und real

Monat/Quartal	Nominaler Lohn in Mark	Reallohn in Mark, Jahresdurchschnitt 1914 = 6,81		
		I	II	III
November/1914	5,88	5,44	5,30	5,35
Dezember	5,76	5,14	5,01	5,38
I./1915	6,67	5,48	5,69	5,94
II.	6,78	4,83	5,32	5,86
III.	7,04	4,68	5,24	6,05
IV.	7,10	4,57	5,26	5,94
I./1916	7,11	4,13	5,03	5,51
II.	7,49	3,68	4,61	5,91
III.	7,86	3,78	4,34	5,88
IV.	8,39	4,06	4,23	6,14
I./1917	7,95	3,77	3,56	5,72
II.	8,94	4,20	3,64	5,61
III.	9,43	4,42	3,60	5,53
IV.	9,88	4,58	3,55	6,35
I./1918	10,42	4,72	3,56	8,36
Juli	10,99	4,86	3,52	7,96

Reallohn I: Nominallohn, deflationiert mit dem Index der Nahrungsmittelpreise nach Richard Calwer.
Reallohn II: Nominallohn, deflationiert mit einer von Gerhard Bry interpolierten Reichsindexziffer der Lebenshaltungskosten des Statistischen Reichsamtes.
Reallohn III: Nominallohn, deflationiert mit dem Wechselkurs der Mark zum Dollar.
Quellen: Spalte 2: Wochenberichte, StA B&V 204, 223.3, 232.1; Spalte 3−5: Bry, Gerhard: Wages in Germany 1871−1945, Princeton 1960, S. 440−442.

Zeitreihen der Nominallohnentwicklung sind gewiß nicht uninteressant. Insbesondere für eine genauere Analyse der betrieblichen Wertschöpfungsprozesse sind sie unerläßlich. Aber sie erlauben, insbesondere in Zeiten anhaltender inflationärer Prozesse – wie sie schon im Verlauf des Krieges beobachtet werden konnten – keine Schlüsse auf die Entwicklung der Lebenshaltung der Arbeiter. Zwar sind auch die um Preisänderungen bereinigten Reallöhne kein zweifelsfreier Indikator für Veränderungen der Lebenshaltung, wie gleich noch darzustellen ist, aber sie erlauben wenigstens tendenziell bessere Einsichten zur Entwicklung der Kaufkraft der Lohnbezieher. Ob sich diese Kaufkraft wirklich in realen Konsum umsetzen ließ, wurde im Verlauf des Krieges immer problematischer. Mehr und mehr entscheidend wurde die Lebensmittelbewirtschaftung mit ihren staatlich administrierten Rationen einerseits und (wie weiter unten noch darzustellen ist) die naturalen Sonderzuteilungen der Firma an die Arbeiter andererseits.

Leider gibt es für den hier betrachteten Zeitraum keine Zeitreihe eines Preisin-

dexes der Lebenshaltung, der für eine Deflationierung der in Spalte 2 von Tabelle
10 verzeichneten Nominallohnentwicklung bedenkenlos verwendet werden
kann. Streng genommen müßte die Entwicklung der Hamburger Preise bekannt
sein. Das ist nicht der Fall. Aber selbst für das Deutsche Reich im ganzen gibt es
keinen Index, der ohne weiteres zur Deflationierung der Nominallöhne herange-
zogen werden könnte.[181] Weil aber keine besseren Lösungen bestehen, soll hier
auch nur gezeigt werden, zu welchen Ergebnissen man gelangt, wenn die drei üb-
licherweise genutzten Indices der Geldwertentwicklung verwendet werden.

Nicht unerwartet lassen sich mit Hilfe der drei Indices recht verschiedene Ergebnisse erzielen. Aus Spalte 3 (I.) ist zu ersehen, daß der reale Tageslohn bis zur
Jahresmitte 1916 erheblich abgesunken ist, dann aber wieder einen leichten Anstieg erfuhr und im ersten Quartal 1918 um etwa 30 % unter dem Niveau des Jahres 1914 lag. Allerdings ist der hierfür verwendete Index der Nahrungsmittelpreise mannigfaltiger Kritik ausgesetzt. Insbesondere, daß Calwer amtliche
Höchstpreise zugrunde legt und einen zu hohen Kalorienverbrauch annimmt,
entwertet seine Angaben, weil ja in der Regel der Bedarf zu diesen Preisen gar
nicht gedeckt werden konnte.[182] Spalte 4 (II.) weist den Reallohn ebenfalls als
sinkend aus, allerdings zunächst langsamer als in Spalte 3. Der Tiefstand wird
1917 erreicht und wird danach nicht nennenswert überschritten. Der so ermittelte Reallohn lag 1918 um ca. 48 % unter dem Niveau von 1914. Recht anders
spiegelt sich die Entwicklung in den Ziffern von Spalte 5 wider. Allerdings ist der
für die Deflationierung verwendete Wechselkurs der Mark im Verhältnis zum
US-Dollar bestenfalls ein Indikator der Veränderung des Außenwertes der Mark.
Und angesichts der Veränderungen der Weltwährungsordnung war er in diesen
Jahren noch nicht einmal das.

Bislang ist vornehmlich von Durchschnittslöhnen die Rede gewesen. In Wirklichkeit gab es erhebliche Unterschiede, und vermutlich blieben die Abstände
über die Zeit hinweg nicht konstant. Aber die Quellen geben nur spärlich Aus-
kunft. Die Firma bemühte sich, eine Differenzierung aufrechtzuerhalten, indem
sie sehr niedrige Einstellungslöhne zahlte, die im Lauf der Zeit geringer anstiegen
als die anderen Arbeitslöhne. Ein neu eingestellter Schiffbauer verdiente 1915 anfangs 46 Pfennig in der Stunde, 1918 waren es dann 60 Pfennig.[183] Der Stellen-
wert eines Arbeitsvorganges innerhalb der Kriegsproduktion schlug sich ebenso
im Einkommen nieder, so konnten Nieter aufgrund ihrer Schlüsselrolle deutlich
größere Lohnzuwächse verzeichnen als Schmiede.[184]

---

181 Ein offizieller Lebenshaltungskostenindex
wurde erst 1920 etabliert, Tooze, J. Adam:
Statistics and the German State, 1900–1945,
Cambridge 2001, S. 92.
182 Siehe zur Kritik Holtfrerich, Die deutsche
Inflation, S. 42.

183 Ullrich, Die Hamburger Arbeiterbewegung,
S. 241.
184 Vgl. Löhne und Arbeitszeiten bei B&V
1914/15, StA Senat-Kriegsakten AIIp24,
und Durchschnittsstundenlöhne für die
Lohnwoche vom 4.–10.4.18 errechnet am
13. 2. 1919, StA B&V 481.

Nicht berücksichtigt werden konnte als Einkommen allerdings der Gegenwert der Lebensmittelsonderrationen, da die Werft einmal auf legalem Weg
durch staatliche Zuteilung, aber auch durch Schwarzmarktgeschäfte eine bessere
Versorgung ihrer Belegschaft gewährleisten konnte. Eine spürbare Not bei den
Werftarbeitern trat ab 1916 ein, vorher war die Situation mit Einschränkungen
noch normal. So konnte sich im Juni 1915 ein Nieter in der Kantine der Vulcan-
Werft für seinen Stundenlohn immerhin ein relativ üppiges Essen leisten: Einen
dreiviertel Liter Suppe, danach Braten mit Gemüse und Kartoffeln, zum Nach-
tisch Kompott für zusammen 60 Pfennig, dazu eine Flasche Bier für 10 Pfennig.
Ein Nietenwärmer konnte für den Lohn einer Arbeitsstunde immerhin 100 bis
130 Gramm Fleisch mit 450 Gramm Kartoffeln für 30 Pfennig sowie eine Flasche
Mineralwasser für 5 Pfennig erstehen.[185] Bei Blohm & Voss dürften die Preise
ähnlich gewesen sein. Ein Jahr später konnten die Arbeiter von einer solchen Versorgung nur noch träumen.

Auf die Verwendung unterschiedlicher Deflationierungsmethoden ist es vor
allem zurückzuführen, daß die Entwicklung der Reallöhne bei Blohm & Voss in
der Literatur verschiedene Beurteilungen erfahren hat. Ferguson konstatiert einen geringen Reallohnverlust, der 1918 nur 9 % betragen haben soll.[186] Allerdings verwendet er als Umrechnungsfaktor den Dollarkurs der Mark. Bieber
schätzt die Lohnverhältnisse deutlich schlechter ein, da die Verdoppelung der Lebenshaltungskosten 1917 die Lohnsteigerungen mehr als aufgezehrt hätten,[187]
wie ja auch aus Spalte 4 in Tabelle 10 hervorgeht.

Den Werftarbeitern ging es deutlich schlechter als den Belegschaften in anderen Zweigen der Rüstungswirtschaft, aber noch besser als den Beschäftigten der
Friedensindustrien. Die durchschnittlichen nominalen Tageslöhne wuchsen in
den sogenannten Kriegsindustrien vom März 1914 bis zum September 1918 von
5,14 Mark auf 12,85 Mark an, also ein Zuwachs auf das 2,5fache.[188] Deutlich
wird die Entwicklung auch im Vergleich zu den Einkommen in der Metallindustrie.[189] Während ein Arbeiter bei Blohm & Voss vor dem Krieg etwa ein Zehntel
mehr verdiente als ein durchschnittlicher Beschäftigter der Metallindustrie,
schmolz dieser Vorsprung nach Kriegsausbruch auf 5 % zusammen, 1916 entstand
schon ein Rückstand von etwa 5 %, seit 1917 erhielten Arbeiter in der Metallindustrie bereits 20 % mehr. Zu den Ursachen könnten auch eine härtere Preispolitik der Marine im Vergleich zur Armee gehören und die Rahmenbedingungen
der Bestellungen. Waffen und Munition wurden in sehr kurzfristigen Zyklen für
den sofortigen Fronteinsatz produziert, U-Boote oder Torpedoboote waren

185 Vgl. Vulcan-Werft an RMA, 14. 6. 1915,
      BArchM RM3/5335.
186 Ferguson, Paper and iron, S. 133.
187 Bieber, Die Entwicklung der Arbeitsbezie-
      hungen, S. 114.
188 Vgl. Bry, Gerhard: Wages in Germany 1871–

1945, Princeton 1960, S 434; vgl. auch:
Feldman, The Great Disorder, S. 82; Kocka,
Jürgen: Klassengesellschaft im Krieg. Deut-
sche Sozialgeschichte 1914–1918, Frankfurt/
Main ²1978, S. 29.
189 Vgl. Bajohr, Die Hälfte der Fabrik, S. 32.

langfristige Projekte. Eine Verzögerung von Munitionslieferungen konnte zum Zusammenbruch eines Frontabschnittes führen, daher verfügten Arbeiter und Fabrikanten in der Munitionsindustrie über ein stärkeres Druckmittel, um höhere Löhne und Profite gegenüber der Armee durchzusetzen, als es in der Schiffbauindustrie möglich war.

I.2.3 Die Angestellten

Als Verlierer des Krieges unter den Arbeitnehmern gelten die kleineren und mittleren Angestellten.[190] Anders als die Arbeiter erhielten Angestellte monatlich ein festes Gehalt ausgezahlt, das je nach individueller Einstufung variierte. Wo in der ersten Kriegsphase Angestellte Kurzarbeit leisteten, wurden auch ihre Verdienste gekürzt. Dies betraf nicht nur Blohm & Voss, sondern zahlreiche Hamburger Betriebe. Hermann Blohm verweigerte jedoch in seiner Funktion als Vorsitzender des Arbeitgeberverbandes Hamburg-Altona jegliches Gespräch darüber mit den in Hamburg ansässigen Angestelltenverbänden.[191] Allerdings gewährte die Firma nach Ausbruch des Krieges den einberufenen Angestellten für August ein volles Einkommen, Verheirateten zusätzlich bis zum Jahresende ein halbes.[192]

Zahlreiche Büros mußten in Folge der Einberufungen umstrukturiert werden, und es mangelte an technischem Fachpersonal.[193] Erst mit der Aufnahme des U-Bootbaus 1915 sowie wegen der zunehmenden Bürokratisierung der deutschen Kriegswirtschaft stieg die Zahl der Angestellten wieder. Gleichzeitig verringerte sich aber ihre Bindung an das Unternehmen.[194] Die Häufigkeit des Arbeitsplatzwechsels nahm zu, die Einberufungen leisteten das Ihre, die Fluktuation zu vergrößern. Zahlreiche Angestellte aus anderen Branchen kamen hinzu. Die Angestelltenschaft erreichte im letzten Kriegsjahr dann einen Höchststand von fast 1.500.[195]

Die Lebensmittelrationierung stellte die Angestellten, weil sie nicht körperlich arbeiteten, in der Regel schlechter als die Arbeiter, die meist in den Genuß einer Schwerarbeiterzulage kamen. Selbst im Rahmen des Scheer-Programms im Herbst 1918 lehnte das Kriegsernährungsamt (KEA) kategorisch eine Versorgungsverbesserung der Angestellten ab.[196] Unter der Hand steuerte dem jedoch die Betriebsleitung entgegen, indem sie in der Kantine für Angestellte aufgebesserte Rationen verteilte.[197] Im September 1917 wurden spezielle Nährmittelkar-

190 Zu ihrer Situation im Reich vgl. Kocka, Klassengesellschaft im Krieg, S. 91–112. Die Lage auf der Werft stellt Bieber, Die Entwicklung der Arbeitsbeziehungen, S. 133–139, dar.
191 Schreiben an den Arbeitgeberverband, 19.1.15, StA B&V 1388.
192 Rundschreiben, 14.8. und 15.10.14, StA B&V 474.
193 Donnerstagssitzung, 17.9.14, StA B&V 13.1.
194 Vgl. Bieber, Die Entwicklung der Arbeitsbeziehungen, S. 133–137.
195 Bericht für den Aufsichtsrat über das Geschäftsjahr 1918/19, StA B&V 30.3.
196 Besprechung im KEA, 22.10.18, StA B&V 9.3.
197 Bieber, Die Entwicklung der Arbeitsbeziehungen, S. 119.

ten für Angestellte eingeführt.[198] Die Firmenleitung wollte ihre Loyalität nicht durch große Unterschiede in der Nahrungsmittelversorgung aufs Spiel setzen, selbst wenn sie vom Staat angeordnet wurden. Unter der Arbeiterschaft bestand deshalb der Verdacht, die Angestellten würden sogar besser als sie versorgt. Die Firma lehnte aber eine Kontrolle der ausgeteilten Rationen durch den Arbeiterausschuß ab.

Anders als den Arbeitern stand den Angestellten vor dem Krieg ein bezahlter Urlaub zu. Während des Krieges wurde dieses Privileg jedoch stark eingeschränkt. Die Firmenleitung gewährte nur einer beschränkten Anzahl besonders erholungsbedürftiger Angestellter einen Urlaub, im Sommer 1915 beispielsweise von acht Tagen.[199] Aus den Quellen läßt sich der Eindruck gewinnen, daß sich im Laufe des Krieges die Arbeitsbedingungen vor allem bei den kleinen Angestellten verschlechterten. Schließlich waren sie austauschbarer und weniger kriegswichtig als gelernte Werftarbeiter, darum mußten sie gegebenenfalls noch eher als jene eine Einberufung fürchten. Ein Bürobeamter beklagte sich bei der Direktion über die Verhältnisse im Lohnbüro: «Die allgemeine Meinung der Herren ist die, dass das Leben im Lohnkontor auf die Dauer unerträglich sei, da wir alle schwer seelisch darunter leiden.» Er müsse als Disziplinarmaßnahme einzelne Texte fünf- bis zehnmal abschreiben oder sich gar fünf Minuten vor die Tür stellen. Sein Vorgesetzter bezeichne ihn mit Schimpfworten. Dies alles geschehe mit dem Hinweis, ansonsten für den Militärdienst freigestellt zu werden. Sein Bürochef meinte: «Sie haben nichts zu sagen als ‹Ja› oder ‹Nein›.»[200] Daß die Drohung mit der Einberufung zum Militärdienst kein verläßliches Disziplinierungsinstrument gewesen sein kann, ergibt sich aus Klagen von Vorgesetzten über ein zu frühes Verlassen der Büros oder ein übermäßiges Ausdehnen von Pausen.[201]

In der Beziehung zwischen Angestellten und Betriebsleitung bedeutete die Formierung eines innerbetrieblichen Angestelltenausschusses auf der Basis des Vaterländischen Hilfsdienstgesetzes vom Dezember 1916 einen Einschnitt.[202] Individuelle Abmachungen sollten durch kollektive ersetzt werden. Das bisherige gegenseitige Vertrauens- und Abhängigkeitsverhältnis, das die Machtstellung der Firmenleitung wesentlich stützte, mußte nun neu definiert werden. Vorher waren Gehaltskonflikte hinter verschlossenen Türen geregelt worden, jetzt wurde womöglich gar beabsichtigt, einen öffentlichen Schlichtungsausschuß anzurufen. Dies beunruhigte die Firmenleitung sehr und galt als Verstoß gegen jegliche Vertraulichkeit. Deshalb versuchte sie, die Wahlen so lange wie möglich zu verzögern. Was sie den Arbeitern schon lange zugestanden hatte, erlaubte sie ihren Angestellten nicht, nämlich die Bildung einer Interessensvertretung. Verunsichert

198 Donnerstagssitzung, 13.9.17, StA B&V 13.2.
199 Donnerstagssitzung, 29.7.15, StA B&V 13.1.
200 Vgl. Schreiben an die Direktion, 1.10.16, StA B&V 475.
201 Sie finden sich z.B. in den Protokollen der

Donnerstagssitzungen, 21.12.16, 17.5. und 6.9.17, 4.1. und 13.9.18, StA B&V 13.1–2.
202 Vgl. Bieber, Die Entwicklung der Arbeitsbeziehungen, S. 139.

war die Firmenleitung, weil sie «selbst möglicherweise keine Vertreter in den Ausschuß wählen darf». [203] Erst auf Druck der Behörden wurden die Wahlen im Mai 1917 schließlich durchgeführt. Hierbei stellte die Firma ihre Kandidaten auf, während die Angestelltenverbände es wagten, mit einer eigenen zweiten Liste anzutreten. Um eine günstige Stimmung zu erzeugen, wurde den Angestellten im April deshalb erstmals wieder Urlaub in Friedenslänge zugestanden. [204] Andererseits versuchte Rudolf Blohm die Kandidaten der Angestelltenliste bei zwei Besprechungen massiv einzuschüchtern. [205] Sie hatten es nämlich gewagt, Informationen über diese Wahl und über einzelne Kandidaten an die Presse weiterzuleiten. Das wurde als illoyal und ungehörig, gar als Kampfansage betrachtet.

Trotz dieser Beeinträchtigungen wurden die Wahlen gemäß den Bestimmungen des Hilfsdienstgesetzes demokratisch durchgeführt, während nicht alle Arbeiter zu den Wahlen der Arbeiterausschüsse zugelassen waren. Fünf Vertreter der Angestelltenliste, aber nur zwei Kandidaten der Firmenleitung setzten sich durch. Dies spiegelte die wachsende Entfremdung eines Teils der Angestelltenschaft von der Unternehmensleitung wider. Bei einer Donnerstagssitzung wurden die Wahlergebnisse, von denen die Firmenleitung enttäuscht war, besprochen, und es wurde versucht, unter Einschluß der oberen Führungskräfte eine gemeinsame Linie zu finden. [206] Zu diesem Zweck war der Teilnehmerkreis auf 30 Personen erweitert worden. Das Vorgehen der Angestellten wurde als «verdächtig» und «hinterrücks» bezeichnet. Es sei unverständlich, daß Beamte in einer Vertrauensposition Stellung gegen ihre Firma bezögen. Was im Verhältnis zur Arbeiterschaft als normal akzeptiert wurde, nämlich die Organisierung in Gewerkschaften, das Eintreten für eigene Rechte, ein gewisser Widerstand gegen Maßnahmen der Betriebsleitung und kollektive Lohnverhandlungen, wurde Angestellten noch lange nicht zugestanden. Überraschenderweise gab es bei den nächsten Wahlen zum Angestelltenausschuß im Dezember 1917 nur noch eine Kandidatenliste. [207] Es ist zu vermuten, daß Absprachen zwischen der Firmenleitung und Angestelltenvertretern einen erneuten Eklat verhinderten.

Gestört wurden die Beziehungen zwischen Management und Angestelltenschaft auch durch wiederholte Forderungen nach einer Gehaltserhöhung, die schließlich sogar beim Reichsmarineamt Unterstützung fanden. Noch im letzten Kriegsjahr weigerte sich die Betriebsleitung, direkt mit den Angestellten zu verhandeln. Sie stellte dem Reichsmarineamt trotz Aufforderung unter fadenscheinigen Begründungen kein statistisches Material über die Angestelltengehälter zur Verfügung. [208] Ein solches Verhalten war zuvor vom Kriegsausschuß der deutschen Werften beschlossen worden. Viele Angestellte wußten nicht, wieviel ihre

203 Donnerstagssitzung, 25.1.17, StA B&V 13.2.
204 Donnerstagssitzung, 12.4.17, ebd.
205 Unterredungen mit Kandidaten der Ange-
    stelltenliste, 28.4. und 30.4.17, StA B&V 9.2.

206 Donnerstagssitzung, 24.5.17, StA B&V 13.2.
207 Donnerstagssitzung, 13.12.17, ebd.
208 B&V an RMA, 26.2.18, StA B&V 479.

Kollegen verdienten. Die Werften, außer der Germania-Werft, betrachteten die Angestellteneinkommen als eine Art Betriebsgeheimnis und wollten nicht, daß der Konkurrenz – also den anderen Mitgliedern des Kriegsausschusses – diese Informationen zur Verfügung standen. Die gegenseitige Abwerbung von Fachleuten wurde befürchtet. Sie waren neben dem Facharbeiterstamm, den Meistern und den Betriebsanlagen das eigentliche Potential einer Werft. Blohm & Voss mußte auf der Hut sein, nicht die besten Kräfte zu verlieren.

Obwohl die Firmenleitung an der Vorstellung festhielt, daß die Gehälter der Angestellten individuell vereinbart werden sollten, war der größte Teil ihrer Angestellten schon längst nach Aufgabe, Leistung und Betriebszugehörigkeit schematisch in ein Gehaltssystem eingeordnet worden, das nur geringe Spielräume zuließ. Es gab drei Gruppen mit insgesamt 46 Gehaltsklassen (siehe Tabelle 11). Die erste Gruppe umfaßte die Büroangestellten, die zweite die Bürogehilfen und die dritte Jugendliche und weibliche Kräfte. Leider läßt sich nicht mehr feststellen, wie groß die Anzahl in den einzelnen Kategorien gewesen ist. Doch kann aus Tabelle 11 immerhin errechnet werden, daß die Angestellten der ersten Gruppe im Januar 1918 (als die Arbeiter ein Maximum an Tagelöhnen erreichten) im Mittel ca. 268 Mark, in der zweiten Gruppe rund 255 Mark und in der dritten etwa 125 Mark verdienten. Gemäß einer Überstundenregelung für Angestellte sollten bei einem Monatsgehalt unter 150,– Mark 1,– Mark, zwischen 150,– und 200,– Mark 1,50 Mark und bei über 200,– Mark 2,– Mark je Stunde gezahlt wurden.[209]

Tab. 11: Angestelltenmonatsgehälter in Mark im Januar 1918

Büroangestellte		Bürogehilfen		Jugendliche und weibliche Kräfte	
Gehaltsgruppe	Anteil der Beschäftigten	Gehaltsgruppe	Anteil der Beschäftigten	Gehaltsgruppe	Anteil der Beschäftigten
190,–	4 %	190,–	11 %	100,–	15 %
205,– bis 220,–	12 %	200,– bis 210,–	12 %	105,– bis 110,–	19 %
230,– bis 245,–	19 %	230,– bis 245,–	12 %	120,– bis 125,–	33 %
250,– bis 265,–	26 %	250,–	21 %	135,–	11 %
270,– bis 280,–	12 %	280,– bis 290,–	32 %	140,– bis 145,–	8%
290,– bis 230,–	9 %	305,–	6 %	150,– bis 155,–	8 %
330,– bis 360,–	18 %	330,–	6 %	160,– bis 180,–	6 %

Quelle: Erhebung der Personalabteilung vom 30.1.18, StA B&V 479.

Alles in allem ist ersichtlich, daß der Grundsatz der Vorkriegszeit, Angestellte besser zu bezahlen als Arbeiter, nicht mehr galt. Wird der Vergleich der oben in Tabelle 10 mitgeteilten durchschnittlichen Tagelöhne der Arbeiter im Januar 1918

209 Eduard Blohm an RMA, 6.11.17, StA B&V
    58.15.

zugrunde gelegt und mit einem Minimum von 27 Arbeitstagen gerechnet, so verdienten Arbeiter in diesem Monat durchschnittlich fast 300 Mark, was gemäß Tabelle 11 nur verhältnismäßig wenigen Angestellten gelang. Freilich sind hier nicht alle jene Angestellten erfaßt, die außerhalb der schematischen Einkommensklassen lagen, insbesondere also Ingenieure und andere Führungskräfte.

Die Quellen geben wenig über die Entwicklung der Einkommen der Angestellten im Krieg her. Zwar erhielten auch die Angestellten im Verlaufe des Krieges Einkommensaufbesserungen, aber es sind keine exakten Zahlenangaben verfügbar. Daß sie im Durchschnitt unter denen der Arbeiter blieben, scheint sicher. Dafür sprechen auch die für Januar 1918 ausgewiesenen Einkommensabstände. Bei den Büroangestellten und den Bürogehilfen soll eine Kriegsteuerungsrate in Höhe von 30,– Mark, bei der dritten Gruppe eine solche in Höhe von 15,– Mark schon eingerechnet sein.[210] Für welchen Zeitraum der Teuerung sie gelten sollte, war nicht zu ermitteln. Innerhalb der Gruppe der Angestellten waren noch einmal die neu eingestellten Schreiber, Buchhalter oder Zeichner, insbesondere wenn sie branchenfremd waren, schlechter gestellt. Sie haben den Durchschnitt der Gehälter gewiß negativ beeinflußt. Im Vergleich zu spezialisierten Arbeitern waren gewöhnliche Angestellte eben nicht knapp. Das war auch das Resultat der zunehmenden Beschäftigung weiblicher Bürokräfte. Sie leisteten an der Schreibmaschine oder als Stenographin vielfach mehr als Männer, verdienten aber in den Büros nie mehr als volljährige männliche Angestellte. Insgesamt war die Betriebsleitung mit dem Ergebnis der Beschäftigung weiblicher Angestellter recht zufrieden, so daß viele dieser Arbeitsplätze nach dem Krieg erhalten blieben, obwohl sie ihr noch im Sommer 1915 ablehnend gegenüber stand.[211]

Im Laufe des Krieges sank der Rückhalt der Firmenleitung bei den Angestellten, wozu wohl auch beitrug, daß qualifizierte Arbeiter nun besser gestellt waren als die Mehrheit der Angestellten. Das wurde als sozialer Abstieg empfunden. Am Ende des Krieges wurde vor politischen Aktivitäten, gar Unruhestiftern unter den Firmenbeamten gewarnt: «Den in dieser ernsten Zeit auftretenden politischen Umtrieben ist entgegen zu arbeiten und unnachsichtig gegen Unruhestifter vorzugehen und der Einfluß ungünstiger und unruhiger Elemente sofort auszumerzen.»[212] Gleichzeitig erhöhte die Firmenleitung das Gehalt. Der Unternehmensleitung waren die sozialen Nöte der Angestelltenschaft wohlbekannt, sie versuchte zu helfen, wenn es finanziell möglich war, aber auf jeden Versuch, ihre innerbetriebliche Machtposition einzuschränken, reagierte sie empfindlich und mit großer Härte. Mit allen Mitteln wurde der «Herr-im-Haus»-Standpunkt verteidigt. Die Verhältnisse in der Kriegswirtschaft, die Aufwertung der Arbeiter in Verbin-

210 Erhebung der Personalabteilung, 30.1.18, StA B&V 479.

211 Vgl. Bericht für den Aufsichtsrat über das Geschäftsjahr 1914/15, StA B&V 30.2.

212 Donnerstagssitzung, 25.10.18, StA B&V 13.2.

dung mit einem sozialen Abstieg der Angestellten sowie ihre erstmalige Organisation in Interessenverbänden veränderten die Beziehung zwischen Angestelltenschaft und Firmenleitung unwiederbringlich. Die Welt des Privatbeamten ging unter, auch das Wort verschwand allmählich aus dem Sprachgebrauch. Die Rechte der Angestellten wurden nun offen und kollektiv eingefordert. Der Revolution auf der Werft stellte sich kein Angestellter entgegen. Gleichwohl kam es, bedingt durch den Unterschied in der sozialen Stellung und der Mentalität, nicht zu einer Koalition mit der Arbeiterschaft.

I.2.4 Frauen in der Männerdomäne

Zu Beginn des Krieges arbeiteten auf der Werft keine Frauen. Erst im Oktober 1915 wurden die ersten 27 Frauen im kaufmännischen Kontor eingestellt.[213] Über den weiteren zahlenmäßigen Verlauf der Beschäftigung weiblicher Angestellter existieren aber ansonsten kaum Angaben. Einen Monat später waren im Werftbetrieb 17 Arbeiterinnen beschäftigt (vgl. Tabelle 12). Kein Zweifel, Werftarbeit war vielfach körperlich so anstrengend, daß sie nicht von Frauen ausgeführt werden konnte. Aber es gab seinerzeit – nicht nur bei Blohm & Voss – zahlreiche andere Gründe dafür, daß die Werft ein Männerbetrieb war. Frauenarbeit galt als «unproduktiv», zusätzliche Kosten zum Beispiel für separate Waschräume und Toiletten sowie besonders für Arbeitskleidung wurden gefürchtet.[214] Anders als auf der Kaiserlichen Werft in Danzig wurde kein Betriebskindergarten eingerichtet, um den Frauen den Alltag zu erleichtern.[215] Auch bestanden immer Bedenken in bezug auf die Moral am Arbeitsplatz und weitere Vorurteile der wilhelminischen Gesellschaft, die auch später noch von der Firmenleitung diskutiert wurden.

Dennoch erwies es sich schließlich als notwendig, auch Arbeiterinnen einzustellen, zumal die Heeresleitung nur noch dann Kriegsgefangene zuteilen wollte, wenn das örtliche Arbeitsnachweisbüro bestätigte, daß der Bedarf mit deutschen Arbeitern und Arbeiterinnen nicht zu decken war.[216] Freilich dachte die Firmenleitung zunächst nur an relativ wenig Arbeitsplätze: «Ist es bei einem steigendem Arbeitermangel aber nicht zu umgehen, dann sollen Frauen zunächst in den Schiffbauhallen, Archiven und als Werkstattschreiber Verwendung finden.»[217] Frauen wurden nun in den Büros als Hilfskräfte, als Reinigungspersonal, aber auch in einzelnen Werkstätten und an Bord der Schiffe beschäftigt. Die Firmenleitung und die Meister vor Ort mußten oftmals erst lernen, mit der Frauenarbeit umzugehen. Dabei spielte die Anstellung von Frauen oft die Rolle eines Arbeits-

---

213 Wochenbericht, 23.10.15, StA B&V 232.1.
214 Diese Auffassung vertraten die Werftbesitzer gegenüber Arbeitervertretern am 20.10.16; siehe Ullrich, Die Hamburger Arbeiterbewegung, S. 263.

215 Stavorinus, Günter: Die Geschichte der Königlichen/Kaiserlichen Werft Danzig 1844–1918, Köln/Wien 1990, S. 255.
216 Donnerstagssitzung, 18.2.16, StA B&V 13.1.
217 Donnerstagssitzung, 19.11.15, ebd.

kräftepuffers, um einen kurzfristigen Mangel auszugleichen. Standen ausreichend männliche Arbeitskräfte zur Verfügung, wurden Frauen bevorzugt entlassen.

An Bord setzte sich die Frauenarbeit nicht durch. Ende 1917 wurden alle Frauen von den in Bau befindlichen Schiffen abgezogen.[218] In den Büros und Werkstätten waren sie dagegen gern gesehen. So schrieb Eduard Blohm in seinen Lebenserinnerungen: «Wir haben von manchen Frauen sehr gute Arbeit bekommen, namentlich in den Werkstätten haben sie häufig mehr geleistet als Männer.»[219] Im Laufe des Krieges organisierte sich das weibliche Personal zunehmend. Allerdings sind nur Zahlen für die ganze Stadt erhältlich. Während 1914 nur 8,4 % der Hamburger Gewerkschaftsmitglieder Frauen waren, stieg ihr Anteil bis 1918 auf fast 30 % an.[220]

Glücklicherweise sind wir über die Entwicklung der Zahl der auf der Werft beschäftigten Arbeiterinnen relativ gut unterrichtet (siehe Tabelle 12). Nachdem im November 1915 die ersten Arbeiterinnen eingestellt wurden, wuchs ihre Anzahl zunächst bis Mai 1916 sprunghaft an. Ein neuerlicher Wachstumsschub setzte im Oktober 1916 ein und reichte bis Dezember. Von nun an verharrte die Beschäftigung von Arbeiterinnen auf einem hohen Niveau bis etwa Ende 1917, mit einem Maximum von 1.029 im Durchschnitt des dritten Quartals. Im Verlauf des Jahres 1918 kam es zu einem raschen Abbau auf weniger als die Hälfte. Denkbar ist, daß die Löhne nicht mehr attraktiv waren. Außerdem versuchte die Firma, die Zahl der eingestellten Frauen stark zu beschränken.[221]

Tab. 12: Anzahl der auf der Werft beschäftigten Arbeiterinnen

Quellen: Durchschnitt auf Basis der Wochenberichte, StA B&V 204, 223.3, 232.1. und 238.3.

November/1915	17	III. Quartal/1916	689	Januar/1918	749
Dezember	82	IV.	855	Februar	649
Januar/1916	296	I./1917	905	März	549
Februar	570	II.	972	6. April	507
März	666	III.	1.029	Juli	477
II. Quartal	711	IV.	978	September	448

Schon wenige Monate nach Einstellung der ersten Frauen kam die Werksleitung zu der Einsicht, daß die Frauenarbeit nicht nur eine temporäre Aushilfe darstellte, sondern möglicherweise längerfristig unentbehrlich sein würde. Sie begann nun, eine gewisse Qualifizierung zu betreiben, zunächst durch Anlernen am Arbeitsplatz. Es sollte sogar Vorarbeiterinnen geben.[222] Schließlich bildete die

---

218 Bieber, Die Entwicklung der Arbeitsbeziehungen, S. 88.
219 StA Familie Blohm 2, S. 296.
220 Büttner, Ursula: Die Hamburger freien Gewerkschaften in der Zeit der Weimarer Republik, in: Bauche, Ulrich/Ludwig Eiber/Ursula Wamser/Wilfried Weinke (Hg.):

«Wir sind die Kraft». Arbeiterbewegung in Hamburg von den Anfängen bis 1945, Hamburg 1988, S. 140.
221 Bericht für den Aufsichtsrat über das Geschäftsjahr 1917/18, StA B&V 30.3.
222 Donnerstagssitzung, 13.1.16, StA B&V 13.1.

Firma 1918 Arbeiterinnen für die elektrischen Werkstätten mehrere Wochen lang aus, setzte sie getrennt von Männern ein und beabsichtigte nach einem erfolgreichen Ablauf des Versuchs, mehr Frauen dort einzustellen.[223] Doch die Fluktuation blieb enorm. Innerhalb eines Jahres, bis zum 22. Dezember 1917, wurden 2.852 Arbeiterinnen neu eingestellt, 2.898 schieden aus der Firma wieder aus, dreimal so oft wie männliche Arbeiter.[224]

Neben der Schwere der Arbeit war die Höhe des Lohnes wahrscheinlich ein Grund für den Arbeitsplatzwechsel. In der Regel arbeiteten die Frauen ja, weil sie den Lohn zum Leben brauchten, zumal für die verheirateten Frauen, deren Männer eingezogen waren, die Kriegsunterstützungen bei weitem nicht ausreichten. In der Umgebung von Hamburg gab es zahlreiche Munitionsfabriken, die bessere Verdienstmöglichkeiten als die Werft boten. Generell wechselten Frauen im Krieg den Arbeitsplatz häufiger als Männer, was wohl auch damit zu tun hatte, daß ihre Arbeitsplatzwahl keiner Beschränkung unterlag (abgesehen vom Abwanderungsverbot in der Landwirtschaft) und ihnen keine Einberufung drohte. Doch war die Firma zunehmend daran interessiert, einen gewissen Stamm guter Arbeiterinnen zu halten. Frauenarbeit war ja als kostensenkender Faktor höchst willkommen.

Die Entwicklung der Löhne der Arbeiterinnen läßt sich aus Tabelle 13 ablesen. Die durchschnittlichen Nominallöhne stiegen zwischen Herbst 1916 und Juli 1918 von 4,16 Mark auf 5,21 Mark täglich. Im ersten Quartal 1917 verdiente eine Frau ca. 53 %, ein Jahr später 47 % vom Einkommen eines Mannes. Der Calwer-Index verzeichnet einen Anstieg, der von Bry interpolierte Lebenshaltungskostenindex eine Minderung des Reallohnes. Tatsächlich dürfte er starken Schwankungen durch die jeweilige Versorgungs- und Beschaffungssituation unterworfen gewesen und insgesamt gesunken sein.

Der weibliche Verdienst wurde von der Firma von vornherein auf höchstens zwei Drittel des Einkommens eines Mannes bei gleicher Leistung und Tätigkeit begrenzt.[225] Der tatsächliche Unterschied betrug jedoch ungefähr die Hälfte des Lohnes eines Mannes, was vermutlich auf eine niedrigere Qualifikation der Frauen zurückzuführen ist.

Bemerkenswert ist, daß die nominalen Lohnsteigerungen noch niedriger als im Durchschnitt der Friedensindustrien waren.[226] Verglichen mit dem Durchschnittsverdienst von Frauen im Maschinenbau oder der Chemischen Industrie lagen die Einkommen bei Blohm & Voss bis Anfang 1917 noch relativ hoch, dann sanken sie rapide unter deren Niveau ab.[227] Bei Einsetzen der weiblichen Be-

223 Donnerstagssitzungen, 4.7., 18.7. und 1.8. 18, StA B&V 13.2.
224 Daniel, Ute: Arbeiterfrauen in der Kriegsgesellschaft. Beruf, Familie und Politik im Ersten Weltkrieg, Göttingen 1989, S. 96.
225 Donnerstagssitzung, 6.9.18, StA B&V 13.2.

226 Selbst hier waren fast doppelt so große Zuwächse zu verzeichnen, Bry, Wages in Germany, S. 200.
227 Vgl. Bessel, Richard: Germany after the First World War, Oxford 1993, S. 27.

Tab. 13: Durchschnittliche Tageslöhne der Arbeiterinnen bei Blohm & Voss, nominal, real und in Relation zum durchschnittlichen Arbeiterlohn

Quartal/ Monat	Nominallohn in Mark	Reallohn I	Reallohn II	Relation zum nominalen Lohn von Arbeitern
IV./1916	4,16	2,01	2,10	49,7 %
I./1917	4,21	2,00	1,92	53,1 %
II.	4,52	2,12	1,84	50,5 %
III.	4,53	2,13	1,73	48,2 %
IV.	4,74	2,20	1,70	48,0 %
I./1918	4,87	2,21	1,67	46,9 %
Juli	5,21	2,31	1,67	47,4 %

Reallohn I: Nominallohn, deflationiert mit dem Index der Nahrungsmittelpreise nach Richard Calwer.
Reallohn II: Nominallohn, deflationiert mit einer von Gerhard Bry interpolierten Reichsindexziffer der Lebenshaltungskosten des Statistischen Reichsamtes.
Quellen: Spalte 2: Wochenberichte, StA B&V 204, 223.3, 232.1 und 238.3; Spalte 3–4: Bry, Wages in Germany, S. 440–442.

schäftigung im Herbst 1916 entsprach der nominelle Tagesverdienst der Frauen in etwa dem Durchschnitt der Metallindustrie und betrug ungefähr das Doppelte des Vorkriegsniveaus dieser Branche.[228] Doch die Lohnsteigerungen in der Metallindustrie insgesamt fielen ab Sommer 1917 deutlich höher als bei Blohm & Voss aus.[229]

Trotz positiver Erfahrungen bestand eines der wichtigsten Ziele der außerordentlichen Betriebsleiterversammlung nach Kriegsende im Abbau der Frauenarbeit sowie der Wiedereinstellung des eingezogenen männlichen Stammpersonals.[230] Hier spielten aber weniger betriebswirtschaftliche Gründe als vielmehr die wertkonservative Einstellung der Unternehmensleitung, wie überall in Deutschland, eine Rolle. Eine Frau durfte einfach nicht einem Mann, dem Familienernährer, den Arbeitsplatz wegnehmen. Eine Delegiertenversammlung der Werftarbeiter forderte am 4. November 1918 schließlich gleiche Löhne für Frauen,[231] auch der revolutionäre Arbeiter- und Soldatenrat strebte anfangs unterschiedslose Minimallöhne an.[232]

Immerhin hatte das Arbeiten während des Krieges vielen Frauen eine gewisse Selbständigkeit verschafft. Blohm & Voss stellte später wegen der guten Erfahrungen mit weiblichen Bürokräften vermehrt Frauen als Sekretärinnen und Stenotypistinnen ein. Für die deutschen Kriegsanstrengungen war die Frauenarbeit nützlich, da sie sich als kostengünstig erwies und manchen Soldaten ersetzen konnte.

228 Vgl. Bajohr, Die Hälfte der Fabrik, S. 32.
229 Vgl. Bry, Wages in Germany, S. 435.
230 Protokoll der außerordentlichen Versammlung, 18.11.18, StA B&V 13.2.
231 Ullrich, Die Hamburger Arbeiterbewegung, S. 588.
232 Donnerstagssitzung, 16.11.18, StA B&V 13.2.

I.2.5 Die Kriegsgefangenen

Im August 1916 gab es in Deutschland 1,6 Millionen Kriegsgefangene, von denen etwa 20 % in der Industrie arbeiteten.[233] Auch Blohm & Voss setzte, um den Arbeitskräftemangel auszugleichen, Kriegsgefangene ein. Im November 1915 kamen die ersten 60 an. Ihre Zahl wuchs im selben Monat noch auf 220 an und stieg bis Anfang 1916 auf über 400 (siehe Tabelle 14). Allerdings wurden ab März 1917 ungefähr ein Fünftel von ihnen für den Einsatz in der Landwirtschaft abgezogen. Im September 1918 wurde mit 595 Kriegsgefangenen der Höchststand erreicht.

Tab. 14: Anzahl der auf der Werft beschäftigten Kriegsgefangenen

* Ab März 1917 wurden zahlreiche Kriegsgefangene in der Landwirtschaft eingesetzt.
Quellen: Durchschnitt auf Basis der Wochenberichte, StA B&V 204, 223.3, 232.1. und 238.3.

Monat/Quartal	Gefangene	Monat/Quartal	Gefangene
November/1915	220	I. Quartal/1917	421
Dezember	302	II.	355*
I. Quartal/1916	433	III.	347
II.	435	IV.	344
III.	425	I. Quartal/1918	412
IV.	414	September	595

Die Kriegsgefangenen waren auf einem eigens angemietetem Wohnschiff im Schanzengraben untergebracht und wurden durch von der Heeresverwaltung abgestellte Soldaten bewacht. Sie kamen überwiegend aus dem Zarenreich, aber auch Briten, Franzosen und Italiener befanden sich unter ihnen. Aus Angst vor Sabotage durften sie nicht alle Arbeiten ausführen, wobei die Betriebsleitung insbesondere Brandstiftungen fürchtete. Die Motivation, für den Feind Kriegsschiffe zu bauen, war verständlicherweise eher gering. Trotzdem gab es eine gewisse Kooperationsbereitschaft der Gefangenen, wofür wohl vor allem die Schwerarbeiterzulage bei der Lebensmittelversorgung ausschlaggebend war. Ihre Produktivität wurde von der Firmenleitung um ein Drittel geringer als die deutscher Arbeiter veranschlagt.[234]

Besonders gute Erfahrungen machte die Firma mit den «Russen», bei denen es sich oftmals um Polen, Balten und Rußlanddeutsche handelte, die eher als andere Untertanen des Zaren über ausreichende Sprachkenntnisse verfügten oder bereits früher in Deutschland gearbeitet hatten. Sie gingen ab August 1916 sogar versuchsweise an Bord der Neubauten. Eduard Blohm konstatierte, daß mit ih-

233 Vgl. zur Kriegsgefangenenarbeit in Deutschland: Herbert, Ulrich: Geschichte der Ausländerbeschäftigung in Deutschland 1880 bis 1980, Berlin/Bonn 1986, S. 85; Schwarz, Egbert F.: Vom Krieg zum Frieden. Demobilmachung in Zeiten des politischen und sozialen Umbruchs im Ruhrgebiet, Frankfurt/Main 1995, S. 134–142.

234 Vgl. Bieber, Die Entwicklung der Arbeitsbeziehungen, S. 89; Donnerstagssitzungen, StA B&V 13.1 und 13.2.

nen bedeutend besser als mit allen anderen zusammengearbeitet werden konnte.[235]

Die Kriegsgefangenen unterstanden der Heeresverwaltung. Dort wurde der jeweilige Bedarf angemeldet und die Bewachung organisiert. Die Firma überwies das erarbeitete Einkommen der Gefangenen, das der Entlohnung eines freien Arbeiters entsprechen sollte, an die Heeresverwaltung.[236] Dies lag bei etwa 4,50 bis 5,– Mark pro Tag und stieg im Laufe der Zeit nur minimal an (vgl. Tab. 15). Die Gefangenen bekamen ein kleines Taschengeld in Höhe von etwa einem Viertel des Einkommens bar ausgezahlt.[237] Ein weiterer Teil des Lohnes wurde bis zur Entlassung angespart. Über die Lohnzahlungen hinaus hatte die Werft für Unterbringung und Verpflegung aufzukommen, erhielt dafür von der Heeresverwaltung aber eine kleine Rückvergütung. Für die Zeit von November 1915 bis Mai 1916 wurden die realen Kosten je Gefangenen im Betrieb errechnet.[238] Danach fielen pro Person je Arbeitstag durchschnittlich ein Lohn von etwa 4,50 Mark und Kosten für Unterbringung und Verpflegung in Höhe von 1,35 Mark an. Dabei erhielt die Firma 1915 für die Unterkunft nur eine Rückvergütung von 15 Pfennig täglich pro Person von der Heeresverwaltung. Da die jeweiligen Tagesverdienste schwankten und die bei der Hafenarbeit eingesetzten Kriegsgefangenen nachweislich Überarbeit leisteten,[239] ist davon auszugehen, daß auch bei Blohm & Voss die Gefangenen Überstunden machten und in das Akkordsystem einbezogen waren.

Wenn die Lohnzahlungen und der Aufwand für Unterkunft und Verpflegung je Gefangenen addiert werden, so ergeben sich 1916 Beträge, die etwa um 20 % unter den in Tabelle 10 ausgewiesenen durchschnittlichen Tageslöhnen der Arbeiter lagen. Falls, wie oben angeführt, die Produktivität je Gefangenem tatsächlich um ein Drittel unterhalb derer der deutschen Arbeitskräfte lag, was im Hinblick auf ihre geringere Qualifikation und Motivation plausibel erscheint, waren die Kriegsgefangenen jedenfalls 1916 keine billigen Arbeitskräfte für die Werft. Im Verlauf des Krieges scheinen sie freilich billiger geworden zu sein, was die Angaben in Tabelle 15 im Vergleich zu Tabelle 10 belegen. Dabei umging der Betrieb aber die Anweisung der gleichwertigen Bezahlung. Allerdings fehlen genauere Angaben über die Entwicklung des Aufwands des Unternehmens für Unterbringung und Verpflegung der Gefangenen.

Die Verpflegungssätze entsprachen denen eines deutschen Arbeiters. Als die Firma einmal versuchte, die Rationen zu kürzen, verweigerten die kriegsgefan-

---

235 StA Familie Blohm 2, S. 296.

236 Vgl. Mitteilungen des Deutschen Handelstages zur Kriegsgefangenenarbeit, StA B&V 101.1.

237 Anlagen zum Gutachten über die Entwicklung der Löhne, Preise, Unkosten und Gewinne der deutschen Werften, S. 8, BArchB R 2/2954.

238 Entwurf eines Schreibens von Rosenstiel an das RMA, 8.7.16, StA B&V 236.1.

239 Vgl. Schreiben der Inspektion der Kriegsgefangenenlager, Altona, 1.8.16, und der Handelskammer Hamburg an die Deputation, 11.8.16, StA DHSG, IIS XXXIV.49.

Tab. 15: Durchschnittliche Tagelöhne
der Kriegsgefangenen in Mark

Monat/Quartal	Tageslohn	Monat/Quartal	Tageslohn
Mai/1916	4,51	II. Quartal/1917	4,84
Juni	4,56	III.	4,85
III. Quartal	4,52	IV.	4,98
IV.	4,50	I. Quartal/1918	4,79
I. Quartal/1917	4,58	Juli	5,19

Quellen: Durchschnitt auf Basis der Wochenberichte, StA B&V 204, 223.3, 232.1 und
238.3.

genen Russen die Arbeit. Daraufhin wurden sie zwar ohne Nahrungsmittel und
Schlafgelegenheiten in eine leere Halle gesperrt, bis sie am folgenden Nachmittag
die Beschäftigung wieder aufnehmen wollten. Sie erreichten aber offenbar ihr
Ziel, denn ihnen wurde anschließend wieder die gleiche Lebensmittelration zugeteilt wie den Deutschen.[240] Bei Ausbruch der Revolution wurde den Gefangenen vom Arbeiter- und Soldatenrat befohlen, sich ruhig und abwartend zu verhalten, befreit wurden sie jedoch erst drei Tage später von einer Gruppe «roter»
Matrosen.[241]

Sicherlich war das Leben der Kriegsgefangenen nicht leicht. Besonders stark
litten sie unter allem möglichen Ungeziefer.[242] Aber verglichen mit sowjetischen
Kriegsgefangenen und Zwangsarbeitern im Zweiten Weltkrieg war ihre Behand-
lung human und entsprach gängigen Konventionen. Allerdings war ihr Einsatz in
der Rüstungsproduktion ein eindeutiger Verstoß gegen die Haager Landkriegs-
ordnung. Die Firma machte, anders als die deutsche Industrie in ihrer Gesamtheit, eher positive Erfahrungen mit den Gefangenen. Generell wurde der Ar-
beitseinsatz von Kriegsgefangenen und Zwangsarbeitern im Reich dagegen als zu
teuer und im Grunde als gescheitert betrachtet.[243] Bezeichnenderweise wurden
die Gefangenen bei Blohm & Voss bevorzugt eingesetzt, und ihre wurde Arbeit
weniger kritisch gesehen, als dies bei Frauen der Fall war.

I.2.6 Die Ernährungslage

Zu einer zentralen Frage sollte im Laufe des Krieges die Lebensmittelversorgung
werden. Sie stand in einem engen Zusammenhang mit der Stimmung auf der
Werft, aber auch mit der Arbeitsfähigkeit und Produktivität der Beschäftigten.
Bei Kriegsausbruch gab es weder Lebensmittelmangel noch eine Rationierung.
Es wurde ja ein schneller und siegreicher Ausgang des Konflikts erwartet und des-

240 Vgl. Donnerstagssitzung, 6.9.18, B&V 13.2;
Bericht für R. Blohm, 7.9., StA B&V 228.1.
241 Aktennotiz zur Revolution, 6.11.18, StA
B&V 9.3; Prager, Blohm + Voss, S. 113.
242 R. Blohm an Dr. W. Heerdt, Verein für
Schädlingsbekämpfung, 27.7.18, StA B&V
58.15.

243 Herbert, Ulrich: Zwangsarbeit als Lernprozeß. Zur Beschäftigung ausländischer Arbeiter in der westdeutschen Industrie im Ersten
Weltkrieg, in: Archiv für Sozialgeschichte
XXIV (1984), S. 302 f.

halb keine Vorsorge staatlicherseits getroffen. Im Lebensmittelhandel regierten zunächst noch die Gesetze des Marktes. Infolge der steigenden Lebensmittelpreise, einer mangelnden Bevorratung des Staates und einer beginnenden Verarmung breiter Bevölkerungsschichten wurde im Februar 1915 in Hamburg die Senatskommmission für Kriegsernährung gegründet. Ihrer Zuständigkeit unterstand die zentrale Beschaffung und Verteilung von Lebensmitteln. Zuerst wurde nur Brot rationiert, in den folgenden Monaten und Jahren kamen fast alle Güter des täglichen Bedarfs hinzu. Die Rationen unterschieden sich je nach Einstufung als normaler Verbraucher, Leicht- oder Schwerarbeiter. Im Mai 1916 schloß Hamburg sich der organisatorischen Struktur des neugegründeten Kriegsernährungsamtes (KEA) an. Zum Ende des Jahres erfolgte schließlich der Aufbau des Kriegsversorgungsamtes (KVA) unter Senator Diestel, das über 3.000 Beschäftigte Mitarbeiter verfügte.[244]

Neben diesen offiziellen Organen der Lebensmittelverteilung entwickelten sich im Laufe des Krieges eine Vielzahl von weiteren Einrichtungen zur Versorgung der Bevölkerung. So leiteten auch die Gewerkschaften Güter weiter, allerdings vornehmlich nicht rationierte.[245] Demgegenüber spielten die Unternehmen eine immer größere Rolle bei der Aufbesserung der Ernährung ihrer Beschäftigten. Dafür konnten sie ihre Werkskantinen nutzen. Ab Sommer 1916 dienten die Kantinen von Blohm & Voss als zusätzliche Verteilungsstelle für rationierte Lebensmittel. Damit sollte das demoralisierende Schlangestehen vor den Lebensmittelgeschäften vermieden und Zeit gespart werden.[246] Bis zum Ende des Jahres 1915 war die Versorgung der Werftarbeiterschaft noch halbwegs gut, seit 1916 verschlechterte sie sich rapide. Die Werft, sofern sie nicht nur Verteilungsstelle war, mußte Lebensmittel, aber auch andere Güter des täglichen Bedarfs bei den Behörden oder auf dem freiem Markt kaufen, so er denn noch existierte. Allerdings hielt sich selbst das Kriegsversorgungsamt nicht immer an die staatlich festgesetzten Höchstpreise. So forderte es für Gemüse mitunter einen Preis, der über dem regulierten Einzelhandelspreis lag.[247] Deshalb wich der Betrieb spätestens ab 1917 auf den Schwarzmarkt aus. Über diese Geschäfte sind verständlicherweise keine Unterlagen überliefert, aber sie waren dem Kriegsversorgungsamt bekannt.[248] Das Reichsmarineamt wußte ebenfalls Bescheid. So erklärte Geheimrat Flohr in Gegenwart von Vizeadmiral Ritter von Mann und des Chefs der Seekriegsleitung, Admiral Reinhard Scheer, «dass Blohm & Voss und die Vulcan-Werke wohl die grössten Kantinenbetriebe unter den Schiffswerften

244 Vgl. Jochmann, Werner: Handelsmetropole des Deutschen Reiches, in: Jochmann, Werner (Hg.), Hamburg. Geschichte der Stadt und ihrer Bewohner. Bd 2. Vom Kaiserreich zur Gegenwart, Hamburg 1986, S. 111.
245 Schult, Johannes: Geschichte der Hamburger Arbeiter 1890–1919, Hannover 1967, S. 311.

246 Vgl. Feldman, Army, Industry and Labor, S. 113.
247 R. Blohm an KVA, 19.2.18, StA B&V 101.1.
248 Vgl. Bericht zur Stimmung der Bevölkerung, 24.2.18, StA KVA Ia19b.2.

hätten und dass sie den Arbeitern das Essen noch zum Friedenspreis lieferten. Es würden Nahrungsmittel unter der Hand aufgekauft und beide Firmen legten jährlich etwa 1,5 Millionen Mark zu.»[249]

Tatsächlich engagierten sich im letzten Kriegsjahr Industrie, Gewerkschaften und Stellvertretende Generalkommandos offen oder versteckt für den Schwarzhandel.[250] Die Produktion wäre ohne diese zusätzlichen Lebensmittel noch weiter ins Stocken geraten, deshalb drückten die Behörden beide Augen zu. Bei der körperlich sehr belastenden Werftarbeit erwies sich eine ausreichende Ernährung einfach als nötig. Als sie sich verschlechterte, sank auch die Arbeitsleistung, zum Beispiel im Jahr 1917 pro Schiffsgewichtstonne und Arbeiter um 20 %, im Maschinenbau um 10 %.[251] Als man im April 1917 über die Gründe für die verzögerte Ablieferung von U-Booten nachdachte, wurden neben dem Kohlen- und Rohstoffmangel im Zusammenhang mit der Transportkrise des Winters auch Ernährungsprobleme ausgemacht.[252] Durch sporadische Sonderzuteilungen sollte dem wiederholt abgeholfen werden. Die Höhe der Rationen der Werftarbeiterschaft schwankte je nach allgemeiner Versorgungslage. Mußten sie gesenkt werden, ging dies oft mit einer kleinen Lohnsteigerung einher, um den Arbeitsfrieden weitgehend aufrechtzuerhalten. Zum Beispiel wurden sämtliche Löhne am Tag einer Senkung der Brotration im Frühling 1918 um 5 Pfennig täglich erhöht.[253] In der Zeit eines Lohnkonflikts erfolgte mitunter eine Sonderzuteilung wie im März 1917, als jeder Arbeiter aus der «Hindenburg-Spende» 900g Wurst und 100g Speck erhielt, um zu einem günstigeren Verhandlungsergebnis zu gelangen.[254] Bei der Vorbereitung des Scheer-Programms zur Steigerung des U-Bootbaus im Herbst 1918 gehörte die Sicherstellung der Ernährung der Belegschaft zu den zentralen Forderungen der Werften. So verlangte Rudolf Rosenstiel, der Kaufmännische Direktor, Zusatzrationen für die Leistung von Nacht- und Überstundenarbeit.[255] Auch wurde die Einschränkung der Erlaubnis, auf dem Schwarzmarkt zu kaufen, moniert.[256]

Der Unterhalt der Werkskantinen wurde zunehmend kostspielig. Um die Preise des Kantinenessens auf dem Niveau der Vorkriegszeit zu halten, mußten im Herbst 1917 monatlich 120.000,– Mark zugeschossen werden.[257] Dessen ungeachtet sank die Qualität ab. Wegen der Geldentwertung stiegen die Zuschüsse weiter an und betrugen im Geschäftsjahr 1918/19 1.896.000,– Mark.[258] Zum Vergleich sei erwähnt, daß sich der ausgewiesene Reingewinn auf 2,4 Millionen

249 Besprechung über das Scheer-Programm, 1.10.18, StA B&V 933.1.
250 Vgl. Feldman, Army, Industry and Labor, S. 462.
251 Donnerstagssitzung, 29.12.17, StA B&V 13.2.
252 Besprechung der U-Boot-Werften mit der U-Bootinspektion und dem RMA wegen der Bauverzögerungen, 13.4.17, StA B&V 9.2.

253 Aktennotiz, 12.4.18, StA B&V 9.3.
254 Wochenbericht, 10.3.17, StA B&V 232.1.
255 Besprechung im KEA, 22.10.18, StA B&V 9.3.
256 Besprechung bei B&V über das Scheer-Programm, 23.9.18, StA B&V 933.1.
257 R. Blohm an KVA, 19.2.18, StA B&V 101.1.
258 Vgl. Geschäftsbericht 1918/19.

Abbildung 7: Blick in die Speisehalle vor dem Krieg

Mark belief. So war die Subventionierung von Lebensmitteln durchaus ein beträchtlicher Kostenfaktor. Die «Naturalentlohnung» durch den Betrieb spielte im Verlauf des Krieges eine immer größere Rolle. Allerdings konnten nicht alle Hamburger Unternehmen ihren Beschäftigten Lebensmittel außerhalb der offiziellen Rationen zukommen lassen. Diejenigen, die dazu in der Lage waren, konnten unter Umständen trotz geringerer Zuwächse des Nominallohns ausreichend Arbeiter anziehen. Jedenfalls müssen derartige Zusatzleistungen auch berücksichtigt werden, wenn die Entwicklung der Nominallöhne in verschiedenen Unternehmen verglichen wird. Die Firma vermochte, manche Erzeugnisse des Schwarzmarktes oder Sonderzuweisungen an die Arbeiter weiterzureichen, die für diese sonst nicht erhältlich waren. So schätzte das Hamburger Kriegsversorgungsamt die Ernährungslage der Werftarbeiter mit den Schwerarbeiterzulagen und Extrazuweisungen als bedeutend besser ein als die Situation fast aller übrigen Bevölkerungsteile.[259] Aber selbst bei den Werftarbeitern waren im Sommer 1916 erstmals Merkmale von Unterernährung festzustellen.[260] Auf den Werften verschlechterte sich das Kantinenessen und wurde ab 1918 immer ungenießbarer.[261]

259 Bericht über die Stimmung der Bevölkerung, 24.2.18, StA KVA Ia19b.2.
260 Medizinalamt an Medizinalkollegium, 21.8. 16, StA Senat-Kriegsakten Fc.
261 Bieber, Die Entwicklung der Arbeitsbeziehungen, S. 118.

Im Mai 1917 erwog die Firma, kurzfristig wegen der Beschaffungsprobleme das Abendessen in den Speisehallen ausfallen zu lassen.[262] Ein kaum zu erfassender Faktor war hingegen die Selbstversorgung der Arbeiter aus dem Schrebergarten, die beständig zunahm, aber aufgrund der Siedlungsstruktur wohl eine geringere Rolle als im Ruhrgebiet spielte.[263]

Trotz ihrer privilegierten Versorgungslage mußten die Werftarbeiter in den letzten Kriegsjahren hungern. Die schlechte Ernährungslage war mitverantwortlich für Streiks und Konflikte. Erste Unruhen wegen der miserablen Lebensmittelversorgung gab es in Hamburg im Sommer 1916. Sie markierten das Ende des «Burgfriedens».[264] Der Steckrübenwinter 1916/17 verschärfte die Situation. Hinzu kamen Ressentiments gegenüber der Oberschicht, die sich gut versorgen konnte. Die hohen Preise und die Knappheit machten die Neuanschaffung von Kleidung oder Schuhen nahezu unmöglich. Die Ernährungssituation führte im Februar 1917 dann zu einer Welle von Hungerunruhen in Hamburg.[265] Zur selben Zeit traten das erste Mal Fälle von Hungerödemen in der Stadt auf.[266] Durch eine enge Zusammenarbeit der Gewerkschaften mit dem Kriegsversorgungsamt konnten die Arbeiter nochmals beruhigt werden. Es erfolgte eine kurzfristige Erhöhung der Lebensmittelrationen.

Der Januarstreik der Werftarbeiter 1918 mit seinen 20.000 Beteiligten erschien dann als neuer Höhepunkt des Konflikts. Äußerlich wurde der Eindruck einer großen politischen Friedensdemonstration erweckt mit Forderungen nach «Frieden, Freiheit und Recht». Allerdings zeigte die Resolution der Streikenden, welche Rolle die Ernährungslage spielte: «Die Versammlung sieht die beste Versorgung der Arbeiterschaft mit Lebensmitteln in der Herbeiführung eines sofortigen Friedens ohne Annexionen.» Auch die übrigen Forderungen waren eher materieller Natur: eine Erhöhung der Kartoffelrationen, eine energische Bekämpfung des Schwarzhandels, eine verbesserte Beförderung über die Elbe, eine Erhöhung der Kriegsunterstützung sowie ein größeres Entgegenkommen der Meister.[267]

Bei der Verteilung der Lebensmittel mißtrauten die Arbeiter der Betriebsleitung.[268] Das Kriegsversorgungsamt versuchte, durch die Einladung von Arbeitervertretern für eine gewisse Transparenz seiner Maßnahmen zu sorgen, doch die Firmenleitung ließ sich nicht in die Karten schauen. Arbeitern Einblick in die Interna zu gewährleisten war nicht mit dem «Herr-im-Haus»-Standpunkt zu ver-

---

262 Donnerstagssitzung, 17.5.17, StA B&V 13.2.
263 Dort war sogar die Schweinehaltung in Bergarbeiterhaushalten weit verbreitet, Hartewig, Karin: Das unberechenbare Jahrzehnt. Bergarbeiter und ihre Familien im Ruhrgebiet 1914–1924, München 1993, S. 190–192.
264 Ullrich, Die Hamburger Arbeiterbewegung, S. 281.
265 Vgl. Ullrich, Volker: Der Januarstreik 1918 in

Hamburg, Kiel und Bremen, in: Zeitschrift des Vereins für Hamburgische Geschichte 71 (1985), S. 54–57.
266 Prof. Rumpel an das Medizinalamt, 20.2.17, StA Senat-Kriegsakten Fc.
267 Vgl. Ullrich, Der Januarstreik 1918, S. 62; StA Senat-Kriegsakten Dz139.
268 Bieber, Die Entwicklung der Arbeitsbeziehungen, S. 119.

einbaren. Deshalb vermutete die Belegschaft stets, sie werde um ihre Rationen betrogen, oder es existiere eine Bevorzugung einzelner Gruppen. Etwas mehr Durchsichtigkeit hätte sicherlich manche Spannung vermeiden können. Diese Ansicht teilte das Kriegsversorgungsamt.[269] Es schlug vor, den Arbeitern entgegenzukommen.

Anders als ihre Belegschaft kannte die Firmenleitung den Hunger nicht aus eigener Erfahrung. Sie konnte sich durch ihr hohes Einkommen problemlos auf dem Schwarzmarkt versorgen. Während die Mehrheit schließlich seit Herbst 1916 hungerte, ging es einer Minderheit immer noch relativ gut, was soziale Konflikte sicherlich verstärkte. Die Bedeutung der Ernährungsfrage zeigte sich daran, daß eine Kantine bei revolutionären Tumulten am 5. November 1918 demoliert wurde.[270] Andererseits versuchte die Betriebsleitung durch beständige Eingaben an die Behörden und zusätzliche Einkäufe auf dem Schwarzmarkt, die Versorgung so gut wie möglich aufrechtzuerhalten. Es klingt paradox, aber trotz des Hungers genossen die Werftarbeiter eine überdurchschnittliche Verpflegung. Nur in den Munitionsfabriken gab es größere Rationen als auf den Werften. Allein ein rascher Frieden oder im Kriegszustand eine effektivere Organisation der staatlichen Lebensmittelversorgung, verbunden mit höheren Zuteilungen für die Werften und Gewinnspannen wie in einigen anderen Bereichen der Rüstungsindustrie, um besser den Schleichhandel nutzen und höhere Reallöhne zahlen zu können, hätte den Mangel zu verringern vermocht. Da im Deutschen Reich aber fast alle Erwachsenen hungerten und durch den Krieg durchschnittlich etwa ein Fünftel ihres Körpergewichts verloren,[271] war der Hunger für die Werftbelegschaft letztlich unvermeidbar.

I.2.7 Lohnkonflikte

Nach Ausbruch des Krieges herrschte wie in anderen Bereichen des gesellschaftlichen Lebens auch auf der Werft eine Art «Burgfrieden». Die von Hermann Blohm stark beeinflußte Industriekommission der Handelskammer lehnte im Herbst 1915 die Einladung zu einer Aussprache über eine «Arbeitsgemeinschaft der wirtschaftsfriedlichen nationalen Arbeiterverbände mit den Arbeitgeberverbänden» mit der Begründung ab, das bedrohe den «Burgfrieden» mit der Sozialdemokratie.[272] Erst mit der Zeit steigerte sich das Konfliktpotential. Als die Real-

269 Bericht über die Stimmung der Bevölkerung, 24.2.18, StA KVA Ia19b2.
270 Ullrich, Volker: Weltkrieg und Novemberrevolution. Die Hamburger Arbeiterbewegung 1914–1918, in: Berlin, Jörg (Hg.): Das andere Hamburg. Freiheitliche Bestrebungen in der Hansestadt seit dem Spätmittelalter, Hamburg 1983, S. 200.
271 Mai, Gunther: Das Ende des Kaiserreichs.

Politik und Kriegführung im Ersten Weltkrieg, Müchen ²1993, S. 113.
272 Sitzung der Industriekommission, 21.9.15, HkH D.4.2. Ursprünglich bestand auf der Werft ein wirtschaftsfriedlicher Werkverein, der «Unterstützungsverein der Firma Blohm & Voss»; Hoebel, Heinrich: Das organisierte Arbeitgebertum in Hamburg-Altona, Diss. jur., Hamburg 1923, S. 173.

löhne rapide zurückgingen, rückte 1916 die Forderung nach einer Verbesserung der Versorgungslage und einer Erhöhung des Einkommens zunehmend in den Vordergrund. Die vermuteten außerordentlichen Kriegsgewinne taten ein übriges, die Stimmung zu verschärfen. Die Dauer des Krieges unterhöhlte die Konsensbereitschaft.

In den ersten beiden Kriegsjahren wurden Lohnkonflikte noch friedlich und dezentral geregelt, erst später kam es zu massiven Streikkämpfen. Der Wunsch nach einer Lohnerhöhung war angesichts von Preissteigerungen und zunehmenden Versorgungsengpässsen sicherlich berechtigt, nur verfügte die Firma über einen eingeschränkten Spielraum. Als im Juni 1915 von der Unternehmensleitung die Gewährung einer Teuerungszulage verlangt wurde, lehnte diese kategorisch ab.[273] Der Mehrverdienst durch zusätzliche Überstunden und Akkordüberschüsse diente als Begründung. Im sozialdemokratischen «Hamburger Echo» wurde Hermann Blohm mit den folgenden Worten zitiert: «Also sie wollen eine Teuerungszulage haben. Ihre Kollegen von den anderen Werften sind schon vorstellig geworden, und dann müssen sie ja auch kommen. Sie wissen doch, daß wir jetzt in einem schweren Krieg sind und da muß sich jeder einschränken. Ihnen geht es hier viel zu gut. Sie können froh sein, daß sie reklamiert sind und nicht im Schützengraben rumliegen brauchen. Es geht ihnen viel zu gut, daß es reiner Übermut ist, wenn Sie eine Teuerungszulage haben wollen. Und es wäre wahrhaftig eine Schande, wenn man Ihnen noch Teuerungszulage geben wollte, wo es so viel Menschen gibt, die noch mit viel weniger auskommen müssen.»[274]

Ob dieses Zitat authentisch ist, läßt sich nicht mehr ermitteln. Blohm selber leugnete die Authentizität. Er beharrte aber grundsätzlich darauf, daß seitens der Arbeiter eigentlich kein Grund zur Klage vorliege und es Übermut sei, unter den jetzigen Umständen eine Teuerungszulage zu fordern.[275]

In der darauf folgenden Zeit wechselten sich Lohnforderungen und geringe Einkommenserhöhungen in immer schnellerem Wechsel ab. Es kam vor, daß einzelne Arbeitergruppen mit ihren Forderungen an die Firmenleitung herantraten. Bei Auseinandersetzungen im Betrieb rutschte manchmal einem Meister gegenüber reklamierten Arbeitern die Drohung mit dem Schützengraben heraus. Solche Äußerungen verurteilte die Betriebsleitung zwar scharf,[276] aber unliebsame und unbequeme Leute ließ sie durchaus einberufen. Auch das Stellvertretende Generalkommando sah die Situation weniger kritisch als die Arbeiter und schätzte die Arbeits- und Lohnverhältnisse noch im Juni 1916 durchweg als recht gut ein.[277]

273 Vgl. Ullrich, Die Hamburger Arbeiterbewegung, S. 258.

274 Zur Zensur eingereichter Artikel des «Hamburger Echos» vom 11.6.15, StA Senat-Kriegsakten AIIp24.

275 H. Blohm an Senator Sthamer, 6.7.15, ebd.

276 Donnerstagssitzung, 31.3.16, StA B&V 13.1.

277 Bericht des Stellv. Generalkommandos des IX. Armeebezirks zur Stimmung der Zivilbevölkerung im Juni 1916, BArchM RM3/4670.

Als im Juli 1916 Lohnerhöhungen gefordert wurden, waren die Arbeitgeber zu weiteren Zugeständnissen nicht bereit. Zumal die Gewerkschaft erklärte, «daß ein Streik der Werftarbeiter nicht zu befürchten sei, da die Gewerkschaftsführer die Leitung fest in der Hand hätten.»[278] Im September wurden erneut Einkommenserhöhungen eingefordert.[279] Der Hamburger Verband der Eisenindustrie verschleppte die Verhandlungen und gewährte nur eine minimale Verdienststeigerung, während das Stellvertretende Generalkommando gleichzeitig ein Diskussionsverbot verhängte. Daraufhin wirkte die Entlassung von einem Arbeiter und sieben Arbeiterinnen am 26. Oktober 1916 als Signal und bildete den Anlaß zu einer spontanen Arbeitsniederlegung. Die Bereitschaft zum Arbeitskampf lag in der Luft. Am nächsten Tag streikte schon ein großer Teil der Belegschaft von Blohm & Voss sowie die der Vulcan-Werft. Es kam zu Versammlungen der Streikenden. Lohnerhöhungen und eine andere Regelung der Akkordverhältnisse wurden gefordert.[280] Die Gewerkschaft appellierte an die Streikenden, die Arbeit wieder aufzunehmen, und das Generalkommando vermittelte, um zu einer Beilegung des Konflikts zu gelangen. Die Mehrheit schloß sich der Haltung des Metallarbeiterverbandes an. Einen Tag später wurde wieder normal gearbeitet. Eine Lohnzulage von 50 Pfennig täglich und eine etwas verbesserte Regelung der Akkorde waren das Ergebnis. Für diesen wilden Streik zahlte die Gewerkschaftskasse keine Streikunterstützung aus.

Das Vaterländische Hilfsdienstgesetz vom Dezember 1916 führte in Deutschland zur Einrichtung von gewählten Arbeiterausschüssen, denen die Aufgabe gestellt war, innerbetriebliche Konflikte geregelt auszutragen und sie tunlichst friedlich beizulegen. Auf den Hamburger Werften bestanden Arbeitersausschüsse zwar schon seit 1910, aber die gewerkschaftlich organisierten Werftarbeiter beteiligten sich seit 1911 nicht mehr an den Wahlen, da diese Ausschüsse nicht wirklich unabhängig waren, zahlreichen Beschränkungen unterlagen und ein Teil der Mitglieder von der Firmenleitung ernannt wurden. Bei den Wahlen Ende 1916 bestand nur ein eingeschränktes passives und aktives Wahlrecht. Obwohl die Gewerkschaften zur Teilnahme aufgerufen hatten, lag die Wahlbeteiligung bei Blohm & Voss unter 10 %. Der Deutsche Metallarbeiterverband dominierte den Ausschuß. Dieser beschäftigte sich dann hauptsächlich mit Fragen der Ernährung, des Lohns, des Verhaltens von Vorgesetzten und der Sicherheit am Arbeitsplatz, wurde aber auch zur Verteilung von Propagandamaterial eingesetzt. Ungenehme Arbeitervertreter versuchte die Firmenleitung einberufen zu lassen. Wichtiger als die offiziellen Aufgaben und Eingaben an die Unternehmensleitung waren für den Arbeiterausschuß aber informelle Verhandlungen und Treffen mit ihren Mitgliedern.[281]

278 Politische Polizei an Senator Schramm, 21.7.16, StA Senat-Kriegsakten Dz 139.

279 Vgl. zum folgenden Ullrich, Die Hamburger Arbeiterbewegung, S. 263–267; Besprechung der Seeschiffswerften, 6.10.16, StA B&V 9.2.

280 Ullrich, Der Januarstreik 1918, S. 54.

281 Vgl. Bieber, Die Entwicklung der Arbeitsbeziehungen, S. 102–108.

Im Frühjahr 1917 wurde ein potentieller Streik von den Gewerkschaften verhindert, nachdem zusätzliche Lebensmittelrationen aus der «Hindenburgspende» beschafft werden konnten.[282] Eine für den 1. Mai befürchtete Konfrontation erfolgte nicht, für die Polizei und Generalkommando bereits umfangreiche Maßnahmen vorbereitet hatten: «Die Schreier auf den Werften sollen in möglichst unauffälliger Weise eingezogen werden», lautete das Motto. Eine Liste «mißliebiger und unbrauchbarer Leute» sei anzufertigen, hieß es auf einer vertraulichen Sitzung im Generalkommando. Allerdings vertrat das Generalkommando die Auffassung, eine militärische Kontrolle der Fabriken sei undurchführbar. Nach einem kurzen Streik auf der Vulcan-Werft ließ es lieber zur Abschreckung 300 Streikende einberufen. Die Behörden fürchteten, daß Streiks zu Produktionsminderungen führten. Rudolf Blohm war dagegen anderer Meinung. Gegenüber Geheimrat Harms vom Reichsmarineamt, der eine «Militär-Diktatur» auf den Werften erwog, äußerte er: «Wir seien der Ansicht, dass das beste und einzige Mittel, Ruhe auf den Werften zu erhalten, sein werde, wenn man den Kampf austrage und es darauf ankommen lasse, dass die Arbeiter in den Ausstand treten.» Denn nach einem verlorenen Streik werde deutlich besser gearbeitet als in der unruhigen Zeit vor einem Streik oder nach einem von den Arbeitern gewonnenen.[283] Deshalb setzte die Firma auf einen Konflikt. Das Reichsmarineamt hoffte eher auf eine Beilegung der Auseinandersetzung durch eine friedliche Übereinkunft.[284]

Hermann Blohms Ablehnung fortgesetzter «friedlicher» Lohnanpassung ergab sich auch aus der Überzeugung, daß die Bedeutung der britischen Industrie gerade wegen des Einflusses der Gewerkschaften zurückgegangen sei.[285] Auch im Hinblick auf die Zeit nach dem Krieg und die internationale Wettbewerbsfähigkeit sei es nötig, die Löhne leistungsgemäß zu gestalten. Blohm wandte sich vehement gegen paritätisch besetzte Einrichtungen wie Arbeiterkammern, denn «Parität zwischen Arbeitgebern und Arbeitern existiert weder bei den Rechten noch bei den Pflichten!»[286]

Das Problem, die «hohen» Löhne nach dem Krieg wieder auf ein niedriges wettbewerbsfähiges Niveau zu drücken, beschäftigte die Firmenleitung. So wurde erklärt, Gewerkschaften und Marine möchten «die Löhne hoch bringen auf den Werften. Das würde aber für die Werftbesitzer einen gewaltigen wirtschaftlichen Kampf abgeben, der Arbeiterschaft die erhöhten Löhne abzuringen.»[287] Der Gewerkschaftler Koch machte jedenfalls keinen Hehl daraus, daß

282 Vgl. zum folgenden Ullrich, Die Hamburger Arbeiterbewegung, S. 364–370, und die Besprechung beim Stellv. Generalkommando, 24.4.17, StA B&V 9.2.
283 Besprechung von Geheimrat Harms mit R. Blohm, 25.5.17, StA B&V 9.3.
284 RMA an B&V, 12.5.18, StA B&V 827.

285 H. Blohm an Generalleutnant Groener, 15.5. 17, StA B&V 825.
286 H. Blohm an die Industriekommission der Handelskammer, 4.2.18, StA B&V 1403.2.
287 H. Blohm am 20.10.16, zitiert von Wilhelm Koch, Überwachungsbericht über eine Versammlung von Werftarbeitern, 16.7.17, StA Senat-Kriegsakten Dz 139.

die Werftarbeiter das Erkämpfte auf alle Fälle auch im Frieden bewahren wollten.[288] Beide Parteien gingen davon aus, das Geld werde seine alte Kaufkraft irgendwann wiedererlangen.

Im Sommer 1917 kam es zu einem Lohnkonflikt, der aber durch ein kleines
Zugeständnis der Werftbesitzer beantwortet wurde, nämlich eine Erhöhung des
Stundenlohnes um 2 Pfennig ab Oktober.[289] Der Firma war wichtig, daß direkt
mit den Gewerkschaften ohne Einbeziehung des Kriegsamtes und des Reichsmarineamtes verhandelt wurde.[290] Das Reichsmarineamt beteiligte sich auf seine
Weise am Tarifkonflikt: durch Orden. Doch wurde bemängelt, «dass die Verleihung der Auszeichnungen zwar ihren Beifall [auf der Werftarbeiterversammlung]
gefunden, jedoch die Anzahl nicht voll befriedigt hat. Es müssen also noch vielmehr Kreuze verliehen werden.»[291] Im Dezember wurden wiederum Forderungen nach einer Lohnerhöhung laut, um nach Preissteigerungen Wäsche und
Schuhe kaufen zu können.[292] Die erwartete große Konfrontation trat dann im Januar 1918 ein.[293]

Der Januarstreik wirkte als Ventil für steigenden Druck vor dem Hintergrund
sich weiter verschlechternder Arbeits- und Lebensbedingungen. Er nahm am
25. Januar 1918 seinen Anfang in Kiel und sprang von dort auf andere Werften
über. Am 28. Januar legten Beschäftigte der Vulcan-Werft die Arbeit nieder, einen Tag später schlossen sich die Belegschaften von Blohm & Voss und der Reiherstieg-Werft an. In Hamburg versammelten sich 20.000 Werftarbeiter und
skandierten «Frieden, Freiheit und Recht». Ihre unmittelbaren Forderungen waren hauptsächlich materieller Natur, eine Verbesserung der Lebensumstände
wurde verlangt, eine Erhöhung der Kartoffelration, eine energische Bekämpfung
des Schleichhandels, eine Verbesserung der Beförderung über die Elbe, ein größeres Entgegenkommen der Meister und eine Erhöhung der Kriegsunterstützung. Eine politische Dimension erhielt der Streik durch die Forderung nach
Herbeiführung eines sofortigen Friedens. Der Befehlshaber des Stellvertretenden
Generalkommandos, von Falk, reagierte schnell. Er unterstellte die Werft nach
einigen Telefonaten mit der Firmenleitung seinem militärischen Oberbefehl. Allen Wehrpflichtigen drohte bei Fortsetzung des Streiks die sofortige Einberufung.
Auch wurde die Einsetzung von Kriegsgerichten verkündet. Trotz dieser Maßnahmen und eines absoluten Versammlungsverbotes streikten am 30. Januar allein in Hamburg schon etwa 25.000 Menschen. Bevor Soldaten eine Versammlung der Streikenden auflösen konnten, zogen diese zum Veranstaltungslokal
Sagebiel, dem größten der Stadt, wo ausnahmsweise doch ein zentrales Treffen ge-

288 Rede Wilhelm Kochs, ebd.
289 Ullrich, Die Hamburger Arbeiterbewegung,
    S. 496 f.
290 Wochenbericht, 29.9.17, StA B&V 235.1.
291 Anmerkung Inspektor Droesslers von der
    Politischen Polizei zum Überwachungsbe-

richt der Werftarbeiterversammlung, 20.8.
17, StA Senat-Kriegsakten Dz 139.
292 Wochenbericht, 15.12.17, StA B&V 232.1.
293 Vgl. zum folgenden Bieber, Die Entwick-
    lung der Arbeitsbeziehungen, S. 121–125;
    Ullrich, Der Januarstreik, 1918, S. 45–72.

stattet worden war. Vertreter der Gewerkschaften und der Mehrheitssozialdemo-
kratie setzten sich nun an die Spitze der Streikbewegung, um den Einfluß und ihr
Gesicht nicht zu verlieren. Ein erweiterter Arbeiterrat wurde gewählt.

Doch die Drohungen des Militärs zeigten Wirkung. Die Hälfte der Streikenden nahm am folgenden Tag die Arbeit wieder auf. Der Arbeiterrat beschloß daraufhin, den Ausstand abzubrechen. So wurde schon am 2. Februar 1918 überall
wieder normal gearbeitet. Welchen Respekt die Arbeiterschaft immer noch vor
den Vertretern des Staates besaß, belegt der Abbruch der Diskussion auf der großen Streikversammlung am 30. Januar durch einen einzigen anwesenden Polizei-
beamten. Dieser konnte mit Unterstützung des sozialdemokratischen Reichstags-
abgeordneten Otto Stolten verhindern, daß 10.000 Werftarbeiter weiterhin über
ihre Forderungen und Lebensumstände diskutierten.

Nach Ende des Streiks wurde die Werft unter militärischen Befehl gestellt, allerdings gegen den heftigen Widerstand von Hermann Blohm, der diesen Prozeß
durch «kleinliche Schwierigkeiten» verzögerte.[294] Reklamierte Arbeiter, die am
31. Januar noch streikten, erhielten vorerst einen Gestellungsbefehl. Zwei Stabs-
offiziere des Generalkommandos ließen diese zum Appell antreten und verkün-
deten, sie seien zur Arbeit auf der Werft abkommandiert und unterständen der
Militärgesetzgebung. Wer sich nicht zur Werftarbeit eigne, werde einberufen.
Anschließend mußten die Arbeiter vortreten und ihre Kriegsbeordnung abgeben. Die Militarisierung dauerte dann bis zum 18. Februar an. 52 Personen
wurden später wegen ihrer Beteiligung als «Rädelsführer» am Streik zu Haftstra-
fen verurteilt.[295]

Die tatsächliche Regelung des Arbeitsbetriebs verblieb auch während dieser
Tage bei der Firmenleitung. Zur militärischen Leitung wurde nur vorgelassen,
wer vom Arbeiteramt der Firma vorher eine Erlaubnis erhalten hatte.[296] Eine
weitere Drohung bestand darin, eventuell nur einen Militärsold zu zahlen. Tatsächlich wurde den am Streik Beteiligten jedoch nur zeitweilig die Teuerungszulage um 50 % gekürzt.[297] Insgesamt war die Militarisierung aus Sicht der Firma
dann doch ein Erfolg. Der Vorgang wurde als so bedeutend eingeschätzt, daß der
Staatssekretär des Reichsmarineamtes deshalb der Werft einen Besuch abstat-
tete.[298] Ein reger Briefwechsel zwischen Hermann Blohm und von Falk über eine
Wiederholung der Militarisierung im Falle eines erneuten Streiks setzte ein.
Blohm forderte in diesem Zusammenhang eine vorherige Anhörung der Firmenleitung, da es einige Reibereien mit den Militärs gegeben hatte. Er meinte
noch immer, «dass es zur Förderung kriegswichtiger Arbeiten nützlicher wäre, die
Streiks ruhig zu gestatten.»[299] Insgesamt lernte Blohm die Militarisierung inso-

294 Bieber, Gewerkschaften in Krieg und Revo-
     lution, Bd. 1, S. 664.
295 Vgl. Ullrich, Der Januarstreik 1918, S. 72–
     74.
296 Donnerstagssitzung, 31.1.18, StA B&V 13.2.

297 Ullrich, Volker: Vom Augusterlebnis zur No-
     vemberrevolution, Bremen 1999, S. 156.
298 Wochenbericht, 9.2.18, StA B&V 232.1.
299 H. Blohm an von Falk, 23.2.18, StA B&V
     827.

fern schätzen, als mißliebige Arbeiter entlassen und anderen die Abkehrscheine verweigert werden konnten.[300]

In der folgenden Zeit kam die Belegschaft nicht mehr zur Ruhe, Konflikte häuften sich, Betriebsleitung und direkte Vorgesetzte büßten rapide an Autorität ein. Eine Militarisierung erfolgte aber nicht mehr. Im Juli 1918 konnte ein erneuter Streik auf der Vulcan-Werft durch eine sofortige Erhöhung der Lebensmittelrationen beendet werden.[301] Im Oktober gab es im Rahmen des Scheer-Programms eine erneute Lohnsteigerung, um eine Radikalisierung der Arbeiter abzufangen.[302] Am 26. Oktober 1918 schwenkte der Gesamtverband der Metallindustrie schließlich auf die Linie der späteren Zentralarbeitsgemeinschaft der industriellen und gewerblichen Arbeitgeber und Arbeitnehmer Deutschlands (ZAG) ein und erkannte die Gewerkschaften als Tarifpartner an. In diesem Zusammenhang verkündete Rudolf Blohm, in Hamburg werde schon seit Jahren mit den Gewerkschaften verhandelt, Tarifverträge seien kein Problem.[303] Schon vor Ende des Krieges wurde somit ein neuer Abschnitt in den Beziehungen zwischen Arbeitnehmern und Arbeitgebern eingeleitet. Die Novemberrevolution führte zu einer Fortsetzung dieser Entwicklung in den folgenden Jahren.

I.3   Die Beziehungen zum Reichsmarineamt und anderen staatlichen Institutionen

Während des Krieges war das Reichsmarineamt der wichtigste Geschäftspartner von Blohm & Voss. Es erwies sich auch als zentrale Anlaufstelle mit steigender Bedeutung für behördliche Fragen, die Reklamierung von Arbeitskräften oder die Materialbelieferung. Wiederholt versuchte das Amt, steuernd in den Betriebsablauf einzugreifen. Den Kern von Kooperation und Intervention bildeten Bestellung, Produktion oder Reparatur und schließlich die Abnahme der U-Boote und anderer Kriegsschiffe. Das Amt zeigte sich besonders in Preisfragen als ein harter Verhandlungspartner. Sollte ein Preisvorschlag zu niedrig erscheinen, konnte die Firma die Annahme eines Auftrages verweigern, wie es im Fall der Reparaturen von Torpedobooten im Mai 1915 geschah.[304] Seit Anfang 1915 setzte das Reichsmarineamt auf eine intensivere Preiskontrolle und forderte in einem dreimonatigem Abstand eine exakte Aufstellung von Nettoselbstkosten und allgemeinen Unkosten.[305] Die Vertragsbedingungen und die Frage des Preises lieferten einen

300 Bieber, Gewerkschaften in Krieg und Revolution, Bd. 2, S. 994, Anm. 187.
301 Ullrich, Die Hamburger Arbeiterbewegung, S. 582–585.
302 Ebd., S. 587.
303 Besprechung des Gesamtverbandes der Metallindustrie, 26.10.18, StA B&V 9.3.

304 Mit Bedauern teilte R. Blohm dem RMA am 21.5.15 mit, zu solchen Sätzen die gewünschten Arbeiten nicht übernehmen zu können, StA B&V 978.
305 Besprechung im RMA, 13.1.15, StA B&V 9.1.

beständigen Anlaß zu Konflikten und Gefeilsche, wobei sich die Behörde als weitaus zäher erwies als früher die Privatreedereien. Über fünf Jahre erstreckte sich der Streit um die Zahlung von Lizenzgebühren für Turbinenanlagen nach dem Parsons-Patent, der schließlich vor Gericht ausgetragen wurde.[306] Als ein ebenso heikles wie kompliziertes Unterfangen erwies sich die Abrechnung von Regiebauten.

Das Verfahren sah eine Berücksichtigung der tatsächlich aufgewandten Materialkosten, der ausgezahlten Löhne, einen Zuschlag zur Deckung der allgemeinen Betriebsunkosten, einen festen Abschreibungssatz und einen Gewinnzuschlag vor. Monatliche Abrechnungen waren vorzulegen. Dies erforderte eine umfangreichere Buchhaltung und ein Offenlegen sämtlicher Kosten gegenüber dem Reichsmarineamt, aber ebenso dessen verstärkte Eingriffsmöglichkeiten in den Bauvorgang selber. Nur ungern ließ sich die Firma in die Bücher schauen oder kurzfristige Änderungen im Produktionsprozeß aufdrängen. Ein Vertrag über die Lieferung von Dieselmotoren umfaßte zum Beispiel 29 Seiten und listete alle Bauteile bis zur letzten Schraube auf.[307] So mußte das Unternehmen nun den Bürokraten des Reichsmarineamtes gegenüber beständig Rede und Antwort stehen, warum eine bestimmte Schraubensorte soviel kostete oder warum eine bestimmte Reparatur auf der Kaiserlichen Werft billiger sein konnte. Allerdings bestand keine wirkliche Vergleichsmöglichkeit mit den Preisen der Kaiserlichen Werft, da diese mit einem komplett anderen Buchungsverfahren und deutlich unwirtschaftlicher arbeitete. Der Auftrag der Beamten, tunlichst zu sparen, bescherte der Firma jedenfalls die Notwendigkeit, beim Regiebauverfahren selbst über Pfennigbeträge Rechenschaft ablegen zu müssen.

Die unregelmäßige Bestellpolitik des Reichsmarineamtes brachte der Werft ein ständiges Auf und Ab der Auslastung und war somit ineffizient. Auf dem Betriebsgelände befand sich eine Bauaufsicht des Amtes. In ihre Zuständigkeit fielen sämtliche Marinebauten. Hier erwies sich Baurat Allardt nach Meinung der Firma als besonders inkompetent. Er mußte wiederholt von unsinnigen Änderungsvorschlägen abgebracht werden, die Verzögerungen beim U-Bootbau verursachten.[308] Nach Einschätzung Eduard Blohms wären ohne diese Eingriffe deutlich mehr Boote produziert worden. Daß Admiralsrat Dr. Harms, einer der höchsten Beamten des Reichsmarineamtes, in einer Besprechung die Gewinne der Privatwerften auf 100 bis 150 % schätzte – wovon Hermann Blohm Nachricht erhielt – förderte beim Unternehmen nicht das Vertrauen in den Sachverstand seiner Partner.[309] Aufgrund solcher Vorfälle ordnete die Firmenleitung schon im November 1914 an, daß Informationen über Löhne, Akkorde oder Materialko-

306 Erst 1919 gab das RMA nach, vgl. StA B&V 578.
307 Vgl. Vertrag mit der U-Bootinspektion und die Nachfragen, StA B&V 915.
308 StA Familie Blohm 2, S. 286 und 296.

309 Besprechung im RMA mit Vertretern der Berufsgenossenschaft Metall, diese meldeten die Einschätzung umgehend an H. Blohm, StA B&V 244.1.

sten an die Marinebeamten nur bei Regiebauten und nur von den zuständigen Büros weitergereicht werden durften.[310]

Über das Reichsmarineamt wurden eigene Arbeitskräfte, aber auch werftfremde Facharbeiter von der Front reklamiert. Zuständig für Blohm & Voss war die Fabrikenkommission des Amtes, die die Werftbetriebe in regelmäßigen Abständen besuchte.[311] In diesem Zusammenhang erwies sich als mißlich, daß stets größere Kontingente von Reklamierten versprochen als tatsächlich zugeteilt wurden. Ebenso mußten die Fragen der Materialbelieferung mit dem Amt abgestimmt werden. Es sorgte dann für Zusatzlieferungen für die kriegswichtige Produktion. Nach Meinung der Firma überschritt es aber auch fortlaufend seine Kompetenzen gegenüber Kriegsamt und Kriegsrohstoffabteilung, wenn es zum Beispiel einen Nachweis über den Verbrauch jeder einzelnen Tonne Kohle anforderte.[312] Das Reichsmarineamt versuchte, Rohstoffe einzusparen, und propagierte deshalb die Verwendung von Ersatzstoffen, erwartete aber von der Firma die gleichen Garantieleistungen wie beim Einsatz der Originalmaterialien.[313] In mehreren Fällen verweigerte die Abnahmekommission der Marine dann wegen eben dieser Ersatzstoffe, die zu Komplikationen geführt hatten, die Abnahme.

Immerhin verfügte die Firma über einen eigenen Lobbyisten, Vize-Admiral a. D. Freiherr von Bodenhausen, der seit 1911 die Interessen beim Reichsmarineamt wahrnahm.[314] Seine vierteljährliche Aufwandsentschädigung betrug 2.000,– Mark. Dafür verkehrte er regelmäßig im Amt und verfaßte einmal monatlich einen kleinen Bericht. Einen großen Erfolg konnte Bodenhausen bei Kriegsausbruch verzeichnen: Die Firma habe sich außerordentlich über die Bestellungen gefreut und sei, «besonders über die Form, in der sie erfolgt sind, sehr befriedigt».[315] Erst nach dem Krieg erlosch diese Verbindung allmählich. Inwiefern die Grenze von der Lobbyarbeit zu Bestechung und Korruption überschritten wurde, läßt sich heute nicht mehr feststellen.[316]

Das Reichsmarineamt mischte sich in der Kriegszeit wiederholt in die Betriebsabläufe ein; ob es um den Handelsschiffbau während des Krieges, die Vorbereitungen zum Wiederaufbau der Handelsflotte nach dem Krieg, die Lebensmittelversorgung oder die Auslandsprojekte ging. Bisweilen vermittelte es, in anderen Fällen drängte es die Firma zu einem bestimmten Verhalten. Dabei erwiesen sich die Maßnahmen und Pläne oftmals als illusionär oder basierten auf falschen Informationen. Die Interessen von Blohm & Voss wurden von den Mari-

---

310 Donnerstagssitzung, 26.11.14, StA B&V 13.1.
311 Vgl. Rundschreiben vom 4.11.15, BArchM RM3/5343.
312 Donnerstagssitzung, 1.3.17, StA B&V 13.2.
313 Vgl. z.B. Schreiben des RMA an B&V vom April 1918, StA B&V 244.1.
314 B&V an Bodenhausen, 7.9.11, StA B&V 700.

315 B&V an Bodenhausen, 19.8.14, ebd.
316 Vgl. den Hinweis von Owen, Richard: Military-Industrial Relations: Krupp and the Imperial Navy Office, in: Evans, Richard J. (Hg.): Society and Politics in Wilhelmine Germany, London 1978, S. 84.

nebehörden häufig nicht berücksichtigt. Manches Projekt stellte im Falle seiner
Umsetzung ein beträchtliches wirtschaftliches Risiko dar. Erschwerend kam
hinzu, daß das Reichsmarineamt nur eine Teilbehörde der insgesamt recht chao-
tisch organisierten Marine war.[317] Der Chef der Hochseeflotte, der Staatssekretär
des Reichsmarineamtes, der Chef des Admiralstabes und der Vorsitzende des Ma-
rinekabinetts verfügten jeweils über eine Immediatstellung beim Kaiser und ein
annähernd vergleichbares Machtpotential. Hier sollte der überforderte Kaiser ko-
ordinierend und ausgleichend wirken, was verständlicherweise mißlang und zum
widersprüchlichen Kurs der Marine beitrug. Insgesamt besaß die Marine sogar
zehn Immediatstellen, die sich in einem dauernden Machtkampf untereinander
befanden. Schließlich setzte sich Alfred von Tirpitz, der Staatssekretär, vor dem
Krieg als einflußreichster Seeoffizier durch.[318]

In Lohnfragen zogen Werft und Amt weitgehend an einem Strang,[319] waren
doch die Löhne der Werftarbeiter ein bedeutender Kostenfaktor bei der Kriegsschiffproduktion und die Haushaltsmittel des Reichsmarineamtes begrenzt.
Beide versuchten, die Löhne nicht zu sehr steigen zu lassen, um sie zur Friedenszeit nicht durch große Arbeitskämpfe allmählich reduzieren zu müssen, zumal der
Staat doch über eigene, jedoch unproduktive Werften verfügte. Lohnerhöhungen
der Arbeiter wurden zwischen den Werften und der Marine gründlich abgestimmt, allerdings nicht die Gehälter der Angestellten. Hier gab es nur eine spärli-
che Weiterleitung von Informationen an staatliche Stellen, da das Einkommen
der Firmenbeamten immer noch eine Art Betriebsgeheimnis war. Deshalb mußte
Geheimrat Harms dem Reichstag anläßlich einer Anfrage schlecht informiert
entgegentreten – Hermann Blohm hatte nicht kooperiert.[320]

Mehrfach richteten Arbeiter und Angestellte von Blohm & Voss Anträge und
Bitten an das Reichsmarineamt, ihre Lohnforderungen zu unterstützen. Im Regelfall leistete das Amt keine Schützenhilfe, sondern leitete die Schreiben an die
Firmenleitung weiter. Das Reichsmarineamt befürchtete im Falle von Streiks
vornehmlich Produktionseinbußen, war aber durch große Lohnerhöhungen
nicht ähnlich betroffen wie die Firma. Deshalb fuhr es keinen so harten Kurs wie
die Unternehmensleitung. Die Vorschläge des Amtes zur Auszahlung von Son-
derprämien an Arbeiter, um den U-Bootbau zu fördern, waren so kompliziert,
bürokratisch und wenig durchdacht, daß die lakonische Antwort Rudolf Blohms
lautete, es sei effektiver und weniger bürokratisch, ein paar Verdienstkreuze und
Orden zu verteilen.[321]

---

317 Vgl. Uhle-Wetter, Franz: Alfred von Tirpitz
      in seiner Zeit, Hamburg/Berlin/Bonn 1998,
      S. 363.
318 Güth, Rolf: Von Revolution zu Revolution.
      Entwicklungen und Führungsprobleme der
      Deutschen Marine 1848 bis 1918, Herford
      1978, S. 105.

319 Bieber, Die Entwicklung der Arbeitsbezie-
      hungen, S. 116 f.
320 Besprechung von H. Blohm und Geheimrat
      Harms, 7.6.18, StA B&V 479.
321 U-Bootinspektion an B&V, 12.4.18, und die
      Antwort, 22.4., StA B&V 912.

Im Verlauf des Krieges nahmen die Spannungen zwischen der Firmenleitung und dem Reichsmarineamt wie auch anderen Behörden zu. Im letzten Kriegsjahr beurteilte zum Beispiel Rudolf Blohm das Militär sehr kritisch: «Wenn auf gewissen Gebieten des staatlichen Vergebungswesens Mißstände eingetreten sind, so trifft die Schuld daran ja jeweils die militärischen Stellen (Feldzeugmeisterei, WUMBA usw.), die infolge der den Offizieren mangelnden Eignung zu kaufmännischem Denken vom Beginn des Krieges an bis auf den heutigen Tag sich unfähig gezeigt haben, das Beschaffungswesen zu organisieren und eine Beurteilung und Kontrolle der Bestellungen auszuüben. Nun will man dieselben Offiziere, die das Unheil heraufbeschworen haben, als Kontrolleure den verantwortlichen Betriebsleitern vorsetzen. Das muß zu einem völligen Zusammenbruch führen», schrieb er im Frühjahr 1918 an den Kriegsausschuß der deutschen Industrie anläßlich der beabsichtigten Einrichtung einer militärischen Preisprüfungsstelle.[322] Sein Bruder Walther war der Überzeugung, Offiziere haben «in ihrem Leben nicht viel anderes zu tun, als in geschickter Weise ihre Zeit totzukriegen.»[323] Diese Einschätzungen verwundern kaum. Deutsche Berufsoffiziere waren nur in geringem Maße im wirtschaftlichen oder kaufmännischen Bereich sowie den Naturwissenschaften ausgebildet. Sie besaßen eine gewisse Verachtung für Kaufmännisches und waren schlecht vorbereitet für die dominierende Rolle, die sie in Deutschlands inneren Angelegenheiten übernahmen.[324] Insbesondere das Reichsmarineamt agierte oftmals inkompetent. Wie groß die Anmaßung war, sich in Wirtschaftsfragen einzumischen, zeigt das Mißmanagement der Marinebehörden auf den staatlichen Werften. Die Kaiserliche Werft in Danzig, die auf den U-Bootbau spezialisiert war, erreichte mit etwa der Hälfte des Personalbestandes nicht einmal ein Viertel der U-Bootproduktion von Blohm & Voss, obwohl Blohm & Voss den U-Bootbau erst im April 1915 aufgenommen hatte.[325] Die Privatwirtschaft war der staatlichen Werftindustrie im Kriegsschiffbau überlegen. Doch die Marine hatte bis 1914 nicht damit gerechnet, in größerem Umfang auf sie zurückgreifen zu müssen.

Eine weitere militärische Einrichtung, mit der sich die Werft auseinandersetzen mußte, war das Stellvertretende Generalkommando des IX. Armeekorps im preußischen Altona, an dessen Spitze anfangs General von Roehl, später General von Falk stand. Seit der Verhängung des Belagerungszustandes waren viele Rechte der Exekutive auf das Generalkommando übergegangen.[326] Im ganzen

---

322 Schreiben an den KA, 26.3.18, StA B&V 243.

323 Zitiert nach Wiborg, Walther Blohm, S. 19.

324 Feldman, Army, Industry and Labor, S. 35.

325 Ganze 22 U-Boote wurden von ihr während des Krieges abgeliefert und in Dienst gestellt, so Stavorinus, Die Geschichte der Königlichen/Kaiserlichen Werft, S. 254 und 259, während Fock 25 angibt. Fock, Kampfschiffe. Marineschiffbau auf deutschen Werften, S. 24.

326 Vgl. zum Belagerungszustand: Schudnagies, Christian: Der Kriegs- oder Belagerungszustand im Deutschen Reich während des Ersten Weltkrieges, Frankfurt/Main u. a. 1994.

Reich bestand durch die dezentrale Exekution des Kriegszustandes keine Rechts-
und Verwaltungseinheit mehr. Auch in Hamburg herrschten Kompetenzenwirr-
warr und administratives Durcheinander. Für die Werft war das Stellvertretende
Generalkommando Hamburg-Altona besonders in Fragen der Reklamierung
von Arbeitern, aber auch der Einziehung unliebsamer Arbeiter ein wichtiger Ansprechpartner. Eine eigene militärische Meldestelle wurde auf dem Betriebsgelände eingerichtet. Während der Militarisierung der Werft im Februar 1918 arbeitete die Firmenleitung mit dem Generalkommando zwar zusammen, aber sie
wehrte sich gegen jegliche Einmischung von Offizieren in Betriebsabläufe, um
die eigene Autorität nicht zu untergraben.[327] Sonst trat das Generalkommando
aber kaum in Erscheinung.

Die Beziehungen zu Senat und Bürgerschaft der Freien und Hansestadt Hamburg verliefen demgegenüber eher konfliktfrei. Beide waren während des Krieges
wie zuvor Interessenvertretungen der wirtschaftlich dominierenden Schichten.[328] Der Hamburger Staat stand hinter der Firmenleitung, sollte es zu Auseinandersetzungen mit der Arbeiterschaft kommen. Eine Erweiterung der Werft
wurde 1916 ermöglicht, ohnehin lag sie auf gepachtetem Staatsland. Auch zu den
Sicherheitsbehörden bestanden Kontakte. Die Staatspolizei wünschte eine regelmäßige Meldung der beschäftigten Ausländer, die Politische Polizei interessierte
sich speziell für die Werftarbeiter. Durch das Sammeln von Informationen und
Zeitungsausschnitten und die Observierung von Versammlungen blieb sie auf
dem laufenden. Dabei erfolgte die Observierung nicht etwa im geheimen, sondern offen. Der zuständige Polizist, ein Wachtmeister Zufall, war im Regelfall bei
den Versammlungen der Werftarbeiter anwesend und stenographierte fleißig
mit.[329] Einzelne Veranstaltungen oder öffentliche Diskussionen über heikle The-
men ließ das Generalkommando verbieten. Das Management hingegen wurde
nicht unbedingt über die Aktivitäten der Politischen Polizei informiert.

In Rohstofffragen mußte Blohm & Voss wiederholt die Zentrale Einkaufsge-
sellschaft, die Kriegsrohstoffabteilung (KRA) oder ihre Unterorganisationen
kontaktieren. Deren Anzahl wuchs im Laufe der Zeit noch. Diese Institutionen
regulierten in immer stärkerem Maße Erfassung, Freigabe und Preisgestaltung
der Baumaterialien, eventuell auch deren Beschlagnahme für die Kriegsproduktion. Für die Ernährung und die Belieferung der Werkskantinen war seit Beginn
der strengen Lebensmittelbewirtschaftung das Kriegsernährungsamt (KEA) bzw.
sein Hamburger Ableger, das Kriegsversorgungsamt (KVA), der Ansprechpartner. Die zunehmende Reglementierung führte zum Anwachsen der Angestell-
tenzahl der Werft, die fortlaufend größere Mengen von Formularen zu bewälti-

---

327 H. Blohm an das Stellv. Generalkommando,   329 Vgl. die Berichte über die Versammlungen,
    23.2.18, StA B&V 827.   StA Senat-Kriegsakten Dz 139.
328 Ullrich, Die Hamburger Arbeiterbewegung,
    S. 45.

gen hatte. Das 1916 gegründete Kriegsamt steigerte noch die Verordnungsflut und trat mit Vorschlägen wie einer gezielten Ausbildung von «Ersatzarbeitskräften» an das Unternehmen heran.[330] Im September 1917 versuchten die Gewerkschaften mit einer umfangreichen Eingabe, das Kriegsamt in die schwebenden Lohnbewegung der Werften miteinzubeziehen.[331] Dies konnte aber noch durch den Hamburger Arbeitgeberverband abgeblockt werden.

In den Ressortbereich des Reichsamtes des Inneren bzw. dann des Reichswirtschaftsamtes, das ja insbesondere zur Lösung der Fragen der Demobilisierung gegründet worden war, fiel der Wiederaufbau der Handelsflotte nach Kriegsende. Ein entsprechender Reichsausschuß formierte sich. Die letzte Aktivität des Reichswirtschaftsamtes noch zu Kriegszeiten, die den Schiffbau betraf, war die Einberufung einer Versammlung zur Vorbereitung der Demobilisierung.[332] Durch das nahezu zeitgleiche Ausbrechen der Revolution in ihren Betrieben waren die Werftindustriellen jedoch am 6. November 1918, dem anberaumten Termin, verhindert.

Insgesamt wirkten die Beziehungen des Unternehmens zu den Behörden eher frostig. Das war kein Wunder, stießen doch zwei verschiedene Kulturen aufeinander. Dafür ist auch der Brief von Generalleutnant Groener, dem Leiter des Kriegsamtes, an Hermann Blohm ein interessanter Beleg. Er meinte, Fürsorge und ein warmes Herz für die Untergebenen und ein strenges, aber auch gerechtes Verhalten seien nötig, hohe Kriegsgewinne dagegen aber moralisch verwerflich. «Ein gefährlicherer Feind als sämtliche Lloyd George der Gegenwart und der Zukunft ist der Eigennutz, der in diesem Kriege im deutschen Volk in erschreckender Weise sich breit gemacht hat.»[333] Daß ein Unternehmen wie Blohm & Voss nicht ohne weiteres auf «eigennützige Ziele» verzichten konnte, ohne die Existenz des Unternehmens aufs Spiel zu setzen, paßte gewiß schlecht in das Bild einer zu allen Opfern bereiten «Heimatfront». Aber nicht einmal bilanziell hohe Gewinne waren ein zuverlässiger Indikator für den Vorrang von Eigennutz vor dem nationalen Nutzen. Schließlich war das Unternehmen mit der Erweiterung der Betriebsanlagen ein großes Risiko eingegangen, dessen Ausgang von niemandem zu überblicken war.

---

330 Anfrage des Kriegsamtes, 5.2.17, StA B&V 1313.1.
331 Wochenbericht, 29.9.17, StA B&V 232.1.

332 Anfrage Hauptmann Helmboldts, 5.11.18, Antwort des KA, 6.11., StA B&V 245.3.
333 Groener an H. Blohm, 29.5.17, StA B&V 825.

I.4   Das Verhältnis zu den übrigen Werften und der Versuch der Kartellbildung

Bereits lange vor Kriegsausbruch hatten sich die Werften im Verein der deutschen Schiffswerften (VdS), dem Hermann Blohm vorstand, organisiert. Der VdS stellte einen lockeren Verbund dar, der in vier Regionalgruppen aufgeteilt war: Elbe, Weser, Schleswig-Holstein und Lübeck sowie Stettin und Danzig. Er repräsentierte 1917 insgesamt 37 Mitgliedswerften mit 59.114 Arbeitern[334] und war dem Gesamtverband Deutscher Eisen- und Stahlindustrieller angeschlossen, dem größten Einzelverband im Centralverband Deutscher Industrieller (CVDI). Der Norddeutschen Gruppe der Metallindustriellen des CVDI stand ebenfalls Hermann Blohm vor. Die Werften der Hansestadt gehörten weiterhin noch dem Arbeitgeberverband Hamburg-Altona mit Hermann Blohm als Vorsitzendem und dem Verband der Eisenindustrie an. Die Organisierung der industriellen Arbeitgeber wurde in Hamburg vor allem von den Werftbesitzern vorangetrieben, allerdings war der Arbeitgeberverband Hamburg-Altona der Konkurrenz des CVDI, dem Bund der Industriellen, angeschlossen.

Diese und weitere Vereine und Verbände, denen Blohm & Voss noch angehörte, dienten als Medium eines beständigen Informationsaustausches. Weiterhin sollten sie ein gemeinsames Auftreten gegenüber der organisierten Arbeiterschaft ermöglichen. Hamburg war im Kaiserreich nicht nur eine Hochburg der Arbeiterbewegung, sondern besaß auch schon eine feste Organisation der Unternehmen in ihrer Funktion als Arbeitgeber. Verweise gegen Mitglieder des Arbeitgeberverbandes konnten ausgesprochen und Geldstrafen verhängt werden, ebenso wie eine Material- und Auftragssperre oder gar der Ausschluß aus dem Verband. Des weiteren bestand ein Ehrengericht.[335]

Die Hamburger Arbeitgeberorganisation wird von der Forschung allerdings kontrovers betrachtet. Cattaruzza sieht in ihr eher einen Prozeß der Modernisierung und Rationalisierung der Arbeitsverhältnisse, die im «Hamburger Modell» mit einer faktischen Anerkennung der Gewerkschaften in Richtung auf eine moderne Konfliktregulierung einhergegangen sei.[336] Klaus Saul hingegen betont die Bedeutung dieser Organisierung als Druckmittel im Arbeitskampf und die Durchsetzung der reaktionären Interessen der Arbeitgeber.[337] In der Kriegszeit

334 Stand vom 11.10.17, StA B&V 1313.1.
335 Hoebel, Das organisierte Arbeitgebertum, S. 168.
336 Vgl. Cattaruzza, Marina: Das «Hamburgische Modell» der Beziehung zwischen Arbeit und Kapital. Organisationsprozesse und Konfliktverhalten auf den Werften 1890–1914, in: Herzig, Arno/Dieter Langewiesche/Arnold Sywottek (Hg.): Arbeiter in Hamburg. Un-

terschichten, Arbeiter und Arbeiterbewegung seit dem ausgehenden 18. Jahrhundert, Hamburg 1983, S. 247–260; Cattaruzza, Arbeiter und Unternehmer, S. 222.
337 Saul, Klaus: «Verteidigung der bürgerlichen Ordnung» oder Ausgleich der Interessen? Arbeitgeberpolitik in Hamburg-Altona 1896–1914, in: Herzig, Arno/Dieter Langewiesche/Arnold Sywottek (Hg.): Arbeiter in

läßt sich eine pragmatische Kooperation beider Seiten erkennen. Die Gewerkschaften als Organe der Arbeiterschaft gewannen verstärkt an Einfluß und wurden zum Ansprechpartner der Unternehmensleitung, der durch den Arbeitskräftemangel mehr und mehr die Hände gebunden waren. Die Firmenleitung konnte nur noch gegen einzelne Arbeiter, aber nicht mehr gegen ganze Gruppen vorgehen. Auch die schwarzen Listen verloren an Bedeutung, mit denen bisher die Einstellung unerwünschter Personen durch den Arbeitsnachweis verhindert wurde. Im Krieg rückten statt dessen technische und kaufmännische Modernisierung, Rationalisierung und der Erfolg der Kriegsproduktion zu vorrangigen Zielen auf.

War die Konkurrenz der Werften in Hamburg auch besonders groß, so blieben doch während des Krieges einheitliche Tariflöhne bestehen, und die gemeinsame Arbeitsvermittlung in Form des Arbeitsnachweisbüros wurde fortgesetzt.[338] Weiterhin galten in der Hansestadt überall dieselben Tarife zur Nutzung der Docks.[339]

Doch die Werften arbeiteten nur so weit wie unbedingt nötig zusammen. Blohm & Voss unterhielt besonders zur Germania-Werft in Kiel, die dem Krupp-Konzern angehörte, und zur AG Weser in Bremen gute Beziehungen. Beide stellten gegen die Zahlung von Lizenzgebühren Konstruktionszeichnungen für U-Boote zur Verfügung. Auch wurden Informationen über Buchhaltungsverfahren, Regiebedingungen, Arbeitsabläufe oder Kostenforderungen ausgetauscht. Beim U-Bootbau gab es Preisabsprachen. Zum Beispiel forderte der Bremer Vulkan für ein bestimmtes Boot 4,375 Millionen Mark, ließ sich aber auf 4,335 Millionen drücken, während die anderen Werften sich verpflichteten, für einen höheren Preis anzubieten und sich nicht auf unter 4,36 Millionen drücken zu lassen.[340] Obwohl sich eine engere Zusammenarbeit schon vor dem Krieg bei Auslandsaufträgen bewährt hatte, bei denen die Werften oftmals gemeinsam als Konsortium auftraten, konnten sich die Werftindustriellen erst dann zu einer stärkeren Kooperation in Deutschland durchringen, als die galoppierende Inflation die Gewinne der Festpreisaufträge auffraß.

Schon vor dem Krieg hatte es auf Anregung der beteiligten Banken Bemühungen gegeben, ein Werftenkartell zu bilden.[341] Dieses sollte von der sogenannten Werftenvereinigung, die von 1912 bis 1917 bestand, vorbereitet werden. Die deutsche Schiffbauindustrie erlebte vor Ausbruch des Krieges eine Strukturkrise, verursacht durch Überkapazitäten, mangelnde Wettbewerbsfähigkeit im Vergleich zur britischen Produktion sowie die Preispolitik des Reichsmarineamtes,

Hamburg. Unterschichten, Arbeiter und Arbeiterbewegung seit dem ausgehenden 18. Jahrhundert, Hamburg 1983, S. 261–282.

338 Vgl. Cattaruzza, Arbeiter und Unternehmer, S. 129 ff. und 169.

339 Besprechung von AG Weser, B&V, Vulcan und Germania, 19.10.14, StA B&V 60.

340 Besprechung von Bremer Vulkan, AG Weser, B&V und Vulcan, 15.1.17, StA B&V 9.2.

341 Vgl. zum folgenden Epkenhans, Die wilhelminische Flottenrüstung, S. 266–290; Cattaruzza, Arbeiter und Unternehmer, S. 41.

das die Rolle eines Monopolabnehmers für Kriegsschiffe einnahm. Allerdings erschwerten die Größe einzelner Bauprojekte und die seltene Vergabe den Abschluß von Kartellvereinbarungen. Erst im Juni 1914 formierte sich ein festgefügtes Werftenkartell. Es war auf fünf Jahre angelegt und sollte auch mit der britischen Konkurrenz verhandeln. Geschäftsführer war Georg Howaldt, der 1910 aus der Leitung der Howaldtswerke ausgeschieden war. Festpreise mit einem Gewinn von 5 – 10 %, je nach konjunktureller Lage, ein Vergabeverfahren für Neubauten ebenso wie eine einheitliche Methode der Abschreibung waren geplant. Zur Durchführung sollte ein gemeinsames Büro eingerichtet werden. Diese Vereinbarungen wurden aber durch den Kriegsausbruch gemäß der Satzung des Kartells außer Kraft gesetzt. Die Werften erwarteten nach Kriegsende einen Schiffbauboom,[342] aber sie zögerten lange, sich wieder enger zusammenzuschließen, denn sie waren untereinander zerstritten und in scharfer Konkurrenz. So hielt im Januar 1915 die Germania-Werft den Zeitpunkt für eine engere Kooperation nicht für geeignet und äußerte Bedenken gegen eine erneute Berufung Howaldts als Geschäftsführer.[343] Dagegen warb Hermann Blohm beständig für eine engere Zusammenarbeit der Schiffbauindustrie.[344]

Im März 1916 fragte Howaldt bei Blohm an, ob dieser ihn nicht zum Zwecke der «Propaganda zum Zusammenschluss» der Werften vom Kriegsdienst reklamieren könne.[345] Im Sommer 1916 trat dann der Kriegsausschuß der deutschen Reedereien, der mit Förderung des Reichsamtes des Inneren mit dem Ziel der Abwicklung des Wiederaufbaus der Handelsflotte nach Kriegsende gegründet worden war, mit der Aufforderung an Hermann Blohm heran, die Werften mögen eine vergleichbare Einrichtung ins Leben rufen.[346] Daraufhin begannen Blohm und der kurz danach vom Wehrdienst freigestellte Georg Howaldt mit der Vorbereitungsarbeit; die erste Sitzung wurde am 6. September 1916 einberufen. Dort wurden die Ziele und die Organisationsstruktur des Kriegsausschusses der deutschen Werften zum Wiederaufbau der Handelsflotte (KA) geklärt.[347] Jede der vier Untergruppen der Schiffswerften bestimmte einen Vertreter. Der Vorsitzende Hermann Blohm und der Geschäftsführer Georg Howaldt verfügten ebenso über Stimmrecht wie die vier Delegierten: Nawatzki (Bremer Vulkan), Zetzmann (Germania), Cornehls (Reiherstieg) sowie Carlson (Schichau). Eine dominierende Rolle spielte wie so oft Blohm, von dem auch Howaldt abhängig war, der ja erst auf Betreiben des ersteren vom Wehrdienst freigestellt worden war. Auch hatte Blohm die Fortzahlung der Geschäftsführerbezüge der Werftenvereinigung an Howaldt nach dessen Einberufung 1914 veranlaßt, um dessen Fa-

342 So auf der Besprechung von AG Weser, B&V, Germania und Vulcan, 19.10.14, StA B&V 60.

343 Besprechung mit der Germania, 4.1.15, StA B&V 9.1.

344 Vgl. z.B. Schreiben H. Blohms an Dir. Carlson, Schichau, StA B&V 224.5.

345 G. Howaldt an H. Blohm, 5.3.16, StA B&V 224.6.

346 Versammlung der Schiffswerften, 15.8.16, StA B&V 244.1.

347 1. Sitzung des KA, 6.9.16, StA B&V 9.2.

milie zu unterstützen.[348] Einzig Direktor Carlson als Vertreter des ostdeutschen Schiffbaus behauptete eigene Positionen.

Während Howaldt die eigentliche Organisations- und Verwaltungsarbeit des Kriegsausschusses leitete, war trotzdem bei allen Entscheidungen das Einverständnis Blohms erforderlich. Der Ausschuß sollte in monatlichem Turnus tagen. Ziel war die Einrichtung einer zentralen Anlaufstelle, um mit Reedern, Staat und Schiffbaustahlkontor verhandeln zu können. Erst einmal sollte jedoch die wirtschaftliche Leistungsfähigkeit der Mitglieder ermittelt werden. Weiterhin waren eine weitgehende Normierung der Typen und Bauvorschriften sowie die gewinnbringende Verteilung des Handelsschiffbaus geplant. Ein «Normalvertrag» sollte aufgestellt, Baupreise mußten vereinbart werden. Der Umbau requirierter Schiffe war zu organisieren. Die Kartellmitglieder erhofften sich durch ein geschlossenes Auftreten auch eine bessere Verhandlungsposition gegenüber der Arbeiterbewegung. Vom Reichsmarineamt sollte eine Zuzahlung auf bereits begonnene Bauten, die zu Festpreisen abgeschlossen worden waren, erwirkt werden. Die eigentlichen Absprachen über Preise und Vergabeverfahren zogen sich freilich über Monate hin. Blohm setzte nach siebenstündiger Diskussion auf einer Versammlung der Werften im Oktober 1916 seine Auffassung von einer einflußreicheren Stellung des Kriegsausschusses schließlich durch, während einzelne Werften eher eine schwächere Position des Ausschusses wünschten, um unabhängiger agieren zu können.[349]

Das Vergabeverfahren für Handelsschiffe, das im Kern der Verhandlungen stand, wurde schließlich am 6. Dezember 1916 nach kleineren Korrekturen einstimmig angenommen. Die Auftragsvergabe sollte letztlich durch den Kriegsausschuß erfolgen. Es war beabsichtigt, daß dieser schon beim Eintreffen einer Anfrage bestimmte, wer als «Ernstbieter» und wer als «Schutzbieter» auftreten sollte. Das Schutzgebot sollte 3 % über dem Ernstgebot liegen und eine längere Lieferfrist beinhalten. Die Werften sprachen also untereinander die Preise ab und regelten mit Howaldt als Vermittler und Schlüsselperson, wer den Zuschlag als «Ernstbieter» bei garantierten Mindestgewinnen erhalten sollte. Dadurch konnten auch nicht konkurrenzfähige Kartellmitglieder ihren Auftragsbestand sichern, ein Preiskampf wurde vermieden. Erhielt per Zufall nicht die vorgesehene Werft den Zuschlag, so hatte sie die Differenz zwischen dem erzielten höheren Preis und dem des «Ernstbieters» an den Kriegsausschuß und die Mitbewerber abzuführen.[350] Der ganze Vergabevorgang unterlag strenger Geheimhaltung und ist bis heute weitgehend unbekannt geblieben. Dieser Mechanismus wurde später dann beim Wiederaufbau der Handelsflotte nach Kriegsende befolgt.

348 G. Howaldt an H. Blohm, 2.8.14, StA B&V 1242.
349 Versammlung der Schiffswerften, 18.10.16, StA B&V 9.2.
350 Vgl. Versammlung des KA, 6.12.16, und das Vergabeverfahren für Neubauten, StA B&V 245.1; Abrechnungsverfahren für Regiebauten, StA B&V 246.

Zu einer gewissen Verstimmung kam es Ende 1916, als es den Howaldtswerken gelang, den Zuschlag für Handelsschiffaufträge zu erlangen, ohne Mitglied des Kartells zu sein.[351] Durch einen schleunigen Beitritt wurde dieses Problem jedoch beseitigt. Im März 1917 trat schließlich eine Geschäftsordnung des Kriegsausschusses in Kraft, die die Entsendung von zwölf zu wählenden Werftvertretern vorsah.[352] Nur im Falle einer Stimmengleichheit sollte das Votum des Vorsitzenden entscheiden. Somit kam es zu einer gewissen Einschränkung der Vormachtstellung Blohms.

Mit Fug und Recht läßt sich davon sprechen, daß sich 1917 ein Werftkartell formiert hatte. Es hatte neben den obengenannten Funktionen noch eine weitere Aufgabe: Eine unliebsame neue Konkurrenz auf dem ohnehin zu engen Markt sollte auf Abstand gehalten werden, denn wegen des für die Nachkriegszeit antizipierten Schiffbaubooms waren inzwischen zehn neue Werften mit einem Gesamtkapital von 40,6 Millionen Mark gegründet worden.[353] Dahinter standen Reedereien wie die HAPAG oder Unternehmen wie die AEG oder die Hugo Stinnes AG. Das Kapital entstammte entweder den Kriegsgewinnen der Firmen oder dem Finanzmarkt, der sich durch die Kriegsinflation bereits aufgebläht hatte. Die Reedereien durchliefen im Krieg ebenfalls einen Umgruppierungs- und Umschichtungsprozeß, der zu einem Ansteigen des Einflusses der Schwerindustrie führte. Sie erwarb Beteiligungen an bestehenden Werften und gründete neue,[354] wie zum Beispiel die Gutehoffnungshütte gemeinsam mit der AEG die Deutsche Werft AG Hamburg. An der Reiherstiegwerft beteiligten sich im Laufe der Zeit die Gutehoffnungshütte, die AEG, die HAPAG sowie die Phoenix-Werke. Rheinstahl engagierte sich bei Janssen & Schmilinsky, Thyssen bei der Bremer Vulkan und der Flensburger Schiffbaugesellschaft.[355] Schon vor dem Krieg hatten Brown, Boverie & Cie. Einfluß auf die Kieler Howaldtswerke gewonnen.[356]

Das Kartell versuchte, die neugegründeten Werften, die oft erst noch Betriebsanlagen errichten mußten, von Handelsschiffaufträgen fernzuhalten sowie der vertikalen Konzentration entgegenzuwirken. So forderte Hermann Blohm anläßlich einer Sitzung im Reichsamt des Inneren, nur Mitglieder des Kriegsausschusses bei der Vergabe von Neubauaufträgen zu berücksichtigen. Die Neugründungen seien nicht so leistungsfähig und schlichtweg zu teuer.[357] Die Bran-

---

351 Dir. Zetzmann (Krupp) an den KA, 12.12.
16, Howaldtswerke an den KA, 12.12.16,
StA B&V 245.1.
352 Geschäftsordnung des KA vom 14.3.17, StA
B&V 245.1.
353 Aktennotiz, 22.7.18, StA B&V 245.1.
354 Vgl. Wulf, Peter: Schwerindustrie und
Schiffahrt nach dem 1. Weltkrieg: Hugo
Stinnes und die HAPAG, in: Vierteljahresschrift für Sozial- und Wirtschaftsgeschichte
67 (1980), S. 3 ff.

355 Vgl. Leckebusch, Die Beziehungen, S. 100.
356 Paetau, Rainer: Zwischen Boom und Depression – Zum Strukturwandel der Kieler
Werften im Wilhelminischen Kaiserreich
und in der Weimarer Republik, in: Zeitschrift der Gesellschaft für Schleswig-Holsteinische Geschichte 122 (1997), S. 217.
357 Besprechung im Reichsamt des Inneren,
30.9.16, StA B&V 9.2.

chenneulinge stellten für die etablierten Unternehmen eine erhebliche Bedrohung dar. Als besonders gefährlich sollte sich die Hamburger Deutsche Werft erweisen. Noch im Oktober 1918 verweigerte Hermann Blohm kategorisch jegliche Unterstützung beim Aufbau der Betriebsanlagen von neuen Konkurrenten. Sie entzögen den traditionellen Unternehmen nur Personal und verlangsamten auf diese Weise den Schiffbau.[358]

Eine weitere wichtige Aufgabe des Werftkartells bestand in der Klärung der Finanzierung des Wiederaufbaus der Handelsflotte nach dem Krieg. In diesem Zusammenhang machte sich das Kartell stark für ein Gesetz, das hierfür staatliche Subventionen vorsah. Das im September 1917 gegründete Reichswirtschaftsamt unterstützte solche Pläne. Dem Amt wurde der Reichsausschuß für den Wiederaufbau der Handelsflotte unter Leitung von Geheimrat von Jonquières zugeordnet. Anfangs verweigerte Hermann Blohm eine enge Kooperation mit diesem Reichsausschuß, unter anderem wegen dessen obrigkeitsstaatlichem Verhalten und der Unkenntnis der realen Verhältnisse. So wollte dieser Ausschuß selber mit den Stahllieferanten Verhandlungen über Materiallieferungen einleiten und fragte nach Daten, ohne überhaupt um die Funktion des Schiffbaustahlkontors zu wissen. Darauf antwortete Blohm, diese Verhandlungen seien längst in Gange, lieferte aber keine Informationen.[359] Schon im März 1918 verabschiedete der Reichstag das Gesetz zum Wiederaufbau der Handelsflotte, und die Werften entsandten zwei Vertreter in den Reichsausschuß.[360]

Doch wartete man nicht auf die Nachkriegszeit. Noch im Verlauf des Krieges drängte der Kriegsausschuß darauf, daß auch Handelsschiffe gebaut werden. Im Juni 1917, nur zwei Monate nach dem Kriegseintritt der USA, versuchte Hermann Blohm anläßlich einer Besprechung im Reichsamt des Inneren, verstärkt Arbeiter und Baumaterial für den Handelsschiffbau zugewiesen zu bekommen.[361] Auch das Reichsmarineamt unterstützte solche Bestrebungen, sofern sie mit der Materialbeschaffung für den Bau der U-Boote und sonstiger Kriegsschiffe vereinbar waren.[362] Im Januar 1917 waren auf den Werften der 22 Kartellmitglieder Handelsschiffe mit einer Gesamttonnage von 1,166 Millionen Tonnen in Bau oder in Planung.[363] Es wurden 1915 noch Handelsschiffe mit einer Gesamttonnage von 242.977 BRT, 1916 von 183.277 BRT, 1917 von 59.932 BRT und im letzten Kriegsjahr von 35.587 BRT abgeliefert.[364] Da sich trotz der Ablieferungen der Bestand von in Bau befindlichen Schiffen nicht verringerte, kann ge-

358 H. Blohm an den KA, 14.10.18, StA B&V 245.3.

359 H. Blohm an den Reichsausschuß, 22.2.18, StA B&V 249.1.

360 Besprechung des KA, 20.3.18, StA B&V 245.3.

361 Besprechung im Reichsamt des Inneren mit Vertretern von Reedereien, Werften und der Reichsämter, 8.6.17, StA B&V 245.1.

362 Besprechung im RMA, 28.11.17, StA B&V 245.1.

363 Meldung des Beschäftigungsgrades der Werften vom Januar 1917, StA B&V 245.1.

364 Statistisches Jahrbuch für das Deutsche Reich 1921/22.

schätzt werden, daß mit der Erzeugung von etwa 400.000 BRT Handelsschiff-tonnage während des Krieges begonnen wurde. Erst im Sommer 1918 wurde der Handelsschiffbau endgültig untersagt, nachdem er vorher für kurze Zeit staatli-cherseits sogar gefördert worden war.[365]

Dieses Kartell darf jedoch nicht als besonders typisch für den deutschen Schiff-bau und gleichsam als selbstverständlich angesehen werden, denn es entstand ge-gen zahlreiche Widerstände. Blohm & Voss hatte wie die Mehrzahl der Werften die Betriebsanlagen im Krieg stark ausbauen und erweitern müssen. Im Falle ei-nes plötzlichen Friedens hätte die Werft durch Wegfall eines gesicherten Auftrags-bestandes und wegen der hohen Kapitalbindung von heute auf morgen am Rande des Konkurses gestanden. Die Preisdrückerei des Reichsmarineamtes und die Anforderungen des Krieges förderten diesen Prozeß, denn so konnten die Werften auch bei der Rüstungsproduktion enger kooperieren. Der Staat ging nicht gegen diese Kartellbildung vor, die ja geheim ablief. Als im September 1918 im Reichswirtschaftsamt die Frage eines Anti-Kartellgesetzes diskutiert wurde, meinte der Regierungsvertreter, «dass eine Gesetzgebung vielleicht zum Schutze der Industrie, aber nicht wie in Amerika gegen die Industrie von Nutzen sein könne».[366]

Auch die Hansestadt Hamburg unterstützte die Werftindustrie nach Möglich-keit, denn das Aufblühen der Werften im Krieg sei ein Beispiel für die Industrie-entwicklung, ebenso wie die Neugründung der Deutschen Werft, denn «die Handelskammer in Hamburg sei überwiegend Schiffahrtskammer».[367] Das Reichsmarineamt bewertete den Kriegsausschuß nicht ganz unkritisch, da er zwar ab 1917 die Kalkulations- und Abrechnungsverfahren des Kriegsschiffbaus ver-einheitlichte, aber ebenso eine stärkere Stellung der Produzenten durchsetzte. Admiralitätsrat Harms vermutete daher eine Syndizierung, also eine Kartellbil-dung, mit preistreibenden Tendenzen.[368] Er wurde belogen, und die Antwort lautete, die Bildung eines Syndikats liege nicht vor.

I.5 Der unentschieden geführte uneingeschränkte U-Bootkrieg

Die Erklärung des uneingeschränkten U-Bootkrieges durch das Deutsche Reich lieferte den Anlaß für den amerikanischen Kriegseintritt und bedeutete die end-gültige Wende im Kriegsgeschehen zu Ungunsten der Mittelmächte.[369] Konser-

365 Vgl. den Entwurf einer Eingabe vom 10.10. 18 an den Reichskanzler, um dieses Verbot wieder aufheben zu lassen, StA B&V 248.

366 Aktenvermerk über die Sitzung im Reichs-wirtschaftsamt, 3.9.18, StA DHSG III.-Pr.I.2.

367 Protokoll der 2. Sitzung der Senats- und Bür-gerschaftskommission zur Vorbereitung der

Maßnahmen zum Wiederaufbau von Ham-burgs Handel, Schiffahrt und Industrie, 19.6.17, StA Senat-Kriegsakten Dz 136b.

368 Mitteilung über die Konferenz mit Dr. Harms, 7.12.17, StA B&V 246.

369 Vgl. zum folgenden Fiebig-von Hase, Ragnhild: Der Anfang vom Ende des Krie-

vative, nationalliberale und nationalistische Kreise der Öffentlichkeit und des Reichstags, aber auch das Reichsmarineamt unterstützten und propagierten den uneingeschränkten U-Bootkrieg, um Großbritannien ernsthaft zu treffen. Im Herbst 1916 schloß sich die 3. OHL dieser Auffassung an. Im Dezember meldete die Marine, es seien ausreichend U-Boote für eine derartige Kriegführung vorhanden. Parlamentarier und Staatsführung vertrauten dieser Information sowie der Marinepropaganda, deshalb wurde im Kronrat am 9. Januar 1917 die Erklärung des uneingeschränkten U-Bootkrieges beschlossen und für den 1. Februar 1917 in Kraft gesetzt. Bei einer geschätzten monatlichen Versenkungsrate von 600.000 Tonnen sollte Großbritannien binnen eines halben Jahres in die Knie gezwungen werden.

Neben der Frage, ob Großbritannien überhaupt durch diese Form des Seekriegs zum Nachgeben gezwungen werden konnte und ob die geplanten Versenkungsraten realistisch waren, hätte auch das Problem, ob das Reich materiell denn zu einem solchen U-Bootkrieg überhaupt in der Lage war, gründlich untersucht werden müssen. Standen zum Zeitpunkt des Beginns genügend Boote zur Verfügung und konnten die erforderlichen Boote produziert werden? Tirpitz hatte in seiner Amtszeit wiederholt U-Bootzahlen manipuliert.[370] Noch im März 1917 waren nur 45 U-Boote im vorgesehenen Kampfgebiet des U-Bootkrieges einsatzbereit.[371] Die Frage der hinreichenden Kapazität zur Führung dieses Krieges ist im übrigen auch von der Forschung bislang kaum erörtert worden. Im folgenden soll aus den Quellen von Blohm & Voss eine (Teil-)Antwort versucht werden.

Tab. 16: Geplante Arbeiterverteilung für den 1. April 1917

U-Bootbau	4.600
Torpedoboote	700
Kleiner Kreuzer *Cöln*	950
Schlachtkreuzer *Mackensen*	1.000
Schlachtkreuzer *Eitel Friedrich*	1.000
Granatenbearbeitung	520
Gießerei	450
Werftbetrieb	1.600
Fehlende und Kranke	500
Untermeister	130
Gesamt	11.450

Quelle: Besprechung im RMA, 16.12.16, StA B&V 9.2.

ges: Deutschland, die USA und die Hintergründe des amerikanischen Kriegseintritts am 6. April 1917, in: Michalka, Wolfgang (Hg.): Der Erste Weltkrieg, München 1994, S. 125–132.

370 Afflerbach, Holger: Die militärische Planung

des Deutschen Reiches im Ersten Weltkrieg, in: Michalka, Wolfgang (Hg.): Der Erste Weltkrieg, München 1994, S. 297.

371 Lewis, Wallace Leigh: The Survival of the German Navy 1917–1920: Officers, Sailors and Politics, Diss. phil., Iowa 1969, S. 83.

Drei Wochen vor dem fatalen Beschluß des Kronrates wurde anläßlich einer Besprechung im Reichsmarineamt ein Plan zur Arbeiterverteilung bei Blohm & Voss für den April 1917 (vgl. Tab. 16) aufgestellt.[372] Während für den U-Bootbau nur 4.600 Mann vorgesehen waren, sollten 3.650 Arbeiter an Torpedobooten und Kreuzern weiterbauen, die vor Kriegsende kaum fertigzustellen waren. 520 Arbeitskräfte waren in der Granatendreherei eingeplant. Demzufolge wurde noch kurz vor der Entscheidung für den uneingeschränkten U-Bootkrieg dem U-Bootbau bei Blohm & Voss nicht einmal vom Reichsmarineamt selbst höchste Dringlichkeit eingeräumt.

Auch die tatsächliche Zuweisung an Arbeitskräften durch das Reichsmarineamt entsprach kaum der Vorbereitung einer gezielten Steigerung der U-Bootproduktion. Hatte der Stand der Arbeiterzahl auf der Werft im Juli 1916 noch bei 10.237 gelegen, verringerte er sich bis Oktober um knapp 400 und bis November um etwa 750 Mann.[373] Ein Tiefstand wurde im Dezember mit 9.408 Arbeitern erreicht, erst Ende Januar stieg die Zahl wieder an. Der Besuch des Staatssekretärs des Reichsmarineamtes im Januar 1917 leitete die Zuweisung von neuen Arbeitskräften ein.[374] Personell war Blohm & Voss zu Beginn des uneingeschränkten U-Bootkrieges den Anforderungen einer intensivierten U-Bootproduktion nicht gewachsen. Aber auch die Belieferung mit Schiffbaustahl oder Kohle war Anfang 1917 unzureichend. Hervorgerufen durch das organisatorische Scheitern des Hindenburg-Programms und die sich ergebende Transport- und Kohlekrise, befand sich die Werft in einer Situation extremen Energie- und Baustoffmangels. Erschwerend kam die harte Witterung hinzu. Bis zum März mußte der Werftbetrieb deshalb wiederholt eingeschränkt werden. Der Nahrungsmittelmangel im «Steckrübenwinter» wirkte sich zusätzlich negativ aus. Als Folge dieses Zustandes nahm auf der Werft bis zum Oktober 1917 innerhalb eines Jahres die Zahl der Tagewerke pro Gewichtstonne im U-Bootbau einer jeweils ersten Serie um 22 % zu, die Produktivität je Arbeitskraft sank also um ein Fünftel.[375]

Als noch problematischer sollte sich aber die Bestellpolitik des Reichsmarineamtes erweisen. Der U-Bootbau hatte auch 1916 noch nicht die höchste Priorität genossen. Nach der Entlassung von Tirpitz' als Staatssekretär im März 1916 wurde eisern gespart. Neue U-Boote wurden nur zögerlich geordert. Verursacht wurde dies durch Preissteigerungen von nach damaliger Schätzung 23 %, aber auch von Vorurteilen innerhalb der Marine. Der Generationsunterschied spielte eine Rolle. Die U-Bootflotte war hauptsächlich mit jungen, dynamischen Offizieren ausgestattet. Bei älteren Offizieren bestand eine gewisse Furcht vor einer Zurückdrän-

372 Besprechung im RMA, 16.12.16, StA B&V 9.2.
373 «Brutto=Arbeiterbestand», StA B&V 2177.
374 Besprechung von B&V, Vulcan und RMA anläßlich des Besuchs von Staatssekretär von Capelle, 16.1.17, StA B&V 9.2.

375 Stavorinus, Die Geschichte der Königlichen/ Kaiserlichen Werft, S. 254. Die Marineleitung war allerdings über die soziale Lage auf den Werften nicht informiert (vgl. Lewis, The Survival of the German Navy, S. 121).

Abbildung 8: Das U-Boot UB-52. Es handelte sich um eines der ersten Boote, das nach der Ablieferungsunterbrechung im Sommer 1917 übergeben wurde

gung der traditionellen Schlachtschiffe.[376] Anläßlich einer direkten Vorsprache im Reichsmarineamt wurde den Vertretern von Blohm & Voss entgegnet: «Was sollen wir im Frieden mit all den Booten?»[377]

Im Frühjahr 1916 kam es zu einer regelrechten Bestellpause von etwa einem halben Jahr. Da zwischen Baubeginn und Auslieferung damals rund neun Monate vergingen, waren regelmäßig einlaufende Bestellungen und gleichmäßiger Neubau eminent wichtig für eine reibungs- und lückenlose Ablieferung. Der Stapellauf des letzten Bootes der alten Bestellung erfolgte am 26. August 1916, die Ablieferung dann am 24. Dezember 1916.[378] Das erste Boot der neuen Bestellung vom 8. September 1916 lief jedoch erst am 6. Januar 1917 vom Stapel und konnte schließlich am 11. Juni 1917 von der Marine übernommen werden.[379] Der Produktionsfaden war gerissen. Der erste Neuauftrag nach der Bestellpause im Frühjahr 1916 wurde am 26. August 1916 vorläufig über fünf Boote erteilt, als Ablieferungstermin aber erst der 10. August 1917 festgesetzt.[380] Die Kreuzerbauten sollten durch diesen Auftrag nämlich nicht beeinträchtigt werden.

Selbst im Januar 1917 zögerte das Reichsmarineamt mit Neubestellungen. Sie

376 Vgl. Herwig, Holger H.: The United States in German Naval Planing, 1889–1941, Boston/Toronto 1976, S. 127.

377 StA Familie Blohm 2, S. 294.

378 Vgl. zu Stapellauf und Ablieferung: Prager, Blohm + Voss, S. 242.

379 Bestellschreiben des RMA, 23.11.16, StA B&V 924.

380 Auftragserteilung für die U-Boote U122– 126 vom 26.8.16, StA B&V 923.

wurden erst im Februar getätigt. Zu dieser Zeit genehmigte das Amt Blohm &
Voss gar den Baubeginn eines Schwimmdocks für die Türkei.[381] Noch am 31.
Dezember 1916 wies das Reichsmarineamt ausdrücklich darauf hin, daß die
Dringlichkeitseinstufung bestimmter Bauten nicht von der Einhaltung sonstiger
Liefertermine entbinde und konterkarierte so im voraus die Entscheidung der U-
Bootinspektion vier Wochen später, dem U-Bootbau die höchste Dringlichkeits-
stufe zu gewähren.[382] Staatssekretär von Capelle soll im Januar sogar geäußert haben: «Trotzdem der Krieg nicht vom Landheer, sondern von den U-Booten entschieden werden wird, können U-Bootbestellungen nicht mehr vergeben werden, da Exzellenz Kraft [der Chef des Werftdepartements] mich davon überzeugt
hat, daß durch die weitere Vermehrung der U-Boote eine unzulässig starke Belastung des Friedensdiensthaltungsfonds eintreten wird. Wir haben uns schon für
die jetzigen Boote mit der Frage beschäftigt, einen besonderen Hafen als Unter-
seebootsfriedhof einzurichten.»[383] Capelle versuchte gar, von 30 am 6. Februar
1917 in Auftrag gegebenen U-Booten eine Woche später 15 zu stornieren. Es
verwundert daher kaum, daß im Februar ganze drei, im März und April nur vier
U-Boote von der Marine neu in Dienst gestellt wurden.

Ein Indiz für den geringen Anteil des U-Bootbaus an der Auslastung von
Blohm & Voss liefert die Verteilung der Lohnkosten. Im Geschäftsjahr 1916/17
entfielen von 19,1 Millionen Mark Löhnen im eigentlichen Schiffsbau nur 9,7
Millionen auf die U-Bootproduktion.[384] Demnach wurde nur etwa die Hälfte
der Arbeitskräfte tatsächlich zur Vorbereitung des U-Bootkrieges eingesetzt. Erst
im folgenden Geschäftsjahr entstanden 20 von 27,3 Millionen Mark Lohnkosten
beim U-Bootbau, mit anderen Worten, es wurde immer noch ein Viertel der
Arbeitskräfte für andere Aufgaben wie den strategisch bedeutungslosen Kreuzer-
bau eingesetzt. So kamen 1917, im Jahr des uneingeschränkten U-Bootkrieges,
nur 14 U-Boote bei Blohm & Voss zur Auslieferung, verglichen mit 40 im Vorjahr. Die Situation war in der gesamten Schiffbauindustrie vergleichbar. Die
Stärke der deutschen U-Bootflotte betrug 1917 durchschnittlich 87, im Vorjahr
jedoch 108 Boote.[385] Die Gesamtproduktion reichte nicht einmal aus, die Verluste auszugleichen.

Auch im weiteren Kriegsverlauf blieb die Baupolitik des Reichsmarineamtes

381 Staatssekretär von Capelle an B&V, 29.1.17,
     StA B&V 1157.
382 RMA an B&V, 31.12.16, Telegramm der U-
     Bootinspektion, 29.1.17, StA B&V 911.
383 Zitiert nach Dr. Struve (Germania-Werft)
     «Unser U-Boot-Bau während des Krieges»,
     in: Demokratische Korrespondenz Nr. 189
     und 190 vom 22. und 25.8.19, StA B&V
     58.19. Der Aufsatz scheint aber schon aus
     dem Jahr 1917 zu stammen, denn es findet
     sich ein fast wortgetreues Memorandum in

     den Handakten Admiral von Gohrens,
     Bd. 28, datiert auf 1914–1917, BArchM
     R3/11692. Struve erkannte also das Problem
     schon damals.
384 Prüfung des Betriebskostensatzes von B&V
     durch die U-Bootinspektion, 10.3.19,
     BArchM RM3/6569.
385 Vgl. Herwig, Holger H.: «Luxury» Fleet.
     The Imperial German Navy 1888–1918,
     London 1980, S. 219, und Tabelle 29 im An-
     hang von Herwigs Arbeit.

Abbildung 9: Vorbereitung des Stapellaufs des nie fertiggestellten und später abgewrackten Kreuzers *Mackensen* 1917

ebenso wie die gesamte Marineführung ein «System von Halbheiten».[386] Erst am 11. August 1917 erging eine Weisung des Reichsmarineamtes, daß zugunsten des U-Bootbaus andere Schiffe zurückgestellt werden sollten,[387] an denen aber weiterhin gearbeitet werden durfte. Weder wurde eine Entscheidung für einen uneingeschränkten U-Bootbau noch für eine anders gewichtete Forcierung bestimmter Schiffstypen getroffen. Im Herbst 1917 und im Herbst 1918 wurden bei Blohm & Voss zwei neue Zerstörer vom Stapel gelassen.[388] Im Januar 1918 erfolgte die Ablieferung des kleinen Kreuzers *Cöln*. Die Betriebsleitung von Blohm & Voss plante im August 1917 allerdings, den Weiterbau der Kreuzer komplett einzustellen und wollte lieber sofort als Pufferarbeit auf die Handelsschiffe ausweichen.[389] Gleichzeitig projektierte das Reichsmarineamt die Kooperation

386 Rahn, Werner: Kriegführung, Politik und Krisen. Die Marine des Deutschen Reiches 1914–1933, in: Deutsches Marine Institut (Hg.): Die deutsche Flotte im Spannungsfeld der Politik 1848–1985, Herford 1985, S. 81.

387 Jindra, Zdeněk: Der Rüstungskonzern Fried. Krupp AG 1914–1918, Prag 1986, S. 93.
388 Prager, Blohm + Voss, S. 241 f.
389 Donnerstagssitzung, 30.8.17, StA B&V 13.2.

mehrerer Werften zur Entwicklung von neuen Torpedoboottypen.[390] Erst im Dezember 1917 wurde der U-Bootbau schließlich beim neugegründeten U-Bootamt unter Leitung von Vizeadmiral Ritter von Mann zentralisiert. Im September 1918 sollte im Rahmen des Scheer-Programms erneut eine Forcierung der U-Bootproduktion auf dem Plan stehen. Zu einer sinnvollen Ausnutzung der Kapazitäten der Werft Blohm & Voss für den U-Bootbau kam es aber während des gesamten Krieges nicht.

So betrachtet erwies sich die Erklärung des uneingeschränkten U-Bootkrieges, der dann nicht entschieden geführt wurde, als sinnlos und kontraproduktiv. Während eine bestimmte Methode der Kriegsführung seit Sommer 1916 als alleinseligmachendes Rettungsmittel propagiert wurde, erfolgten noch nicht einmal ausreichende oder erst verspätete Bestellungen. Der Kriegseintritt der USA wurde vollkommen unvorbereitet riskiert. Die deutsche Öffentlichkeit oder die 3. OHL mochten vielleicht noch an einen Erfolg des U-Bootkrieges glauben, das Reichsmarineamt konnte dies eigentlich nicht, denn ihm waren als einzigem sämtliche ungünstige Rahmenbedingungen bekannt. Die einzige Erklärung besteht darin, daß die Admirale der eigenen Propaganda aufsaßen und sich nicht über das mögliche Produktionsvolumen der Werften informiert hatten. In der halboffiziösen Darstellung des Seekrieges durch das Marinearchiv wird darauf hingewiesen, daß das Reichsmarineamt sich gegenüber dem Heer Selbstbeschränkungen auferlegte, weil es glaubte, daß das Heer die wichtigere Rolle im Krieg spielte.[391] Der U-Bootbau sei schon 1915 eine Arbeiterfrage gewesen, und die Situation habe sich 1917 gebessert.[392]

I.6   Auslandsaktivitäten in der Türkei und der Ukraine

I.6.1   Die Deutsch-Osmanische-Werftenvereinigung und die geplante Errichtung einer Großwerft in der Türkei

Schon vor dem Krieg hatten deutsche Werften, darunter Blohm & Voss, versucht, dem Osmanischen Reich Kriegsschiffe zu verkaufen. Das Auswärtige Amt unterstützte derartige Bemühungen, um den deutschen Einfluß zu festigen.[393] Doch diese Pläne scheiterten an der mangelnden Unterstützung des Reichsmarineamtes und am britischen Einfluß auf die türkische Marine, die zuvor von britischen Offizieren reorganisiert worden war.

Nach dem jungtürkischen Umsturz 1908 und dem Putsch 1913 existierten

390 H. Frahm an Dir. Zetzmann (Krupp), 25.8.17, StA B&V 874.
391 Marine-Archiv (Hg.), Der Krieg zur See. Der Handelskrieg mit U-Booten, Bd. 1, S. 175.
392 Ebd., S. 173 f.
393 Vgl. Epkenhans, Die wilhelminische Flottenrüstung, S. 303–306.

drei Machtzentren im Land.[394] Enver Pascha als Kriegsminister war deutsch-freundlich und arbeitete eng mit dem Reich zusammen, Djemal Pascha als Mari-neminister setzte dagegen auf die britische Karte und favorisierte bis kurz vor Kriegsausbruch die Entente, Talat Bej (ab 1917 Talat Pascha) als Innenminister war der dritte Mann des Triumvirats. Diese drei verfügten im Staatsapparat je-weils über ihre eigene Klientel: Günstlingswirtschaft, Korruption und Intrigen blühten. Sie versuchten zwar, den Ressortdschungel zu lichten, aber trotz aller Modernisierungsvorhaben vermochten sie nicht, den desolaten Zustand des Staatswesens zu beheben.

Kurz nach dem Kriegseintritt der Türkei auf seiten der Mittelmächte am 2. November 1914 stellten die Germania-Werft und Blohm & Voss Überlegun-gen an, mit der Türkei ins Geschäft zu kommen. Allerdings hielt die Germania-Werft den Zeitpunkt, «jetzt aufs Neue zu versuchen, die Werften enger aneinan-der zu bringen, für nicht geeignet.»[395] So erfolgte der eigentliche Anstoß von au-ßen durch das Reichsmarineamt. Im März 1915 sandte Admiral Souchon, Kom-mandeur der Mittelmeerdivision, ein Memorandum an die deutsche Botschaft in Konstantinopel und an das Reichsmarineamt über die «Ausgestaltung des Werft-betriebes für die türkische Marine». Nach Ausbruch des Krieges wurde die Ste-nia-Werft am Bosporus neben dem Arsenal mit deutscher Hilfe als Reparatur-werft in Betrieb genommen. Die Stenia-Werft war mit französischem und itali-enischem Kapital als *Societé anonyme des docks et ateliers du Haut-Bosphere* errichtet und vom Staat bei Kriegsausbruch beschlagnahmt worden. Souchon schlug nun die Einrichtung einer betriebstüchtigen Reparaturwerft – am besten geeignet sei das Arsenal –, die «Ausschaltung aller fremden Einflüsse auch für die Zukunft» und das Engagement einer deutschen Gesellschaft vor. Diese deutsche Gesell-schaft könne «auf den Erwerb der Stenia-Werft als Handelsschiffswerft hingewie-sen werden, diese würde sich wohl rentieren, da eine Konkurrenz nicht vorhan-den» sei. Allerdings komme ein Ausbau der Stenia-Werft im Moment nicht in Frage. Ziel Souchons war es, den «militär-politischen Einfluß in der türkischen Marine für die Dauer sicher zu stellen».[396] Auch die deutsche Botschaft befürwor-tete die Überlegungen Souchons. Allerdings solle zurückhaltend aufgetreten werden, um nicht den Eindruck zu hinterlassen, ein Protektorat über die Türkei anzustreben.[397] Intern wurden diese Anregungen dann zwischen Auswärtigem Amt und Reichsmarineamt abgesprochen, anschließend wurde erneut an die Werften herangetreten.

394 Vgl. zum folgenden Shaw, Stanford J.: His-tory of the Ottoman Empire and Modern Turkey, Volume II, Cambridge 1977, 272 ff.; Rustow, Dankwart: Djemal Pasha, in: Ency-clopedia of Islam, Leiden/London 1965, S. 530–532; Rustow, Dankwart: Enver Pasha, in: Encyclopedia of Islam, S. 698–702; Trumpener, Ullrich: Germany and the Ottoman Empire 1914–1918, Princeton 1968.

395 Besprechung mit der Germania, 4.1.15, StA B&V 9.1.

396 Memorandum Admiral Souchons, 23.3.15, BArchM RM3/4718.

397 Botschafter Wangenheim an Reichskanzler Bethmann-Hollweg, 27.3.15, ebd.

Ende Mai trafen sich erstmals Vertreter der österreichisch-ungarischen Skoda-
Werke mit denen von Blohm & Voss, um eine mögliche Kooperation in der Türkei zusammen mit Krupp und der Germania-Werft zu klären.[398] Im Juli kam es
zu einem Treffen bei Krupp und anschließend im Reichsmarineamt.[399] Souchons
Plan war jetzt von der Marine erweitert worden, wie sich aus den Akten der Marine ergibt. Ein deutsches Werftenkonsortium sollte eine Werft in der Türkei aufbauen und an den Staat verpachten. Langfristige Ziele waren eine Vergrößerung
des deutschen Einflusses im Osmanischen Reich und ein Festsetzen im Mittel-
meerraum. Wirtschaftliche Fragen wurden weder vom Reichsmarineamt noch
vom Auswärtigen Amt besonders berücksichtigt.

Blohm & Voss entsandte daraufhin Vertreter in die Türkei, um die Lage vor
Ort zu sondieren und erste Vorschläge zu unterbreiten. Deshalb wurde Rudolf
Blohm, dem die Situation dort bekannt war, vom Wehrdienst erst beurlaubt und
schließlich im Juni 1916 ganz zurückgestellt.[400] Im Dezember 1915 wurde zusätzlich der Prokurist Gok freigestellt.[401] Blohm schlug dem türkischen Marineministerium vor, einen der vorhandenen Betriebe zu einer modernen Großschiffwerft auszubauen, um die durch den Krieg erlittenen Verluste an Schiffsraum möglichst schnell nach Kriegsende zu ersetzen. Es sollten Docks und das
Arsenal am Goldenen Horn mit osmanischem Personal unter Leitung einer
deutschen Werftengruppe erweitert werden. Für die Nachkriegszeit könne eine
Stammbelegschaft von türkischen Arbeitern ausgebildet werden. Dafür möge
die Regierung dem deutschen Konsortium das Terrain am Goldenen Horn und
für den Schiffbau im Osmanischen Reich quasi ein Monopol auf begrenzte Zeit
überlassen. Die Werftengruppe sorge dann schon für die Finanzierung des Pro-
jekts. In einem Schreiben an das Reichsmarineamt ging das Konsortium noch
weiter: Neben dem Arsenal wurden auch die Überlassung der Stenia-Werft und
die Übernahme von finanziellen Garantien durch die deutsche Regierung gefordert. Immerhin unterstützte Enver Pascha ein Unternehmen größeren Stils
und die Übergabe des Arsenals. Allerdings wurden auch die Bedenken der anderen politischen Kräfte in der Türkei geschildert.[402] Ein mögliches Schiffbau-
monopol und gute Nachkriegsgeschäfte vor Augen, ließ sich Blohm & Voss in
die Pläne des Reichsmarineamts einspannen. Dieses unterstützte gemeinsam
mit dem Auswärtigen Amt die Überlegungen zur Übernahme der Stenia-Werft
und trat beim Reichsschatzamt mit dem Ansinnen auf, Garantien für das deutsche Konsortium zu gewähren.[403] Magenschmerzen bereitete den deutschen
Managern jedoch, daß das Osmanische Reich noch nicht einmal über einen ge-

398 Besprechung mit den Skoda-Werken, 27.5.
    15, StA B&V 9.1.
399 Besprechung bei Krupp, 21.7.15, und im
    RMA, 23.7.15, ebd.
400 Vgl. StA B&V 477.

401 Schreiben des RMA, 6.12.15, StA B&V 812.1.
402 Vgl. B&V an das Osmanische Marinemini-
    sterium, 12./25.9.15, sowie B&V an das
    RMA, 17.10.15, BArchB R2/A2911.
403 RMA an Reichsschatzamt, 23.10.15, ebd.

regelten Staatshaushalt verfügte, was die Pläne nur bedingt realistisch erscheinen ließ.[404]

Am 1. November 1915 fand im Werftdepartement des Reichsmarineamts eine Besprechung der Vertreter des Reichsmarineamtes, des Auswärtigen Amtes und des Reichsschatzamtes über eine zu gründende deutsch-osmanische Werftgesellschaft statt. Man einigte sich auf den folgenden Vorschlag: Der türkische Anteil sollte 60 % betragen, gedeckt durch den Wert des Arsenals sowie der zu überlassenden Stenia-Werft, wobei aber ein Drittel des Anteils in irgendeiner Form der deutschen Regierung zur Verfügung gestellt werden sollte. Die deutsche Werftengruppe werde 40 % des Aktienkapitals einbringen, das für den Betriebsausbau und die Unterhaltung aufzuwenden sei. Es wurde an eine Laufzeit von 20–30 Jahren gedacht. Reichsmarineamt und Auswärtiges Amt waren mit diesen Plänen einverstanden, während seitens des Reichsschatzamtes große Bedenken wegen der Finanzierung angemeldet wurden, denn eine finanzielle Garantie sollte vom deutschen Staat gewährt werden. Die türkische Seite stimme wohl grundsätzlich der Gründung einer solchen Gesellschaft zu, aber die Übertragung des Arsenals in deutsche Hände sei politisch nicht durchzusetzen. Diese Stellungnahme stamme vom ohnehin deutschfreundlichen Enver Pascha. Die anderen Mitglieder des Triumvirats teilten seine Meinung nicht und seien gegen ein deutsches Engagement. Doch stellte Admiralitätsrat Harms fest: «Eine leistungsfähige Werft kann nur dort bestehen, wenn sie fest in deutscher Hand bleibt.» Insgesamt wurde das Potential der türkischen Alliierten eher gering eingeschätzt. Das Projekt war also alles andere als abgesichert.[405]

Die darauffolgenden Verhandlungen in Istanbul schleppten sich dahin, da die türkische Seite uneinig und zerstritten war, sehr langsam arbeitete, gegeneinander intrigierte und untergeordnete Beamte gerne ein kleines Bestechungsgeld verlangten. Instruktive Beispiele liefern die Berichte Goks und Rudolf Blohms.[406] Gok brachte es in seinen Lebenserinnerungen auf den Punkt, die ganzen Verhandlungen seien nutzlos gewesen, da nur Enver Pascha Interesse zeigte.[407] Allerdings erscheint die türkische Hinhaltetaktik als durchaus berechtigt, denn die Deutschen versuchten nur, ihre mehr oder weniger imperialistischen Ziele durchzusetzen. Auch das Reichsschatzamt bremste, da bei einer Beteiligung des Reiches oder der Übernahme von Garantien die Zustimmung des Reichstages nötig sei, und spielte auf Zeit.[408]

Im Februar 1916 kristallisierten sich mit der Germania, der AG Weser, Blohm & Voss, Vulcan und Schichau die beteiligten Werften heraus, die sich gewillt zeig-

404 Aktennotiz, 15.10.15, StA B&V 9.1.
405 Sitzung im Werftdepartement des RMA, 1.11.15, BArchB R2/A2911.
406 Beispielsweise das Telegramm vom 29.12.15, StA B&V 228.1.
407 Lebenserinnerungen Gok, BArchK N1034/1, S. 226 ff.
408 Helfferich an Staatssekretär des RMA, 12.11.15, StA B&V 228.1; Besprechung am 27.3.16 im Werftdepartement des RMA, BArchB R2/A2911.

ten, jeweils 800.000,– Mark einzubringen, obwohl an eine Rentabilität des Tür-
keigeschäfts vorerst nicht zu denken sei.[409] Im Mai formierte sich dann die
Deutsch-Osmanische-Werftenvereinigung m.b.H. (DOW), die eine freie Abtre-
tung des Grundstücks und der Stenia-Werft, die Errichtung einer neuen Werft
und die zollfreie Einfuhr von Schiffbaumaterialien forderte. Die Werft solle unter
deutscher Leitung mit deutschem Führungspersonal stehen und direkt dem türkischen Marineministerium unterstellt werden, allerdings sei ein Werftausbau während des Krieges nicht möglich. Die Industriellen äußerten Bedenken, da das Risiko allein beim deutschen Kapital liege, worauf Konteradmiral Kraft, dem an der
Errichtung einer zuverlässigen Reparaturwerft im östlichen Mittelmeer besonders gelegen war, entgegnete: «Verpflichten Sie sich ruhig zum Ausbau der neuen
Werft und nehmen Sie die Stenia-Werft. Alles Andere kommt nachher.»[410] An
dieser Äußerung zeigt sich die Blauäugigkeit der deutschen Behörden in wirtschaftlichen Fragen, stellte das Projekt doch ein enormes Risiko dar, das nur bei
einem Sieg der Mittelmächte abzuschätzen war.

Eine endgültige Form erhielt die DOW im Juni 1916.[411] Die Werften brachten jeweils 400.000,– Mark, also insgesamt zwei Millionen Mark Aktienkapital
ein, das Reich übernahm einen Anteil von vier Millionen, zahlte aber nur zwei
Millionen ein. Der ganze Ablauf wurde durch einen Vertrag zwischen den Ge-
sellschaftern und dem Reichskanzler bekräftigt. Alles in allem wurden jedoch 16
Millionen Mark als erforderlich angesehen, weshalb im Frieden unbedingt Neu-
beratungen anzuberaumen seien. Auch könne der Tätigkeitsbereich der Gesellschaft auf einstimmigen Beschluß auf andere Länder ausgedehnt werden. Hier
wurde also ein Instrumentarium geschaffen, das im Falle weiterer Projekte – wie
später in der Ukraine – ebenso einzusetzen war.

Doch verliefen die Verhandlungen in der Türkei dermaßen unerfreulich und
ergebnislos, daß sie deutscherseits im Juli 1916 erstmals abgebrochen wurden.[412]
Auf Betreiben des Reichsmarineamtes wurden sie jedoch wieder aufgenommen.
Im Oktober 1916 verließen die Schichau-Werke die DOW, die trotzdem bis zum
Sommer 1918 regelmäßig Versammlungen der Mitgliedswerften durchführte.[413]
Ein Ultimatum wurde dem Großwesir im November 1917 gestellt.[414] Innenmini-
ster Talat Pascha spielte angeblich ein doppeltes Spiel. Während er die DOW hin-
hielt, erwarb er über Freunde ein für eine Werft geeignetes Gelände in Beikos.[415]

Wirkliche Ergebnisse stellten sich bei allen Verhandlungen jedoch nie ein. Immerhin trafen im Sommer 1917 15 türkische Lehrlinge bei Blohm & Voss ein,
und Rudolf Blohm wurde für seine Bemühungen der Orden des «Eisernen Halb-

---

409 Besprechung von Germania, AG Weser,
     B&V, Schichau und Vulcan, 12.2.16, sowie
     Aktennotiz, 22.2., StA B&V 9.1.
410 Besprechung im RMA, 5.5.16, StA B&V
     9.2.
411 Vgl. Besprechung im RMA, 16.6.16, ebd.

412 Besprechung im RMA, 21.7.16, ebd.
413 Versammlung der DOW, 19.10.16., ebd.
414 Besprechung am 17.11.17, StA B&V 9.3.
415 Besprechung von R. Rosenstiel und Herrn
     Berghaus, 13.2.20, StA B&V 9.4.

Abbildung 10: Der Besuch des türkischen Marineministers Djemal Pascha im Sommer 1917

mondes» verliehen.[416] Der türkische Marineminister Djemal Pascha besuchte die Werft dann 1917. Im Januar 1919 wurde die DOW schließlich aufgelöst.[417] Im folgenden Jahr erwachten nochmals Hoffnungen auf ein Geschäft: «Die Türken wollten aber damals den Einfluss der Deutschen nicht übermächtig werden lassen; jetzt aber, wo sie politisch von den Deutschen nichts mehr befürchten, möchten sie sich gern wieder die Deutschen heranholen.»[418]

Bei einem anderen türkischen Projekt war die Werft erfolgreicher. Es gelang ihr am 20. März 1917, einen Vertrag mit der Türkei über den Bau eines Schwimmdocks abzuschließen, den schon im Vorfeld, am 29. Januar 1917, der Staatssekretär des Reichsmarineamtes, von Capelle, genehmigt hatte.[419] Der Vorgang war an sich ungeheuerlich. Kurz vor Erklärung des uneingeschränkten U-Bootkrieges, für dessen Durchführung eigentlich zu wenig Boote vorhanden waren, erlaubte das Reichsmarineamt der größten Privatwerft des Reichs nebenbei ein Schwimmdock für einen Verbündeten zu bauen, das erst nach einem Friedensschluß überhaupt dorthin gelangen könnte. Für den Bau erhielt die Firma

416 Wochenberichte, 9. und 30.6.17, StA B&V 232.1.
417 B&V an RMA, 2.1.19, BArchM RM3/ 4725.
418 Aktennotiz Rosenstiels über ein Treffen mit Herrn Berghaus, 13.2.20, StA B&V 1139.
419 Vertrag über den Bau eines Schwimmdocks, 20.3.17, Staatssekretär des RMA an B&V 29.1.17, StA B&V 1157.1.

am 10. August 1917 von der türkischen Regierung einen Vorschuß von 3.750.000,– Mark, nachdem man angeblich schon am 1. Juli 1917 mit den Arbeiten begonnen hatte. Ihr kam dieser Vorschuß ziemlich gelegen, aber das ganze Vorhaben war aus Sicht der Kriegswirtschaft unsinnig.

In Wirklichkeit wurde mit dem Bau selbst nicht begonnen, sondern die Firma fertigte die Entwürfe an und bestellte Material sowie Zubehör bei Unterlieferanten.[420] Im März 1918 war auch von Capelle der Auffassung, daß der Bau eines Schwimmdocks zu diesem Zeitpunkt nicht sinnvoll sei. Trotzdem wurde noch über ein Jahr weiter an dessen Konstruktion gearbeitet und das Ganze erst im April 1919, nach Abreise der türkischen Bauaufsicht, abgebrochen, die seit dem Waffenstillstand ohne Nachricht aus ihrem Heimatland verblieben war.[421] Die Firma erhielt im Sommer 1917 immerhin 3,75 Millionen Mark Vorschuß und wandte bis 1919 4,25 Millionen Mark auf. Nach Verhandlungen zahlte sie der Türkei nach der Währungsreform 225.000,– Rentenmark zurück, denn die Türkei hatte ja keine Lieferung erhalten und die Kosten waren entstanden, als der Wert der Mark schon gesunken war.[422]

I.6.2 Die versuchte Übernahme einer Großwerft in der Ukraine

Blohm & Voss war nicht nur in Projekte in der fernen Türkei involviert. Die Firma sollte nach dem Willen von Oberster Heeresleitung und Reichsmarineamt auch eine Rolle bei dem unglücklichen Unternehmen spielen, die im Zerfall des Zarenreiches zu vorübergehender Eigenstaatlichkeit gelangende Ukraine an das Deutsche Reich zu binden. Diese Episode ist bislang weitgehend unbekannt und soll deshalb ausführlicher behandelt werden, als es die Bedeutung dieser Angelegenheit für die Geschichte des Unternehmens an sich erfordert.[423]

Die Ukraine war spätestens im Februar 1918 ins Blickfeld deutscher Interessen geraten.[424] In der Ukraine regierte zu diesem Zeitpunkt die Zentralrada unter dem Sozialrevolutionär Holubovyč, die sich allerdings auf der Flucht vor den Bolschewiki befand. Nach dem Abbruch der seit dem 22. Dezember 1917 laufenden Friedensverhandlungen in Brest-Litowsk am 10. Februar 1918 rückten deutsche Truppen zügig in der Ukraine vor und eroberten sie binnen weniger

420 R. Blohm an RMA, 7.3.18, Antwort Capelles, 13.3., B&V 1157.1.
421 Aktennotiz, 28.4.19, ebd.
422 Vgl. Aufzeichnungen zu Verhandlungen mit der *Commission de liquidation des achats du gouvernement imperial ottoman*, StA B&V 1157.1–2.
423 In der Literatur wird sie nicht erwähnt, auch nicht in der Quellensammlung: Die deutsche Okkupation der Ukraine. Geheimdokumente, Straßburg 1937.

424 Vgl. zu den Ereignissen von Februar bis Mai 1918: Mark, Rudolf A.: Die gescheiterten Staatsversuche, in: Golczewski, Frank (Hg.), Geschichte der Ukraine, Göttingen 1993, S. 179–187; Kappeler, Andreas: Kleine Geschichte der Ukraine, München 1994, S. 172 f.; Polonska-Vasylenko, Natalija: Geschichte der Ukraine, München 1988, S. 749–760.

Wochen. Im nun erzwungenen Friedensvertrag mußte die bolschewistische Regierung am 3. März 1918 schließlich auch die Unabhängigkeit der Ukraine anerkennen. Die Mittelmächte setzten die Rada wieder ein. Nach Meinungsverschiedenheiten zwischen deutscher Militärverwaltung und Rada sowie dem inszenierten «Sturm auf die Rada» wurde am 29. April 1918 auf einer Versammlung in einem Zirkus der Großgrundbesitzer Pavlo Skoropad'skyj zum Het'man von deutschen Gnaden ernannt und die alte Rada abgesetzt. Dieses Marionettenregime hatte eine eher großrussische und reaktionäre Prägung und traf auf sozialrevolutionäre, anarchistische und ukrainisch-nationale Bestrebungen im Lande sowie auf die Revolutionspläne der Bolschewiki, die schon vorher die Region mit Terror überzogen hatten.

Die deutsche Seite war an einer wirtschaftlichen Ausbeutung der Ukraine als einem Rohstoff- und Nahrungsmittellieferanten interessiert. Die im Februar einrückende Heeresgruppe Eichhorn erhielt Instruktionen von der OHL, vor allem Getreide und andere Nahrungsmittel zu beschaffen.[425] Als eigentlicher Willensträger der Ukraine-Mission galt die deutsche Wirtschaftsstelle unter Leitung des Krupp-Direktors Kurt Wiedfeldt, in der Dr. Carl Melchior vom Bankhaus M. M. Warburg & Co. in führender Position vertreten war.[426] Die Ukraine sollte zum künftigen Absatzmarkt und Rohstofflieferanten der deutschen Großindustrie entwickelt werden, da ein mögliches Fortbestehen der britischen Handelsblockade und des Wirtschaftskrieges über das militärische Kriegsende hinaus erwartet wurde. Von besonderer Bedeutung war die Ukraine als Transitland für Rohstoffe. Ein Viertel der Ölproduktion Bakus, die über das Schwarze Meer und durch die Ukraine zu transportieren wäre, hätte laut Soutou ausgereicht, den Bedarf des Reichs an Kraftstoffen zu decken.[427] Ebenfalls bestand Interesse an Manganerz-Vorkommen in Georgien und an Kohlelieferungen aus der Türkei.[428] Hier setzten Reichsmarineamt und OHL an. In der vollkommen desolaten, vom Bürgerkrieg bedrohten Ukraine, einem «Operettenstaat»[429], sollte Blohm & Voss zwei Werften übernehmen, um die benötigten Transportschiffe produzieren zu lassen. Erschwerend allerdings kam hinzu, daß die Situation im Land immer unsicherer wurde, Partisanenkrieg und innere Wirren einsetzten und zunahmen.[430]

Mitte April entstand im Reichsmarineamt die Idee, die Werftanlagen in Nikolaev (ukrainisch Mikolajiv), einer Stadt am Schwarzen Meer in der Nähe von

425 Groener, Wilhelm: Lebenserinnerungen, Göttingen 1957, S. 385. Wilhelm Groener war zum Zeitpunkt des Einmarsches Generalstabschef der Heeresgruppe Eichhorn.

426 Zur Wirtschaftsstelle vgl. Fischer, Fritz: Griff nach der Weltmacht, Düsseldorf ³1964, S. 718 f., 724 ff. und 736.

427 Soutou, Georges-Henri : L'or et le sang. Les buts de guerre économiques de la Première Guerre mondiale, Paris 1989, S. 691.

428 Feldman, Gerald, D.: Hugo Stinnes. Biographie eines Industriellen. 1870–1924, München 1998, S. 486.

429 Merton, Richard: Erinnernswertes aus meinem Leben, das über das Persönliche hinausgeht, Frankfurt/Main 1955, S. 44.

430 Vgl. Hildermeier, Manfred: Geschichte der Sowjetunion 1917–1991. Entstehung und Niedergang des ersten sozialistischen Staates, München 1998, S. 137.

Cherson an der Mündung des südlichen Bug, wieder in Betrieb zu setzten.[431] Diese verfügten vor Kriegsausbruch über das Monopol für den Bau von russischen Kriegsschiffen für das Schwarze Meer und hatten mit Blohm & Voss in geschäftlichen Beziehungen gestanden.[432] Zur Beobachtung des Zustandes vor Ort wurde von der Marine Kapitän Pfundheller entsandt. Kurz danach wurde Blohm & Voss über diese Plänen unterrichtet, die Ludendorff tatkräftig unterstützte.[433] Zuständig sollte in der Ukraine die neugebildete Nautisch-technische Kommission (Nateko) der Mittelmächte unter dem deutschen Vize-Admiral Hopmann sein, die aber zu diesem Zeitpunkt von der ukrainischen Regierung noch nicht bevollmächtigt war. Erst Het'man Skoropad'skyj stattete die Nateko mit weitreichenden Kompetenzen aus. Die ukrainischen Werften unterstanden formell einem österreichisch-ungarischen Offizier, allerdings lag Nikolaev in der deutschen Interessensphäre der Nateko.[434] Die Verbündeten waren sich über ihre Vorgehensweise uneinig. Die Österreicher, die selber kurz vor dem Zusammenbruch standen, schafften möglichst viele Lebensmittel außer Landes. Sie waren wegen eigener Ambitionen und möglicher Gebietsansprüche noch unbeliebter als die Deutschen und standen mit ihnen in einem ständigen Interessenkonflikt.[435] So meldete die k. u. k. Botschaft in Berlin im Auftrag österreichischer Werften und der ungarischen Kreditbank deren Absichten an, sich ebenso an den Schiffbaubetrieben in Nikolaev zu beteiligen.[436]

Nach Absprachen mit anderen Werften – unter anderem wollten die Vulcan-Werke erst geordnete Verhältnisse abwarten – entschloß sich Blohm & Voss zum Alleingang.[437] Die Deutsch-Osmanische Werftenvereinigung war nicht beteiligt. Experten der Firma unter Leitung des extra für dieses Projekt eingestellten Dr. Eggers wurden ab Anfang Mai nach Nikolaev entsandt, um die Lage vor Ort zu klären und die Werftanlagen betriebsbereit zu machen. Allerdings wurde dieser Plan nur halbherzig betrieben, weil das sich formierende Werftkartell schon den Wiederaufbau der deutschen Handelsflotte nach dem Krieg plante und an unsicheren Projekten in der fernen Ukraine kaum interessiert war.

Die ersten Berichte von Dr. Eggers, aber auch die des Beauftragten des Reichsmarineamtes, Pfundheller, vom Mai 1918 waren hoffnungsfroh.[438] Die

431 Schreiben des stellv. Staatssekretärs des RMA an die OHL u. a., 18.4.18, BArchM RM3/4733.

432 Remer, Claus: Die Ukraine im Blickfeld deutscher Interessen, Frankfurt/Main u. a. 1997, S. 70.

433 Besprechungen im RMA, 25. und 26.4.18, StA B&V 9.3.

434 7. Sitzung des Schwarz-Meer-Ausschusses, 29.4.18, BArchM RM41/67.

435 Vgl. Mark, Die gescheiterten Staatsversuche, S. 185; Groener, Lebenserinnerungen, S. 389.

Groener bezeichnet den Umgang mit den Österreichern als komplizierter als die militärische Besetzung der Ukraine.

436 Abschrift der Verbalnote der k. u. k. Botschaft an das Auswärtige Amt vom 9.7.18, BArchM RM3/4734.

437 Vgl. Schriftwechsel mit anderen Werften und die Besprechung mit der Vulcan-Werft am 29.4.18, StA B&V 1115.

438 Vgl. zum folgenden die Situationsberichte und Telegramme von Dr. Eggers und Pfundheller vom Mai 1918, StA B&V 1111.

Stadt Nikolaev hinterließ bei ihnen einen relativ guten Eindruck, da unter Kriegsrecht deutsche Zucht und Ordnung herrschten. Das Bürgertum der Stadt hatte die deutschen Okkupanten zuvor als Befreier vom bolschewistischen Terror begrüßt. Die Werften waren modern und verfügten über große Magazinvorräte. Allerdings ruhte der Betrieb wegen Problemen mit der Arbeiterschaft sowie Geld- und Kohlenmangel. Die Naval'- (eigentlich Obščestvo Nikolaevskih Zavodov i Verfej [Gesellschaft von Fabriken und Werften in Nikolaev]) und die Russud-Werft (eigentlich Russkij Sudostroitelnij Zavod [Russische Schiffbauwerke]) gehörten teilweise einer Petrograder Bank. Auch englisches, französisches und belgisches Kapital war involviert, was die Inbetriebnahme nicht erleichterte. Die Arbeiterschaft zeigte sich nach mehrmonatiger Herrschaft der Bolschewiki in der Stadt aufgewühlt. Vor kurzem war ein Ingenieur von Arbeitern erschossen worden. Die Betriebsleitung hoffte, die Lage mit deutscher Hilfe wieder unter Kontrolle bringen zu können, die Arbeiterräte auszuschalten und die Produktion wieder aufzunehmen.[439] Immerhin waren beide Werften die modernsten am Schwarzen Meer und konnten über 15.000 Arbeiter beschäftigen. Ihre Baukapazität betrug etwa ein Sechstel des deutschen Vorkriegsstandes. Neben vier Kreuzern, sechs Torpedobooten und zwei U-Booten befanden sich noch 20 Landungsdampfer in Bau. Ein prunkvoller Besuch des deutschen Gouverneurs mit Husaren-Eskorte, vielen Flaggen, Uniformen und Orden demonstrierte nochmals das deutsche Interesse und das Operettenhafte der Situation.

Die Entscheidung für ein Engagement fiel Anfang Juni 1918.[440] Jedoch wurde der Plan, am Schwarzen Meer Handelsschiffe zu bauen, von Korvettenkapitän Busse abgelehnt. Blohm & Voss beabsichtigte, nur einige wenige Spezialisten nach Nikolaev abzustellen, um die Abrechnung etwaiger Projekte zu gewährleisten. Eine weitergehende Aktivität wurde nicht entfaltet. Die abgestellten Fachleute wurden später vom Reichsmarineamt entlohnt, fehlten aber in der heimischen Produktion. Nach den Österreichern entdeckten inzwischen auch die Türken ein Interesse an der Ukraine und forderten ihrerseits ein Schwimmdock aus Nikolaev. Ende Juni telegrafierte Ludendorff schließlich an den Gouverneur der Stadt, die Werften zur Reparatur von Handelsschiffen und den Bau von Eisenbahnwagen wieder zu eröffnen. Außerdem sollten Anwerbungen von Werftarbeitern für Deutschland durchgeführt werden.[441] Im Juli sollten die konkreten Verhandlungen vor Ort erfolgen. Der Vertreter der Werft, Gok, erhielt aber

---

439 Die Berichte über die Situation in der Ukraine und den roten Terror dort sollten die Einstellung der Betriebsleitung gegenüber der eigenen Arbeiterschaft in der Novemberrevolution und der folgenden Zeit nachhaltig beeinflussen. Aufsehen erregte das Schicksal der von den Bolschewiki zu Tode gefolterten zaristischen Offiziere. Hier findet sich in der Angst vor dem roten Terror eine Erklärung für das Engagement der Firmenleitung auf seiten der nationalistischen antidemokratischen Kreise in den ersten Jahren der Weimarer Republik.

440 Vgl. Besprechung im RMA, 7.6.18, StA B&V 9.3; Wochenbericht, 8.6., StA B&V 224.6.

441 Telegramm an Major von Kesseler, 27.6.18, BArchM RM3/4734.

schon im Vorfeld ein Telegramm aus Hamburg: «Bau von Handelsschiffen für Friedenszwecke kann jetzt nicht unsere Aufgabe sein.»[442] Auch dem Entsandten des Reichsmarineamtes in Nikolaev wurde mitgeteilt, die Mitarbeit von Blohm & Voss erscheine entbehrlich.[443]

Die Firma ging nach den schlechten Erfahrungen in der Türkei voller Skepsis vor. Diese war berechtigt, wie sich bei ersten Besprechungen zeigte. Die Besitzverhältnisse der beiden ukrainischen Werften waren nicht geklärt, neben ausländischen Aktionären und Aktien in Streubesitz war die inzwischen von der Sowjetregierung nationalisierte Petrograder Handelsbank, ehemals eine der bedeutendsten Banken des zaristischen Rußlands, eine wichtige Eigentümerin.[444] In ihren Tresoren befand sich der Aktienbesitz der Russud-Werft, der fast die Hälfte der Naval'-Aktien umfaßte. Die Sowjetregierung weigerte sich, für Regierungsaufträge zu zahlen, obwohl sie von ihr bis zum 18. März 1918 anerkannt worden waren. Beide Werften waren deshalb insolvent. Trotzdem erwarteten sie von Blohm & Voss nur technische Hilfe, kein Kapital oder Kontrolle.[445] Geld möge vom ukrainischen Staat oder von irgendwo sonst kommen. Allerdings forderte die OHL, daß Blohm & Voss den Betrieb und besonders die Abrechnungen kontrollierte. Die nötigen Finanzmittel sollten vom Reich bereitgestellt werden. Weitere Probleme waren das Weitergelten des russischen Rechts, der Achtstundentag und die Existenz von Arbeiterräten. An den Verhandlungen beteiligte sich auch General Diačkov als Vertreter der Sowjetregierung. Die Situation war also kompliziert, vom Währungschaos (Romanov-, Odessa- oder Kerenski-Rubel, Karbovanzen oder Mark) ganz abgesehen. Die Gespräche zogen sich über mehrere Wochen hin.

Schließlich kam es Mitte August zur Unterzeichnung eines Vertrages zwischen den ukrainischen Werften und dem Staatssekretär des Reichsmarineamtes. Dieser sollte gültig sein bis zum Abzug der Truppen der Mittelmächte und war von ukrainischer Seite ansonsten nicht kündbar. Die Werften sollten unter deutscher Aufsicht – nämlich den Vertretern von Blohm & Voss – stehen, aber auf eigene Rechnung in Regie produzieren.[446] Geplant war der Umbau von 20 Landungsdampfern zu Öltransportern sowie der Bau von Frachtschiffen und Eisenbahnwaggons.[447] Allerdings wären umfangreiche Materiallieferungen aus Deutschland nötig gewesen, was angesichts der Kriegslage, der Transportprobleme und der Rohstoffknappheit als ziemlich utopisch erschien. Diese vertraglichen Regelungen und die gesamte Verhandlungsführung hoben sich ab vom brutalen Vorgehen der Deutschen bei der Übernahme der ukrainischen Indu-

442 Telegramm an Gok, 28.6.18, StA B&V 1111.
443 Telegramm von B&V an Pfundheller, 6.7.18, ebd.
444 Besprechung im Gouvernement Nikolaev, 3.7.18, ebd.
445 Besprechung in Nikolaev, 13.7.18, ebd.

446 Verträge zwischen den Naval'- und Russud-Werften und dem Staatssekretär des RMA vom 19.8.18, BArchM RM3/4702.
447 Besprechungen bei der Schiffahrtsabteilung des Feldeisenbahnwesens in Nikolaev, 20./21.8.18, StA B&V 9.3 und 1113.

strie im Zweiten Weltkrieg. Sie basierten offensichtlich noch auf rechtsstaatlichen Prinzipien.

Kurz darauf wurde der Vertrag zwischen Blohm & Voss und dem Reichsmarineamt abgeschlossen: Die Firma sollte die Naval'- und Russud-Werft auf Rechnung der Eigentümer mit russischer Leitung und Personal in Betrieb setzen und deutsche Regierungsaufträge in Regie abwickeln lassen. Sie sollte technisch und geschäftlich beraten und vermitteln, die Abrechnung kontrollieren und als Bauaufsicht fungieren. Dafür erhielte sie einen Mindestgewinnzuschlag von 25 % auf alle Auslagen und 5 % der Summe bei einem Jahresabrechnungswert bis zu 20 Millionen Mark, 2,5 % von Beträgen, die 20 Millionen überstiegen.[448] Die Werft ging also kein eigenes Risiko außer der Abstellung einiger Spezialisten ein, konnte aber im Erfolgsfall eine gewisse Nebeneinnahme erzielen.

Im September machte das Reichsmarineamt die deutschen Reeder in einem Rundschreiben mit der Möglichkeit bekannt, Aufträge nach Nikolaev zu vergeben.[449] In Nikolaev verfügte der deutsche Reederei-Verband sogar über eine Dependance der Zweigniederlassung im rumänischen Braila.[450] Dieses Angebot wurde jedoch schon wenige Tage später durch das Scheer-Neubau-Programm obsolet, das einen noch utopischeren Charakter als der Handelsschiffbau mitten im Krieg in der unsicheren Ukraine hatte. Außerdem beanspruchte das ukrainische Marineministerium plötzlich die umzubauenden Landungsdampfer für sich.[451] Die Firma zweifelte ernsthaft an dem ganzen Projekt und drohte mit dem Ausstieg, wenn bis zum 1. Dezember 1918 nicht mit dem Bau begonnen werde.[452] Im übrigen fehlte eine Entscheidung über eine mögliche Auftragsvergabe durch das Reichsschatzamt, die Folgen für die Währungen seien noch nicht durch den Einfuhrausschuß ermittelt, Auseinandersetzungen mit der ukrainischen Regierung wegen der Eigentumsverhältnisse seien nicht geklärt und die Beziehungen zu Rußland in einer späteren Friedenszeit durch das Projekt gefährdet. Vor Ort wurde noch weiter verhandelt. Im Oktober meldete das Schatzamt ebenfalls erhebliche Bedenken an.[453]

Am 5. November, einen Tag vor Ausbruch der Revolution auf der Werft, konnte der Prokurist Gok im Reichsmarineamt die im August abgeschlossenen Verträge kündigen.[454] Das von der Firma zurückhaltend begonnene Projekt brachte durch die späte Abrechnung sogar einen kleinen Verlust.[455] Insgesamt

---

448 Vertrag zwischen dem Staatssekretär des RMA und B&V vom 26.8.18, StA B&V 1112.

449 Schreiben des RMA, 13.9.18, StA Senat-Kriegsakten AIz43.

450 H. Blohm an den Reederei-Verband, 18.10.18, StA B&V 1116.

451 Telegramm der Industrieabteilung der Heeresgruppe Kiew, 14.9.18, StA B&V 1114.

452 B&V an RMA, 20.9.18, StA B&V 1111.

453 Reichsschatzamt an RMA, 7.10.18, BArchM RM3/4735.

454 Besuch Goks im RMA, 5.11.18, StA B&V 9.3.

455 Folgt man den rechnerischen Nachweisungen, so ergab sich ein kleiner Gewinn von 18.010,– Mark. Allerdings wurden die vertraglich ausbedungenen Entgelte erst im März 1919 ausgezahlt, während die Aufwendungen früher angefallen waren. Unter Be-

zeigt diese geplante Werftübernahme aber, welche irrealen Pläne die deutschen Militärs mit der Ukraine hatten und wie dilettantisch sie vorgingen. Auch Rudolf A. Mark konstatiert ein unprofessionelles Verhalten der mit Wirtschaftsfragen Betrauten.[456] Eine weitere Initiative der OHL zur wirtschaftlichen Durchdringung der Ukraine war die Gründung eines Ostsyndikats der deutschen Industrie am 1. August 1918. Anfangs versuchte Leutnant Schlubach, der Verbindungsoffizier der OHL in Berlin, Rudolf Blohm zum Beitritt von Blohm & Voss zu bewegen, und hoffte, daß auch die Vulcan-Werke Syndikatsmitglied werden. Doch Blohm lehnte ab, da er die Werftangelegenheiten in der Ukraine nicht mit dem Ostsyndikat vermengen wollte und die Einbeziehung der Vulcan-Werft für unzweckmäßig hielt. Im August 1918 schrieb Dr. von Rieppel von der MAN Hermann Blohm direkt an und erläuterte das geplante Ostsyndikat. Mit einer Fortsetzung des Wirtschaftskrieges werde auch nach einem Friedensschluß gerechnet, das Ostsyndikat solle die deutschen Wirtschaftsaktivitäten in Osteuropa bündeln und organisieren. Jede sich beteiligende Firma möge Aktien im Nominalwert von mindestens 500.000,– Mark zeichnen, ein Grundkapital von 20 Millionen werde angestrebt für die neu gegründete Osteuropäische Industrie-, Verkehrs- und Boden-Gesellschaft m.b.H., jedes Unternehmen sei durch einen Aufsichtsratsposten vertreten. Beteiligt waren unter anderem die MAN, die AEG, Felten & Guilleaume, Krupp, Stinnes, die HAPAG und die Siemens-Schuckertwerke. Hermann Blohm lehnte ab, da zum einen kein Kapital vorhanden sei, zum andern aber auch, weil ihm «die Monopolbestrebungen, wie sie sich in dem Konzern A.E.G., Ballin, Stinnes usw. ausdrücken, nicht besonders sympathisch» seien.[457] Einer Aktiengesellschaft für internationale Unternehmungen, die sich zur Aufgabe gemacht hatte, im Inland sowie dem verbündeten und dem besetzten Ausland aktiv zu werden, trat die Firma allerdings durch Einzahlung von 35.000,– Mark bei.[458]

Aber nicht nur in der Ukraine, auch in anderen besetzten Ländern sollte Blohm & Voss nach dem Willen der Marine aktiv werden. Im westlichen Ausland wurde allerdings Zurückhaltung geübt, um nicht nach dem Krieg die internationalen Kontakte zu gefährden. So wurde der Kauf beschlagnahmten feindlichen Besitzes in Belgien von Rudolf Blohm entschieden abgelehnt, im persönlichen Antwortschreiben allerdings nur Arbeitsüberlastung geltend gemacht.[459] Auch

rücksichtigung der fortschreitenden Inflation entsprach der Realwert der Entgelte nicht mehr dem Realwert der Aufwendungen, so daß in Wirklichkeit wohl ein kleiner Verlust entstanden war. Abrechnung von B&V für das RMA, 21.12.18, StA B&V 1114.

456 Mark, Die gescheiterten Staatsversuche, S. 187.

457 Vgl. die Aktennotiz über das Gespräch mit Leutnant Schlubach, 3.8.18, Dr. von Rieppel

(MAN) an H. Blohm, 4.8.18, Antworten H. Blohms, 12.8. und 23.8., B&V 58.18.

458 Prospekt der «Aktiengesellschaft für internationale Unternehmungen» vom November 1917 und der Einzahlungsbeleg, StA B&V 380.

459 Aktennotiz zum Besuch von Dr. Lappenberg von der Aufsichtsstelle für Handelsunternehmungen, Antwerpen, 7.6.17, B&V 9.3; R. Blohm an Lappenberg, 17.5., B&V 1403.2.

nach Äußerungen Tirpitz' anläßlich eines Besuches, «dass Antwerpen sozusagen eine Filiale von Hamburg werden müsse»,[460] hielt sich die Firma zurück. Im deutsch okkupierten Estland sollte sich Blohm & Voss ebenfalls engagieren. Max M. Warburg schrieb nach Verhandlungen mit der Petrograder Discontobank im Mai 1918 an Hermann Blohm, im Besitz dieser Bank, die nicht von der Entente kontrolliert werde, befinde sich die Noblessner-Werft in Reval (Tallinn). Das Reichsmarineamt sähe es sehr gerne, wenn diese Werft in deutsche Hände komme. Rudolf Blohm lehnte jedoch ab, da die Vulcan-Werke mit der genannten Werft vor dem Kriege Geschäftskontakte besaßen.[461] Der Vorschlag der Revaler Gahlnbäck-Reederei, die Baltische Werft fortzuführen, wurde von der Firma ebenso negativ beantwortet.[462]

Angesichts dieser Überlegungen zur wirtschaftlichen Durchdringung Osteuropas muß betont werden, daß die Werft im Ersten Weltkrieg von den Reichsbehörden eher gedrängt wurde, als daß sie selber Aktivitäten entfaltete.

I.7   Vom Scheer-Programm zum Kriegsende

Zur Zeit der Unternehmungen in der Ukraine wurde im Reichsmarineamt geplant, den U-Bootbau zu beschleunigen, um bei einer möglichen Niederlage oder einem Rückzug an der Landfront im Falle von Friedensverhandlungen über eine Offensivwaffe als Druckmittel zu verfügen.[463] Deshalb fragte das Amt im Juni 1918 bei den Bauwerften an, wie die U-Bootproduktion entsprechend zu steigern sei.[464] Zur treibenden Kraft einer Forcierung des U-Bootbaus wurde jedoch Admiral Reinhard Scheer, der im August neu ernannte Chef der Seekriegsleitung. Nach ihm ist das Beschleunigungs-Programm schließlich auch benannt worden. Auf einem Treffen mit der Großindustrie am 19. September 1918 machte Scheer seine Pläne bekannt, um diese diskutieren zu lassen. Die erste Einschätzung war, sie seien erfüllbar, sollten die Gewinne hoch genug ausfallen und ausreichend gelernte Arbeiter von der Front auf die Werften geschickt werden. Einen Monat später unterzeichnete Ludendorff die entsprechenden Befehle, um weitere Arbeitskräfte von der Front für den U-Bootbau zurückstellen zu lassen.[465] Hugo Stinnes trat in der Frage der Arbeitskräfte als Makler zwischen der OHL und den Werften auf.[466] Bereits vorher hatte er zugesichert, daß genügend Material geliefert werden könne. Für eine weitere Besprechung wurden Werft-

---

460 H. Blohm an den Hamburger Senator Dr. Sthamer von der kaiserlichen Zivilverwaltung für die Provinz Antwerpen, 9.11.15, StA B&V 224.5.

461 M. M. Warburg an H. Blohm, 14.5.18, Antwort R. Blohms, 21.5., StA B&V 58.19.

462 Gahlnbäck-Reederei an B&V, 12.6.18, Antwort, 24.6., StA B&V 58.14.

463 Vgl. Stegemann, Bernd: Die deutsche Marinepolitik 1916–1918, Berlin 1970, S. 134.

464 Anfrage des RMA, 14.6.18, StA B&V 933.1.

465 Feldman, Army, Industry and Labor, S. 518.

466 Feldman, Hugo Stinnes, S. 480.

vertreter am 23. September ins Reichsmarineamt geladen. Der bisherige Produktionsumfang sämtlicher U-Bootwerften sollte von monatlich durchschnittlich 8,5 auf 16 Boote monatlich im vierten Quartal 1918 und schließlich stufenweise auf bis zu 36 im vierten Quartal 1919 erhöht werden. Das Programm war vorerst auf eine Laufzeit bis 1920 ausgelegt.

Auf die oben erwähnte Anfrage des Reichsmarineamtes hin hatte Blohm & Voss bereits im Juli ein Konzept zur Beschleunigung des U-Bootbaus im Falle der Beendigung des Landkrieges vorgelegt. Hieraus ging hervor, daß nach einer Erweiterung der Bürogebäude und Werkstätten, die etwa ein Jahr in Anspruch nehmen werde, bei einer Bereitstellung von 3.000 bis 4.000 zusätzlichen Arbeitern sowie der Durchführung vollständiger Nachtschichten eine Produktionsbeschleunigung von etwa 25–30 % eintreten könne. Sollten gar 8.000 bis 10.000 neue Arbeitskräfte zur Verfügung stehen, sei mit einer Leistungssteigerung von ungefähr 75 % zu rechnen. Diese Zunahme der Leistungsfähigkeit konnte nach Einschätzung der Werft wohlgemerkt aber erst innerhalb eines Jahres und nur bei einer Einstellung des Landkrieges erreicht werden.[467] Somit blieb sie deutlich hinter den Erwartungen der Marine zurück. Außerdem erschien eine Fortsetzung des Krieges nur zur See als sehr unrealistisch.

Kurz vor der offiziellen Besprechung im Amt trafen sich die Vertreter der Werften zur Koordinierung ihres Vorgehens.[468] Die vorgesehenen Dimensionen erschienen gigantisch. Deshalb lautete der Vorschlag Hermann Blohms, die Einkommen der Belegschaft und die Lebensmittelversorgung umgehend an die weitaus besser gestellte übrige Rüstungsindustrie anzupassen, also den Stundenlohn sofort um sieben Pfennig zu erhöhen. Weiterhin empfahl er, Arbeiterausschüsse und Gewerkschaften sogleich zu informieren und das Waffen- und Munitionsbeschaffungsamt (WUMBA) mit in die Planung einzubeziehen. Einzig solche Maßnahmen stellten einen denkbaren Weg dar. In der Besprechung im Amt legte der neue Staatssekretär des Reichsmarineamtes, Ritter von Mann, der offenbar mit Unterstützung von Stinnes als Befürworter des Scheer-Programms berufen worden war,[469] ein Programm vor, das zu einer Vervierfachung des U-Bootbaus führen sollte: Das Reichsmarineamt trete für die Kosten der Betriebserweiterung ein. Eine Entscheidung hierüber falle wohl am 1. Oktober. Dabei versuche die Marine aber, das Reichsschatzamt zu umgehen. Bei den bisher bestellten Torpedobooten sei beabsichtigt, endgültig von dem Festpreisverfahren abzugehen. Sämtliche U-Bootneubauten sollten vorerst sicher vergeben werden, es bestehe aber stets eine Möglichkeit der Annullierung. Die Beschleunigung der U-Bootproduktion genieße höchste Priorität. Daraufhin forderten die Bauwerften die Zuweisung von 46.500 Arbeitern und ein Regiebauverfahren. Insgesamt

467 Anfrage des RMA, 14.6.18, Konzept von B&V, 14.7., StA B&V 933.1.

468 Vgl. Besprechung der Werften, 23.9.18, StA B&V 9.3.

469 Feldman, Hugo Stinnes, S. 480.

sei jedoch die Freistellung von 69.000 Soldaten unter Einbeziehung der Zuliefe-rer für die Neubestellungen erforderlich.[470] Die Behörde hat bei ihren Planungen aber wenig Rücksicht auf die Fragen der Verfügbarkeit von Arbeitern, deren Ge-sundheitszustand und Leistungsfähigkeit sowie deren allgemeiner Einstellung zum Krieg genommen.[471] Bemerkenswert ist auch, daß selbst das Scheer-Pro-gramm nicht nur U-Boote betraf, sondern Torpedoboote mit in die Überlegun-gen einbezog. Auch in dieser Phase mochte die Marine kein eindeutiges Votum zugunsten der U-Bootproduktion treffen. Außer den Dimensionen bereitete die nicht gesicherte Finanzierung Sorgen. Daraufhin schlug Rudolf Rosenstiel vor, Kosten, die das Reichsmarineamt übernehme, doch einfach auf spätere Bestellun-gen zu verteilen.[472]

Die Verhandlungen über die detaillierte Abwicklung des Programms erfolg-ten Anfang Oktober. Hermann Blohm erklärte, die Werften seien bereit, hin-sichtlich der Löhne Konzessionen zu machen, um die Arbeiter zufriedenzustel-len. Aber auch die Ernährungslage müsse gesichert sein. Darauf entgegnete Ad-miral Scheer, die Lohnerhöhungen würden vom Reichsmarineamt getragen.[473] Zu diesem Zeitpunkt hatte das Unternehmen bereits die Vergrößerung der Preß-luft- und der Elektrizitätszentrale sowie der Unterbringungsmöglichkeiten für die erwarteten neu zuzuweisenden Arbeitskräfte in Angriff genommen. Als Folge herrschte seit September auf der Werft teilweise ein organisatorisches Chaos.[474] Die Gesamtkosten der begonnenen Erweiterungsbauten beliefen sich schließlich auf fast 650.000,– Mark, von denen das Amt vertragsgemäß 90 % zu übernehmen hatte.[475] Im Bericht für den Aufsichtsrat wurden diese Kosten aller-dings höher veranschlagt.[476] Die erste Lohnerhöhung erfolgte dann am 8. Okto-ber.[477] Allerdings lag auch am 10. Oktober eine Genehmigung für das Scheer-Programm noch nicht vor. Die Kostenübernahme für die getätigten und die zu-künftigen Investitionen war ebenfalls immer noch nicht geklärt. Unmöglich konnte die vom Amt geforderte Zahl der Boote bis 1920 geliefert werden. Die Firma annullierte die bestehenden Verträge, da sie nicht die Verantwortung für die getätigten Investitionen tragen könne.[478] Trotzdem schied Blohm & Voss nicht aus dem Scheer-Programm aus. Noch am 28. Oktober wurde das Unter-nehmen im WUMBA vorstellig, um Fragen der Belieferung mit Werkzeugma-schinen zu klären.[479]

Das Scheer-Programm stellte sich später als eine große Seifenblase heraus. We-

470 Besprechung über das Scheer-Programm, 23.9.18, StA B&V 933.1.
471 Vgl. Lewis, The Survival of the German Navy, S. 124.
472 Besprechung im RMA, 16.10.18, StA B&V 9.3.
473 Besprechung über das Scheer-Programm, 1.10.18, StA B&V 933.1.
474 StA Familie Blohm 2 S. 307.

475 B&V an RMA, 3.2.19, BArchM RM3/6569.
476 Bericht über das Geschäftsjahr 1918/19, StA B&V 30.3.
477 B&V an RMA, 8.10.18, StA B&V 911.
478 Telefongespräch von R. Blohm mit Kapitän Gayer, 10.10.18, StA B&V 933.1.
479 Besprechung im WUMBA, 28.10.18, StA B&V 9.3.

gen der organisatorischen Probleme wurde die aufmüpfige und revolutionäre
Stimmung unter den Arbeitern noch weiter angeheizt. Es nahm der Firmenleitung das letzte Vertrauen ins Reichsmarineamt, das immerhin beabsichtigte, bewußt wichtige zuständige Ressorts der Regierung zu hintergehen. Rohstoffe und
industrielles Potential wurden vom Marineamt verschwendet. Dies erfolgte zu einem Zeitpunkt, nach dem selbst die 3. OHL am 28. September die sofortige
Beendigung des Krieges gefordert hatte und die Demokratisierung des Systems
von oben vorantrieb. Der Verbindungsoffizier der Seekriegsleitung bei der Obersten Heeresleitung, Ernst von Weizsäcker, rechnete im Oktober damit, daß die
deutschen Truppen spätestens im folgenden Frühjahr kapitulieren werden.[480]
Seit September müßte der deutschen Marineleitung die Unabwendbarkeit der
deutschen Niederlage bewußt gewesen sein.[481] Zu dieser Zeit ein auf zwei Jahre
angelegtes Bauprogramm, das erst nach einem Jahr greifen würde, aufzulegen,
war mysteriös. Hinzu kam noch, daß durch Arbeitskräfte- und Kohlemangel sowie Transportprobleme 1918 ausgerechnet Stahl knapp wurde.[482]

Im Betrieb erreichte die Stimmung der Belegschaft nach dem Scheitern der
deutschen Westoffensive im Sommer 1918, als der Gedanke an einen Sieg endgültig illusorisch wurde, einen Tiefpunkt. Selbst eine Erhöhung der Lebensmittelrationen führte zu keinem Meinungsumschwung. «Die Stimmung ist offenbar
eine derartige, dass es nur eines Anstosses weniger unzufriedener und sich ihrer
Verantwortung nicht bewußter Elemente bedarf, um Störungen der geordneten
Wirtschaft herbeizuführen», konstatierte das Hamburger Kriegsversorgungsamt.[483] Im Oktober setzte eine intensivere Zusammenarbeit zwischen den deutschen Arbeitgebern und den Gewerkschaften ein, aus der schließlich die Zentralarbeitsgemeinschaft (ZAG) und der Stinnes-Legien-Pakt hervorgehen sollten.
Beide Seiten machten sich für die Einsetzung eines mit außerordentlichen Voll-
machten ausgestatteten Demobilmachungskommissars stark und bereiteten den
Übergang in die Nachkriegszeit vor.

Bei Kriegsende sprang die Revolution schließlich auch auf Blohm & Voss über.
Erste Diskussionen über einen Streik oder eine Revolution erfolgten schon am 4.
November,[484] tags darauf lösten meuternde Matrosen aus Kiel am Nachmittag Tu-
multe aus, die zur Demolierung einer Speisehalle führten.[485] Hier zeigte sich,
welch eine zentrale Frage die Versorgung darstellte und als wie ungerecht die Le-
bensmittelzuteilung empfunden wurde. Am folgenden Tag erschienen die Arbeiter zwar auf der Werft, nahmen aber keine Tätigkeiten auf, sondern zogen statt

480 Stegemann, Die deutsche Marinepolitik,
    S. 135.
481 Rahn, Werner: Strategische Probleme der
    Seekriegsführung 1914–1918, in: Michalka,
    Wolfgang (Hg.): Der Erste Weltkrieg, Mün-
    chen 1994, S. 358.
482 Vgl. Feldman, Army, Industry and Labor,
    S. 494.

483 Bericht zur Stimmung der Bevölkerung,
    24.7.18, StA KVA Ia19b.2.
484 Schult, Geschichte der Hamburger Arbeiter,
    S. 327.
485 Vgl. Ullrich, Die Hamburger Arbeiterbewe-
    gung, S. 613 ff.

dessen unter roten Fahnen zu Demonstrationen in die Hamburger Innenstadt. Am Vormittag wurden zwei Matrosen als Vertreter des frisch formierten Arbeiter- und Soldatenrates und der Revolution bei Rudolf Blohm vorstellig: Sie forderten die Aufrechterhaltung der Tätigkeit der Lohnbüros und der Kantinen. Daraufhin entgegnete Blohm, der Lohn werde wohl am Samstag ausgezahlt, im Falle eines Streiks würden die Kantinen aber außer Betrieb gesetzt. Das Hissen einer roten Fahne auf der Werft scheiterte vorerst daran, daß die Betriebsleitung keine geeignete Flagge oder etwas ähnliches besaß bzw. zur Verfügung stellen wollte.[486]

Die «Revolution verlief insgesamt recht geordnet und diszipliniert. Das belegen auch die Forderungen der Arbeiter. Die Kriegsgefangenen wurden nicht umgehend freigelassen und sollten sich ruhig verhalten. Nur die Auszahlung des bereits erarbeiteten Lohnes wurde gefordert. Der revolutionäre Streik erstreckte sich über zwei Tage. Das entfallene Einkommen zahlte die Firma trotzdem aus; sie konnte nach zweijährigem Schriftwechsel diese Kosten später auf die Marine abwälzen.[487] Ein revolutionärer Arbeiterrat, der sich am 11. November unter Leitung eines sozialdemokratischen Nieters formierte, erklärte zwar, die Leitung der Werft übernommen zu haben, konnte sich aber nicht durchsetzen.[488]

Durch die Revolution kam es zu einschneidenden Änderungen im Betriebsablauf. Nur widerwillig stimmte die Firma der Abschaffung der Akkordarbeit, der paritätischen Besetzung des Arbeitsnachweises und der Einführung des Achtstundentages zu.[489] Die Arbeiterausschüsse, die noch aus den Zeiten des Hilfsdienstgesetzes stammten, wurden durch gewählte Arbeiterräte ersetzt. Die Stundenlöhne wurden nahezu verdoppelt, auch die Minimal- und Einstellungslöhne wurden drastisch erhöht, allerdings bei unterschiedlicher Höhe der Mindestlöhne für Männer und Frauen. Die Arbeiter konnten die Wahl von Vorgesetzten gegenüber der Firmenleitung aber nicht durchzusetzen. Viele dieser sozialen Errungenschaften wie die Abschaffung der Akkordarbeit konnte die Betriebsleitung in der Folgezeit allmählich wieder rückgängig machen. Die außerordentliche Betriebssitzung von Unternehmensleitung und leitenden Angestellten am 18. November kam zum Ergebnis, daß die Löhne für die durch die Revolution verlorenen Arbeitstage ausgezahlt werden sollten. Wer vor dem Krieg auf der Werft beschäftigt war, sei bevorzugt einzustellen, ungeeignete Neuzugänge seien freizusetzen und die Frauenarbeit schleunigst abzubauen.[490]

Der Werftbetrieb lief nach der vorher von der Betriebsleitung so gefürchteten und von vielen Arbeitern ersehnten Revolution relativ normal weiter. An den Kriegsschiffbauten wurde vorerst weitergearbeitet, aber letzten Endes erfolgte doch größtenteils ihre Abwrackung. Die Helgen und Docks sollten frei werden für zivile Reparaturarbeiten und den erhofften Wiederaufbau der Handelsflotte.

486 Aktennotiz vom 6.11.18, StA B&V 9.3.
487 Vgl. StA B&V 911.
488 Prager, Blohm + Voss, S. 113.

489 Donnerstagssitzung, 16.11.18, StA B&V 13.2.
490 Außerordentliche Betriebssitzung, 18.11.18, StA B&V 13.2.

Binnen kurzem wurde das illusionäre Scheer-Programm ersetzt durch den Um-
stieg auf die Friedensproduktion. Bis aber wieder normale Verhältnisse herrschten, sollten noch fünf unruhige Jahre vergehen, in denen Aufstände und Unruhen, die Inflation, aber auch der Wiederaufbau der Handelsflotte das Bild der
Werft prägten.

I.8   Die wirtschaftliche Bilanz des Krieges: Blohm & Voss als Kriegsgewinnler?

Wie oben dargestellt, war die Lage der deutschen Werftindustrie bei Kriegsausbruch alles andere als rosig: Überkapazitäten gingen einher mit sinkenden Gewinnen, zahlreiche Unternehmen schrieben rote Zahlen.[491] Für Blohm & Voss
sah die Situation etwas besser aus. Der Betrieb arbeitete auf einer soliden Basis,
konnte ja auch regelmäßig Dividenden in gewohnter Höhe ausschütten.

Nach einer ersten Auftragsflaute war die Firma während des Krieges ebenso
wie die übrige Werftindustrie ausgelastet, vermochte gar zu expandieren wie andere Schiffbauunternehmen auch. In seinen langfristigen Planungen mußte die
Unternehmensleitung freilich mehrere bedeutende Faktoren berücksichtigen: Irgendwann würden der Kriegsboom und speziell die Rüstungsproduktion enden;
die Umstellung auf den Handelsschiffbau mußte dann schnellstmöglich erfolgen.
Es sollte auch eine große Nachfrage nach Frachtschiffneubauten geben, an der die
gesamte, eminent gewachsene Werftindustrie teilnehmen würde. Anschließend
aber wäre wohl wegen der Überkapazitäten ein Werftensterben zu erwarten, bei
dem die veralteten, nicht mehr konkurrenzfähigen Betriebe voraussichtlich auf
der Strecke bleiben würden. Unter dieser Perspektive war es von großer Bedeutung, die Betriebsanlagen einerseits permanent auszubauen und zu modernisie-
ren, andererseits gleichzeitig in starkem Maße Abschreibungen vorzunehmen
und darauf zu achten, umgehend für den Handelsschiffbau gerüstet zu sein.

Erschwerend wirkte sich die kriegsbedingte Inflation auf die langfristige Planung aus. Zwar war es der Firma schneller als manchem Mitbewerber gelungen,
die Gefahren der Geldentwertung zu erkennen und darauf durch beschleunigte
Umstellung auf den Regiebau zu reagieren, aber die Inflation wurde zunächst
nur als zeitweilige Erscheinung betrachtet, bedingt durch Warenmangel und
Lohnsteigerungen. Die Finanzierung des Krieges durch die Notenpresse und un-
gedeckte Kredite, die mangelnde Deckung der Kriegskosten durch Steuern sowie
die preistreibende Wirkung der Zwangswirtschaft wurden dagegen kaum als Ursachen erkannt. Da der Markt teilweise außer Kraft gesetzt wurde, konnten Ko-

491 Vgl. das Kapitel «Entwicklungstendenzen der
Werftindustrie» und die Übersicht über den
finanziellen Stand der Schiffswerften, Nauticus – Jahrbuch für Deutschlands Seeinteressen 15 (1914), S. 698.

sten nicht mehr vorausschauend kalkuliert werden. Im Bereich des Absatzes hatte sich ein Nachfragemonopol, ein Monopson, herausgebildet. Wenige Anbieter traten einem Monopolnachfrager, dem Staat, entgegen.

Blohm & Voss gehörte im Ersten Weltkrieg zu den Kernbetrieben der deutschen Rüstungsindustrie. Wird diese von Historikern betrachtet, sind Pauschalurteile schnell gefällt. So kommt Volker Ullrich zu dem Schluß, der Patriotismus der Firmenleitung sei nur ein Synonym für die Realisierung ihrer Profitinteressen gewesen.[492] Den unterbezahlten Werftarbeitern sei «nichts anderes übrig [geblieben], als an die Werftbesitzer zu appellieren, von ihren üppigen Gewinnen auch etwas den Arbeitern zukommen zu lassen».[493] Bieber wiederum kommt zu dem Ergebnis, die Hamburger Werften hätten hohe Gewinne erzielt, und beruft sich dabei auf das sozialdemokratische «Hamburger Echo».[494] Allerdings wurden diese Urteile ohne eine nähere Betrachtung der überlieferten Dokumente zur wirtschaftlichen Entwicklung des Unternehmens gefällt.

Sehr viel aufschlußreicher als die offiziellen Geschäftsberichte und die offiziösen Verlautbarungen und Firmenchroniken sind die internen Meldungen und Berichte für den Aufsichtsrat.[495] Durch sie läßt sich auch die Finanzstruktur des Unternehmens gründlicher beleuchten. Allerdings liefern die Quellen unterschiedliche, zum Teil widersprüchliche Angaben, so daß viele Unsicherheiten bei der Einschätzung der finanziellen Entwicklung des Unternehmens bestehen bleiben.

Die Umsatzentwicklung in den Kriegsjahren läßt sich nicht exakt nachvollziehen. Die Höhe der Anzahlungen und der Wert der in Bau befindlichen Objekte ermöglicht jedoch einige Rückschlüsse (siehe Tabelle 19). So war die geschäftliche Aktivität analog zur Zahl der Beschäftigten im Geschäftsjahr 1914/15 eher rückläufig. In der folgenden Zeit sollte der nominale Umsatz bis zum Geschäftsjahr 1917/18 deutlich zunehmen, wobei die fortschreitende Inflation die Höhe der Anzahlungen und den Wert der nicht fertiggestellten Objekte aufblähte. 1918/19 war dann im Zuge von Revolution und Waffenstillstand im November 1918 ein erneuter Rückgang zu verzeichnen.

Wie sich die Lohnsummen (Arbeitseinkommen für Löhne und Gehälter) entwickelten, zeigt Tabelle 17. Ein deutlicher Anstieg ist zu beobachten. Der Zuwachs der Einkommen je Beschäftigten im ersten Kriegsjahr läßt sich voraussichtlich auf Einkommensfortzahlungen für Einberufene zurückführen. Doch erlauben die verfügbaren Quellen es leider nicht, aus der großen Anzahl möglicher Gründe für die Veränderung der Lohnsumme jene herauszufinden, die in den Jahren 1913–1918 den Verlauf bestimmt haben. Und schon gar nicht läßt sich aus derartigen Zahlen ein begründetes Urteil darüber abgeben, ob Blohm & Voss im

---

492 Ullrich, Die Hamburger Arbeiterbewegung, S. 496.
493 Ullrich, Kriegsalltag, S. 80.
494 Bieber, Die Entwicklung der Arbeitsbeziehungen, S. 115; «Hamburger Echo» vom 28.8.18.

495 Vgl. zum folgenden die Geschäftsberichte sowie die internen Berichte der Jahre 1914–1919, StA B&V 30.2–4.

Tab. 17: Summe der Löhne und
Gehälter in Mark und die Zahl
der Beschäftigten

Geschäftsjahr	Summe der Löhne und Gehälter	Durchschnittliche Zahl der Beschäftigten
1913/14	17.917.791,-	11.368
1914/15	16.131.380,-	8.285
1915/16	18.943.974,-	9.157
1916/17	27.004.122,-	10.300
1917/18	37.672.769,-	12.678
1918/19	46.263.671,-	k. A.

Quellen: StA B&V 30.2–3.

Verlauf des Krieges erhebliche Spielräume besessen hätte, seine Beschäftigten höher zu entlohnen. Im übrigen wurden ja sowohl die Umsatz- wie die Lohnsummenentwicklung entscheidend von den Vorgaben des Reichsmarineamtes bestimmt.

Hält man sich an die Bilanzen in den Geschäftsberichten (siehe Tab. 18), so erhält man hinsichtlich der Entwicklung des Anlagevermögens ein höchst merkwürdiges Bild. Während das Anlagevermögen am Ende des ersten Kriegs-Geschäftsjahres 1914/15 noch mit 39 Millionen Mark bewertet wurde und 1916/17 auf 44 Millionen anstieg, wurde es am Ende des Geschäftsjahres 1918/19 nur noch mit 34 Millionen Mark ausgewiesen – und das, obgleich doch inzwischen umfangreiche Erweiterungs- und Modernisierungsmaßnahmen stattgefunden haben. Allerdings ist deren Wert, folgt man den Angaben in den Bilanzen (siehe Tab. 18), geringer gewesen, als zunächst zu erwarten war. Während noch in den Friedensjahren 1911/12 und 1912/13 für 6,8 bzw. 7,4 Millionen investiert worden ist, sinken die Werte im ersten Kriegsjahr deutlich ab und bleiben auch in den Jahren des Ausbaus der Rüstungskapazitäten unter den Werten der Vorkriegszeit (siehe Tab. 18). Insgesamt hätte sich aber ein Anstieg des Anlagevermögens ergeben müssen, wenn nicht die Geschäftsleitung im Verlaufe des Krieges ihre Abschreibungspolitik dramatisch verändert hätte. Während sich die Abschreibungen vor dem Krieg auf etwa 1,5 Millionen Mark beliefen, stiegen sie im Krieg an und beliefen sich 1917/18 auf 4,9 Millionen, 1918/19 gar auf 6,5 Millionen Mark. Vor dem Krieg entsprach die Summe der Abschreibungen etwa 4 % des Buchwertes des Anlagevermögens. 1914/15 waren es schon 6,7 %, zwei Jahre später 7,2, 1917/18 11,9 und 1918/19 schließlich 18,9 %.

Die Politik hoher Abschreibungen war allerdings keine Besonderheit von Blohm & Voss. Sie entsprach dem seinerzeit in der Rüstungsindustrie Üblichen und wurde auch vom Reichsmarineamt bei der Prüfung der Kostennachweise als durchaus normal angesehen.[496] Die hohen Risiken der Kriegsproduktion legten ja auch eine schnelle Amortisation der Investitionen nahe. Die Unklarheiten hin-

496 Prüfungsergebnis des Betriebskostensatzes,
    10.3.19, BArchM RM3/6569.

Tab. 18: Überblick über die laut Bilanz geleisteten Investitionen und das Anlagevermögen

Geschäftsjahr	Investitionen in Millionen Mark	Anlagevermögen
1911/12	6,8	31.571.376,-
1912/13	7,4	37.542.700,-
1913/14	1,5	37.478.441,-
1914/15	4,5	39.579.700,-
1915/16	6,4	43.380.609,-
1916/17	4,4	44.583.222,-
1917/18	1,2	40.903.919,-
1918/19	4,8	34.417.712,-

Quellen: Geschäftsberichte 1913/14–1918/19 und StA B&V 911.

sichtlich der denkbaren Verwertung der Produktionsanlagen – nicht nur im Kriegsschiffbau – lieferten einen guten Grund, die Aktiva tunlichst vorsichtig zu bewerten. Andererseits hätte man auch zu einer ganz anderen Einschätzung der Anlagewerte kommen können, wenn man sich der Inflation bewußt geworden wäre und mit einer Fortsetzung des Inflationsprozesses gerechnet hätte. Aber das lag damals noch außerhalb des Erfahrungshorizonts der Beteiligten – und wäre im übrigen auch ein Verstoß gegen das geltende Bilanzierungsrecht gewesen. Kein Zweifel aber, daß die Anlagen am Ende des Krieges wegen fehlender Reparaturen und heftiger Übernutzung in einem weniger guten Zustand waren als vor dem Krieg.

Zur Finanzierung der gestiegenen Umsätze und der Werfterweiterung wurde 1916 eine Kapitalerhöhung von zwölf auf 20 Millionen Mark durchgeführt. Vorzugsaktien für vier Millionen Mark wurden von einem Konsortium übernommen, Stammaktien im Wert von jeweils zwei Millionen von Rudolf und Walther Blohm auf Kredit erworben. Walther Blohm stieg gleichzeitig als persönlich haftender Gesellschafter in das Unternehmen ein, sein Bruder war schon seit 1914 Gesellschafter. Um dieses Geschäft vornehmen zu können, verpfändete Walther Blohm 25 % des Gewinnanteils an die beteiligten Banken.[497] Der Einfluß der Familie Blohm blieb gesichert. Hermann Blohm konnte die allmähliche Übergabe der Firmenleitung an seine Söhne vorbereiten. Der Besitz der Vorzugsaktien mit einer festen Dividende von 5,5 % war hingegen breit gestreut, Hamburger Reeder, örtliche Banken, Mitglieder der Familie Blohm, Ernst Voss und andere vermögende Privatpersonen waren beteiligt.

Tatsächlich ist nicht ganz deutlich, ob die Firma die Mittel aus der Kapitalerhöhung zur Erfüllung ihrer Produktionsaufgaben wirklich gebraucht hat, denn am Ende des Geschäftsjahres 1917/18 verfügte sie über einen großen Bestand an flüssigen Mitteln, nämlich Wertpapiere (zumeist Kriegsanleihen) im Wert von

497 W. Blohm an das Finanzamt, 28.6.21, StA B&V 233.1.

10,5 Millionen Mark, ein Bankguthaben von 14,4 Millionen, diverse Forderungen und einen Kassenstand von 7,3 Millionen. Möglicherweise antizipierte die Firmenleitung für die Nachkriegszeit erhebliche Schwierigkeiten und baute deshalb solche Rücklagen auf – und übersah dabei die Risiken des sich beschleunigenden Inflationsprozesses. Die gesetzlichen Rücklagen betrugen im Sommer 1918 zwei Millionen Mark, eine Sonderrücklage 0,69 Millionen. Der Betriebsüberschuß wurde aber nicht nur zur Bildung von Rücklagen, sondern ebenso zur Subventionierung der Speisehalle, zur Zahlung von Kriegsunterstützungen an die Belegschaft oder für wohltätige Zwecke, wie eine Spende an Hinterbliebene, eingesetzt.[498]

Unter den Bedingungen der Kriegsinflation erwies es sich als großer Vorteil für das Unternehmen, daß die Höhe der Anzahlungen auf Schiffe in Bau den Wert der bereits erbrachten Leistungen deutlich überstiegen. Somit gewährte der Staat praktisch zinslose Kredite. Lag die Summe der Anzahlungen vor dem Krieg noch bei etwa 18 bis 20 Millionen Mark, stieg sie im Geschäftsjahr 1917/18 auf einen Höchststand von 44 Millionen an. So mußte die Firma in diesem Jahr keinen Bankkredit in Anspruch nehmen.[499] Auf diese Weise konnte das Unternehmen Verluste, die an anderer Stelle durch die Inflation eintraten, mehr als kompensieren. Zahlreiche Lieferverträge der Vorkriegszeit waren nämlich noch zu Festpreisen abgeschlossen worden. Die Verträge sahen nicht nur Preisnachlässe bei auftretenden Fehlern und Konventionalstrafen bei Lieferfristüberschreitung vor, sondern sie verlagerten das Risiko einer Preis- oder Lohnsteigerung allein auf die Werft. So erwartete die Betriebsleitung im Februar 1918 Verluste bei der Lieferung von Torpedobooten, die noch zu Festpreisen bestellt worden waren.[500]

Durch die Umstellung auf Regiebauverträge, für die sich unter den Werften vor allem Blohm & Voss massiv eingesetzt hatte, wurde diese Verlustquelle zwar beseitigt, aber andere Probleme blieben. Es kam wiederholt zum Konflikt mit dem Reichsmarineamt darüber, ob bei der Kostenkalkulation der Einkaufspreis oder der aktuelle Marktwert von Baumaterialien zugrunde gelegt werden sollte.[501] Der Unterschied konnte im Einzelfall bei einigen Stoffen immerhin bis zu 200 % ausmachen. Die Zahlungsmoral mancher Institution erwies sich ebenfalls als problematisch. So blieben zum Beispiel die I. und die III. Minensuchdivision dem Betrieb monatelang Reparaturkosten in Höhe von 189.578,10 Mark schuldig.[502]

Die Schlüsselfrage der Kriegszeit bleibt, ob die Firma ähnliche Gewinne wie vor dem Krieg oder als ein bedeutender Rüstungsbetrieb zusätzliche Kriegsgewinne einstreichen konnte. Im Zusammenhang mit möglichen Kriegsgewinnen

---

498 So erhielt im Geschäftsjahr 1917/18 die Nationalstiftung für Hinterbliebene 280.000,– Mark, Bericht für den Aufsichtsrat, StA B&V 30.3.

499 Bericht für den Aufsichtsrat über das Geschäftsjahr 1917/18, StA B&V 30.3.

500 Donnerstagssitzung, 21.1.18, StA B&V 13.2.

501 Beispielsweise bei der Besprechung im RMA, 28.12.15, StA B&V 9.1.

502 Mahnschreiben, 7.1.16, StA B&V 980.

Tab. 19: Geschäftsergebnisse von Blohm & Voss laut Geschäftsbericht

Geschäftsjahr	Kapital	Bilanzsumme	In Bau befindlich	Anzahlungen
1910/11	6.000.000,–	62.930.256,–	23.904.576,–	42.273.839,–
1911/12	6.000.000,–	53.700.700,–	14.094.324,–	32.284.410,–
1912/13	12.000.000,–	83.208.523,–	37.053.500,–	47.686.190,–
1913/14	12.000.000,–	92.987.502,–	43.232.296,–	53.965.347,–
1914/15	12.000.000,–	85.788.803,–	36.034.983,–	53.531.036,–
1915/16	12.000.000,–	120.661.840,–	61.584.826,–	89.020.445,–
1916/17	20.000.000,–	151.066.573,–	82.830.282,–	108.012.125,–
1917/18	20.000.000,–	203.461.281,–	111.059.785,–	155.002.452,–
1918/19	20.000.000,–	195.815.365,–	89.302.858,–	128.214.943,–

Geschäftsjahr	Betriebsgewinn	Abschreibungen	Reingewinn*	Dividende
1910/11	1.717.585,–	1.404.912,–	312.773,–	240.000,–
1911/12	2.384.311,–	1.681.857,–	702.454,–	420.000,–
1912/13	2.182.326,–	1.447.689,–	607.639,–	570.000,–
1913/14	2.281.328,–	1.578.163,–	703.232,–	570.000,–
1914/15	3.800.542,–	2.431.109,–	1.369.433,–	690.000,–
1915/16	4.095.345,–	2.564.376,–	1.530.969,–	690.000,–
1916/17	5.597.276,–	3.220.295,–	2.376.984,–	1.150.000,–
1917/18	7.631.273,–	4.883.888,–	2.747.385,–	1.250.000,–
1918/19	8.908.374,–	6.500.294,–	2.408.440,–	1.050.000,–

* einschließlich Gewinnvortrag des Vorjahres
Quellen: Geschäftsberichte und StA B&V 30.2–3.

sind die Höhe des Betriebsgewinnes und des ausgewiesenen Reingewinnes von Bedeutung ebenso wie die Vergütung der persönlich haftenden Gesellschafter (vgl. Tab. 20). Der Gesellschaftervertrag von 1912 sah vor, daß die persönlich haftenden Gesellschafter eine «Vergütung» in Höhe von 25 % des «Betriebsüberschusses» erhalten sollten.[503] Diese entsprach in etwa einem Viertel des Betriebsgewinnes (siehe Tab. 19) zuzüglich der ermittelten Vergütung. Um welche Summen es sich dabei handelte, ist der Spalte 2 in Tabelle 20 zu entnehmen. Die «Vergütungen» übertrafen in aller Regel die ausgeschütteten Dividenden auf Vorzugs- und Stammaktien und lagen – zufällig – in etwa in der Höhe des Reingewinnes. Auch wenn die Zahlungen an die Komplementäre «Vergütung» genannt worden sind, was ihnen den Anschein von Kosten gibt, stellen sie in Wahrheit Gewinnanteile dar.

503 Gesellschaftsvertrag vom 12.9.12, StA B&V
    30.2.

Die exakte Höhe der «Vergütungen» der Gesellschafter in den letzten beiden Vorkriegsjahren läßt sich anhand der erhalten gebliebenen Quellen nicht ermitteln.[504] Wird der Gesellschaftervertrag von 1912 zugrunde gelegt, so müßte die «Vergütung» 1912/13 etwa 545.000,– und 1913/14 570.000,– Mark betragen haben. Zusammen mit der jeweiligen Dividende ergab dies eine Gewinnausschüttung von 1,11 bzw. 1,14 Millionen Mark oder eine Kapitalrentabilität, also das Verhältnis von ausgeschüttetem Gewinn zu eingesetztem Kapital, von 9,3 bzw. von 9,5 %.

Verglichen damit erscheint die Gewinnentwicklung während des Krieges überaus positiv (siehe Tab. 20). Setzt man die ausgeschütteten Gewinne (die Vergütung an die Komplementäre und die Dividenden) in Beziehung zum ausgewiesenen Aktienkapital der Firma, so lag die Kapitalrentabilität bei durchschnittlich 16,3 %. Während die Dividende für die Vorzugsaktien konstant bei 5,5 % blieb, stieg sie für die Stammaktien auf 6 % in den Geschäftsjahren 1914/15 bis 1916/17 an und belief sich 1917/18 auf 7 %. Weil 1916 eine Kapitalerhöhung von zwölf auf 20 Millionen Mark stattfand, erhöhte sich die Summe der ausgezahlten Dividende auf über eine Million Mark. Da im Geschäftsjahr 1918/19 der ausgewiesene Reingewinn schrumpfte, sank auch die Dividende für die Stammaktien auf 5 % ab.

Den größten Anteil an den ausgeschütteten Gewinnen erhielten jedoch nicht die Aktionäre, sondern die Komplementäre. Der Kriegsausbruch führte zu einem sprunghaften Anstieg ihrer «Vergütung», die sich offensichtlich schon 1914/15 im Vergleich zur Vorkriegszeit mehr als verdoppelte. In den folgenden Jahren sollte sie noch weiter ansteigen. Zwar reduzierten die Komplementäre im Sommer 1918 in Erwartung einer ungewissen Zukunft ihre Vergütung freiwillig auf 20 %, um das Unternehmen zu stabilisieren und für eine mögliche Produktionsumstellung zu wappnen, aber letztlich profitierten sie vom Krieg.

Tab. 20: Ausgeschüttete Gewinne in Mark und die Kapitalrentabilität

Geschäftsjahr	25 % an die Komplementäre	Dividende	Ausgeschüttete Gewinne	Kapitalrentabilität
1914/15	1.255.770,–	690.000,–	1.945.770,–	16,2 %
1915/16	1.351.308,–	690.000,–	2.041.308,–	17,0 %
1916/17	1.846.717,–	1.150.000,–	2.996.717,–	15,0 %
1917/18	1.890.694,– (20 %)	1.250.000,–	3.140.694,–	15,7 %
1918/19	2.425.065,–	1.050.000,–	3.475.065,–	17,4 %

Quellen: Zusammengestellt und errechnet aus den internen Berichten an den Aufsichtsrat, StA B&V 30.2–3.

504 Vgl. StA B&V 30.1b.

Kein Zweifel, es hat im ersten Kriegsjahr eine sprunghafte Erhöhung der ausgewiesenen Gewinne gegeben, und sie sind auch in den folgenden Jahren weiter gestiegen. Aber das war zum nicht geringen Teil auch darauf zurückzuführen, daß im Krieg eine Kapitalerhöhung stattgefunden hat, das Engagement der Aktionäre sich also erhöht hat. Freilich sind auch die Dividenden angehoben worden. Natürlich besteht kein Zweifel, daß die Gewinne zu einem beträchtlichen Teil «Scheingewinne» gewesen sind, wie man es später im weiteren Verlauf der Inflation genannt hat. Leider gibt es keine Möglichkeit, den «Realwert» von bilanziell ausgewiesenen Gewinnen ohne ein erhebliches Maß an Willkür zu ermitteln, denn das Ergebnis hängt entscheidend von der Wahl des Preisindexes ab, mit dem die nominalen Reihen deflationiert werden. Aber welcher der wenigen Preisindices, mit denen man die damalige Geldentwertung messen könnte, wäre denn angemessen? Ein Lebenshaltungskostenindex, der Großhandelspreisindex oder der Dollarkurs der Mark? Ein weiteres Problem besteht darin, daß die Kapitalerhöhung von 1916 nicht angemessen berücksichtigt werden kann.

Wird trotz der eingeräumten Bedenken der von Gerhard Bry ermittelte Lebenshaltungskostenindex jeweils für den Juli des entsprechenden Jahres zur Deflationierung eingesetzt, ergibt sich folgendes:[505] Die insgesamt ausgeschütteten Gewinne lagen im Geschäftsjahr 1914/15 etwa 30 % über dem Vorkriegsstand, in den beiden folgenden Jahren etwa auf dem Niveau von 1913/14 und sanken 1917/18 und 1918/19 unter diesen Stand ab. Die Vergütung der Komplementäre betrug hingegen 1914/15 etwa zwei Drittel mehr als vor dem Krieg, übertraf das Vorkriegsniveau aber auch 1916/17 noch um ein Viertel und lag bis zum Geschäftsjahr 1918/19 immer noch einige Prozentpunkte höher als 1913/14. Eine Deflationierung mit dem Großhandelspreisindex oder dem Dollarkurs ergibt ein noch günstigeres Bild der Gewinnausschüttung. Während die Besitzer der Vorzugsaktien mit vergleichsweise niedrigen Dividenden vorliebnehmen mußten, profitierten die Komplementäre also durchaus vom Krieg. Angesichts der Verschlechterung des Lebensstandards der Bevölkerung waren die Gewinne von Hermann Blohm und seinen Söhnen beträchtlich.

Werden die ausgeschütteten Gewinne mit der Summe der Löhne und Gehälter verglichen (vgl. Tab. 17), so stiegen die Gewinne stärker als die Einkommen der Beschäftigten. Trotzdem hätte bei einer moderateren Gewinnausschüttung wohl nur ein relativ kleiner Spielraum zur Erhöhung von Löhnen und Gehältern bestanden.

War Blohm & Voss aber ein Kriegsgewinnler? Ferguson kommt zu dem Ergebnis, der Krieg scheine sich finanziell überraschend gut auf die Firma ausgewirkt zu haben, aber er räumt ein, daß der Werftausbau gewissermaßen ein riskantes Setzen auf den erwarteten Nachkriegsboom im Schiffbau gewesen

---

505 Bry, Wages in Germany, S. 441–443. Die Gewinne können natürlich auch später ausgeschüttet worden sein, was die Ungenauigkeit erhöht.

sei.[506] Insgesamt bewirkte der Krieg eine Störung der normalen Geschäfte, und er bescherte dem Unternehmen wie der gesamten deutschen Industrie eine unsichere Zukunftsperspektive. Für den Übergang zur Friedenswirtschaft schienen zusätzliche Rücklagen erforderlich. Ob die vorhandenen oder hinzugebauten Anlagen etwas wert waren und was, das konnte sich erst nach dem Krieg erweisen.

506 Ferguson, Paper and iron, S. 105 ff.

II. Revolution und Demobilmachung (November 1918 – März 1920)

II.1 Staatliche Planwirtschaft, Gemeinwirtschaft, Arbeiterkontrolle oder freies Unternehmertum?

Der erste Umbruch, der durch die Revolution herbeigeführt wurde, erfolgte innerhalb der Unternehmensleitung. Hermann Blohm zog sich praktisch über Nacht, von den Ereignissen schockiert, zurück. Er legte seine Ämter nieder oder ließ sie ruhen.[1] Die Zeiten des autokratischen und patriarchalischen Hermann Blohm waren abgelaufen. Bedingungsloser Gehorsam war nicht mehr zu erwarten. Das Recht auf das letzte Wort in Fragen der Firma ging an seine Söhne Walther und Rudolf über, wobei Rudolf das Unternehmen nach außen repräsentierte und zahlreiche Verpflichtungen seines Vaters im Verbandswesen übernahm, aber nicht ganz dessen einflußreiche Position erreichte. Walther wandte sich dem eigentlichen Betrieb zu. Dabei stand die Zukunft des Unternehmens noch unter ungewissen Vorzeichen.

Für die Organisationsform der deutschen Wirtschaft gab es nach dem Krieg vier Szenarien:

1. Der Staat behält die dominierende Rolle bei, die er im Krieg einnahm; Großunternehmen werden sozialisiert, und eine Form der staatlichen Planwirtschaft wird eingerichtet, also ein staatskapitalistisches Modell wie später in der Sowjetunion.

2. Staat, Unternehmertum und Arbeiterbewegung agieren zusammen im Sinne einer Gemeinwirtschaft, wobei dem Staat die Rolle des Schiedsrichters und eventuell eines Planers zufällt.

3. Die Arbeiter, in Räten organisiert, übernehmen die Unternehmen in Form einer Arbeiterkontrolle.

4. Arbeitgeber und Gewerkschaften arrangieren sich, der Einfluß des Staates wird zurückgedrängt und das freie Unternehmertum mit gewissen sozialpolitischen Einschränkungen wiederhergestellt.

---

1 Als Vorsitzender des VdS und des KA trat er offiziell erst am 20.2.20 zurück (Hauptversammlung des KA, StA B&V 1287). Im Januar 1920 lehnte H. Blohm eine Wiederwahl zum Vorsitzenden des Arbeitgeberverbandes Hamburg-Altona ebenso ab wie die eines Vorsitzenden des Verbands der Eisenindustrie Hamburgs (Schreiben an den Arbeitgeberverband, 15.1.20, StA B&V 1389.1; Schreiben an Dir. Cornehls, 13.1.20, StA B&V 1398.1). Durch das Ruhenlassen mancher Ämter wurde R. Blohm die direkte Nachfolge ermöglicht. H. Blohm blieb den Geschäften nun weitgehend fern.

Abbildung 11: Rudolf Blohm,
der nach dem Krieg das Unternehmen
nach außen repräsentierte und
zusammen mit seinem Bruder
Walther leitete

Innerhalb weniger Monate galt es, belastet durch Demobilmachung und die Folgen des verlorenen Krieges, zu einer ordnungspolitischen Entscheidung zu gelangen. Vorplanungen des Staates zur Gestaltung der Wirtschaftsordnung nach dem Krieg spielten ebenso eine Rolle bei der Entscheidungsfindung wie die Erfahrungen mit der gescheiterten Kriegswirtschaft und der Blick auf das Experiment Sowjetrußland. Übersteigerte Erwartungen radikalisierter Arbeiter in Anbetracht der Revolution trafen auf realistischere Einschätzungen von seiten der Gewerkschaften und der Wirtschaft. Diese hatten mit der Gründung der Zentralarbeitsgemeinschaft (ZAG) erste Schritte zur Formierung der Nachkriegsgesellschaft eingeleitet. Die Vorbedingungen zum Einschwenken auf die Linie der späteren Arbeitsgemeinschaft schuf die deutsche Metallindustrie schon am 26. Oktober 1918 mit einer Anerkennung der Gewerkschaften und der breiten Einführung einer Tarifpolitik, die allerdings zu diesem Zeitpunkt in Hamburg schon weiter vorangeschritten war.[2] Am 15. November 1918 formierte sich entsprechend dem Stinnes-Legien-Abkommen die Zentralarbeitsgemeinschaft der industriellen und gewerblichen Arbeitgeber und Arbeitnehmer Deutschlands, eine der Grundlagen der Weimarer Republik. Die Kernpunkte waren die Anerkennung der Gewerkschaften als gleichberechtigte Partner, die Einrichtung von Arbeiterausschüssen in den Fabriken, die grundlegende Bedeutung der Tarifverträge, die Einführung des Achtstundentages, das Bewältigen der Demobilma-

2   Sitzung des Gesamtverbandes Deutscher
    Metallindustrieller, 26.10.18, StA B&V 9.3.

chung und das Wieder-Zurückdrängen des Staates aus dem Wirtschaftsleben. Die Wirtschaft sollte vor der staatlichen Bürokratie, aber auch vor der Revolution geschützt werden. Der Autoritätsniedergang der Regierung unterstützte diese Allianz zweier mächtiger Interessengruppen, die ihre Intentionen durchzusetzen beabsichtigten. Die Einrichtung des Demobilmachungsamtes unter Oberstleutnant Koeth förderte diese Bestrebungen noch.[3]

Wenn die Gefahr einer Verstaatlichung in der Literatur auch immer wieder betont wird, so bleibt die Frage, wie real die Bedrohung war. Treue erwähnt sie im Zusammenhang mit der Schiffbauindustrie.[4] Der Rat der Volksbeauftragten kündigte wohl eine Woche nach dem Waffenstillstand die Vergesellschaftung der Produktionsmittel an, und mancher Arbeiter erwartete sie ebenfalls, aber nach dem eindeutigen Scheitern der Kriegswirtschaft blieb es bei halbherzigen Versuchen im Kohlebergbau. Die Firmenakten von Blohm & Voss überliefern keinen konkreten Hinweis auf eine versuchte Sozialisierung. Der provisorische Arbeiter- und Soldatenrat in Hamburg kümmerte sich nach der Revolution jedenfalls zuerst um die Aufrechterhaltung von Ruhe und Ordnung und sprach sogar eine Garantie des Privateigentums aus.[5] Zwar war sich der Rat über eine zukünftige Wirtschaftsform nicht einig, aber die Versorgung der Bevölkerung und das Ingangsetzen des Wirtschaftslebens genossen Priorität.[6] In der Hansestadt wurde eine Sozialisierung nicht in Angriff genommen.[7] Sie blieb der Sonntagsrhetorik vorbehalten. Unter der Werftarbeiterschaft war der Plan einer Vergesellschaftung des Schiffbaus freilich viel populärer als in der Politik.[8] Für eine sowjetische Lösung war Deutschland hingegen gesellschaftlich und ökonomisch einfach zu weit entwickelt, wie auch Winkler überzeugend dargelegt hat.[9] Wie viele seiner Unternehmerkollegen fand Rudolf Blohm für seine Ablehnung aller Sozialisierungsexperimente nicht nur eigennützige Gründe: «Wir alle wissen, dass allgemeine Zwangssozialisierung der Wirtschaft gleichbedeutend ist mit der Vernichtung der Wirtschaft, mit der Zertrümmerung der Existenzgrundlage aller, in erster Linie der Arbeiterschaft. Heute versagen alle verstaatlichten Betriebe vollkommen. [...] Es ist allgemein bekannt, dass verstaatlichte und sozialisierte Betriebe selbst unter normalen Verhältnissen wenig anpassungsfähig sind und schwerfällig arbeiten.»[10]

3   Vgl. Feldman, Gerald, D./Irmgard Steinisch: Industrie und Gewerkschaften 1918–1924. Die überforderte Zentralarbeitsgemeinschaft, Stuttgart 1985, S. 21–25.
4   Treue, Wilhelm: Innovation, Know How and Investment in the German Shipbuilding Industry 1860–1930, in: Pohl, Hans (Hg.), Innovation, know how, rationalization and investment in the German and the Japanese economies, Wiesbaden 1982, S. 118.
5   Büttner, Politische Gerechtigkeit, S. 18.
6   Büttner, Die Hamburger freien Gewerkschaften, S. 137.
7   Büttner, Politische Gerechtigkeit, S. 31.
8   Sitzung der Industriekommission, 7.5.19, HkH D.4.3.
9   Vgl. Winkler, Heinrich August: Die Sozialdemokratie und die Revolution 1918/19, Berlin/Bonn 1979.
10 Vortrag R. Blohms «Wie gewinnen wir die Arbeiter wieder», 11.12.19, StA B&V 185.

Erste Bekanntschaft mit der Arbeiterkontrolle eines Unternehmens hatte Blohm & Voss schon 1917 durch die Situation der von ihr mit errichteten Putilov-Werft in Petrograd gemacht, wo sie kurzfristig verwirklicht war. Der Beschäftigtenstand hatte sich durch Neueinstellungen von seiten der Arbeiterorganisationen von 26.000 auf 31.000 erhöht, von denen etwa 11.000 Arbeiter überflüssig waren. Die Abwesenheitsrate erreichte bei deutlich gesteigerten Löhnen 30 %.[11] Ähnliches wurde im Falle einer Arbeiterkontrolle auch in Deutschland erwartet. Auch deshalb blieb ein Versuch des Arbeiterrates von Blohm & Voss, der im November 1918 erklärte, die Werftleitung übernommen zu haben, folgenlos.[12] Die Vertreter der Belegschaft erkannten, daß sie den Betrieb nicht ohne die Firmenleitung aufrechterhalten konnten. Zwar gab es in der Folgezeit wiederholte Versuche einzelner Gewerke, Teile des Betriebes durch das gewaltsame «Herauskarren» und somit Vertreiben von leitenden Angestellten zu kontrollieren, doch dies blieben Einzelfälle. Eine Arbeiterkontrolle erschien unmöglich, eine Mitsprache aber durchaus praktikabel, wie es besonders in der ersten Zeit nach der Revolution häufiger geschah.

In der Forschung wurde eine Zeitlang die Bedeutung der Rätebewegung überbewertet, gar als eine tragfähige Alternative zur tatsächlichen historischen Entwicklung gesehen. Doch die Arbeiter- und Soldatenräte blieben eine Episode in der Geschichte der Weimarer Republik.[13] Ihr Auftreten wurde von der Gewerkschaftsbewegung als unliebsame Konkurrenz betrachtet.[14] Die Räte schafften sich letztlich selber zugunsten der parlamentarischen Demokratie ab. In Hamburg wurden die radikalen Repräsentanten des Arbeiter- und Soldatenrates schon im Januar 1919 zurückgedrängt, und der Rat geriet vollständig in das Fahrwasser von SPD und Gewerkschaften.[15]

Eine größere Herausforderung für die Wirtschaft stellten wahrscheinlich die gemeinwirtschaftlichen Konzepte Wichard von Moellendorffs und anderer technokratisch-bürokratischer Reformer dar.[16] Vertreter von Staat, Industrie und Arbeiterschaft sollten gemeinsam in Form von Reichswirtschaftsräten die Richtlinien der Wirtschaftspolitik bestimmen, Preise festsetzen und Rohmaterialien sowie Marktanteile zuweisen. Dem Staat kam die Rolle des Schiedsrichters zu. Eine «neue Moral» sollte in das Wirtschaftsleben einziehen und die Macht über die Produktion durch Verteilung von Besitzanteilen entpersonalisiert werden. Nicht nur die bisherigen Arbeitgeber und Aktienbesitzer, sondern auch öffentlich-

11 Bericht des «Wirtschaftlichen Nachrichtendienstes» vom 27.11.17, StA B&V 1103.
12 Vgl. Prager, Blohm + Voss, S. 113.
13 Vgl. Feldman, Vom Weltkrieg zur Weltwirtschaftskrise, S. 84.
14 Blaich, Fritz: Staat und Verbände in Deutschland zwischen 1871 und 1945, Wiesbaden 1979, S. 61.

15 Vgl. Büttner, Politische Gerechtigkeit, S. 38 f.
16 Vgl. zum folgenden Maier, Charles S.: Zwischen Taylorismus und Technokratie, in: Stürmer, Michael (Hg.), Die Weimarer Republik, Frankfurt/Main ³1993, S. 198 f.

rechtliche Körperschaften und der Staat sollten Anteile erhalten. Eine Vielzahl von «gemeinwirtschaftlichen» Institutionen, Fachgruppen und Räten wurde daraufhin begründet, so daß durchaus von einer «komplizierten Organisationsmanie Moellendorffs» gesprochen werden kann.[17] Feldman charakterisierte dieses Konzept auch als »planned economy organized along corporatist lines».[18]

Die Unternehmer selbst polemisierten verständlicherweise ebenso gegen staatliche Eingriffe und bekämpften sie, wo immer das möglich war. Blohm & Voss befand sich auf dieser Linie. Rudolf Rosenstiel sprach von gewaltsamen Eingriffen der Regierung in das Wirtschaftsleben, die sich in einer Fülle von Zwangsmaßnahmen und schlecht vorbereiteten Gesetzen dokumentierten, deren Folge der wirtschaftliche Niedergang sei.[19] In der Einrichtung einer Außenhandelsstelle für Schiffe sah Rudolf Blohm eines der üblichen «Zwangswirtschaftskinder» der Regierung, einen verschleierten Sozialisierungsversuch.[20] Die zahlreichen neugegründeten wirtschaftlichen Selbstverwaltungskörper führten «nur zu fruchtlosen Sitzungen und verzehren in unfruchtbarer Reibungsarbeit eine Unmenge von Arbeitskraft, die dadurch von der produktiven Tätigkeit abgehalten wird. Die Gefahr des Ueberorganisierens ist in Deutschland seit der Revolution leider vielfach zutage getreten».[21]

Kurz nach dem Waffenstillstand formierte sich am 19. November 1918 der Hamburger Wirtschaftsrat als Vertreter der Unternehmerschaft und praktisch als Gegengewicht zum Arbeiter- und Soldatenrat.[22] Zu dieser Institution hielt Blohm & Voss eine große Distanz, obwohl die Firma das bedeutendste Hamburger Industrieunternehmen war. Der hamburgische Wirtschaftsrat sei «keine auf gesetzlichem Boden erwachsene oder mit amtlichem Charakter versehene Körperschaft», so Rudolf Blohm.[23] Die Skepsis erklärt sich daraus, daß der Staat die Wirtschaftsräte in Deutschland in gemeinwirtschaftliche Konzepte einzubinden suchte, die dem Unternehmen als Fortsetzung staatlicher Interventionspolitik erschienen. Unter starken Beschuß geriet der Wirtschaftsrat von seiten Blohms, als er im März 1919 für eine allgemeine Beteiligung an den Wahlen zum Hamburger Arbeiterrat eintrat. Blohm lehnte den Arbeiterrat generell ab und erklärte, der Wirtschaftsrat möge sich gefälligst jeder Betätigung für die Wahl enthalten, weil dieses Eintreten den Widerstand gegen die «Tendenzen des Umsturzes» behindere.[24]

Zur eigentlichen Grundlage für die wirtschaftliche Nachkriegsordnung wur-

17 Feldman, Vom Weltkrieg zur Weltwirtschaftskrise , S. 98.

18 Feldman, Gerald, D.: Iron and Steel in the German Inflation 1916–1923, Princeton 1977, S. 101.

19 Vortrag Rosenstiels in der Vereinigung leitender Angestellten, 14.4.20, StA B&V 185.

20 R. Blohm an den VdS, 9.3.20, StA B&V 111.

21 Vortrag R. Blohms, 11.12.19, StA B&V 185.

22 Bieber, Hans-Joachim: Bürgertum in der Revolution, Hamburg 1992, S. 91 f.

23 Entwurf eines Schreibens R. Blohms, 25.8.20, StA B&V 1249.

24 R. Blohm an den Wirtschaftsrat, 20.3.19, StA B&V 101.1.

den aber die Zentralarbeitsgemeinschaft und der Verzicht der Gewerkschaften auf eine Neuordnung der Eigentumsverhältnisse.[25] Die Gewerkschaften blieben von vornherein skeptisch gegenüber Räte- oder Sozialisierungskonzepten. Zwar war die Arbeitsgemeinschaft schon innerhalb weniger Monate eine stark angeschlagene Organisation,[26] aber das Beschränken staatlichen Einflusses auf die Wirtschaft erwies sich letztlich als erfolgreich. Für die Industrie besaß der Einsatz für wirtschaftliche Freiheit Priorität gegenüber anderen Maßnahmen.[27] Die vom Rat der Volksbeauftragten eingesetzte Kommission zur wissenschaftlichen Vorbereitung einer Sozialisierung wurde schließlich im April 1919 wieder aufgelöst.[28] In Hamburger Geschäftskreisen bestand bei Kriegsende die Auffassung, sich in Richtung auf Parlamentarismus, Zusammenarbeit mit den Mehrheitssozialdemokraten und Deregulierung der Wirtschaft zu bewegen.[29]

Zwar scherte der für das Unternehmen besonders wichtige Deutsche Metallarbeiterverband schon im Oktober 1919 aus der Arbeitsgemeinschaft aus,[30] aber Blohm & Voss verblieb auf der Linie der ZAG-Politik und unterstützte sie weiterhin. Rudolf Blohm sprach davon, «das Fruchtbringende in dem Gedanken der Arbeitsgemeinschaft zur Ausführung zu bringen». Er war wohl nicht immer mit dem eingeschlagenen Weg einverstanden, bekannte sich aber zur Grundidee.[31] Auch Rudolf Rosenstiel verfolgte diese Richtung. Beiden gemeinsam war jedoch die eindeutig ablehnende Haltung zum Betriebsrätegesetz vom 4. Februar 1920, das von Rosenstiel als «Versuch der Sozialisierung auf Schleichwegen» bezeichnet wurde.[32]

Der Unternehmensleitung war eine mögliche Mitwirkung des Betriebsrates bei wirtschaftlichen Entscheidungsprozessen ein Dorn im Auge. Die regelmäßige Berichterstattung an den Betriebsrat über die Situation des Unternehmens, detaillierter als für die Aktionäre, sowie die Vertretung von Arbeitnehmern im Aufsichtsrat erschienen als ungebetene Einmischung in interne Angelegenheiten. Aber anders als zu Kriegszeiten lehnten Rosenstiel und die Unternehmensleitung eine Vertretung von Arbeitern und Angestellten nicht mehr generell ab, konnte sie doch als Sicherheitsventil und der berechtigten Artikulation von Interessen der Belegschaft dienen. Insofern war schon ein Lerneffekt bei der Firmenleitung eingetreten, der bisherige autoritäre Standpunkt durch eine moderatere Haltung abgelöst worden. Es machte sich wohl auch der Rückzug Hermann Blohms bemerkbar.

25 Vgl. Schneider, Michael: Zwischen Machtanspruch und Integrationsbereitschaft: Gewerkschaften und Politik 1918–1933, in: Bracher, Karl Dietrich/Manfred Funke/Hans-Adolf Jacobsen (Hg.): Die Weimarer Republik 1918–1933. Politik. Wirtschaft. Gesellschaft, Bonn 1987, S. 181.

26 Feldman/Steinisch, Industrie und Gewerkschaften, S. 37.

27 Feldman, Vom Weltkrieg zur Weltwirtschaftskrise, S. 87.

28 Büttner, Politische Gerechtigkeit, S. 74.

29 Ferguson, Paper and iron, S. 151.

30 Schneider, Zwischen Machtanspruch und Integrationsbereitschaft, S. 181.

31 Vortrag R. Blohms, 11.12.19, StA B&V 185.

32 Vortrag Rosenstiels in der Vereinigung leitender Angestellter, 14.4.20, StA B&V 185.

Der Konflikt um die Nachkriegswirtschaftsordnung wurde nicht nur in Berlin entschieden, sondern spielte sich auch auf der Ebene einer Region, einer Branche und eines einzelnen Unternehmens ab. Der Weg zurück zum freien Unternehmertum wurde von zahllosen kleinen und größeren Auseinandersetzungen auf betrieblicher Basis begleitet. Noch im Januar 1919 schien grundsätzlich anderes möglich. Da hatte ein Mitglied des Arbeiterrates von Blohm & Voss erklärt, das Bürgerliche Gesetzbuch nicht ohne weiteres anerkennen zu wollen, sonst hätte es keine Revolution gebraucht.[33]

II.2 Unruhen und Aufstände

Hamburg wurde nach der Revolution mehrfach von Unruhen erschüttert: der Streik zur Unterstützung des Spartakus-Aufstandes in Berlin im Januar 1919, Straßenkämpfe und die mehrfache Verhängung des Belagerungszustandes im Frühjahr, im Sommer 1919 die sogenannten «Sülzeunruhen», die ausgelöst wurden durch den Verdacht, daß Tierkadaver zu Sülze verarbeitet wurden, und die zur Besetzung der Stadt durch Freikorps-Truppen führten, und schließlich der Generalstreik anläßlich des Kapp-Putsches im März 1920, wobei der Putschversuch auch in der Hansestadt erfolglos blieb. Die Ursachen für die Vorfälle waren mannigfaltig: Enttäuschung über die geringen Erfolge der Revolution, die weiterhin schlechte Versorgungslage, Brutalisierung durch den Krieg, aber auch die große Zahl von leicht verfügbaren Waffen. Nach dem Waffenstillstand waren laut Reichsregierung 1,8 Millionen Gewehre und über 8.000 Maschinengewehre aus Armeebeständen verschwunden, die sich nun in Händen von irregulären Truppen, radikalisierten Arbeitern oder Kriminellen befanden.[34] In Hamburg überfielen Spartakisten mehrere Polizeistationen und das Hauptmunitionsdepot, um an Waffen zu gelangen.[35] Der ehemalige Vorsitzende des Arbeiter- und Soldatenrates, Laufenberg, sprach öffentlich vom russischen Rätesystem und der Diktatur als Ziel der Hamburger Arbeiterschaft, Gerüchte von sowjetischer Geld- und Waffenhilfe kursierten.[36] Zwar übertrug der Arbeiter- und Soldatenrat im März 1919 die Macht auf das frisch gewählte Stadtparlament, die Bürgerschaft, aber die Lage blieb unruhig und instabil. In dieser Situation reagierte das Hamburger Bürgertum.

Bewaffnete Verbände wie die «Bahrenfelder» und andere Heimwehren formierten sich mit einer klar bürgerlichen Ausrichtung, während die milizartige Volkswehr unter dem Sozialdemokraten Walther Lamp'l durch einen Linksruck

33 Sitzung mit dem Arbeiterrat, 13.1.19, StA B&V 9.3.

34 Bessel, Germany after the First World War, S. 81.

35 Berichte der preußischen Gesandtschaft an das

Auswärtige Amt, 5., 6. und 7.2.19, PA R3008.

36 Bericht der preußischen Gesandtschaft, 3.3.19, Meldung vom 14.2., ebd.

zunehmend der Kontrolle der Regierung entglitt.[37] Im April bildete sich der Hamburger Bürgerbund, der aus dem Verein zur Bekämpfung des Bolschewismus, der antibolschewistischen Liga und der privaten Nachrichtenstelle bestand.[38] Als Aufgaben stellte man sich die Überwachung von potentiellen Aufständischen und die Unterstützung der Sicherheitswehr bei der Unterdrückung von Unruhen. Als Finanziers wirkten Hamburger Industrie- und Handelskreise. Carl Gottfried Gok, Direktor bei Blohm & Voss, saß im Vorstand des Bürgerbundes und sorgte auch für eine finanzielle Unterstützung, ebenso war er im Vorstand der bürgerlichen Einwohnerwehr aktiv.[39]

Die Selbstschutzorganisationen des Bürgertums waren auf Zuschüsse angewiesen, die zum Beispiel der Hamburger Arbeitgeberverband bereitstellte.[40] Der Vorsitzende des Arbeitgeberverbandes und Nachfolger Hermann Blohms, Dr. Rigler, ergriff zusammen mit dem Geschäftsführer von Reiswitz die Initiative und verhandelte direkt mit verschiedenen Truppen und Freikorps. Im Falle eines Generalstreiks sollte ein Abwehrstreik organisiert werden. Ein spezieller Dispositionsfonds des Arbeitgeberverbandes wurde eingerichtet. Einen entscheidenden Einfluß auf die Verteilung dieser Mittel übten Rudolf Blohm und C. G. Gok als Vertreter des wichtigsten Industrieunternehmens und wahrscheinlich auch größten Geldgebers aus. Dieser Fonds unterstützte das Freikorps Lettow-Vorbeck zwei Wochen nach dessen Einmarsch in die Hansestadt im Zuge der «Sülzeunruhen» mit 100.000,– Mark.[41] Neun Tage später wurden dem Korps weitere 100.000,– Mark in Aussicht gestellt und später auch gezahlt.[42] Alleine im Sommer verteilte der Fonds noch auf Antrag der Hamburger Werften 50.000,– Mark an den Heimatschutz und 20.000,– Mark an die Anwerbestelle «Baltenland», die beteiligt war an der Aufstellung der im nachhinein berüchtigten Baltikum-Freikorps; 250.000,– Mark wurden von Direktor Cornehls von der Reiherstieg-Werft weitergeleitet.[43] Wie viele Mittel tatsächlich flossen, läßt sich nicht mehr ermitteln. Auf jeden Fall unterstützte die Hamburger Industrie massiv jene Freikorps, die später als präfaschistisch interpretiert wurden.[44]

Aber die Hamburger Arbeitgeber beließen es nicht bei einer Finanzhilfe. Rigler verhandelte direkt mit der Reichswehr, dem Freikorps Lüttwitz und den verschiedenen Bürgerwehren. Durch Gespräche mit dem Freikorps Lettow-Vorbeck wollte er sicherstellen, daß das Freikorps erst abzog, wenn in Hamburg ausrei-

---

37 Vgl. Büttner, Politische Gerechtigkeit, S. 86–89.
38 Vgl. Bericht der preußischen Gesandtschaft, 28.4.19, PA R3009; Lebenserinnerungen Gok, BArchK N1034/1, S. 258 f.
39 Behrens, Reinhard: Die Deutschnationalen in Hamburg 1918–1933, Diss. phil., Hamburg 1973, S. 297.
40 Vgl. zum folgenden Dr. Rigler an Rudolf Blohm, 30.5.19, StA B&V 433.
41 Notizen Dr. Riglers zum Treffen beim Korps Lettow-Vorbeck am 13.7.19, ebd.
42 Dr. Rigler an R. Blohm, 24.7.19, ebd.
43 Rücksprache am 2.9.19, Dr. Rigler an R. Blohm, 15.9.19, ebd.
44 Vgl. Jones, Nigel H.: Hitler's Heralds. The Story of the Freikorps 1918–1923, London 1987; Venner, Dominique: Histoire d'un fascisme allemand. Les corps-francs du Baltikum et la révolution, Paris 1996.

chend bürgerliche Schutzorganisationen aufgestellt waren.[45] In diesem Zusammenhang wurden mit großer Unterstützung der Unternehmer Zeitfreiwilligen-Verbände und eine technische Nothilfe eingerichtet, die im Falle einer Krisensituation die regulären Truppen verstärken und die Aufrechterhaltung der Energie- und Wasserversorgung gewährleisten sollten.[46] Die technische Nothilfe konnte aber ebenso dazu dienen, die verheerenden Folgen eines Generalstreiks zu mindern. Im Herbst 1919 beruhigte sich die Lage, die Formierung von Einwohnerwehren wurde abgeschlossen. Die Hamburger Bürgerschaft und die jeweiligen Arbeitgeber der Wehrmänner finanzierten diese Verbände.[47] Die Mitglieder der Einwohnerwehr erhielten Verdienstausfälle vom Arbeitgeber ersetzt, allerdings anfangs ohne Berücksichtigung etwaiger Akkordüberschüsse. Später ging Blohm & Voss dazu über, auch Akkordleistungen in die Berechnung einzubeziehen.[48] Als die Hafenschutztruppen im September 1919 verkleinert werden sollten, stellte die Firma Listen politisch zuverlässiger Leute zusammen, die zeitweilig für den Hafenschutz zur Verfügung standen.[49]

Das Unternehmen investierte wie die gesamte Hamburger Wirtschaft einiges in die Aufrechterhaltung der Sicherheit und Ordnung. Dabei wurden durchaus zweifelhafte Organisationen gefördert. Als sich die Lage Ende 1919 stabilisiert hatte, ging das Interesse der Firma an solchen Maßnahmen zurück. Während des Kapp-Putsches und des Generalstreiks verhielt sich die Unternehmensleitung reserviert, engagierte sich nicht öffentlich, auch wenn Gok später prahlte, er habe versucht, den örtlichen Reichswehrbefehlshaber, Oberst von Wangenheim, zu überreden, sich auf die Seite der Putschisten zu stellen.[50] Wichtiger als Politik war, daß die Produktion endlich erfolgreich anlief.

II.3 Die Umstellung auf die Friedenswirtschaft

II.3.1 Das Ende der Kriegsproduktion und die Beschäftigung um jeden Preis

Der Waffenstillstand markierte neuerlich einen großen Einschnitt im Leben der Firma. Ein zweites Mal mußte die Produktion umgestellt werden. Diesmal erfolgte der Prozeß aber unter den Bedingungen einer Revolution, eines verlorenen Krieges und eines Friedensdiktates. Schon im Oktober 1918, als die Reichs-

---

45 Dr. Rigler an Rudolf Blohm, 24.7.19, StA B&V 433.
46 Vgl. Venner, Histoire d'un fascisme allemand, S. 259.
47 Verhandlung mit der Einwohnerwehr, 18.11.19, R. Blohm an Dr. Rigler, 21.11.19, StA B&V 433.
48 R. Blohm an die Einwohnerwehr, 8.3.20, StA B&V 58.13.
49 Besprechung mit Kapitän Röhr, 29.8.19, StA B&V 433.
50 Lebenserinnerungen Gok, BArchK N1034/1, S. 258.

regierung ihre Friedensfühler ausstreckte, begannen im Reichswirtschaftsamt die planerischen Vorbereitungen der Demobilmachung. Als Hauptproblem wurde die Beschäftigung der demobilisierten Arbeiter und Soldaten betrachtet, die ansonsten eine Gefahr für die innere Sicherheit waren. Einerseits sollten sofort Notstandsarbeiten für die Belegschaften der jetzt nicht mehr erforderlichen Rüstungsindustrie einsetzen, bei denen der Gesichtspunkt der Wirtschaftlichkeit «möglicherweise hinter dem Interesse an der Erhaltung der öffentlichen Ruhe zurückzutreten» habe.[51] Zuständig für diesen Bereich sollten primär die Kommunen sein. Andererseits waren Arbeiten auf längere Sicht, also echte Friedensaufträge, vorgesehen, um den Betrieben langfristige Beschäftigung zu bieten. Sollte auf diesem Weg eine Beschäftigung aller Arbeitsuchenden nicht gelingen, so war geplant, die Arbeitslosen umfassend zu versorgen.

Noch vor der Revolution wurden die Bedingungen für die Umstellung der Rüstungsindustrie präzisiert. Wenn keine sofortige Stillegung der Rüstungsindustrie nach einem Waffenstillstand erfolge, sollten die bereits vergebenen Aufträge weiterlaufen. Allerdings sollte auf Neubestellungen verzichtet werden. Die Ausführung der Aufträge sei im Sinne einer «Streckung der Arbeit» zu verlangsamen.[52]

So setzte Blohm & Voss nach dem Waffenstillstand den Bau von U-Booten auf Wunsch des Reichsmarineamtes als Notstandsarbeit fort. Selbst eine fehlerhafte Ausführung war zulässig.[53] Walther Blohm wandte zwar ein, daß somit Geld zum Fenster herausgeworfen werde, da die Schiffe nicht verkäuflich seien. Aber letzten Endes war die Betriebsleitung doch über die weitere Auslastung der Anlagen froh. Weiterhin war vorgesehen, die *Ersatz Freya*, ein Kriegsschiff, zu Wasser zu lassen, die beiden bereits begonnenen Torpedoboote fertigzustellen und weitere U-Boote zu produzieren. Hierbei galt es, «möglichst viele Arbeiter bei möglichst geringem Materialaufwand zu beschäftigen».[54] Für die Firmenleitung besaß allerdings der Rückbau von Hilfsschiffen, die wieder für zivile Zwecke genutzt werden sollten, und der Handelsschiffbau höchste Priorität – ohne daß diese Absichten sogleich umgesetzt werden konnten.

Nach Absprachen zwischen dem Reichsmarineamt und dem neugegründeten Reichsamt für wirtschaftliche Demobilmachung wurden die Rahmenbedingungen der Notstandsarbeiten für die Firma weiter präzisiert: Die Rüstungsaufträge durften nur zur Vermeidung von Arbeitslosigkeit fortgesetzt werden. Neueinstellungen waren zu umgehen. Der Gewinnzuschlag von 15 % auf die Löhne beim Regiebauverfahren entfiel. Verträge wurden außer Kraft gesetzt, und die Zuständigkeit für etwaige Einsprüche und Klagen fiel an den örtlichen Demobilma-

51 3. Sitzung des Arbeitsausschusses der Kommission für die Demobilmachung der Arbeiterschaft, 24.10.18, BArchM RM20/627.
52 Besprechung am 4.11.18, ebd.

53 Aktennotiz zur Besprechung im RMA, 18.11.18, StA B&V 9.3.
54 Hinweis von Marineoberbaurat Schulz, Aktennotiz über Werkstoffsitzung, 19.11.19, ebd.

chungskommissar (DMK).[55] Besonders der später beschlossene völlige Wegfall einer im voraus festgelegten Gewinnspanne erregte den Widerspruch der Unternehmensleitung, doch immerhin stand der Betrieb nicht still.

Der Neubau von Handelsschiffen konnte erst anlaufen, wenn Reedereien und Staat zu einer Einigung in der Frage der Entschädigung der Reedereien kamen. Auch waren die benötigten Baumaterialien noch nicht erhältlich. Also setzte Blohm & Voss die Rüstungsproduktion fort, wobei die Marine Wert darauf legte, daß wegen der Waffenstillstandsbedingungen die Boote nicht einsatzfähig sein sollten.[56] Der Weiterbau der U- und Torpedoboote wurde erst im Februar 1919 gestoppt. Bis dahin beschäftigte er fast die Hälfte der deutschen Werftarbeiter.[57] Anschließend bauten die selben Arbeiter die Boote wieder zurück bzw. wrackten sie ab. Der Charakter einer reinen Arbeitsbeschaffungsmaßnahme war offensichtlich. Am Kreuzer *Mackensen* wurde bei Blohm & Voss mit einer Sondergenehmigung sogar noch im April weitergearbeitet, um eine Entlassung der später für den Handelsschiffbau dringend benötigter Arbeiter zu umgehen.[58] Wenigstens gelang es der Firma, dem Reichsmarineamt für all diese ökonomisch sinnlosen, einzig politisch motivierten Maßnahmen noch einen Gewinnzuschlag von 5 % abzutrotzen.[59] Erst im Laufe des Frühjahres endete die Rüstungsproduktion endgültig. Zwar waren jetzt reichlich Neubauaufträge für Handelsschiffe eingetroffen, doch sie bedeuteten aus Sicht der Firmenleitung vorerst nur Arbeit für die Büros, denn sie rechnete damit, daß die Schwerindustrie erst in einigen Jahren das benötigte Material liefern könnte.[60] Eine gewisse Auslastung erreichte das Unternehmen durch Reparaturarbeiten besonders für ausländische Reedereien nach Ende der alliierten Seeblockade. Sie halfen, die Umstellung auf die Friedensproduktion zu erleichtern.[61]

Obwohl im Jahr 1919 kaum etwas wirtschaftlich Verwertbares produziert wurde, belief sich die Zahl der Arbeiter auf der Werft im Sommer immer noch auf etwa 7.000 und sank erst im Folgejahr unter 6.000 ab. Auf Kosten des Reichshaushalts, aber auch der finanziellen Reserven des Unternehmens galt wahrlich das Motto «Beschäftigung um jeden Preis» zum Zwecke der inneren Stabilisierung des Staates und der Wirtschaft. Das interpretierten die Beteiligten genauso. Allerdings sparte der Staat auf der anderen Seite dadurch bei der Erwerbslosenhilfe, weil er einen Teil der Kosten auf die Privatwirtschaft abwälzen konnte. Die Strategien zur Bekämpfung der Arbeitslosigkeit liefen wirtschaftlich gesehen auf

55 RMA an die Bauaufsicht der U-Bootinspektion bei B&V, 25.11.18, BArchM RM3/6569.

56 Verhandlung mit B&V über Aufhebung der Verträge, 18.11.18, StA B&V 812.3.

57 Sitzung im Demobilmachungsamt, 14.2.19, BArchM RM 20/627.

58 Aktennotiz über Anruf des RMA, 23.3.19, StA B&V 9.4.

59 Besprechung mit Vertretern der Torpedobootinspektion, 19.5.19, ebd.; Verhandlung mit der U-Bootinspektion, 5.6., StA B&V 812.3.

60 Donnerstagssitzung, 28.3.19, StA B&V 13.2.

61 Bericht für den Aufsichtsrat vom 9.10.20, StA B&V 28.

Verschwendung hinaus. Fraglich bleibt, ob es angesichts drohender Unruhen politisch überhaupt eine Alternative zu dieser Beschäftigungspolitik gegeben hat. In Hamburg wuchs die Anzahl der Arbeitnehmer laut Statistik der Krankenversicherung immerhin von 253.658 im Jahr 1918 auf 309.583 im Folgejahr und 1920 schließlich auf 375.138 an.[62] Direkt nach der Revolution verfügte der Hamburger Arbeiter- und Soldatenrat, daß Blohm & Voss massiv Arbeiter einstellen müsse.[63] Zwar befolgte die Firma anfangs die Weisungen des Rates weitgehend, aber aufgrund seiner Inkompetenz und Hilflosigkeit in Wirtschaftsfragen hatte er schnell ausgespielt. Der Rat versuchte wohl noch, neue Aufträge für die Werften selber zu akquirieren oder zu vergeben und Rohstoffe zu beschaffen. Aber die Schiffbauindustrie verhandelte mit Unterstützung der Gewerkschaften sowie der eigenen Arbeiterräte in Berlin direkt mit den Behörden.[64] Sie konnte sich aus dieser Bevormundung lösen.

Die staatliche Beschäftigungspolitik für die Werften verlief sicherlich überhastet und unkoordiniert, was die Beteiligten durchaus auch zugaben.[65] So verzögerte das Ausbleiben einer Regelung für den Wiederaufbau der Handelsflotte, das durch die mangelhafte Koordinierung der beteiligten Ämter mitverursacht wurde, die Aufnahme produktiver Arbeit.[66] Aber der Interventionsstaat verhielt sich doch rationaler und kompetenter als irgendwelche utopistischen Räte. Im April schien eine Lösung für den Handelsschiffbau gefunden, doch die Reparationsfrage – besonders nach der Selbstversenkung der deutschen Kriegsflotte in Scapa Flow am 21. Juni 1919 – machte einen dicken Strich durch diese Rechnung, denn nun mußten Handelsschiffe, Docks und Hafenmaterial abgeliefert werden.

Schon im Verlauf der ersten Jahreshälfte 1919 traten friedensmäßige Verfahren bei der Einstellung von Arbeitskräften an die Stelle kriegswirtschaftlicher Prozeduren der Zuweisung. Zwar war der Arbeitsnachweis jetzt paritätisch besetzt, aber wie Eduard Blohm zugab, erleichterte diese Tatsache sogar die Auswahl bei Neueinstellungen.[67] Vor der Revolution hatten sich Arbeitsuchende beim Arbeitsnachweis gemeldet, der sie dann, um unparteiisch zu erscheinen, der Reihenfolge der Meldung gemäß zum Unternehmen schickte, das zustimmte oder ablehnte. Jetzt mußte der Neueinzustellende zwar auch beim Arbeitsnachweis gemeldet sein, aber er konnte sich direkt bei der Firma bewerben. Ein Mitarbeiter des bei Blohm & Voss eingerichteten Arbeiteramtes überprüfte den Bewerber und konnte ihn sofort vom Arbeitsnachweis zur Übermittlung anfordern. Das Arbeiteramt war auch für Entlassungen von unliebsamen Mitarbeitern zuständig,

62 Büttner, Politische Gerechtigkeit, S. 23.
63 W. Blohm sprach gar von 3.000 Neueinstellungen. Verhandlung mit B&V über die Aufhebung der Verträge im RMA, 18.11.18, StA B&V 812.3.
64 Vgl. Bieber, Bürgertum in der Revolution, S. 93 f.

65 Vgl. Präsident des Reichsausschusses für den Wiederaufbau der Handelsflotte an den Reichskanzler, 13.12.18, BArchM RM3/4697.
66 Telegramm von B&V an das Demobilmachungsamt, 24.12.18, StA B&V 249.1.
67 StA Familie Blohm 2, S. 331.

Abbildung 12: Lokomotiv-Reparaturen dienten nach dem Krieg der Auslastung des Betriebes

was nach der Revolution erheblich schwieriger als zuvor war. Doch gelang es durch geschicktes Vorgehen, selbst Arbeiterratsmitgliedern bei passender Gelegenheit zu kündigen.[68] Wie alle Arbeitgeber wurde das Unternehmen gezwungen, Schwerbeschädigte einzustellen. Es beschäftigte zeitweilig etwa 120.[69]

Um ausgelastet zu sein, betätigte sich Blohm & Voss auf dem fremden Gebiet der Lokomotivreparatur und des Tenderbaus. Schon im Januar 1919 hatte sich die Firma mit der Bitte um Überweisung von Lokomotivreparaturen an die Eisenbahndirektion Altona gewandt.[70] Diese lehnte das jedoch zunächst in Hinblick auf zu hohe Kosten, mangelnde personelle Voraussetzungen und die sonst gefährdete eigene Auslastung ab. Das Hauptargument der Firma für die Bewerbung um solche Aufträge bestand in der «dringenden sozialen Notlage» der Belegschaft. Nach der Ablehnung wandte sich das Unternehmen an den Hamburger Demobilmachungskommissar. Er unterstützte das Projekt gegenüber der Reichsbahn und sah das Argument einer drohenden Unruhe der Beschäftigten als vorrangig

---

68 Ebd.
69 Vgl. Fukuzawa, Naoki: Staatliche Arbeitslosenunterstützung in der Weimarer Republik und die Entstehung der Arbeitslosenversicherung, Frankfurt/Main u. a. 1995, S. 110; StA Familie Blohm 2, S. 341.

70 Vgl. B&V an den «Minister für öffentliche Arbeiten» [gemeint ist wahrscheinlich der Leiter des Demobilmachungsamtes], 25.1.19, StA DMK 201a.

an.[71] Daraufhin wurde eine Sitzung mit Vertretern der Werften Blohm & Voss und Vulcan, deren Arbeiterräten, dem Arbeiter- und Soldatenrat und dem Demobilmachungskommissar einberufen.[72] Hier wurden zwar von seiten des Arbeiter- und Soldatenrates unrealistische Pläne zur Umstellung der Werften auf die Waggonproduktion ventiliert, aber in der Folge konnten die Hamburger Behörden bei dem zuständigen Reichsminister die Überweisung von Lokomotivreparaturen beantragen und durchsetzen, die schließlich seit April 1919 erfolgte.[73] Die Aufträge sorgten für die Auslastung der Maschinenfabrik von Blohm & Voss und beschäftigten etwa 1.000 Arbeiter.[74] Das Unternehmen betätigte sich bis 1925 auf diesem Gebiet.[75]

II.3.2 Wirtschaftskrieg und Rohstoffmangel

Trotz des Waffenstillstandes setzten die Alliierten die Seeblockade Deutschlands anfangs fort. Sie führten also faktisch einen Wirtschaftskrieg, um das Reich zur Annahme der Friedensbedingungen und zu Reparationsleistungen zu zwingen, wohl auch um die unliebsame deutsche Konkurrenz auszuschalten und sie von den eigenen Märkten fernzuhalten. Erst am 12. Juli 1919 endete die Blockade. Sie wurde kurzzeitig im Oktober und Dezember wieder aufgenommen.[76] Die Handelsstadt Hamburg war von ihr besonders betroffen, zumal sie ihren Kohlebedarf noch nicht wieder – wie vor dem Krieg – durch englische Importe zu decken vermochte,[77] sondern auf die Lieferbereitschaft der Ruhrzechen angewiesen war. Durch die Blockade schnitten sich die Alliierten aber auch ins eigene Fleisch, denn auf diese Art schränkten sie die wirtschaftliche Potenz Deutschlands und damit die Fähigkeit zu Reparationsleistungen und zur Aufnahme ausländischer Importprodukte ein, erschwerten der jungen Republik den Start. Darunter litten auch die Schiffahrt und die Werftindustrie. Die Enteignung des größten Teils der deutschen Handelsflotte – auch von gerade beendeten Schiffsbauten – kam im Sommer 1919 hinzu und verschärfte die Situation des Außenhandels. Blohm & Voss lieferte direkt für das Reparationskonto.

Diesem Wirtschaftskrieg hatte das Reich zunächst wenig entgegenzusetzen. Letztlich führte er zum Wiederaufbau einer modernen und wettbewerbsfähigen deutschen Handelsflotte auf deutschen Werften. Im internen Schriftverkehr von

71 B&V an DMK, 3.2.19, Aktennotiz des DMK über Besprechung mit der Eisenbahndirektion, 12.2., ebd.
72 Niederschrift über Sitzung am 15.2.19 betr. Umstellung der Werften auf Herstellung von Eisenbahnmaterial, ebd.
73 Aktennotiz Sthamers, 24.2.19, Eisenbahndirektion an DMK , 7.4., ebd.
74 Donnerstagssitzung, 2.5.19, StA B&V 13.2.

75 Witthöft, Tradition und Fortschritt, S. 145.
76 Schmelzkopf, Reinhart: Die deutsche Handelsschiffahrt 1919–1939, Bd. 1, Hamburg/ Oldenburg 1975, S. 18.
77 Büttner, Ursula: Der Stadtstaat als demokratische Republik, in: Jochmann, Werner (Hg.), Hamburg. Geschichte der Stadt und ihrer Bewohner. Bd. 2. Vom Kaiserreich zur Gegenwart, Hamburg 1986, S. 165.

Blohm & Voss blieben die Entente-Mächte aber noch lange «Feindbundstaaten». Die Überlassung von technischen Zeichnungen der abgelieferten Schiffe wurde durch überzogene Honorarforderungen absichtlich verhindert.

Sobald es nicht nur Notstandsarbeiten, sondern auch produktive Tätigkeiten durchführen wollte, wurde das Unternehmen wiederholt durch Kohlenmangel eingeschränkt, den es – wie oben erwähnt – nicht durch Lieferungen aus Großbritannien beheben konnte. Die rücksichtslose Ausbeutung der deutschen Kohlenbergwerke während des Krieges, deren fehlende Instandhaltung, die mangelhafte Ernährung der Bergarbeiter und die Verkürzung der Arbeitszeiten haben allgemein zu einem Rückgang der Kohlenproduktion geführt.[78] Die Jahresfördermenge pro Bergmann sank 1919 auf 61% des Vorkriegsproduktion.[79] Und die Kohle war von minderer Qualität.[80] Angesichts des allgemeinen Kohlenmangels wirkte es sich für die Werft negativ aus, daß sie nicht mehr bevorzugt mit Kohle beliefert wurde, wie es zuvor, als sie kriegswichtig war, geschehen war. Die Firmenleitung von Blohm & Voss machte auch den bürokratischen Apparat der Kohlebewirtschaftung mit seiner aus dem Krieg bekannten Verordnungs- und Formularflut dafür verantwortlich: Der Bergbau sei in gewissem Sinne sozialisiert, so Rudolf Rosenstiel. «Deutschland ist wirklich zum Narrenhaus geworden; aber Sozialismus ist Arbeit, wenigstens stand es so an jeder Straßenecke.»[81] Diese Polemik entbehrte wahrscheinlich nicht einer gewissen Grundlage.

Im Februar 1919 mußte die Werft wegen Kohlenmangels mehrfach schließen.[82] Die gehorteten Vorräte aus der Kriegszeit reichten teilweise nur aus, um zu verhindern, daß die Rohre einfroren.[83] In ganz Hamburg erfolgte im Februar eine ein-, im März gar eine zweiwöchige Kohlensperre.[84] Im Frühjahr versuchten Vertreter des Arbeiterrates von Blohm & Voss, direkt bei den Behörden, insbesondere bei der zuständigen Kriegsamtsstelle Altona, und beim Westfälischen Kohlen-Kontor zu intervenieren, um eine ausreichende Kohlebelieferung zu sichern.[85] Diese Versuche wurden aber komplett ignoriert, um die Autorität der Unternehmensleitung nicht zu mindern. Auch im Herbst und im darauffolgenden Januar kam es wiederholt zu Engpässen.[86] Diese Gefahr wurde jedoch durch Ausweichen auf Torf, Holz und Teeröl sowie bevorzugte Belieferungen gebannt.[87]

78 Feldman/Steinisch, Industrie und Gewerkschaften, S. 59.
79 Tschirbs, Rudolf: Tarifpolitik im Ruhrbergbau 1918–1933, Berlin/New York 1986, S. 92.
80 R. Rosenstiel auf der Sitzung des Beirates der Kohlewirtschaftsstelle, 26.11.19, StA Senat-Kriegsakten BIIb122f17.
81 Vortrag R. Rosenstiels über die Kohlenot, 21.2.20, StA B&V 1287.
82 Donnerstagssitzungen, 14. und 21.2.19, StA B&V 13.2.
83 Sitzung mit einer Kommission des Arbeiterrates, 7.2.19, StA B&V 9.4.
84 Büttner, Politische Gerechtigkeit, S. 25.
85 B&V an das Westfälische Kohlen-Kontor, 29.4.19, Antwort, 4.8., StA B&V 58.18.
86 Donnerstagssitzungen, 2. und 9.10.19 sowie 15.1.20, StA B&V 13.2.
87 Wochenbericht, 8.11.19, StA B&V 228.1; Bericht für den Aufsichtsrat, 9.10.20, StA B&V 28.

Ähnliche Schwierigkeiten wie diejenigen mit der Kohle bereiteten im Bereich der Materialversorgung ständige Sorgen. Hier blieb die staatliche Bewirtschaftung allerdings nicht so lange bestehen und wurde sukzessive abgebaut. Zwar gab es direkt nach der Revolution noch Probleme mit Sparmetallen wie Kupfer.[88] Aber da sich die Werft vorerst mit Notstandsarbeiten an U-Booten und Kreuzern beschäftigte, führte dies zu keinen Betriebseinschränkungen. Schwieriger wurde die Situation erst später. Im März drohte die Stillegung der Werften wegen Engpässen in der Materialbelieferung. Das Schiffbaustahlkontor kam den Bestellungen kaum noch nach.[89] Die Werften erhielten im Vergleich zu 1918 ein Drittel und im Vergleich zu 1914 zwei Drittel weniger Schiffbaustahl.[90] Die Hauptursache lag nach Wegfall der staatlichen Exportkontrolle in der umfangreichen Exporttätigkeit der Stahlproduzenten.[91] Diese versorgten sich mit Devisen, um Inflationsgewinne zu erzielen, aber auch um Auslandsschulden zu begleichen. Im Spätsommer 1919 befand sich der Stahlmarkt in einem geradezu chaotischen Zustand. Ob das nach der Annahme des Versailler Vertrages rasch erhöhte Tempo der Inflation zum Zusammenbruch der Kartell-Strukturen des Stahlmarktes mit beigetragen hat oder der Zusammenbruch dieser Organisation ein selbständiges Erklärungselement für die schnell ansteigenden Stahlpreise gewesen ist, kann dahin gestellt bleiben. Tatsache ist, daß sich, wie Tabelle 21 zeigt, die Preise für Schiffbaustahl in gewaltiger Bewegung befanden. Der Preis für Schiffbaustahl stieg schneller als die Inflationsrate, wenn überhaupt geliefert wurde. Er lag, in Goldmark umgerechnet, deutlich über dem Friedensniveau. Im Juni 1920 betrug er fast das Vierfache des Vorkriegspreises. Deshalb konnten Anfang Januar 1920 nur Reparaturen durchgeführt werden.[92]

Tab. 21: Entwicklung der Preise für Schiffbaustahl in Papier- und Goldmark*	Quartal/Monat	Mark	Goldmark	Monat	Mark	Goldmark
	II./1914	114,–	114,–	Februar/1920	3.565,–	151,06
	IV./1918	307,50	173,72	März	3.585,–	179,25
	I./1919	407,50	186,07	April	3.737,–	263,17
	II.	532,50	169,95	Mai	4.850,–	436,94
	III.	647,50	140,76	Juni	4.140,–	445,16
	IV./1919	1.200,–	135,14	Juli	4.140,–	440,43
	Jan./1920	2.350,–	152,60	August	3.695,–	324,12

* im jeweiligen Quartal bzw. Monat
Umgerechnet in Goldmark nach dem Dollarkurs (Bry, Wages in Germany, S. 442 f.).
Quelle: BArchK R 43 I/2146.

88 Verhandlung über Aufhebung der Verträge, 18.11.18, StA B&V 812.3.
89 Besprechung des KA mit dem Schiffbaustahlkontor, 4.3.19, StA B&V 9.4.
90 Vgl. Materialstatistik des VdS, Hauptversammlung, 20.2.20, StA B&V 1316.1.
91 Leckebusch, Die Beziehungen, S. 99.
92 Donnerstagssitzung, 8.1.20, StA B&V 13.2.

Blohm & Voss wurde durch die unzureichende Belieferung schon deshalb getroffen, weil im Gegensatz anderen Werften, die zu Stahlkonzernen gehörten, keine direkten Beziehungen zu einem Lieferanten bestanden. Die Schwerindustrie spielte ein doppeltes Spiel: Einerseits kritisierte sie die Regiebauweise der Werften, andererseits war sie nicht bereit, ihre Erzeugnisse zu festen Preisen zu verkaufen. Sie gewann durch Beteiligungen direkten Einfluß auf zahlreiche Schiffbauunternehmen. Die Verkaufssyndikate, die die Werftindustrie beliefert hatten, lösten sich auf. Das wurde von den Werften bedauert, weil die Syndikate in ihrer Preissetzung hinter der allgemeinen Preissteigerung zurückgeblieben waren und die Inlandspreise zu dieser Zeit noch deutlich unter den Weltmarktpreisen lagen. Nun, da die Werften sich bei Zwischenhändlern oder den Produzenten direkt eindecken mußten, erreichten die Weltmarktpreise auch den Binnenmarkt. Deshalb herrschte zeitweilig ein gespanntes Verhältnis zwischen Blohm & Voss und den Stahlerzeugern. Rudolf Blohm ließ einige kritische Äußerungen fallen.[93] Wenn es aber darum ging, potentielle Interventionen des Staates abzuwehren, dann waren die Industriellen sich wieder einig.[94] Staatliche Eingriffe galten nach der Erfahrung mit der Kriegswirtschaft als höchstgradig schädlich. Schlimmstenfalls wurde ein Selbstverwaltungskörper, eine sogenannte Arbeitsgemeinschaft, gegründet, um die Zwangsbewirtschaftung abzuwehren.[95]

An anderer Stelle arbeitete die Firma allerdings relativ gerne mit dem Staat in Fragen der Materialbelieferung zusammen, wenn es nämlich darum ging, vom Reichsverwertungsamt Schiffbaustahl aus Marinebeständen zu erwerben. Die Preise waren vorteilhaft und konnten zur Hälfte in eigentlich wertlosen Kriegsanleihen abgegolten werden.[96] Auf diese Weise vermochte die Werft die schlechte Belieferung durch das Schiffbaustahlkontor teilweise auszugleichen. Mitunter zögerten Regierungsstellen aber mit der Abgabe von Stahl,[97] oder aber die Verhandlungen verliefen in einem sehr unfreundlichen Ton, der nach Meinung der Werftvertreter von einer Unkenntnis der Werftverhältnisse herrührte.[98]

Insgesamt verlief die Phase der Demobilmachung und der Umstellung auf die Friedenswirtschaft insofern erfolgreich, als die beiden Hauptziele, nämlich die Integration der heimkehrenden Soldaten und der Umbau der Wirtschaft ohne ökonomischen Kollaps erreicht wurden – auch bei Blohm und Voss. Dabei entstand ein seltsamer Kontrast zur bürokratischen und verplanten, aber letztlich erfolglosen Kriegswirtschaft. Jetzt wurde der Staat zurückgedrängt, wurden Gewerkschaften und Industrie miteinbezogen, mehr *ad hoc* improvisiert als lang-

93 Vgl. R. Blohm an Paul Reusch, Gutehoffnungshütte, 11. und 16.9.19, StA B&V 58.13.
94 Vgl. Memorandum des KA, 18.6.19, StA 675.
95 Verhandlungen im Stahlbund, 23.1.20, StA B&V 9.4.

96 Vgl. z. B. Telegramm an Frahm über Kauf von Baumaterial, 22.7.19, StA B&V 238.3.
97 Chef der Admiralität an den Reichskanzler, 6.11.19, BArchB R43I/2148.
98 Besprechung im Reichsverwertungsamt, 21.7.20, StA B&V 9.4.

fristig verwaltet.[99] Der Staat finanzierte den Übergang aber durch den Einsatz der Notenpresse und erkaufte den Erfolg mit einer Geldentwertung.

II.3.3 Vorbereitungen für den Wiederaufbau der Handelsflotte

Die ersten Vorbereitungen für den Wiederaufbau der Handelsflotte hatte die deutsche Schiffbauindustrie schon während des Krieges getroffen. Oben ist von der bereits eingeleiteten Kartellbildung, einer allgemeinen Normierung und der Fortführung des Handelsschiffbaus im Krieg berichtet worden. Neubestellungen lagen bereits vor. Nach dem Waffenstillstand wartete die Werft nur noch auf ein Zeichen der Reedereien zur Aufnahme der Produktion, aber es kam nicht dazu. Die mangelhafte Materialbelieferung durch die Stahlindustrie hätte den Wiederaufbau der Handelsflotte ohnehin erschwert. Der Friedensvertrag und die Reparationsfrage verhinderten ebenfalls den Beginn eines umfangreichen Handelsschiffbaus. Die entscheidende Frage blieb die Finanzierung, da die angeschlagenen Reedereien allein diese nicht sichern konnten. Auch herrschte über die exakte Durchführung eines Bauprogramms Unklarheit. Zuständig blieb der Reichsausschuß für den Wiederaufbau der Handelsflotte, der zuerst im Reichswirtschaftsamt, dann im Reichsministerium für Wiederaufbau angesiedelt war. Die tatsächlich erfolgte Rekonstruktion wurde in der Forschung später als «perhaps the most striking case of intensified investment during the inflation»[100] bezeichnet. Viele Einzelheiten sind bis heute weitgehend unbekannt oder werden widersprüchlich dargestellt.

Die juristische Grundlage bildete das Gesetz über die Wiederherstellung der Handelsflotte vom 7. November 1917. Das nach langen Verhandlungen verabschiedete Gesetz sah eine Entschädigung des Staates an die Reedereien für im Krieg gesunkene, beschädigte oder anderweitig verlorengegangene Schiffe zum Vorkriegswert vor. «Übersteigen die Kosten für die Beschaffung des zu ersetzenden Schiffsraumes den Baupreis, der am 25. Juli 1914 dafür zu zahlen gewesen wäre (Friedensbaupreis), so können Zuschläge gewährt werden», hieß es in den Ausführungsbestimmungen.[101] Demnach mußte erst der Friedenswert ermittelt werden, dann konnte im Falle einer Teuerung ein Zuschlag gewährt werden. Trotz des bereits in Gang gekommenen Preisanstiegs waren den Beteiligten 1917 die Mechanismen der kriegsbedingten Inflation noch undurchsichtig. Der nächste Schritt war ein Überteuerungsabkommen im Oktober 1918, wonach das Reich die komplette Preissteigerung übernehmen sollte. Als die Preise weiter stiegen und die Waffenstillstandsbedingungen drastischer als erwartet ausfielen,

---

99 Vgl. Bessel, Richard: Mobilization and demobilization in Germany, 1916–1919, in: Horne, John (Hg.): State, society and mobilization in Europe during the First World War, Cambridge 1997, S. 212 f.

100 Ferguson, Paper and iron, S. 27.
101 Vgl. die Ausführungsbestimmungen, BArchB R2/B320.

wurde ein zweites Überteuerungsabkommen im Februar 1919 nachgeschoben. Nun sollte der Staat nur einen Teil der inflationsbedingten Kostensteigerungen übernehmen, den anderen sollten die Reedereien tragen.[102]

Die im Friedensvertrag festgelegte Ablieferung des größten Teils der Handelsflotte veränderte die Situation. Nun hatte das Reich die Verpflichtung zur Entschädigung, wie im «Gesetz über Enteignungen und Entschädigungen aus Anlaß des Friedensvertrages» vom 31. August 1919 anerkannt wurde. Den größten Teil von 80 % sollte der Staat finanzieren.[103] Zum Zwecke der Abwicklung der Zahlungen wurde im September eine unter Staatsaufsicht stehende, vom späteren Reichskanzler Wilhelm Cuno geleitete Reederei-Treuhandgesellschaft gegründet. Eine abschließende Regelung der Abfindung wurde aber erst 1921 getroffen, so daß bis zu diesem Zeitpunkt immer wieder Unklarheiten hinsichtlich der exakten Abwicklung auftraten. An den umfangreichen Verhandlungen war auch Blohm & Voss über die Mitgliedschaft im Kriegsausschuß der deutschen Werften beteiligt.

Die ersten Zahlungen an die Reedereien im Rahmen der Abfindung erfolgten schon 1918 in Höhe von 225 Millionen Mark. Im Folgejahr wurden 1.775 Millionen und 1920 insgesamt 1.800 Millionen Mark überwiesen. Laut Schätzung des Ministeriums für Wiederaufbau entsprach dieser Betrag 658,4 Millionen Goldmark.[104] Da die zugrunde gelegten Teuerungsfaktoren zu niedrig angesetzt waren, erscheint ein realer Gegenwert von etwa 500 Millionen Goldmark zum Zeitpunkt der Auszahlung als realistischer. Anfangs mußten die Reedereien ihre Ansprüche direkt beim Reich anmelden und sämtliche Belege – bei einem mittelgroßen Schiff über 5.000 – zur Stichprobenprüfung einreichen, um die Entschädigung zu erhalten.[105] Später wurde das Verfahren vereinfacht und schließlich Ende 1919 über die Treuhandgesellschaft abgerechnet. Findige Reedereien vermochten es, bei diesem bürokratischen Vorgehen früher in den Genuß der Unterstützung zu kommen als etwas trägere Unternehmen. In Zeiten der Inflation war Zeit aber wirklich Geld. Bei der Ermittlung des Friedenswertes eines Schiffes wurde Blohm & Voss immer wieder einbezogen.[106] Dieser war in der Regel nicht leicht herauszufinden, da, bedingt durch die technische Innovation, Schiffe gleicher Größe im Laufe der Zeit eine immer größere Tragfähigkeit und somit Wirtschaftlichkeit aufwiesen.

Die Reedereien verfügten also über Finanzmittel und hatten auch schon während des Krieges umfangreiche Bestellungen für die Nachkriegszeit aufgegeben. So bestellten sie von Mai 1916 bis Januar 1917 400.000 BRT Handelsschiffton-

102 Vgl. Schmelzkopf, Die deutsche Handelsschiffahrt, S. 16 f.

103 Vgl. Denkschrift über Stand der Entschädigung und Wiederaufbau der Handelsflotte, 9.8.22, BArchB R 43I/2148.

104 Übersicht des Reichsministeriums für Wiederaufbau, ohne Datum, BArchB R 3301/1836.

105 Reichsausschuß für den Wiederaufbau der Handelsflotte an den Rechnungshof des Reichs, 20.4.18, BArchB R 3301/1837.

106 Vgl. StA B&V 249.1.

nage. Bei Kriegsende waren rund eine Million BRT Handelsschifftonnage in Bau. Aufgrund der Ablieferung der Handelsflotte und der Unsicherheit der Zukunft von Neubauten, denen ebenfalls die Enteignung drohte, charterten oder kauften sie 1919 vorerst aber lieber ausländische Schiffe[107] oder flaggten die eigenen, noch verbliebenen nach Danzig aus, wie es die Stinnes-Reederei tat.[108]

Von seiten der Werften sah die Perspektive anders aus. Der einzige Tagesordnungspunkt der ersten Sitzung des Kriegsausschusses nach dem Waffenstillstand war die Wiederaufnahme des Handelsschiffbaus.[109] Aber in den Wirren der Übergangzeit dauerte es noch bis zum April 1919, bis die Verhandlungen mit dem Reich und den Reedereien über die Abwicklung bereits begonnener oder in Auftrag gegebener Schiffe zu einem Ende gebracht waren. Für etwa 85 % der Projekte schien die Finanzierung gesichert, allein für Hamburger Werften lagen 110 Neubauaufträge vor.[110] Aber schon zwei Monate später beendeten die Friedensbedingungen diese Bemühungen. Begonnene Bauten mußten nun wegen der Gefahr der Ablieferung liegengelassen werden.

Als eine Bedrohung der bestehenden Werften erschienen die Bestrebungen der Schwerindustrie, die ein großes Geschäft witterte, Beteiligungen zu erwerben oder selber neue Werften aufzubauen. Wulf spricht in diesem Zusammenhang von der vertikalen Konzentration als leitendem Prinzip des Wiederaufbaus der Handelsflotte.[111] Schwerindustrie, Reedereien und Werften schlossen sich stärker zusammen. Die Beteiligungen der Schwerindustrie an den Werften nahm deutlich zu.[112] Im Werftkartell blieb die Stimme der Schwerindustrie trotzdem schwach. Blohm & Voss war nicht direkt von den Konzentrationstendenzen betroffen.

Eine ernsthafte Gefahr für die langfristige Entwicklung der Werften waren die internationalen Überkapazitäten und die voraussichtlich günstigeren Preise im Ausland. Im Dezember 1919 warnte Prof. Laas auf der Tagung der Schiffbautechnischen Gesellschaft: «Der deutsche Schiffbau steht trotz augenblicklicher Überfülle an Aufträgen vor einer sorgenvollen und schweren Zeit und es bedarf gründlicher Überlegungen, sorgfältiger Arbeit im kleinen und weitschauender Fürsorge im großen, um diesen Gefahren zu begegnen.»[113] Japan hatte seine Schiffbaukapazität verzehnfacht, die der USA war gar um das Vierzehnfache angestiegen.[114] Laas erwartete, daß 1920 das weltweite Produktionspotential nur zu 57 % ausgelastet sein werde.[115] Die anwesenden Werftindustriellen thematisierten

107 Claviez, Wolfram: 50 Jahre Deutsche Werft 1918–1968, Hamburg 1968, S. 32.
108 Ritter, Gerhard A.: Der Kaiser und sein Reeder, in: Zeitschrift für Unternehmensgeschichte (42) 1997, S. 161.
109 Versammlung des KA, 20.11.18, StA B&V 244.2.
110 Ferguson, Paper and iron, S. 184.

111 Wulf, Schwerindustrie und Schiffahrt, S. 20.
112 Vgl. Leckebusch, Die Beziehungen, S. 99 f.
113 Laas, Walter: Der Weltschiffbau und seine Verschiebungen durch den Krieg, in: Jahrbuch der Schiffbautechnischen Gesellschaft 1920, S. 147.
114 Ebd., S. 135–141.
115 Ebd., S. 143.

diese Warnung nicht in einem Gespräch und diskutierten am Ende des Vortrags über die Arbeiterfrage.

Die Verhandlungen zwischen Reedereien, Staat und Werften über den Wiederaufbau zogen sich bis zum Frühjahr 1920 hin. Erst danach setzte der Handelsschiffbau im großen Maßstab ein. Es wurde beschlossen, auf Basis eines normierten Werksvertrages zu Regiepreisen zu produzieren.[116] Die Besteller sollten also auf Grundlage der tatsächlich entstehenden Kosten zuzüglich eines Gewinnzuschlages für die Neubauten bezahlen. Der Friedenswert eines zu entschädigenden Schiffes blieb weiterhin die Berechnungsgrundlage. Mittel- und süddeutsche Zuliefererbetriebe sollten mit einbezogen werden, wofür die im Dezember 1919 gebildete Ausgleichsstelle der Länder hinzugezogen wurde. Wichtig war Reedern wie Werften, daß der Reichsausschuß über keine zu einflußreiche Stellung verfügte und nicht zu stark in innerbetrieblichen Angelegenheiten wie der Bauaufsicht intervenierte. Ein Indiz für den Erfolg dieser Bestrebungen war die Gründung der privatwirtschaftlichen Reederei-Treuhandgesellschaft, die seitens des Staates nur einer geringen Kontrolle unterworfen war und daher nicht als ein Instrument einer Zwangswirtschaft fungierte.

II.4 Die Arbeits- und Lebensverhältnisse der Beschäftigten nach der Revolution

II.4.1 Auseinandersetzung um Arbeitszeiten, Arbeitsbedingungen und Löhne

Bei Kriegsende bestand in Deutschland in allen Schichten der Bevölkerung ein hoher Konflikt- und Erwartungsstau, der nahezu eruptiv hervorbrach.[117] Die Werftarbeiterschaft erhoffte sich nach der Kriegsnot vor allem eine rasche Verbesserung ihres Lebensstandards. Das schien mit den sogenannten Errungenschaften der Revolution, nämlich der Abschaffung der Akkordarbeit, der Einführung des Achtstundentages und der Heraufsetzung des Stundenlohnes auf einheitlich 2,10 Mark in Erfüllung zu gehen.

Auf der Werft war die Revolution friedlich verlaufen. Auf die Nachricht von der Ausrufung der Republik und der Abdankung des Kaisers reagierte die Arbeiterschaft eher verhalten und nur vereinzelt euphorisch.[118] Zwar erklärte ein aus 22 Mitgliedern bestehender Arbeiterrat unter Leitung des sozialdemokratischen Nieters Adolf Tonn am 11. November, die Leitung der Werft übernehmen zu

---

116 Notizen Rosenstiels über die Reise nach Berlin vom 18.-27.11.19, StA B&V 254.

117 Wendt, Bernd-Jürgen: «Deutsche Revolution» – «Labour Unrest». Systembedingungen der Streikbewegungen in Deutschland und England 1918–1921, in: Archiv für Sozialgeschichte XX (1980), S. 11.

118 Prager, Blohm + Voss, S. 113.

wollen, doch blieb die Firmenleitung weiterhin auf dem Posten. Es konnte allenfalls um eine machtvollere Vertretung der Interessen der Belegschaft gegenüber der Betriebsleitung gehen. Dafür wählte der Arbeiterrat zahlreiche Kommissionen. Die Arbeiterschaft verfügte über eine stärkere Verhandlungsposition als die Angestellten. Als die Gefahr bestand, daß die Untermeister – sie zählten zu den Angestellten – als Lohndrücker eingesetzt wurden, kam es zu der paradoxen Situation, daß die Arbeiter für ihre Vorgesetzten Gehaltserhöhungen forderten.[119]

Gegenüber den leitenden Angestellten blieb das Verhältnis kritisch. Am 18. Dezember 1918 entlud sich ein seit langer Zeit aufgestauter Haß. Zahlreiche Werkstattleiter, Ingenieure und Meister wurden auf Schubkarren gewaltsam aus dem Betriebsgelände transportiert.[120] Doch brachten Sozialdemokraten im Arbeiterrat die radikaleren Arbeiter schließlich zur Vernunft. Binnen acht Tagen konnten fast alle Betroffenen wieder an ihren alten Arbeitsplatz zurückkehren. Einzig der Winkelschmiedemeister Schwarz mußte anderweitig eingesetzt werden.[121] Der Arbeiterrat berief eine fünfköpfige Kommission, um die Übergriffe vom 18. Dezember zu untersuchen.[122] Über das Ergebnis war nichts zu ermitteln.

Obwohl der Rat wiederholt bei Konflikten zwischen Teilen der Belegschaft und der Betriebsleitung vermitteln konnte, blieben Aufgaben und Rechte dieser Institution als solcher weitgehend umstritten. Immerhin zählte der Vorsitzende Tonn zu den Aufgaben des Rates, für Ordnung und ein geregeltes Verhalten am Arbeitsplatz zu sorgen, da eine lässige Arbeitshaltung und Chaos auf die Belegschaft zurückfalle. Der Ruin der Firma müsse verhindert werden.[123] Andererseits wurden Versuche des Arbeiterrates, direkt in die Alltagsgeschäfte einzugreifen, sofort von der Firmenleitung abgeblockt und als unerwünschte Einmischung verstanden. Diese Einstellung war wohl berechtigt, da der Rat zwar keinesfalls böswillig und sogar recht kooperativ war, aber vom Geschäft verständlicherweise wenig wußte. Den leitenden Angestellten wurde bedeutet, der Arbeiterrat dürfe keineswegs direkt mit ihnen verkehren, eine Einmischung in den Betrieb sei unzulässig: «Sache der Betriebsbeamten ist es, in den Betrieben keine Ungehörigkeiten zu dulden und mit Ruhe und Sachlichkeit auf strenge Ordnung zu halten.»[124] Die Unternehmensleitung stellte auch fest, daß es unter dem alten Regime die Erteilung von Befehlen an Privatpersonen oder Firmen, wie es sich der Arbeiterrat anmaße, nicht gegeben habe.[125] Trotzdem verhandelten beide Seiten regelmäßig, besonders über Spannungen zwischen Vorgesetzten und Untergebenen. Der Arbeiterrat versammelte sich täglich, verlor sich aber im Laufe der Zeit

119 Sitzung mit Vertretern der Werften, Angestellten und Arbeiter, 13.12.18, StA B&V 9.3.

120 Notizen zur Geschichte der Firma, StA B&V 2177; Prager, Blohm + Voss, S. 113.

121 StA Familie Blohm 2, S. 309 f.

122 Donnerstagssitzung, 27.12.18, StA B&V 13.2.

123 Artikel über die Betriebsversammlung bei B&V im «Hamburger Echo» vom 18.2.19.

124 Sitzung mit Betriebsbeamten, 29.11.18, StA B&V 13.2.

125 Sitzung der Speisehallenkommission des Arbeiterrates, 6.1.19, StA B&V 9.3.

zunehmend in Detailfragen und mußte deshalb einen Rückgang seines Einflusses hinnehmen. Er befand sich in der Zwickmühle, zwischen radikaler Belegschaft und ablehnender Betriebsleitung lavieren zu müssen, und hatte schließlich seine eigene Erfolglosigkeit und die Enttäuschung revolutionärer Hoffnungen hinzunehmen. Wie überall im Reich machte auch der Arbeiterrat von Blohm & Voss eine Wandlung von einem machtbeanspruchenden Organ hin zu einer betrieblichen Interessenvertretung durch.[126] Das Betriebsrätegesetz vom Februar 1920 stellte seine Tätigkeit auf eine neue, gegenüber den früheren Hoffnungen sehr reduzierte rechtliche Basis.

In den ersten Tagen nach der Revolution versuchte die Firmenleitung, den Widerstand der Arbeiterschaft auch dadurch zu verringern, daß sämtliche Vorarbeiter zu Untermeistern ernannt wurden, in der Hoffnung, sie dadurch auf ihre Seite zu ziehen.[127] Diese Maßnahme scheiterte aber an deren ablehnender Einstellung, so daß dieser Schritt später rückgängig gemacht wurde.

Im Januar 1919 sprangen die Spartakus-Unruhen kurzfristig auf die Hansestadt über.[128] Die revolutionären Obleute Hamburgs riefen zum Generalstreik auf. Allerdings war ihr Rückhalt unter der Arbeiterschaft zu schwach. Ein Teil der Belegschaft war streikbereit, ein anderer beabsichtigte, normal zu arbeiten, wurde aber daran gehindert. Es kam zur Sperrung des Elbtunnels. Nach einer Demonstration besetzte eine Gruppe streikender Werftarbeiter gar das Gewerkschaftshaus. Der Hamburger Arbeiter- und Soldatenrat beschloß einen Ausbau des Rätesystems in den Betrieben und die Übertragung der letztinstanzlichen Entscheidungsbefugnis in allen Gewerbestreitigkeiten auf den Rat. Zahlreichen Demonstranten reichte dieses Ergebnis nicht, und sie verwüsteten die Druckerei des sozialdemokratischen «Hamburger Echos». Daraufhin mobilisierte die SPD am 11. Januar 1919 ihre Anhänger zum Generalstreik gegen den Rat, an dem auch große Teile der Belegschaft der Werft teilnahmen. Einige Tage später erklärte ein Vertreter des Arbeiterrates der Firma: «Wir wollen nicht immer revolutionieren, das geht nicht. Wir sehnen uns alle danach, zu ruhiger Arbeit zu kommen. Ich glaube, die Berliner Ereignisse wird sich niemand herbeigesehnt haben.»[129] Auf Druck des Arbeiter- und Soldatenrates sahen sich die Hamburger Werften gezwungen, den streikenden Arbeitern für die entfallene Arbeitszeit Lohn auszuzahlen.[130]

Anläßlich einer Anfrage des Arbeiterrates über das Hissen der roten Flagge zu Ehren von Rosa Luxemburg und Karl Liebknecht nach deren Ermordung entspann sich eine höchst aufschlußreiche Diskussion mit den Vertretern der Fir-

---

126 Zur Lage im Reich siehe Plumpe, Werner, Die Betriebsräte in der Weimarer Republik, in: Plumpe, Werner/Christian Kleinschmidt (Hg.): Unternehmen zwischen Markt und Macht, Essen 1992, S. 42–60.

127 StA Familie Blohm 2, S. 311 f.

128 Vgl. Büttner, Politische Gerechtigkeit, S. 36 ff.

129 Stellungnahme Benings, Sitzung mit dem Arbeiterrat, 17.1.19, StA B&V 9.3.

130 Sitzung der Industriekommission am 19.1. 19, HkH D.4.3.

menleitung. Seitens des Arbeiterrates der Firma bestand die ernste Befürchtung, im Falle einer Konterrevolution das gleiche Schicksal zu erleiden wie Luxemburg und Liebknecht, da es im bürgerlichen Lager durchaus auch Pöbel gebe. Dies vermochte Rudolf Rosenstiel nicht auszuschließen, wies aber seinerseits auf die Gefahr einer bolschewistischen Welle hin. Gok äußerte ernsthafte Zweifel, die möglichen Wirren zu überleben. Rosenstiel betonte den Willen, auf dem Posten zu bleiben. Betriebsleitung und Arbeiterrat diskutierten die Chancen des eigenen Untertauchens. Es bestand Einigkeit darüber, eine Eskalation auf alle Fälle vermeiden zu wollen.[131] Anders als die Vertreter der Arbeiter wußte die Firmenleitung durch ihre Geschäftsverbindungen sehr wohl um die bolschewistischen Greuel in Rußland. Zumindest in der ersten Phase nach der Revolution war diese Angst ein ernstzunehmender Faktor. So ließ sich Hermann Blohm zeitweise von Gok, der mit einer Pistole bewaffnet war, nach Hause begleiten.[132]

Die Arbeiterschaft blieb unruhig, was sicherlich mit mangelnder Beschäftigung und einer ersten Enttäuschung durch die Revolution zu tun hatte. Als Anfang Februar jemand ins Werk kam und sich als «Stadtkommandant von Bremen» ausgab, führte dies gegen den Willen des Arbeiterrates zur Arbeitsniederlegung von 2.000 Beschäftigten für eine halbe Stunde.[133] Beschwerden über einen passiven Widerstand der Belegschaft, ein zu frühes Verlassen des Arbeitsplatzes, steigende Arbeitsunlust und eine Zunahme der Diebstähle häuften sich. Bei neuankommenden Lokomotiven mußten als Vorbeugemaßnahme sämtliche Armaturteile entfernt werden.[134] Im Hafenbereich entstand ein blühender Schwarzmarkt. Zahlreiche Hehlerringe waren aktiv. Die Zahl der bei der Polizei zur Anzeige gebrachten Diebstähle verdoppelte sich.[135] Im Sommer wurden aus diesen Gründen verstärkt einzelne Personen nach vorhergehender Verwarnung entlassen. Allerdings stellte sich dem der paritätisch besetzte Schlichtungsausschuß oftmals in den Weg.[136] Entlassungen durften nur bei Entwendung von Metall sofort, bei der von Holz nach einer Verwarnung und der Konsultation des Arbeiterrates ausgesprochen werden.[137] Gegen die Diebstähle probierte das Unternehmen durch die Einschaltung eines Detektivbüros vorzugehen. Wegen dessen mangelnder Professionalität endete der Versuch ergebnislos.[138] Seit Oktober 1919 wurden verdächtige Arbeiter auch durch einen in den Betrieb eingeschleusten Spitzel einer privaten «Überwachungszentrale» observiert.[139] Fremde Hilfe wurde angefordert, da die Firmenleitung dem eigenen Werkschutz mißtraute.

131 Sitzung mit einer Kommission des Arbeiterrates, 25.1.19, StA B&V 9.3.
132 Lebenserinnerungen Gok, BArchK N1034/1, S. 255.
133 Sitzung mit der Kommission des Arbeiterrates, 7.2.19, StA B&V 9.4.
134 Donnerstagssitzung, 19.6.19, StA B&V 13.2.

135 Grüttner, Working-class Crime, S. 70.
136 Donnerstagssitzung, 17.7.19, StA B&V 13.2.
137 Donnerstagssitzung, 23.10.19, ebd.
138 Vgl. StA B&V 434.
139 Überwachungszentrale an B&V, 10.11.19, StA B&V 480.

Es gab durchaus auch Konflikte zwischen Arbeiterschaft und Angestellten. So stimmten die Arbeiter der Maschinenfabrik für die Entlassung eines unliebsamen Meisters, die Angestellten erklärten daraufhin ihre Solidarität mit ihm und streikten gegen die Entscheidung der Arbeiter.[140] Wiederholt setzten Arbeiter das Mittel des Streiks ein, um unbeliebte Meister loszuwerden.[141] Häufiger ereigneten sich aber Arbeitsniederlegungen im Rahmen von Lohnbewegungen.[142] Manche Streikaktion wurde allerdings durch die laufende Lohnauszahlung verzögert. So begann ein Proteststreik gegen die Erschießung des Führers der Münchener Räteregierung, Eugen Leviné, erst nach Erhalt der Lohntüte.[143]

Der dominierende Konflikt des Jahres 1919 blieb aber der Streit um die Wiedereinführung der Akkordarbeit. Die Abschaffung der Stück- und die Einführung der Zeitlöhne wurden als wesentliche Errungenschaften der Revolution betrachtet und verteidigt, aber ohne Akkordsystem sank die Arbeitsleistung erheblich ab. Die Arbeitgeber veranschlagten den Leistungsrückgang auf bis zu 50 % gegenüber den Vorkriegsverhältnissen.[144] Nachdem der Hamburger Arbeiter- und Soldatenrat weitgehend ausgeschaltet worden war, versuchten die Arbeitgeber mit Unterstützung von SPD und freien Gewerkschaften, im Interesse einer Produktivitätssteigerung die Akkorde wiedereinzuführen.[145] Auch das Reichsmarineamt und das Reichsarbeitsministerium unterstützten diesen Standpunkt. Eine Werftarbeiterkonferenz lehnte das im April 1919 kategorisch ab. Die zentralen Gewerkschaftsverhandlungen mit den Metallindustriellen zogen sich über Monate hin. Die Unternehmerseite verweigerte eine Lohnerhöhung ohne Zustimmung zur Akkordarbeit. Die Gewerkschaften bevorzugten ein «gesundes» und von Arbeitervertretern kontrolliertes Akkordsystem, das Leistung belohnte, aber nicht zu einer Überforderung führte. Zweimal lehnte die Werftarbeiterschaft in Urabstimmungen Schiedssprüche der Schlichtungskommission ab, die die Wiedereinführung der Stücklöhne empfahlen, obschon wegen der Geldentwertung ein außerordentlicher Druck, zu raschen Entscheidungen zu kommen, vorhanden war. Die Vertreter der Werftarbeiter drohten mit einem Miet- und Steuerstreik, sollte ihre Forderung, es bei der Abschaffung des Akkordsystems zu belassen, abgelehnt werden.[146] In der Folge verloren SPD und freie Gewerkschaften auf den Werften zunehmend an Einfluß. Der Gewerkschaftler Kähler wurde auf der Vulcan-Werft gar verprügelt und auf Initiative des Betriebsrates entlassen. Bei den Betriebsratswahlen von Blohm & Voss im Juli 1919 erhielt die USPD schließlich 2.419, die SPD 2.089 und die KPD 979 Stim-

---

140 Wochenberichte, 31.5. und 7.6.19, StA B&V 235.1.
141 Wochenberichte, 17. und 24.5.19, ebd.
142 Wochenberichte, 14.6.19, ebd., und 19.7.19, StA B&V 228.1.
143 Wochenbericht, 7.6.19, StA B&V 235.1.

144 Sitzung der Industriekommission, 3.9.19, HkH D.4.3.
145 Vgl. zum folgenden Koch-Baumgarten, Sigrid: Aufstand der Avantgarde. Die Märzaktion der KPD 1921, Frankfurt/Main/New York 1986, S. 183 ff.
146 Wochenbericht, 7.6.19, StA B&V 235.1.

men.[147] Damit konnten die Unabhängigen sieben, die Sozialdemokraten sechs und die Kommunisten zwei Vertreter in den Betriebsrat entsenden. Bei den Unabhängigen dominierte auf den Werften der radikale Flügel.[148] Ein wichtiger Faktor in Zusammenhang mit der Akkordarbeit war, daß die Arbeiter auch fürchteten, es könnte durch eine Wiedereinführung zu Einkommensminderungen kommen.[149] Erst als diese Gefahr gebannt war, schien der Weg frei für die Wiedereinführung.

Auf den Werften verschärfte sich die Kritik an den Gewerkschaften bis hin zu offener Feindseligkeit. Gewerkschaftsfunktionäre wurden gar als «Verräter» bezeichnet. Im September kam es zur Gründung einer unabhängigen Union, deren Mitgliederbestand im Verlauf der Tarifverhandlungen anwuchs. Im Oktober wandten sich die Unionisten allmählich der kommunistischen Opposition zu, die sich allerdings nicht auf der Linie der KPD befand, und erst im Jahr 1922 zerfiel die Union wieder.[150] Der Bruch zwischen Werftbelegschaft und Gewerkschaften ereignete sich im November 1919, als letztere empfahlen, die zentralen Verhandlungen abzubrechen und zu einer einzelbetrieblichen Regelung zu gelangen, sowie den Schiedsspruch anzunehmen, der auf eine Wiedereinführung der Akkordarbeit hinauslief. Die Radikalisierung eines Teils der Belegschaft führte zu einer direkten Gegnerschaft zwischen Radikalen und Anhängern der traditionellen Ordnung auf Betriebsebene. Zeitweise versuchten linke Mehrheiten, die «Rechten» gar auszuschließen. Sigrid Koch-Baumgarten sieht als Ursache für die Radikalisierung und das Scheitern einer reformistisch-integrativen Politik der Sozialdemokratie auf den Werften hauptsächlich die Unnachgiebigkeit der Unternehmer.[151] Damit unterstellt sie allerdings, daß diese über einen entsprechenden Bewegungsspielraum verfügten. Dieser muß jedoch angesichts der wirtschaftlichen Situation als eher klein eingeschätzt werden. Die Lohnkosten waren zu hoch oder – was dasselbe ist – die Produktivität zu gering. Es bestand zeitweilig ein erheblicher Überhang an Beschäftigten. Weitere Gründe für die Radikalisierung dürften die Mischung von hochqualifizierten und ungelernten, von zugezogenen und einheimischen Arbeitern gewesen sein, die unbefriedigenden Lebensbedingungen und die latente Aggressivität besonders der jungen Arbeiter wegen der Verwahrlosung durch den Krieg.[152]

Ausgehend von den Verhandlungen der Werften über die 48-Stunden-Woche und die Wiedereinführung der Akkordarbeit kam es am 8. November 1919 zur Abstimmung durch die Werftarbeiter.[153] Bei Blohm & Voss votierten 3.156 Ar-

147 Wochenbericht, 19.7.19, StA B&V 223.3.
148 Büttner, Die Hamburger freien Gewerkschaften, S. 148.
149 Verhandlung der Stücklohnkommission, 31.10.19, StA B&V 228.1.
150 Büttner, Die Hamburger freien Gewerkschaften, S. 149.

151 Koch-Baumgarten, Aufstand der Avantgarde, S. 184.
152 Vgl. Feldman, The Great Disorder, S. 123 f.
153 Sitzung der Industriekommission, 5.11.19, HkH D.4.3; Wochenbericht, 8.11.19, StA B&V 228.1.

beiter für die Annahme, 1.539 dagegen, während insgesamt auf den Hamburger Werften eine Ablehnung mit geringer Stimmenmehrheit vorlag. Dies belegt einmal mehr die strengere Auswahl bei Neueinstellungen im Vergleich zu anderen Unternehmen und die stärkere Disziplinierung der Belegschaft, während zum Beispiel auf der Vulcan-Werft im wahrsten Sinne des Wortes chaotische Zustände herrschten.[154] Insgesamt waren die Werftarbeiter nun aber angesichts der Inflation mürbe geworden und setzten sich nicht mehr für eine weitere Verkürzung der Arbeitszeit und die Abschaffung der Überstunden ein. Der Vorsitzende des Arbeiterrates Tonn schlug vertraulich der Unternehmensleitung vor, trotz der Ablehnung von seiten der Belegschaften der anderen Werften bei Blohm & Voss die Akkordarbeit endlich wiedereinzuführen. Arbeiterrat und Belegschaft zögen mit, denn die jetzigen Löhne seien einfach zu gering.[155] Im Januar 1920 wurden die Akkorde schließlich wieder etabliert, und die Firmenleitung konnte alsbald erfreut eine gestiegene Arbeitsleistung vermelden.[156] Ein kleiner Trost blieb der Belegschaft: In die Verfahren der Stücklohnberechnung wurden gewählte Arbeitervertreter miteinbezogen, denen ein Einspruchsrecht zustand. Die Forderung nach einer gewissen Transparenz wurde damit erfüllt.

Im Januar 1920 kam es noch zu einem dreitägigen Nieterstreik. Daraufhin vorgenommene Entlassungen mußte die Betriebsleitung aber schleunigst wieder rückgängig machen.[157] Vom Kapp-Putsch wurde die Werft ebenfalls betroffen. Die Belegschaft schloß sich am 13. März 1920 dem Aufruf zum Generalstreik an. Die Arbeit wurde erst am 17. März wiederaufgenommen. Noch am 16. März waren Angestellte am Betreten des Betriebsgeländes gehindert worden.[158] Die Betriebsleitung lehnte den Streik ab mit der Begründung, Politik gehöre nicht an den Arbeitsplatz.[159] Wegen des Streiks wurden später aber keine Entlassungen vorgenommen.

Die Unternehmensleitung stand zwar prinzipiell hinter der ZAG und unterstützte deren Politik, aber von einem partnerschaftlichen Verhältnis zur Arbeiterschaft war sie doch weit entfernt. Konflikten ging die Betriebsleitung nicht grundsätzlich aus dem Weg. So erklärte Rudolf Blohm in seinem Vortrag «Wie gewinnen wir die Arbeiterschaft zurück?» auf einer Veranstaltung der DNVP unverblümt: «Der ewige Wirtschaftsfriede in dem Sinne, dass es etwa keine wirtschaftlichen Kämpfe zwischen Arbeitgebern und Arbeitnehmern mehr geben sollte, ist genau ebenso eine Utopie, wie der ewige Völkerfriede, von dem die Pazifisten träumen.» Allerdings wertete er die wirtschaftlichen Auseinandersetzungen «als ein Zeichen des gesunden Vorwärtsstrebens unserer Arbeiterschaft», die

154 Vgl. Verhandlungsunterlagen des Außerordentlichen Kriegsgerichts wegen Sabotage auf der Vulcan-Werft, 3.11.19, StA Senat-Kriegsakten ZIIIz.
155 Aufzeichnung, 8.11.19, StA B&V 228.1.
156 Bericht für den Aufsichtsrat über das Geschäftsjahr 1919/20, StA B&V 30.3.
157 Notizen zur Geschichte von B&V, StA B&V 2177.
158 Ebd.
159 Ferguson, Paper and iron, S. 259.

ihre Arbeitskraft berechtigterweise so teuer wie möglich verkaufen wolle, und meinte, die Interessen von Arbeitgebern und Arbeitern liefen durchaus in dieselbe Richtung, durch gesteigerte Produktivität höhere Löhne und ein besseres Betriebsergebnis zu erreichen.[160]

II.4.2 Die Arbeiter

In der Revolution sind Forderungen der Arbeiterschaft nach einer beträchtlichen Lohnerhöhung und der Verminderung der wöchentlichen Arbeitszeit auch bei Blohm & Voss erfüllt worden. Anstelle der ursprünglich angestrebten Gleichsetzung aller Arbeitenden und der Festsetzung eines Einheitslohnes von 2,10 Mark gelang es der Firmenleitung wenigstens, die Unterscheidung von Gelernten, Angelernten, Ungelernten und Jugendlichen vorzusehen und für sie eine – allerdings sehr geringe – Differenzierung der Löhne zu erreichen. Die Abmachungen sahen für Gelernte einen Stundenlohn von 2,40 Mark, für Angelernte von 2,30 Mark und für Ungelernte von 2,10 Mark vor.[161] Vor dem Krieg konnte die Spreizung der Einkommen das Dreifache betragen. Die Firmenleitung empfand die Lohnsteigerung jedoch durchaus als «Provisorium» und ging von Anfang an dagegen an.[162] Hierbei behielt sie die Wettbewerbsfähigkeit auf dem Weltmarkt im Auge, die durch die verkürzte und verteuerte Arbeitszeit gefährdet schien, welche vielfach nicht einmal mit nutzbringender Arbeit verbracht wurde.

Bezüglich der Beschäftigungspolitik bestand eine klare Linie, nach Möglichkeit sollten die Vorkriegsbeschäftigten wieder eingestellt, der Arbeiterbestand aber insgesamt verringert werden. Die Neueinstellung von Betriebsfremden wurde erschwert, Entlassungen im größeren Umfang bedurften der Rücksprache mit dem Arbeiterrat. Mit ihm zusammen wurden Entlassungslisten erstellt. Der Arbeiterrat übte Druck auf die zu kündigenden Arbeiter aus, damit sie freiwillig gingen.

Die Belegschaft verringerte sich rasch. Schon eine Woche nach dem Abschluß des Waffenstillstandes vermutete die Firma, daß bis zum Juni 1919 die Hälfte des Personals entlassen sein werde.[163] Ende Oktober 1918 waren noch 12.487 Arbeiter bei Blohm & Voss beschäftigt, einen Monat später nur noch 9.628. Im März 1919 sank die Zahl auf 7.160 und im September auf 6.657 ab. 1920 lag sie erstmals bei unter 6.000 (siehe Tab. 22). Der Arbeitskräfteabbau wurde mit dem Arbeiterrat koordiniert, der das Unterfangen unterstützte. Als Anreiz wurde eine Abstandssumme je Arbeiter in Höhe von einigen hundert Mark ausgezahlt.[164]

160 Manuskript des Vortrags vom 11.12.19, StA B&V 1203.
161 Rundschreiben an die Betriebsleiter, 23.11.18, StA B&V 13.2.
162 Außerordentliche Betriebssitzung, 18.11.18, ebd.
163 Verhandlung mit dem RMA und der U-Bootinspektion, 18.11.18, StA B&V 812.3.
164 Donnerstagssitzung, 1.3.19, StA B&V 13.2; StA Familie Blohm 2, S. 317.

Als erste wanderten sofort nach Kriegsende die ortsfremden Facharbeiter und andere Reklamierte ab. Die Stammbelegschaft sollte aber möglichst gehalten bzw. wieder eingestellt werden. Einen besonderen Wert legte die Firma darauf, ausgebildete Facharbeiter an den Betrieb zu binden. Tatsächlich bestand im Juli 1919 zwei Drittel der Belegschaft aus Gelernten.[165] Alle möglichen Überbrückungsarbeiten wurden gesucht, denn die Firma lief Gefahr, den eingearbeiteten Stamm zu verlieren und keinen Ersatz zu finden. Ein wichtiges Kriterium bei Entlassung oder Nichtentlassung blieb das Leistungsprinzip, die politische Gesinnung sollte nicht ausschlaggebend sein.[166]

Tab. 22: «Brutto=Arbeiterbestand am letzten eines jeden Monats»

	1918	1919	1920
Januar	12.045	9.550	5.936
Februar	11.920	8.473	5.865
März	12.006	7.160	6.320
April	12.457	7.206	6.484
Mai	12.329	7.192	6.486
Juni	12.236	7.140	6.521
Juli	12.159	7.101	6.986
August	11.996	7.028	7.345
September	12.635	6.657	7.622
Oktober	12.487	6.561	7.811
November	9.628	6.123	8.037
Dezember	9.338	6.060	8.930
Durchschnitt	11.767	7.187	7.029

Quelle: StA B&V 2177.

Etwa 900 Arbeiter waren Jugendliche und Lehrlinge. Ihre Gesamtzahl blieb annähernd konstant, da sie kostengünstiger arbeiteten und für die Zukunft ausgebildet wurden, allerdings stieg die Zahl der Lehrlinge noch an. Besonders betont wurde die soziale Verpflichtung der Firma gegenüber den Jugendlichen, von denen viele den Vater im Krieg verloren hatten.[167] «Zucht und Ordnung» spielten eine große Rolle. Die Werftschule unterrichtete im Sommer 1919 schon 495 Lehrlinge.[168] Anders als eine normale Schule, die schlimmstenfalls abgesessen wurde, ging die berufliche Ausbildung mit einer tiefgreifenden Disziplinierung einher. Der Lebensrhythmus wurde fremdbestimmt. Der Jugendliche mußte sich einer betrieblichen Hierarchie unterordnen.[169] Ein großer Mentalitätsunter-

165 Bericht für den Aufsichtsrat über das Geschäftsjahr 1918/19, StA B&V 30.3.
166 Donnerstagssitzung, 30.10.19, StA B&V 13.2.
167 Vortrag R. Blohms, 11.12.19, StA B&V 185.

168 Bericht für den Aufsichtsrat über das Geschäftsjahr 1918/19, StA B&V 30.3.
169 Vgl. Peukert, Detlev: Jugend zwischen Krieg und Krise, Köln 1987, S. 112.

schied bestand zwischen ungelernten Jugendlichen, die Handlangerdienste verrichteten, relativ unzuverlässig waren und oft der Unterschicht entstammten, und den Auszubildenden, die den Beruf und den Status eines Facharbeiters anstrebten und einem klassenbewußten Arbeitermilieu angehörten.

In einem merkwürdigen Gegensatz zur Fluktuation und Unsicherheit der Belegschaft standen die Verbesserung der Lehrlingsausbildung und der Ausbau der Werftschule.[170] So stieg die Zahl der Schüler kontinuierlich an. Zwölf Lehrkräfte unterrichteten bis zu 19 Klassen. Nicht nur Lehrlinge wurden ausgebildet, sondern es fanden auch Meisterkurse und Weiterbildungsmaßnahmen für Ungelernte statt. Praktikanten mit Realschulabschluß oder Abitur, immerhin etwa ein Fünftel der Schüler, wurden in einer zweieinhalbjährigen Ausbildung auf den Ingenieurberuf vorbereitet. Die Lehre dauerte vier Jahre, wobei sich das Unternehmen deutlich mehr Mühe gab als die meisten Ausbildungsbetriebe.[171] Hiervon zeugten auch der Spitzname «T.H. Steinwerder» und das positive Urteil vieler ehemaliger Lehrlinge. Im ersten Vierteljahr der Ausbildung wurden die Neulinge mit der Werkzeugbedienung durch spezielle Lehrlingsausbilder vertraut gemacht. Acht Stunden Unterricht wöchentlich erfolgten in der Werftschule, die auf Mitarbeit und Praxisorientierung setzte. Neben dem verpflichtenden Fachunterricht und der Staatsbürgerkunde fanden freiwillige berufsbezogene Zusatzkurse statt. Es gab aber auch eine Theatergruppe und eine Schülerbücherei. Die Klassen waren nach Lehrberufen aufgeteilt, regelmäßige Zwischenprüfungen sorgten für eine Leistungskontrolle. Ab dem zweiten Vierteljahr wurde jedem Lehrling ein Lehrgeselle zugeteilt, der für die fachliche Ausbildung sorgte und auf dessen Akkordzettel der Lehrling verzeichnet war. Dadurch besaß der Geselle durchaus ein praktisches Interesse an einem qualifizierten und vor allem produktiven Lehrling. Die Lehrjungen durften nicht streiken und ohne Einwilligung des Unternehmens keiner Vereinigung beitreten. Im letzten Ausbildungsjahr erhielten sie weiterhin nur ein geringes Entgelt, verrichteten aber schon die volle Arbeit. Während die Firma in den ersten drei Jahren investierte, verfügte sie im vierten über eine günstige Arbeitskraft.

Nach dem beträchtlichen Anstieg der durchschnittlichen Stundenlöhne von Oktober auf November 1918, eine Folge der veränderten Machtverhältnisse während der Revolution, setzten sich die Lohnsteigerungen bemerkenswerterweise zunächst nicht fort. Ja es kam zu einer Rückbildung um ca. 10 % (siehe Tabelle 23). Freilich lagen in den ersten Monaten nach der Revolution die Arbeiterlöhne deutlich über den durchschnittlichen Gehältern der Angestellten. Im Dezember 1918 waren sie doppelt so hoch wie die Gehälter von Zeichnern und

170 Vgl. zum folgenden Beinhoff, Die Werftschule, StA Werftschule 1.
171 Vgl. zum folgenden Dönhoff, Friedrich/Jasper Barenberg: Ich war bestimmt kein Held. Die Lebensgeschichte von Tönnies Hell-

mann, Hafenarbeiter in Hamburg, Hamburg 1998, S. 50–59; Otto Schmidt: Die Geschichte des Ausbildungswesens von Blohm + Voss, S. 10–13, StA Werftschule 1.

Kaufleuten und überstiegen selbst die der Ingenieure und Untermeister.[172] Die Werftarbeiter konnten ebenfalls den Rückstand gegenüber dem Durchschnittseinkommen der Arbeiter der Metall- und Maschinenindustrie aufholen und mehr als wettmachen.[173]

Von Januar bis November 1919 blieb der durchschnittliche Stundenlohn dann erstaunlich konstant, obwohl die Konsumentenpreise deutlich anstiegen und so die Reallöhne, wie immer sie ermittelt werden, sanken. Möglicherweise wirkte die drastische Verminderung der Beschäftigung bremsend. Wird von einer im Verlaufe des Jahres wieder steigenden Arbeitsproduktivität ausgegangen, muß die Stabilität des Nominallohnes für das Unternehmen eine gewisse Entlastung vom Lohnkostendruck bedeutet haben.

Eine ganz andere Dynamik zeigt sich hinsichtlich der Reallöhne, also der um die inflatorische Preiserhöhung bereinigten Löhne. Wie oben bereits angeführt, gibt es bis Ende 1919 keinen Preisindex der Lebenshaltung, der die Wertentwicklung des Warenkorbes des durchschnittlichen Hamburger Arbeiters widerspiegelt. Es stehen nur Zahlenreihen für die Geldentwicklung für das ganze Reich zur Verfügung. Deshalb werden in Tabelle 23 auch zwei verschiedene Reihen deflationierter Löhne ausgewiesen. Die Entscheidung zwischen ihnen kann nur aufgrund von Plausibilitätskriterien erfolgen. Daß die Umrechnung über den Dollarkurs der Mark auf den rechnerischen Goldwert der Mark (Goldpfennig), die den Werten in Spalte 3 zugrunde liegt, in Hinblick auf die hier interessierende Frage nach den realen Einkommen höchst anfechtbar ist, wurde oben bereits dargelegt. Die ausgewiesenen Zahlen geben zusätzliche Argumente dafür, sich dieses Verfahrens nicht zu bedienen. Die so ermittelten Reallöhne würden Ende 1918 viel zu hoch ausgewiesen; und ein Rückgang auf ein Achtel des Wertes im Verlauf von 15 Monaten kann ebenfalls nicht stattgefunden haben. Wie schon ausgeführt, halten wir uns vornehmlich an die Preisindexziffern der Lebenshaltungskosten, die den Berechnungen des in Spalte 4 ausgewiesenen Reallohnes zugrunde liegen.

Bemerkenswert und wichtig ist, daß beide Verfahren für November 1918 Werte ergeben, die deutlich über dem durchschnittlichen Stundenlohn von 68,1 Pfennig im Jahr 1914 liegen. Dabei muß freilich berücksichtigt werden, daß durch den Anstieg der Stundenlöhne auch der mit der Einführung des Achtstundentages sonst verbundene Einkommensverlust kompensiert werden sollte. Immerhin schien die Veränderung der Machtverhältnisse zunächst auch reale Einkommenszuwächse zu erbringen. Doch änderte sich das im Zusammenwirken der oben erwähnten Nominallohnsenkung und eines weiteren Preisanstiegs schon im Dezember 1918. Dann wurde die weitere Entwicklung der realen Stundenlöhne durch den Inflationsprozeß bestimmt. Zwar war das Preissteigerungstempo noch nicht so dramatisch wie schon kurze Zeit später, doch ergab sich bis zum Herbst 1919 schon ein Abfall der Reallöhne II gegenüber Dezember 1918 um ein Drittel.

Hält man sich an die ausgewiesenen Zahlen – andere stehen nicht zur Verfügung – und setzt sie in Beziehung zu dem schlechten Allgemeinzustand der Wirtschaft am Kriegsende, speziell der dramatisch gesunkenen Arbeitsproduktivität und dem drastisch verminderten Sozialprodukt, so liegt es nahe, sich dem Urteil der damaligen Unternehmen und auch Abelshausers anzuschließen, daß zumindest um die Jahreswende 1918/19 sowohl die Nominal- als auch die Reallöhne zu hoch waren.[174] Allerdings entsprach die konkrete Versorgungslage der Arbeiter angesichts der noch anhaltenden Mangelbewirtschaftung mit ihren vielfach fiktiven Preisen, zu denen die gewünschten Güter nicht geliefert werden konnten, nicht dem rechnerischen Ausweis relativ günstiger Einkommenslagen. Dies wird weiter unten noch näher ausgeführt.

Tab. 23: Durchschnittliche nominale und reale Stundenverdienste von Arbeitern

Monat	Nominallohn in Pfennig	Reallohn I	Reallohn II
Oktober/1918	136,3	88,8	41,4
November	258,8	146,2	76,8
Dezember	236,7	120,2	68,2
Januar/1919	230.6	118,3	65,5
Februar	230,6	106,3	65,0
März	230,8	93,4	64,1
April	230,5	76,8	62,8
Mai	230,5	75,3	61,5
Juni	230,0	68,7	59,7
Juli	230,0	64,1	57,9
August	230,2	51,4	55,5
September	230,3	40,2	54,2
Oktober	230,3	36,0	49,5
November	230,8	25,3	44,8
Dezember	254,6	22,9	45,0
Januar/1920	272,7	17,7	36,4
Februar	347,2	14,7	40,8
März	369,8	18,5	38,5

Reallohn I: Deflationierung des Nominallohnes anhand des Dollarkurses der Mark (Goldpfennig).
Reallohn II: Deflationierung des Nominallohnes anhand des Lebenshaltungsindexes.
Quellen: Meldungen an den Reichsausschuß für den Wiederaufbau der Handelsflotte, StA B&V 249.1–2, und an die Schiffsbautreuhandbank, StA B&V 268; Bry, Wages in Germany, S. 442 f.

174 Vgl. Abelshauser, Werner: Verelendung der Handarbeiter? Zur sozialen Lage der Arbeiter in der großen Inflation der frühen zwanziger Jahre, in: Mommsen, Hans/Winfried Schulze (Hg.): Vom Elend der Handarbeit, Stuttgart 1981, S. 449.

Die Entwicklung der nominalen und realen Löhne der Jugendlichen verlief auf niedrigerem Niveau etwa ähnlich wie bei den Erwachsenen (vgl. Tab. 24). Gemessen an einem Volljährigen belief sich ihr Einkommen auf 41–47 %, nur im Februar 1920 vermochten sie einen Inflationsschub nicht zu kompensieren, und der Wert fiel auf 38,9 % ab.

Tab. 24: Durchschnittliche nominale und reale Stundenverdienste jugendlicher Arbeiter

Monat	Nominallohn in Pfennig	Relation zum Lohn eines Erwachsenen	Reallohn I	Reallohn II
Oktober/1918	54,7	40,1 %	34,8	16,6
November	111,3	43,0 %	62,9	33,6
Dezember	104,4	44,1 %	53,0	30,1
Januar/1919	97,4	42,2 %	49,9	27,7
Februar	97,4	42,2 %	44,9	27,4
März	99,5	43,1 %	40,3	27,6
April	106,6	46,2 %	35,5	29,0
Mai	104,9	45,5 %	34,3	28,0
Juni	106,3	46,2 %	31,8	27,6
Juli	106,3	46,2 %	29,6	26,8
August	106,7	46,4 %	23,8	25,7
September	108,2	47,0 %	18,9	25,5
Oktober	108,7	47,2 %	17,0	23,4
November	108,3	46,9 %	11,9	21,0
Dezember	110,4	43,4 %	9,9	19,5
Januar/1920	112,9	41,4 %	7,3	15,1
Februar	135,0	38,9 %	5,7	15,9
März	154,0	41,6 %	7,7	16,0

Reallohn I: Deflationierung des Nominallohnes anhand des Dollarkurses der Mark (Goldpfennig).
Reallohn II: Deflationierung des Nominallohnes anhand des Lebenshaltungsindexes.
Quellen: Meldungen an den Reichsausschuß für den Wiederaufbau der Handelsflotte, StA B&V 249.1; Bry, Wages in Germany, S. 442 f.

Die Verhältnisse auf der Werft blieben insgesamt unruhig. Bedingt durch die Revolution verhielten sich die Arbeiter deutlich konfliktbereiter als in der Vorkriegszeit. Teilweise wurde ihre Arbeitshaltung als passiver Widerstand gedeutet. Das wirtschaftliche Hauptproblem blieb die fehlende Auslastung der Firma. Ferguson hat die Nichtauslastung als Kampfmittel der Betriebsleitung im Sinne eines konterrevolutionären Verhaltens gedeutet, um die Errungenschaften der Revolution einzuschränken und die Verhandlungsposition der Belegschaft zu schwächen: «Production took second to waging a counter-revolution in industrial relations.»[175] Allerdings scheint hier eine Überinterpretation vorzuliegen, denn dem Unternehmen lag das Wiederanlaufen des Betriebs wohl doch mehr am Herzen als der Lohnkampf an sich.

II.4.3 Angestellte nach dem Krieg

Der Krieg hatte zu einem starken Zuwachs auf über 1.500 Angestellte geführt. Bereits in den ersten acht Monaten nach dem Waffenstillstand wurden mehr als 600 entlassen.[176] Gleichzeitig stellte Blohm & Voss Kriegsheimkehrer wieder ein. Das Verhältnis zwischen Firmenleitung und Angestelltenschaft hatte sich grundlegend gewandelt. Gegenüber dem Aufsichtsrat stellte die Betriebsleitung die Angestelltenbewegung als eines der Hauptprobleme der Revolutionszeit dar. Überall in Deutschland gab es 1918/19 einen zeitweiligen Linksruck der Angestelltenschaft. Anders als in der Vorkriegszeit erwiesen sich jetzt nicht nur die Arbeiter, sondern auch die ehemaligen Firmenbeamten und selbst Meister und Untermeister als «widerborstig». Probleme bestanden vor allem mit den Technikern. «Im Kaufmännischen Bureau hatte Herr Rosenstiel mehr dafür gesorgt, die ungeeigneten Leute zur rechten Zeit wieder loszuwerden, so daß es dort nicht so viele Krakeeler gab.»[177]

Die «Betriebsbeamten», die sich in ihrer Mehrheit bislang eher mit dem Unternehmen und seiner Leitung identifiziert hatten, waren nicht mehr ein verläßlicher Kern von Ruhe und Ordnung im Betrieb. Nicht zuletzt mögen die oben beschriebenen radikalen Veränderungen ihrer relativen Einkommensposition zu den Arbeitern dazu beigetragen haben, daß auch sie sich nun stärker ihrer Interessen bewußt wurden. Analog zum Arbeiterrat formierte sich ein Angestelltenrat, der aber keine vergleichbare Machtposition gewinnen konnte. Erst einen Monat nach den Arbeitern gelang es Mitte Dezember 1918, eine Gehaltserhöhung durchzusetzen, deren niedriger Ausfall hinzunehmen war. Während ein gelernter Arbeiter mehr als 450,– Mark monatlich verdiente, waren die Angebote der Arbeitgeber bei den Tarifverhandlungen mit den Angestellten mehr als kärglich: 250,– Mark für Kaufleute und Techniker als Mindestgehalt, 420,– Mark für Unter- und 520,– Mark für Werkmeister sowie 420,– Mark als Mindestgehalt für Ingenieure.[178] Zwar konnten kleine Verbesserungen erreicht werden, aber das änderte die Relation der Gehälter im Verhältnis zu den Arbeitern nicht. Diese Entscheidung trug die sozialpolitische Abteilung des Hamburger Arbeiter- und Soldatenrates mit. Die Verhandlungen erstreckten sich über mehrere Tage und verliefen in einer gespannten

175 Ferguson, Paper and iron, S. 191.
176 Bericht für den Aufsichtsrat über das Geschäftsjahr 1918/19, StA 30.3.
177 StA Familie Blohm 2, S. 312.

178 Sitzung von Arbeitgebern und Angestellten, 13.12.18, StA B&V 9.3.

und emotional aufgeladenen Atmosphäre. Als Begründung für die vergleichsweise niedrigen Gehälter nannten die Arbeitgeber die besseren Arbeitsbedingungen, die um 30 Minuten kürzere tägliche Arbeitszeit und die Tatsache, daß die Festsetzung der Arbeiterlöhne eine Machtfrage gewesen sei. Selbst seitens der Arbeiter wurde die schlechte Bezahlung von Untermeistern und Ingenieuren als Ungerechtigkeit betrachtet. Werkstattschreiber waren nun daran interessiert, rückwirkend den ungelernten Arbeitern gleichgestellt zu werden, um in den Genuß höherer Bezüge zu kommen – und hatten Erfolg damit.[179] Doch veränderte sich die Lage der Angestellten gegenüber den Arbeitern nicht durchgehend zum Schlechteren. So blieben sie (möglicherweise auch wegen ihrer niedrigeren Einkommen) von Entlassungen weniger bedroht als die Arbeiter.

In der Firmenleitung wurde über die nachlassende Arbeitsmoral der Angestellten geklagt. In den Wochen der revolutionären Veränderungen hielten auch diese des öfteren Versammlungen ab.[180] Aber insgesamt scheinen sie sich eher passiv verhalten zu haben. Eine Ursache war womöglich, daß sich keine gemeinsame Interessenvertretung mit den Arbeitern herausbildete, da die Mentalitätsunterschiede unüberbrückbar schienen und es wiederholt zu Übergriffen auf unbeliebte Angestellte kam. Der Patriotismus war ein weiterer Grund. An ihn appellierte die Firmenleitung. In einer für Deutschland so schweren Zeit dürften die Gehälter nicht zu sehr steigen. Nur mit großer Sparsamkeit und einer günstig produzierenden Industrie sei der Fortbestand des Reiches zu sichern.[181] Trotzdem ereignete sich im Frühjahr 1919 ein erster kurzer Angestelltenstreik, und die Angehörigen der Betriebsleitung mußten sich zur Freude der Belegschaft selber an die Lohnabrechnung und -auszahlung machen.[182]

Nach der Wiedereinstellung der aus dem Feld Zurückgekehrten stabilisierte sich die Zahl der Angestellten bei 1.150, während die Größe der Arbeiterschaft viel stärkeren Schwankungen unterworfen war. Der Einkommensrückstand genüber den Arbeitern wurde schrittweise wieder gutgemacht. Während des Geschäftsjahres 1919/20 lag ihr jährliches Durchschnittseinkommen schon ein Drittel über dem der Arbeiter.[183] In diesem Zusammenhang muß jedoch auch die starke Differenzierung innerhalb der Angestelltenschaft berücksichtigt werden. Der einfache Bürokaufmann oder Zeichner lebte in anderen Verhältnissen als ein Mitglied des inneren Führungszirkels der Firma. Die von Kunz beklagte ungenügende Aufarbeitung der Gehälter von Angestellten und Beamten gilt auch für Blohm & Voss. Das nötige Datenmaterial ist nur in geringem Maße vorhanden.[184]

179 Aktennotiz über Verhandlung mit der sozialpolitischen Abteilung des Arbeiter-und Soldatenrates, 8.1.19, StA B&V 9.3.
180 Donnerstagssitzung, 13.12.18, StA B&V 13.2.
181 Rede H. Blohms auf der Versammlung der Betriebsbeamten, 21.12.18, StA B&V 9.3.
182 StA Familie Blohm 2, S. 316.
183 Bericht für den Aufsichtsrat 1921, StA B&V 30.4.
184 Vgl. Kunz, Andreas: Verteilungskampf oder Interessenkonsensus?, in: Feldman, Gerald D. u. a. (Hg.): Die deutsche Inflation. Eine Zwischenbilanz, Berlin/New York 1982, S. 356.

Am Generalstreik anläßlich des Kapp-Putsches beteiligte sich die Angestelltenschaft ebenfalls. Schon die Tatsache, daß dadurch «die Politik in die Firma gelangte», empörte die Firmenleitung. Noch verwerflicher erschien ihr aber wohl die Tatsache, daß es zu einer gemeinsamen Sitzung von Angestellten-Ausschuß und Arbeiterrat gekommen war.[185] Der Ausschuß erklärte daraufhin mehrfach, das gute Einvernehmen mit der Firmenleitung erhalten zu wollen. In der Zeit des Umbruchs blieben die Angestellten zumeist weiterhin bürgerlichen Vorstellungen verhaftet. Sie konnten nicht ihre Vorbehalte gegenüber den Arbeitern und der Sozialdemokratie ablegen. Letztlich genossen sie auch in einem stärkerem Maße die Sympathie der Unternehmensleitung. Rudolf Rosenstiel bezeichnete sie in einem Vortrag beispielsweise als den «geistig höher stehenden Teil der Arbeitnehmer».[186]

II.4.4 Der schnelle Abbau der Frauenarbeit

Nach dem Krieg wurden überall in Deutschland berufstätige Frauen schleunigst aus dem Arbeitsleben verdrängt, um Platz für die heimkehrenden Männer zu schaffen, sie waren sozusagen die «Bauern» auf dem Arbeitsmarkt.[187] Entsprechend dem Stinnes-Legien-Abkommen vom 15. November 1918 besaßen alle einberufenen Männer einen Anspruch auf ihren alten Arbeitsplatz. Bei der Demobilisierung wurde direkt an die Denkmuster der Vorkriegszeit angeknüpft und versucht, zum Status quo von 1914 zurückzukehren. Keine Frau sollte einem Mann als dem Familienernährer den Arbeitsplatz wegnehmen dürfen. Während in anderen Firmen auch die Jugendarbeit abgebaut wurde,[188] erfolgte dieser Prozeß bei Blohm & Voss nicht. Einzig die Frauen wurden – ungeachtet ihrer individuellen Fähigkeiten, die Leistungsanforderungen zu erfüllen – auf die Straße gesetzt. Am raschesten erfolgte die Entlassung von Arbeiterinnen. Gab es im Oktober 1918 noch 317 Arbeiterinnen im Unternehmen, so waren es im November 275, im Dezember 180, im Januar 1919 nur 62 und im Februar vier.[189] Im Betrieb waren Frauen nur noch als Reinigungs- und Kantinenpersonal zugelassen. In den Büros erfolgten diese Entlassungen allerdings langsamer. Verglichen mit der Firma Krupp, wo der Abbau der Frauenbeschäftigung innerhalb dreier Wochen stattfand,[190] benötigte Blohm & Voss immerhin ein Vierteljahr.

185 Sitzung mit dem Angestellten-Ausschuß, 22.3.20, StA B&V 9.4.
186 Vortrag Rosenstiels in der Vereinigung leitender Angestellten, 14.4.20, StA B&V 185.
187 Bessel, Richard: «Eine nicht allzu große Beunruhigung des Arbeitsmarktes». Frauenarbeit und Demobilmachung in Deutschland nach dem Ersten Weltkrieg, in: Geschichte und Gesellschaft 9 (1983), S. 211 f. und 217.
188 Mai, Gunther: Arbeitsmarktregulierung oder Sozialpolitik? Die personale Demobilmachung in Deutschland 1918 bis 1920/24, in: Feldman, Gerald D. u. a. (Hg.): Die Anpassung an die Inflation, Berlin/New York 1986, S. 213.
189 Beschäftigtenstatistik, StA B&V 249.1.
190 Schwarz, Vom Krieg zum Frieden, S. 64.

Direkt nach der Revolution hatte es noch etwas positiver ausgesehen. Frauen, die als Facharbeiterinnen eingesetzt waren, wurden den angelernten Männern gleichgesetzt. Ihr Einkommen betrug aber nur etwa zwei Drittel des Männerlohns.[191] Der revolutionäre Arbeiterrat hatte gleiche Einstellungslöhne für Frauen gefordert, um eine Lohndrückerei zu vermeiden.[192] Aber schon am 18. November beschloß die Betriebsleitung: «Die Frauenarbeit soll allmählich abgebaut werden.»[193]

Insbesondere vom Kantinenpersonal hatte die Unternehmensleitung keine hohe Meinung. Dieses stehle nebenbei noch Nahrungsmittel und müsse erst erzogen werden, so Rudolf Rosenstiel.[194] Ärgerlich war die Firmenleitung darüber, daß die weiblichen Werkstattschreiber, da sie formal zu den Arbeitern gerechnet wurden und auf Drängen des Arbeiter- und Soldatenrates der Hansestadt sogar den gleichen Lohn wie ihre männlichen Kollegen erhielten, fast das Doppelte verdienten wie eine Kontoristin oder Stenographin.[195]

Einige weibliche Bürokräfte überzeugten durch Leistung und verfügten somit über einen sicheren Arbeitsplatz, während schon Mitte Januar 1919 Gerüchte kursierten, die meisten weiblichen Angestellten sollten entlassen werden.[196] Aber erst im Sommer wurde etwa 100 «überzähligen» kaufmännischen Angestellten, «vorwiegend Damen», gekündigt.[197] Somit hatten sich die Frauen in den Büros wohl länger halten können als in den Werkstätten, aber schließlich mußte die Mehrzahl gehen. Trotz der geschilderten Vorurteile nahm die Firma zeitweilig auch weibliche Lehrlinge auf. Der Ausbildungsberuf des technischen Zeichners stand auch Frauen offen. Sie wurden seit April 1919 an der Werftschule unterrichtet. Ihre Zahl betrug immerhin 25, und sie stellten eine komplette Klasse. Aber schon im Herbst wurde dieses Experiment abgebrochen.[198]

II.4.5 Die Versorgungslage der Beschäftigten

Mit dem Krieg endete die allgemeine Versorgungskrise noch nicht. Die alliierte «Hungerblockade» blieb bis zum Sommer 1919 bestehen, auch die Institutionen der staatlichen Lebensmittelbewirtschaftung setzten ebenso wie der Schwarzmarkt ihre Tätigkeit fort. Nach über vier Jahren Krieg war die Belegschaft durch

191 Rundschreiben an die Betriebsleiter, 23.11.
18, B&V 13.2.
192 Donnerstagssitzung, 16.11.18, ebd.
193 Außerordentliche Betriebssitzung, 18.11.18,
ebd.
194 Sitzung mit einem Teil des Arbeiterrates,
13.1.19, StA B&V 9.3.
195 Aktennotiz über Verhandlung beim Arbeiter- und Soldatenrat über die Entlohnung

der Werkstattschreiber, 8.1.19; Sitzung mit
dem Arbeiterrat, 17.1.19, ebd.
196 Verhandlung mit Vertretern der Angestellten
im Arbeiterrat, 20.1.19, StA B&V 9.3.
197 Besprechung mit dem Obmann des Angestelltenausschusses, 2.8.19, StA B&V 9.4.
198 B&V an Schulrat Prof. Thomae; Beinhoff,
Die Werftschule, StA Werftschule 1.

die miserable Ernährung erschöpft und ausgebrannt, auch Bekleidung war nicht
mehr in ausreichendem Maß vorhanden. Hier lagen weitere Ursachen für die
stark gesunkene Produktivität. Die offiziellen Nahrungsmittelrationen stagnier-
ten bis zur Aufhebung der Lebensmittelblockade auf einem Tiefstand.[199] In der
Folge erschwerten dann die Verbote des Reichswirtschaftsministeriums im Rahmen der Devisenordnung noch einige Zeit lang die Einfuhr von Lebensmitteln
aus dem Ausland in die Hansestadt.[200] Zwar besserte sich danach die Situation,
aber der kriegsbedingte Mangel konnte im Laufe des Jahres 1919 noch nicht voll
ausgeglichen werden. Die Ernährung blieb einseitig auf Kartoffeln und Brot fixiert. Auch deshalb kehrten die Arbeiter schließlich zur Akkordarbeit zurück und
ließen sich die Errungenschaften der Revolution entwinden. Nur durch eine gesteigerte Arbeitsleistung vermochten sie den Lebensstandard zu erhöhen. Dazu
waren sie aber körperlich nur in Einzelfällen in der Lage. Auch der zweite Frie-
denswinter erwies sich als sehr schwierig.[201] Zu Beginn des Jahres 1919 hatte die
Bewirtschaftung von Bekleidung und Wäsche geendet, 1920 wurden Reini-
gungsmittel und ein Großteil der Lebensmittel freigegeben.[202] Im Vergleich zum
Vorkriegsverbrauch betrug die staatliche Zuteilung von Kartoffeln in Hamburg
1919 pro Kopf nur die Hälfte, von Milch nur noch ein Fünftel. Es mangelte an
Hausbrand. Der Staat war kaum zu Hilfsmaßnahmen imstande.[203]

Blohm & Voss hatte den Status als kriegswichtiger Betrieb verloren. Die bisherige Bevorzugung in der Versorgung entfiel teilweise, aber nicht ganz. Weil die
Belegschaft ein großer Unsicherheitsfaktor innerhalb der Stadt war, suchte man
sie durch Sonderzuteilungen ruhigzustellen. Direkt nach der Revolution stand
die Speisehalle im Mittelpunkt des Interesses des Arbeiterrates, eine eigene Kommission wurde gebildet und ihr auf Wunsch des Rates eine Frau aus dem Kriegsernährungsamt als Vertrauensperson zur Seite gestellt.[204] Sie sollte für die nötige
Transparenz bei Verteilung und Zubereitung von Lebensmitteln sorgen sowie
dem Arbeiterrat regelmäßig Bericht erstatten. Im nächsten halben Jahr befaßten
sich der Arbeiterrat und seine Speisehallen-Kommission wiederholt mit den Fragen der Ernährung und versuchten auch selber, regulierend einzugreifen.[205] Die
Firma mußte weiterhin die Kantine subventionieren, im Geschäftsjahr 1918/19
betrug der Zuschuß insgesamt 1,89 Millionen und im folgenden Jahr 1,69 Mil-

199 Mai, Gunther: «Wenn der Mensch Hunger
    hat, hört alles auf», in: Abelshauser, Werner
    (Hg.): Die Weimarer Republik als Wohl-
    fahrtsstaat, Stuttgart 1987, S. 52.
200 Vgl. Bericht zu den inneren Verhältnissen
    Hamburgs, 5.7.19, PA R3010.
201 Vgl. Feldman, The Great Disorder, S. 188 ff.
202 Hagemann, Karen: Frauenalltag und Män-
    nerpolitik, Bonn 1990, S. 42.
203 Berlin, Jörg: Staatshüter und Revolutions-
    verfechter. Arbeiterparteien in der Nach-

kriegskrise, in: Bauche, Ulrich/Ludwig Ei-
ber/Ursula Wamser/Wilfried Weinke (Hg.):
«Wir sind die Kraft». Arbeiterbewegung in
Hamburg von den Anfängen bis 1945, Hamburg 1988, S. 105.
204 Aktennotiz R. Blohms, 15.11.18, StA B&V
    9.3.
205 Vgl. z.B. Sitzung der Speisehallen-Kommis-
    sion, 6.1.19, StA B&V 9.3; Sitzung mit einer
    Kommission des Arbeiterrates, 8.2.19, StA
    B&V 9.4.

lionen Mark.[206] Allerdings wurden die Verpflegungsmöglichkeiten im Betrieb nicht mehr von allen Beschäftigten voll ausgenutzt.[207] Ein Hinweis darauf, daß die Lage sich für einige schon gebessert hatte.

Trotzdem blieb die Lebensmittelfrage konfliktbeladen. Als im April 1919 ein großes Abschiedsbankett für Marinebaurat Schmidt gegeben wurde, der sieben Jahre lang die Bauaufsicht des Reichsmarineamtes auf der Werft geleitet hatte, kam es während des Essens wegen dessen Üppigkeit zu einem Aufruhr in der Speisehalle.[208] Im Sommer 1919 ereigneten sich in der Hansestadt die «Sülzeunruhen», die durch den Verdacht, daß Tierkadaver zu Sülze verarbeitet wurden, ihren Ausgang nahmen und bis zu einem militärischen Eingreifen eskalierten.

II.5 Versailler Vertrag und Reparationen

Als eine wirkliche Gefahr für die deutsche Schiffahrt und den Wiederaufbau der Handelsflotte erwiesen sich die Friedensbedingungen. Während des Kriegs gingen durch Beschlagnahme und Kriegshandlungen etwa 2,7 Millionen BRT verloren, ungefähr 800.000 BRT saßen in neutralen Häfen fest, und nur rund zwei Millionen BRT standen den deutschen Reedern zur Verfügung.[209] Solange aber die Seeblockade fortgesetzt wurde und der Ausgang der Friedensverhandlungen unklar blieb, stand die Zukunft der deutschen Handelsschiffahrt in den Sternen. Auch die geschäftliche Zukunft von Blohm & Voss war nicht vorhersehbar.

Der Waffenstillstand wurde anfangs nur für 36 Tage abgeschlossen, später jeweils um einen Monat verlängert und galt erst ab Mitte Februar 1919 ohne Frist.[210] Seit Januar 1919 waren alle deutschen Handelsschiffe über 1.600 BRT für die Dauer des Waffenstillstandes den Alliierten zur Verfügung zu stellen.[211] In dieser Zeit kontrollierte die Entente in Deutschland das Abwracken der in Bau begriffenen Kriegsschiffe und die Auslieferung von Kriegsmaterial. So monierte eine alliierte Kommission, daß bei Blohm & Voss die U-Boote nicht schnell genug verschrottet wurden.[212] Die Werft lieferte insgesamt neun in Bau befindliche U-Boote und über 50 U-Bootmotoren an die Alliierten ab.[213] Der in Versailles diktierte Friedensvertrag wurde schließlich am 23. Juni 1919 unter großem alliierten Druck von der Nationalversammlung angenommen, zwei Tage nachdem sich die internierte deutsche Kriegsflotte in Scapa Flow selbst versenkt hatte. Alle Handelsschiffe über 1.600 BRT, die Hälfte aller Schiffe zwischen 1.000 und 1.600 BRT,

206 Geschäftsbericht 1918/19 und Bericht für den Aufsichtsrat vom 9.10.20, StA B&V 28.
207 Bericht für den Aufsichtsrat über das Geschäftsjahr 1918/19, StA B&V 30.3.
208 StA Familie Blohm 2, S. 315 f.
209 Priester, Der Wiederaufbau, S. 11 f.
210 Lambsdorff, Hans Georg Graf: Die Weima-

rer Republik: Krisen – Konflikte – Katastrophen, Frankfurt/Main u. a. 1990, S. 77.
211 Ferguson, Paper and iron, S. 211.
212 Bauaufsicht bei B&V an den Staatssekretär des RMA, 12.2.19, BArchM RM20/273.
213 Aufstellung für die NIACC, StA B&V 262.

ein Viertel aller Fischereifahrzeuge und 20 % der deutschen Flußschiffe waren abzuliefern und jährlich bis zu 200.000 BRT Handelsschifftonnage auf deutschen
Werften für die Alliierten zu bauen.[214] Die Regelung betraf auch in Bau befindliche Schiffe. Allerdings wurden später auf deutschen Werften deutlich weniger als
die geplanten 200.000 BRT für die Alliierten jährlich fertiggestellt. Die Vorgänge
in Scapa Flow führten zu weiteren Nachforderungen in bezug auf Docks und Hafenmaterial. Die exakten Konditionen waren in Paris auszuhandeln. Dort vertrat
Rudolf Blohm als Mitglied der deutschen Sachverständigenkommission die Interessen der Schiffbauindustrie. Beide Parteien einigten sich schließlich auf die Ablieferung von 192.000 Tonnen Hafenmaterial und 83.000 Tonnen Dockneubau-
ten.[215] Hinzu kamen einzelne Segelschiffe und Tankdampfer.

Abgesehen davon, daß diese Bedingungen den deutschen Handel schwer schä-
digten und so den wirtschaftlichen Wiederaufbau beeinträchtigten, war die Ablieferung der Handelsflotte im Hinblick auf die Bedürfnisse des Marktes ein weitgehend unsinniges Unterfangen. Denn schon im August 1919 hatte die Welt-
schiffsraumkapazität wieder den Vorkriegsstand erreicht,[216] während das Han-
delsvolumen deutlich geschrumpft war. Es gab zum Zeitpunkt des Friedensvertrages weltweit eine Überkapazität, die in den Folgejahren noch wachsen sollte.
In Deutschland verblieben aber nach der Beschlagnahme nur etwa 500.000 BRT
Tonnage.[217] Insgesamt verloren die deutschen Reedereien 1.316 Schiffe mit 4,78
Millionen BRT.[218] Die inflationsgeschüttelte Republik mußte für wertvolle Devisen Transportkapazitäten im Ausland einkaufen. Die Reeder hingegen konnten
mangels eigener Schiffe keine Devisen einnehmen. Dadurch vergrößerte sich
noch das Außenhandelsdefizit. Dem deutschen Reparationskonto wurden nur
749,45 Millionen Goldmark gutgeschrieben,[219] während der tatsächliche Wert
wohl eher das Doppelte und der Wiederbeschaffungspreis das Dreifache betrug.
Die Schätzung der Reedereien belief sich dagegen sogar auf 4,1 Milliarden Goldmark.[220] Den juristischen Rahmen für den Vorgang lieferte dann das deutsche
Enteignungsgesetz vom 31. August 1919. Aber erst im Frühjahr 1920 waren die
Größenordnung der Ablieferungen und die Bedingungen für einen Wiederaufbau der Handelsflotte wirklich abzusehen.

Die Friedensbedingungen waren für die Werft einschneidend. Sie mußte die
Kriegsschiffproduktion einstellen und durfte offiziell auch keine Bauteile von
Kriegsschiffen ins Ausland verkaufen, obwohl sie durch das massive Abwracken

214 Lambsdorff, Die Weimarer Republik, S. 120.
215 Monatsversammlung des KA, 20.1.20, StA
     B&V 1288.1.
216 Ferguson, Paper and iron, S. 229.
217 Priester, Der Wiederaufbau, S. 30.
218 Denkschrift über den Stand der Entschädi-
     gung und den Wiederaufbau der Handels-
     flotte, 9.8.22, BArchK R43I/2148.

219 Kollbach, Paul: Deutsche Handelsflotte und
     Versailler Vertrag, Diss. jur., Rostock 1927,
     S. 70.
220 Denkschrift des Kriegsausschusses der deut-
     schen Reederei über die Ablieferung der
     Handelsflotte, 18.7.19, BArchB R2201/
     1653.

Abbildung 13: Die *Cap Polonio* 1922. Nach einem Einsatz als Hilfskreuzer im Krieg und der Ablieferung an Großbritannien fährt sie nach Rückkauf und Umbau wieder unter deutscher Flagge

über einen großen Bestand verfügte. Einzig eine Umrüstung zu Friedenszwecken war erlaubt. So wurde aus einem Torpedoboot ein Öltank.[221] Bei der Ablieferung von in Bau befindlichen Schiffen an die Alliierten wurde zum Teil alles bereitgestellt, «was schwimmt oder äusserstenfalls auf Kiel gelegt» war.[222] Die Zwangsablieferung einzelner Handelsschiffe führte zu einem starken Widerwillen der Werftarbeiter gegen den Versailler Vertrag. Aber auch die beteiligten Hafenarbeiter und Seeleute waren schockiert. So konnte die Besatzung der abzuliefernden *Cap Polonio* erst nach langem Zureden durch Bürgermeister Petersen dazu bewegt werden, das Schiff zu überführen.[223] Die *Bismarck* mußte 1922 unter dem Namen *Majestic* an die White-Star-Line abgegeben werden. Die Firmenleitung verweigerte demonstrativ die Teilnahme an Jungfernfahrt und Festessen.[224] Ohne eine deutsche Handelsflotte schrumpfte das lukrative Dock- und Reparaturgeschäft erheblich.

Die Ablieferung von Handelsschiffen war vielleicht traurig, aber sie schädigte das Unternehmen nicht direkt. Die geplante Übergabe von Hafenmaterial war

221 B&V an die Reichstreuhandgesellschaft, 13.10.20, StA B&V 262.

222 Sitzung am 31.1.20, StA B&V 256.
223 Prager, Blohm + Voss, S. 114.

eine viel größere Gefahr. Ohne geeignete Docks, Schwimmkräne und Bagger ließ sich nicht arbeiten. Die früher lukrative Reparatur amerikanischer Dampfer entfiele ebenso wie eine eigene Schiffbautätigkeit in größerem Maßstab.[225] Also versuchte die Firma verschiedene Tricks. Es gelang Rudolf Blohm, ein für die Briten kaum nutzbares Dock der Ablieferungsquote zugeschlagen zu bekommen, das schließlich doch nicht angefordert wurde. Für die vom Reich bereits gezahlte Entschädigungssumme konnte es von der Firma wieder zurückgekauft werden. Während der gesamten Zeit verblieb es aber in Hamburg und wurde weiter genutzt. Ein anderes Dock, das nicht für den Eigenbedarf gebaut worden war, wurde noch vor Abschluß des Friedensvertrages an eine Rotterdamer Werft veräußert und in einer Nacht- und Nebelaktion bei Sturm an britischen Zerstörern und Minenfeldern vorbei in die Niederlande überführt.[226]

Vom deutschen Seeschiffbauverband für Reparationsleistungen hielt sich das Unternehmen weitgehend fern und bekundete kein Interesse an Reparationsarbeiten.[227] Sicherlich spielten Nationalstolz und die gute Auslastung 1921/22 eine Rolle für das Verhalten der Firma. Wichtig für die Ablehnung waren aber ebenso die Organisationsform und der dominierende Einfluß des Staates auf diesen Lieferverband. Er stelle «die ungeheuerlichste Zwangsorganisation dar, welche jemals erdacht worden ist. Gemessen am Deutschen Lieferverband sind alle bisherigen Zwangsorganisationen, auch die Kriegsgesellschaften nur Spielereien», kommentierte Rudolf Blohm.[228]

II.6   Die wirtschaftliche Lage des Unternehmens

Nach der Revolution bestand das vorherrschende Ziel der Geschäftsleitung von Blohm & Voss darin, einen möglichst reibungslosen Übergang in die Friedenswirtschaft zu finden. Anhand der Geschäftsergebnisse bis zum Sommer 1920 läßt sich überprüfen, inwieweit das angesichts von Unruhen, der Inflation und des Friedensvertrages gelang.[229] Bei einer Untersuchung des vorliegenden Materials ist die Geldentwertung zu berücksichtigen. Der Dollar kostete im Juli 1918 5,79 Mark, ein Jahr später 15,08 Mark und im Juli 1920 schon 39,48 Mark.[230] Die tatsächlichen Auswirkungen lassen sich aufgrund des uneinheitlichen Verlaufs der

224 Geschäftsbericht vom Oktober 1922, StA B&V 30.4; StA Familie Blohm 2, S. 335.

225 Handelskammer an die Deutsche Gesandtschaft in Den Haag, 28.11.19, Handelskammer an die DHSG, 15.6.20, HkH 44.H.2.

226 Vgl. Prager, Blohm + Voss, S. 116 f.; StA B&V 272.

227 Vgl. StA B&V 275.

228 Schreiben an die Handelskammer, 15.11.21, StA B&V 271.

229 Vgl. zu den folgenden Daten die Geschäftsberichte und die internen Berichte für den Aufsichtsrat, StA B&V 30.3. Bei der Umrechnung in Goldmark oder auf Basis der Großhandelspreise wurden die Indexziffern von Bry, Wages in Germany, S. 442 f., zugrunde gelegt.

230 Statistisches Reichsamt (Hg.): Zahlen zur Geldentwertung in Deutschland 1914 bis 1923, Berlin 1925, S. 6.

Preissteigerung nur schwer ermitteln. Für die Beschäftigten standen die Lebenshaltungskosten, für die Firma dagegen die Materialpreise im Mittelpunkt des Interesses. Sämtliche Vorausberechnungen des Unternehmens wurden durch die Teuerung weitgehend über den Haufen geworfen.

Die Firma nutzte eine Chance der Inflation nicht, nämlich staatlich geförderte Industriekredite aufzunehmen, die sie erst später, wenn das Geld weiter an Wert verloren hatte, hätte zurückzahlen müssen. Ihre Rücklagen und Forderungen an andere überstiegen in dieser Zeit stets die Summe der Kredite und Forderungen sonstiger Gläubiger. Besaß sie 1919 noch Wertpapiere im Wert von über neun Millionen Mark, zumeist Kriegsanleihen, die dann mit dem Erwerb von Baumaterial aus Staatsbesitz verrechnet wurden, belief sich dieser Bestand 1920 nur noch auf 3,3 Millionen. Die Forderungen an andere stiegen von 21,7 Millionen Mark 1918 auf 52,3 Millionen 1920 an, während Gläubiger 1918 etwa 17,1 Millionen, 1920 schon 45,5 Millionen Mark einfordern konnten. Das Guthaben auf diversen Konten belief sich 1920 auf 28,3 Millionen.[231] Das Unternehmen bildete 1919/20 neben einer Sonderrücklage in Höhe von zwei Millionen Mark noch eine Rücklage über acht Millionen zur Sicherung und Erhaltung der Betriebseinrichtungen. Insgesamt erwies sich die Finanzpolitik des Unternehmens als konservativ und wenig risikofreudig, während zum Beispiel die neu errichtete Deutsche Werft unbeschwert investierte. Eine Erklärung ist, daß in diesen beiden Jahren die Anzahlungen den Wert der in Bau befindlichen Gegenstände noch deutlich überstiegen (1919 um 43,6 %, ein Jahr später um 16,9 %), Blohm & Voss also über einen zinslosen Kredit bei seinen Auftraggebern verfügte.

Die Bilanzsumme ging 1918/19 nominal um 7,6 Millionen Mark auf 195,8 Millionen zurück und stieg 1920 dann auf 288,7 Millionen an. Dies ging einher mit einer Verringerung der Belegschaft auf fast die Hälfte des Kriegsstandes. Es muß berücksichtigt werden, daß die nun allgemein gültigen Regieverträge die Bilanzsumme eigentlich noch durch die Vernachlässigung des Leistungsfaktors und die Übernahme der tatsächlich entstandenen Kosten auf einem relativ hohem Niveau hielten und die Inflation sie aufblähte. Wegen der Revolution waren die Lohnkosten anfangs stark gestiegen, während die Werft sich hauptsächlich mit Überbrückungsarbeiten beschäftigte. Die Reallöhne waren zwar wegen des wechselhaften Verlaufes der Inflation großen Schwankungen unterworfen, aber gemessen an der gesunkenen Produktion verdienten die Arbeiter unmittelbar nach der Revolution nach betriebswirtschaftlichen Maßstäben eigentlich zuviel.

Der Wert des Anlagevermögens, der 1917/18 noch auf 40,9 Millionen Mark beziffert wurde, belief sich laut Geschäftsbericht 1919/20 nur noch auf 27,4 Millionen. Was wie eine massive Unterbewertung aussieht, entspricht die letzte Summe noch nicht einmal drei Millionen Goldmark, läßt sich durchaus auch als

231 Bericht für den Aufsichtsrat, 9.10.20, StA
   B&V 28.

vernünftige Wertansetzung deuten. Die Firma suchte sich eben vom toten Kapital wie den Einrichtungen zum U-Bootbau zu befreien. Deshalb fielen die Abschreibungen extrem hoch aus. Sie betrugen 1918/19 18,9 % und im Folgejahr 37,6 % des Buchwertes des Anlagevermögens. Die Investitionstätigkeit fiel gering aus, 4,8 Millionen Mark laut Geschäftsbericht bis zum Sommer 1919 und anschließend nur 3,3 Millionen.[232] Pläne für einen weiteren Ausbau der Werft wurden vorerst zurückgestellt,[233] da die umfangreichen Erweiterungsbauten der Kriegszeit durchaus eine ernste Belastung waren und der Betrieb nicht ausgelastet war.

Tab. 25: Geschäftsergebnisse von Blohm & Voss in Mark

Geschäftsjahr	1918/19	1919/20
Bilanzsumme	195.815.365,–	288.700.934,–
In Bau befindlich	89.302.858,–	171.392.922,–
Anzahlungen	128.214.943,–	200.409.982,–
Anlagevermögen	34.417.712,–	27.395.850,–
Aktienkapital	20.000.000,–	20.000.000,–
Betriebsgewinn	8.908.374,–	14.235.126,–
Davon Abschreibungen	6.500.294,–	10.259.546,–
Reingewinn*	2.408.440,–	3.975.580,–
Dividende auf Aktienkapital	1.050.000,–	1.250.000,–

* einschließlich Gewinnvortrag
Quellen: Geschäftsberichte und interne Berichte für den Aufsichtsrat, StA B&V 30.3.

Es stellt sich die Frage, ob das Unternehmen unter den schwierigen Bedingungen der Umbruchzeit überhaupt Gewinne realisieren konnte. Im Geschäftsjahr 1918/19 wurde ein Betriebsgewinn von 8,9 Millionen Mark, ein Jahr später von 14,2 Millionen ausgewiesen. Dabei muß berücksichtigt werden, daß sich durch ein lukratives, aber illegales Geschäft in diesem Jahr ein unerwarteter, jedoch geheimgehaltener Profit von 1,2 Millionen US-Dollar ergab (siehe Kapitel III.5). Die Eigenkapitalrentabilität blieb mit 17,4 % bzw. 12,8 % unter der Inflationsrate (siehe Tabelle 26). Der ausgeschüttete Gewinn sank inflationsbedingt im Geschäftsjahr 1919/20 auf rund ein Viertel des Vorkriegsstandes ab. Doch die Tatsache, daß überhaupt ein Gewinn erzielt wurde, ist an sich schon erstaunlich. Denn die Werft beschäftigte sich ja von November 1918 bis zum Frühjahr 1920 zu einem großen Teil mit Überbrückungsarbeiten.

Die Besitzer der Vorzugsaktien erhielten weiterhin eine Dividende von 5,5 % im Jahr. Betrachtet man die Geschäftsergebnisse, speziell die hier ausgewiesenen

---

232 Der interne Bericht für den Aufsichtsrat über das Geschäftsjahr 1918/19 gibt allerdings Investitionen in Höhe von 6,3 Millionen Mark für den Werftausbau an, StA B&V 30.3.

233 Bericht für den Aufsichtsrat, 23.6.19, StA B&V 28.

Reingewinne und Dividenden, sieht es so aus, als sei der Rückgang der Gewinne größer als die Lohneinbußen der Belegschaft gewesen. Zumindest bis zum Herbst 1919 erhielten die Arbeiter für die gleiche Arbeitsleistung sogar real mehr Geld als vor dem Krieg. Allerdings sind die Bilanzen nicht unbedingt ein getreues Abbild der Realität – schon gar nicht in Zeiten der Inflation. Lag die Vergütung der Komplementäre 1918/19 noch im Bereich des Vorkriegsniveaus (siehe Kapitel I.8), so sank sie im folgenden Geschäftsjahr laut internen Berichten nominell und betrug inflationsbereinigt noch ein Viertel. Es ist durchaus plausibel anzunehmen, daß die Einkommen auf seiten der Eigentümer (und Manager) von Blohm & Voss im Geschäftsjahr 1919/20 niedriger waren als vor dem Krieg. Die Bezüge der Mitglieder der Geschäftsleitung wurden zwar nominell erhöht, für normale Aktionäre gab es hingegen keine Möglichkeit, sie vor dem Absturz des Realwertes ihrer Dividendeneinkommen zu bewahren. Auf den Aktionärsversammlungen regte sich kein Widerspruch.

Tab. 26: Ausgeschüttete Gewinne in Mark und die Kapital-rentabilität	Geschäfts-jahr	25 % an die Komple-mentäre	Dividende	Aus-geschüttete Gewinne	Kapital-rentabi-lität
Quellen: Zusammengestellt nach den internen Berichten für den Aufsichtsrat, StA B&V 30.3.	1918/19	2.425.065,–	1.050.000,–	3.475.065,–	17,4 %
	1919/20	1.305.817,–	1.250.000,–	2.555.817,–	12,8 %

Belastet wurde das Geschäftsergebnis durch die Subventionierung der Speisehalle, 1919/20 mit immerhin noch 1,69 Millionen, im Vorjahr 1,89 Millionen Mark, obwohl sie nicht mehr wie zu Kriegszeiten genutzt wurde. Der Rückgang der Gewinne wurde auch dadurch verursacht, daß die staatlichen Maßnahmen zur Beschäftigungssicherung explizit keinen großen Profit abwerfen durften. So bot die U-Bootinspektion für die bereits begonnenen, aber dann stornierten U-Bootaufträge nur einen Gewinnzuschlag von 5 % anstatt der vorher vereinbarten 15 % des Generalzuschlags an.[234] Angesichts der Geldentwertung führte die nachträgliche Abrechnung schnell ins Minus. Die Verrechnung mit dem Reparationskonto bei enteigneten Neubauten, die Lokomotivreparaturen als Ausweichbeschäftigung und das Abwracken von Kriegsschiffen waren ebenso wenig lukrativ. Entscheidend blieb, daß der Betrieb weiterlief und keine zusätzlichen Entlassungen vorgenommen wurden. In den Verträgen nicht vorgesehene Mehrkosten bezahlte die Reichsmarine erst mit Verspätung, so daß durch die Geldentwertung ein Verlust eintrat. So waren im Dezember 1919 noch Rechnungen der Firma gegenüber der Reichsmarine in Höhe von mindestens 2,2 Millionen Mark offen, die ein Vierteljahr später noch nicht beglichen waren.[235]

234 Verhandlung mit der U-Bootinspektion, 5.6.19, StA B&V 812.3.

235 Rundschreiben des Reichswehrministeriums, 31.3.20, ebd.

Abschließend läßt sich sagen, daß der Firma der Übergang in die Friedenswirtschaft überraschend gut gelang, ja sie konnte sogar Gewinne ausschütten. Aber die schwerste Prüfung, die Hyperinflation, lag noch vor ihr. Außerdem wurde ein strukturelles Problem nicht gelöst. Die Überkapazitäten der deutschen Schiffbauindustrie blieben weiterhin bestehen. Die Zukunft sah keinesfalls rosig aus, obwohl der Staat mit seinen Beschäftigungsprogrammen praktisch Subventionen verteilt hatte.

III. Von der Phase der relativen Stabilität zur Hyperinflation (März 1920 – November 1923)

III.1 Die Wahrnehmung der Inflation

Zwar wurde im Nachhinein der gesamte Zeitabschnitt bis 1923 durch den Absturz in die Hyperinflation überschattet, aber zwischen März 1920 und August 1921 erwies sich die deutsche Währung als im Trend relativ stabil (siehe Tabelle 27). Sie vermochte, begünstigt durch Kapitalzufuhr aus dem Ausland, sogar Boden wettzumachen und ihren Wechselkurs zu verbessern. Erst im Sommer 1921 setzte ein kontinuierlicher Wertverfall ein, der in eine galoppierende Inflation überging und im Sommer 1922 in eine Hyperinflation mündete. Der Ruhrkampf führte 1923 zum endgültigen Absturz der Mark. Eine entscheidende Frage

Tab. 27: Indices der Geldentwertung

Monat	Großhandels-preise	Dollar-Wechselkurs	Lebenshal-tungsindex
August 1914	1,09	1,00	1,05
November 1918	2,34	1,77	3,37
Dezember 1919	8,03	11,1	5,66
März 1920	17,09	20,0	9,6
Juni	13,82	9,3	10,8
September	14,98	13,8	10,1
Dezember	14,40	17,4	11,6
März 1921	13,38	14,9	11,4
Juni	13,66	16,5	11,7
September	20,67	25,0	13,7
Dezember	34,87	45,7	19,3
März 1922	54,33	67,3	29,0
Juni	70,30	75,6	41,5
September	287	349,2	133,2
Dezember	1.475	1.807,8	685,1
März 1923	4.888	5.047	2.854
Juni	19.385	26.202	7.650
September	23,5 Millionen	23,5 Millionen	15 Millionen
Dezember	1,26 Billionen	1 Billion	1,25 Billionen

Quelle: Bry, Wages in Germany, S. 440–445.

für jedes Unternehmen war, wie dieser Prozeß wahrgenommen und wie darauf reagiert wurde. Eine adäquate Anpassung an die Inflation erwies sich als ein wichtiger Faktor für Erfolg oder Scheitern unternehmerischen Handelns.

Eine Voraussetzung für eine angemessene Anpassung an die Geldentwertung war, welche Ursachen vermutet wurden und wie ihr weiterer Verlauf prognostiziert wurde. Als einen Grund für die Inflation betrachtete die Firmenleitung von Blohm & Voss die beständig steigenden Löhne.[1] Der vehemente Kampf für niedrige Tarifabschlüsse galt als ein Schlüssel für die Abwehr der Geldentwertung. Die Löhne stiegen also aus Sicht der Firmenleitung nicht, weil die Lebenshaltung teurer wurde, sondern die Preise nahmen zu, weil die Arbeitnehmer mehr Geld auszugeben vermochten. Diese Ansicht vertrat Hermann Blohm schon während des Krieges und sein Sohn Rudolf in der turbulenten Nachkriegszeit. Als ein weiterer Faktor galt der Kostendruck, wie die zunehmenden Nebenkosten für Soziales, die angeblich zu hoch gemessen an den tatsächlichen sozialen Leistungen waren.[2] Hinzu kam aus Sicht des Unternehmens noch die steigende steuerliche Belastung. Daß dann ab Sommer 1921, als das Inflationstempo sich wieder verschärfte, die reale Steuerlast weniger und weniger zu Buche schlug, weil vor allem die veranlagten Steuern erst in erheblichem Abstand zum Gewinnanfall fällig wurden und deshalb in zunehmend entwertetem Gelde gezahlt werden konnten, war nicht von vornherein klar. Aber später mußte auch Rudolf Blohm das zugeben. Er kritisierte insbesondere, daß die veranlagten Steuern außergewöhnlich hoch ausfielen, sie den Staat aber erst in entwerteter Form erreichten.[3]

Als weitere Ursachen für die Inflation wurden die staatliche Zwangswirtschaft und Regulierung gesehen, die mit allen Mitteln bekämpft werden sollten.[4] Darunter fielen auch die Zwangsschlichtung und Teile des Tarifsystems. Prinzipiell war diese Einschätzung nicht falsch, denn durch Preisbindung oder Bezugsscheine wurde der Marktmechanismus immer wieder außer Kraft gesetzt, und knappe Güter wurden künstlich verteuert.[5] Der Staat leitete durch Interventionen Investitionen in großem Maße fehl. Die Reparations- und Entschädigungsfrage wurde auch als ein Grund betrachtet. Die Firma ließ sich zwar gerne kriegsbedingte Verluste vom Reich ersetzen, sah aber die Reparationen als eine rein staatliche Aufgabe an, mit der sich die Industrie nicht belasten dürfe. Erst 1920 wurde das große Budgetdefizit des Staates als Ursache in vollem Umfang erkannt. Die Tatsache, daß auch Blohm & Voss durch die beständige Forderung nach staatlicher Beschäftigungspolitik und die Lobbyarbeit für den Wiederaufbau der Handelsflotte die staatliche Inflationspolitik mitgetragen hatte, blieb allerdings im

---

1 Ein Schreiben R. Blohms an die Handelskammer vom 30.8.20, StA B&V 1249, ist eines von vielen, in denen diese These vertreten wird.

2 Bericht für den Aufsichtsrat 1922, StA B&V 30.4.

3 R. Blohm an Dr. Bang, 8.11.23, StA B&V 230.3.

4 R. Blohm an den Wirtschaftsdienst, 13.12.23, StA B&V 236.2.

5 Holtfrerich, Die deutsche Inflation, S. 10 ff.

Hintergrund und war den Managern anscheinend nicht immer bewußt. Die Übereinkunft der Gesellschaft, die die Inflation als kleineres Übel betrachtete, um den sozialen Frieden zu sichern, die Wirtschaft wiederaufzubauen und die Reparationsfrage zu lösen, führte faktisch zur Beibehaltung der inflationären Politik.[6]

Ein Beispiel war die Frage der Entschädigung für die verlorengegangen Handelsschiffe. Rudolf Blohm sagte dazu auf der außerordentlichen Versammlung des Kriegsausschusses der Werften im November 1920: «Die Sachlage ist außerordentlich ernst. Man wirft mit den Milliarden herum, so dass man sagen könnte, dass es auf 15 Milliarden, verteilt über 6 Jahre, auch nicht ankomme. Man muss aber zugeben, dass irgendwo mal ein Schnitt gemacht werden muss. [...] Wir verlassen uns darauf, dass das Reich immer weiter Noten druckt.»[7] Getäuscht durch die relative Stabilität der Währung, unterschätzten die meisten Werftindustriellen 1920/21 die Gefahr, die von einer ungehemmten Nutzung der Notenpresse ausging, forderten eine baldige Entschädigung und glaubten teilweise sogar, die Mark werde in Zukunft an Wert gewinnen. Blohm sah die Situation weniger optimistisch.

Bei der konkreten Abwicklung des Wiederaufbaus der Handelsflotte erwies sich die staatliche Defizitfinanzierung, und damit der fortgesetzte Inflationsprozeß, für die Schiffbauindustrie als zweischneidiges Förderinstrument. Eine Industrielobby, die auf ein Fortsetzen der inflationären Geldpolitik gesetzt hatte, wurde eben dadurch auf das Schwerste geschädigt, denn zwischen der Auszahlung der Entschädigung und deren tatsächlichem Einsatz zur Finanzierung des Schiffbaus verging so viel Zeit, daß das Geld fast zwei Drittel an Wert verlor und der ursprünglich projektierte Umfang des Programms nie erreicht werden konnte. Die Firma Blohm & Voss durchschaute den Prozeß zwar früher als manche Mitbewerber, aber immer noch zu spät. So beklagte sich das Unternehmen 1921 über seine besorgniserregende Liquidität durch Vorschüsse in Höhe von 117 Millionen Mark, die vorerst in Schatzwechseln angelegt wurden.[8] Anstatt das Geld möglichst schnell in eine Modernisierung – nicht in einen Ausbau – der Betriebsanlagen sowie in eine Diversifikation der Produktion zu investieren und im Falle eines Liquiditätsengpasses einen Bankkredit in Anspruch zu nehmen, setzte die Firma auf eine grundsolide Finanzpolitik und nutzte den Inflationsvorteil nicht. Trotzdem gelang es Blohm & Voss, die Position als eine führende Werft zu bewahren.

Die Geldentwertung stellte eine enorme Herausforderung für das Rechnungswesen dar. Wie sollte eine Lieferung bezahlt werden, galt der Tagespreis bei Empfang der Ware oder war eine Vorauszahlung zu leisten?[9] Konnten gleitende

6 Vgl. Feldman, Vom Weltkrieg zur Weltwirtschaftskrise, S. 60 ff.
7 Versammlung am 30.11.20, StA B&V 264.

8 Bericht für den Aufsichtsrat 1921, StA B&V
   30.4.
9 R. Blohm an RDI, 19.9.22, StA B&V 62.

Preise verwendet werden oder ließ sich ein Gold- oder Devisenpreis vereinbaren? Im Oktober 1922 ging die Firma bei der Berechnung von Kleinteilen aus dem Lagerbestand zum Tagespreis über.[10] Was aber galt im Falle eines Zahlungsverzugs? So bezahlte die Stinnes AG zum Beispiel die Reparatur von drei Dampfern dermaßen spät, daß große Verluste entstanden.[11]

Einen Ausweg bot das Ausweichen auf Devisen oder die Goldmark. Den Anfang machten ausländische Auftraggeber, später wurde dieses Verfahren auf deutsche ausgeweitet. So gab es seit Herbst 1921 einen Hamburger Docktarif auf der Basis des britischen Pfunds. An der Ostsee galten die Schwedische Krone oder ebenfalls das Pfund.[12] Im August 1922 bat die HAPAG um die Berechnung des Goldmarkpreises für ein Schiffsprojekt.[13] Im März 1923 gingen die Hamburger Werften dazu über, Baumaterialien in Pfund zu berechnen.[14] Im Sommer einigten sie sich grundsätzlich darauf, ihre gesamte Kalkulation auf Goldmarkbasis, also gemäß dem Dollarkurs, auszuführen.[15] Goldgiroüberweisungen, Goldwechsel und Goldschecks wurden eingeführt. Durch den Übergang auf die Goldmark verschwand allerdings der inflationsbedingte internationale Preisvorteil endgültig.[16] Die Hafenkosten in Hamburg beliefen sich bald auf ein Vielfaches der Friedenszeit, der gesamte Hafen drohte zu veröden.[17] Mit dem Absturz in die Hyperinflation wurde Deutschland teurer als das Ausland. Durch den Zusammenbruch des bargeldlosen Zahlungsverkehrs wurde die Lage noch erschwert, zwischen Anweisung und Eintreffen einer Überweisung verging dermaßen viel Zeit, daß der Markbetrag stark entwertet den Empfänger erreichte.[18] Die Devisenverordnungen des Reichswirtschaftsministers taten das Ihrige, die verfahrene Situation zu verkomplizieren.[19] Innerhalb von einem Monat waren bei Auslandsgeschäften 30 % des Gegenwertes in Devisen bei der Reichsbank abzuliefern. Noch schwerwiegender war die starke Beschränkung der Verwendung von Valuta im Inlandsgeschäft. Die Unterlieferanten forderten eine wertbeständige Bezahlung. Die Firma hatte das Risiko von Überweisungen in Mark vor Augen. Alles drängte auf eine Stabilisierung der Währung.

Die Lohnauszahlung wurde durch die Inflation ebenfalls erschwert. Zum einen standen die Beschäftigten vor dem Problem, ob die Höhe der Einkommen der fortschreitenden Geldentwertung überhaupt noch folgen konnte. Daraus resultierte ein permanenter Konflikt zwischen den Tarifparteien. Die Gewerkschaften forderten eine Anpassung der Löhne an die Inflation, während die Firmenlei-

10 Rosenstiel an die Bauaufsicht, 1.11.22, StA B&V 677.
11 B&V an Rechtsanwalt Behn, 12.3.23, StA B&V 162.
12 Monatsversammlung des WA, 27.9.21, StA B&V 1289.1.
13 Wochenbericht, 5.8.22, StA B&V 238.4.
14 Monatsversammlung des WA, 21.3.23, StA B&V 1288.2.
15 Monatsversammlung des WA, 19.9.23, ebd.
16 Feldman, Iron and Steel , S. 397.
17 Wochenbericht, 29.9.23, StA B&V 235.2.
18 Telegramm von B&V an RDI, 26.6.23, StA B&V 1288.2.
19 Vgl. StA B&V 538.

tung die Lohnerhöhungen für den Geldwertverfall verantwortlich machte. Für die Arbeiter war wenigstens einmal wöchentlich Zahltag, für die Angestellten dagegen nur einmal im Monat. Seit Dezember 1922 erhielten die Angestellten dann zweimal monatlich ihr Gehalt.[20] Während der Hyperinflation verlor das Geld binnen Tagen, schließlich innerhalb von Stunden an Wert, deshalb mußte die Häufigkeit der Auszahlung erhöht werden. Andere Probleme bestanden im Mangel an größeren Geldscheinen oder im Fehlen geeigneter Mengen Bargeld, so daß die Firma sich schon mal direkt an die Reichsbank wandte, um die Lohnzahlung überhaupt zu gewährleisten.[21]

Lange lehnte die Firmenleitung die Kopplung der Löhne an einen statistisch ermittelten Teuerungsfaktor ab.[22] Erst als es wegen der katastrophalen Situation keinen anderen Ausweg gab, lenkte sie im September 1923 schließlich ein.[23] Zu diesem Zeitpunkt hatte die wöchentliche Lohnsumme die Billionengrenze bereits überschritten. Diffamierte das Unternehmen noch im August 1923 die Forderung nach Goldmarklöhnen als kommunistisch und nicht annehmbar, so trat es schon sechs Wochen später mit den Gewerkschaften in Verhandlungen über die Etablierung von Festmarklöhnen ein.[24] Aber erst die Einführung der Hamburger Girogoldmark, an der Blohm & Voss beteiligt war, beseitigte die Probleme am Zahltag.

Im Sommer 1923 brach in Hamburg der Giroverkehr endgültig zusammen, im September wurden sämtliche Bankgeschäfte stark eingeschränkt.[25] Rudolf Blohm war einer von vielen, die daraufhin die Einrichtung einer privaten Notenbank vorschlugen, aber zugleich die zügellose Ausgabe von Notgeld sowie die restriktive Devisenpolitik des Reichs kritisierten.[26] Die Hamburger Wirtschaft drängte auf eine stabile Währung und griff dabei Pläne Hjalmar Schachts für die Einrichtung einer Goldnotenbank auf. Der am 20. Oktober einsetzende Hafen- und Werftarbeiterstreik und der kommunistische Putschversuch am 23. des Monats beschleunigten die Entwicklung. Einen Tag später erfolgte die Gründungsversammlung der «Hamburgischen Bank von 1923», die tags darauf ins Handelsregister eingetragen wurde. Insgesamt 103 Hamburger Firmen beteiligten sich an ihr, Rudolf Blohm und Max M. Warburg zählten zu den Gründern. Blohm wurde stellvertretendes Aufsichtsratsmitglied. Reichsbank und Regierung duldeten das Vorgehen. Die beteiligten Unternehmen zahlten Devisen auf Basis des Dollarkurses ein und eröffneten Goldmarkkonten. Überweisungen sowie Barabhebungen wurden ermöglicht. Am 26. Oktober kamen die ersten Verrechnungs-

---

20 Wochenbericht, 9.12.22, StA B&V 228.2.
21 Wochenbericht, 2.9.22, StA B&V 232.2.
22 Wochenbericht, 19.8.22, StA B&V 238.4.
23 Wochenberichte, 15. und 22.9.23, StA B&V 235.2.
24 Wochenberichte, 11.8.23, StA B&V 238.4, und 29.9.23, StA B&V 235.2.

25 Försterling, Manfred: Die Hamburgische Bank von 1923, in: Hamburger Wirtschaftschronik 3 (1965), Heft 1, S. 19.
26 R. Blohm an RDI, 11.9.23, StA B&V 1298.2.

anweisungen in den Verkehr. Bis zum Sommer 1924 steigerte sich der Umlauf auf 46 Millionen Goldmark. Erst im Folgejahr verloren sie ihre Gültigkeit. Diese Girogoldmark mit dem Spitznamen «Hamburger Dollar» war das erste wertstabile Zahlungsmittel in der Hansestadt. Elf Tage später erschien ein Notgeld des Senats, nach zweieinhalb Wochen schließlich die Rentenmark des Reichs. Blohm & Voss setzte von Anfang an auf die harte Girogoldmark. Das Notgeld des Senats und die Rentenmark wurden vom Handel dagegen unter Nennwert bewertet. Erst eine Notverordnung des Senats vom 23. November, die schwere Strafen androhte, erzwang die Parität der drei Zahlungsmittel.[27]

Rudolf Blohm stellte sich nun trotz einiger Skepsis hinter die Rentenmark und sah die Girogoldmark als ein Provisorium an. Er forderte nicht nur die Stillegung der Notenpresse, sondern auch ein Gleichgewicht des Staatshaushaltes und der Zahlungsbilanz durch eine Verschlankung des Staates und eine Verringerung der Ausgaben. Weiterhin verlangte er ein Ende der Devisenbeschränkungen und der Zwangsnotierungen sowie die Reduzierung einiger Steuern.[28] Nachdem die Situation sich normalisiert hatte, ging die Firma dann so schnell wie möglich zur Rentenmark über.[29]

III.2 Schiffbau unter den Bedingungen der Inflation und der Wiederaufbau der Handelsflotte

Als die Unternehmen mehr und mehr mit dem Bau von Handelsschiffen ausgelastet waren, blieben Engpässe in der Energie- und Materialversorgung ein beständiges Problem. Eine Ursache des Kohlenmangels neben den direkten Kriegsfolgen waren die Reparationslieferungen an die Entente gemäß dem Abkommen von Spa vom Juli 1920.[30] Wegen steigender Preise und mangelnder Belieferung mußte Blohm & Voss im Herbst 1920 Steinkohle wiederholt durch andere Brennstoffe wie Torf, Öl oder Holz ersetzen.[31] Es drohte des öfteren eine Betriebseinschränkung, und die Firma beschwerte sich über die «katastrophale» Belieferung.[32] Im Dezember steigerte die Überwachungskommission der Alliierten ihre Forderungen, so daß die Preise für Kohle empfindlich anzogen und eine große Knappheit entstand, von der sämtliche Werften betroffen waren.[33] In der Folge wechselten Phasen guter Versorgung mit solchen außerordentlichen Man-

27 Vgl. Büttner, Politische Gerechtigkeit, S. 171–176; Försterling, Die Hamburgische Bank.
28 R. Blohm an Dr. Bang, 8.11.23, StA B&V 230.3.
29 Bericht für den Aufsichtsrat 1924, StA B&V 30.4.
30 Vgl. Maier, Charles S.: Coal and Economic Powers in the Weimar Republic, in: Mommsen, Hans / Dietmar Petzina / Bernd Weisbrod

(Hg.): Industrielles System und politische Entwicklung in der Weimarer Republik, Düsseldorf ²1977, Bd. 2, S. 534.
31 Rosenstiel an die Kohlenwirtschaftsstelle, 16.11.20, StA B&V 674.
32 R. Blohm an die Bauaufsicht, 10.12.20, StA B&V 249.2.
33 Schmelzkopf, Die deutsche Handelsschiffahrt, S. 33 f.

gels ab. Durch die Kapriolen des Valutakurses war ausländische Kohle mitunter eine günstige Alternative, die zum Beispiel von den Hamburger Elektrizitätswerken genutzt wurde.[34] Auch die deutschen Werften machten vereinzelt von dieser Möglichkeit Gebrauch.

Anläßlich einer besonders großen Knappheit im Februar 1922 regte Blohm & Voss bei der Hamburger Kohlenwirtschaftsstelle die Beschlagnahme von Koks aus den Hausbrandvorräten der Kohlenhändler an. Schließlich mußte der Senat der Hansestadt entscheiden. Aus «politischen» Gründen schien es dem Senat wünschenswert, daß der Betrieb aufrechterhalten werde. Er berücksichtigte aber auch das Problem, daß im Falle einer Beschlagnahme die privaten Haushalte unter Brennstoffmangel leiden würden. Deshalb wurde beschlossen, gütlich auf die Kohlenhändler einzuwirken, aber von der Beschlagnahmung Abstand zu nehmen.[35] In diesem Fall forderte die Firma, die ansonsten einen starken staatlichen Einfluß vehement bekämpfte, selber wirtschaftliche Zwangsmaßnahmen zum eigenen Vorteil. Der Senat konnte mit Blick auf die Radikalität der Belegschaft daran nicht vorbeisehen.

Beim Baumaterial war die Situation ebenfalls prekär, die Stahlwerke exportierten lieber, statt den heimischen Markt zu versorgen. Außerdem lagen die Preise auf einem Niveau, das im Sommer 1920 auf Goldmarkbasis fast das Vierfache des Standes vom August 1914 ausmachten. Erst allmählich normalisierten sie sich wieder. Noch problematischer war die mangelnde Belieferung. Deswegen kaufte Blohm & Voss 10.000 Tonnen Schiffbaustahl in den USA ein.[36] Die Lieferkonditionen waren kaum ungünstiger als bei einer Bestellung in Deutschland. Erst nach einer Drohung, erneut in den Vereinigten Staaten Stahl zu erwerben, lenkten die deutschen Stahlerzeuger im zweiten Halbjahr 1920 ein und verbesserten die Belieferung.[37] Auch andere Werften wandten diese Taktik an, im Einzelfall war amerikanischer Stahl sogar kostengünstiger als deutscher.[38]

Mit Hilfe von Quotenregelungen für einzelne Abnehmergruppen versuchten Staat und Schwerindustrie, der Engpässe Herr zu werden, aber die Werften fühlten sich weiterhin schlecht behandelt. Unterdessen lief der Export gegen Devisen weiter. Die zulässige Ausfuhrquote betrug immerhin ein Drittel des deutschen Schiffbaustahls.[39] Aufgrund von fehlenden Ausfuhrkontrollen, mangelhaften Statistiken und Berechnungstricks der Hersteller wurde diese Rate wahrscheinlich eine Zeit lang noch übertroffen. Daraufhin wurde die Quote auf 25 % herabgesetzt und den Werften vom Reichswirtschaftsministerium eine vordringliche

34 Kohlenwirtschaftsstelle an den Senatsreferenten Dr. Heidecker, 16.2.21, StA Senat-Kriegsakten BIIb122f17.

35 Registratur-Vermerk, 4.2.22, Senatsversammlung, 6.2.22, ebd.

36 Bericht über das Geschäftsjahr 1919/20, StA B&V 30.3.

37 Bericht über das Geschäftsjahr 1920/21, StA B&V 30.4.

38 Priester, Der Wiederaufbau, S. 86.

39 Kriegsausschuß der deutschen Reeder an das Reichswirtschaftsministerium, Juli 1920, StA B&V 675.

Tab. 28: Preise von Stahl- und Walzwerkserzeugnissen in Goldmark pro Tonne

	Vorkriegspreis		Höchstpreis des Eisenwirtschaftsbundes	
	1914	Mai 1920	1.6.1920	1.8.1920
Rohblöcke	82,50	238,74	261,83	187,72
Vorblöcke	87,50	261,26	285,48	198,25
Knüppel	95,–	281,53	294,09	207,46
Platinen	97,50	288,29	300,–	211,40
Formeisen	110,–	326,13	333,87	240,35
Stabeisen 97	99,–	328,83	344,09	249,12
Universaleisen 97	99,–	384,86	380,11	278,51
Bandeisen 115	122,–	364,86	385,48	279,39
Grobbleche	105,–	423,42	434,41	315,35
Mittelbleche	117,50	498,65	513,44	356,14
Feinbleche über 1 mm	125,–	504,50	520,43	367,98
Feinbleche unter 1 mm	k. A.	506,76	523,12	373,68
Walzdraht	117,50	373,87	385,48	277,19

Umrechnung in Goldmark: Bry, Wages in Germany, S. 443.
Quelle: Reichswirtschaftsminister an Reichsminister für Wiederaufbau, 4.10.20, BArchB R43I/2146.

Belieferung zugesagt.[40] Im Jahr 1922 stellte das Schiffbaustahlkontor sogar zeitweise seine Tätigkeit ein, und drei Stahlwerkskonsortien traten an seine Stelle.[41] Blohm & Voss mußte daraufhin wiederholt im Ausland einkaufen.[42] Die ehemals guten Beziehungen zwischen Produzenten und Abnehmern waren getrübt. Die Hyperinflation erschwerte schließlich vollends Materialbestellung und Preisberechnung. Zu guter Letzt kam noch die Ruhrbesetzung hinzu, über 9.000 Tonnen Stahl aus Bestellungen von Blohm & Voss lagen im besetzten Gebiet versandbereit und konnten nicht verschickt werden.[43] Weiterhin bestand die Gefahr der Beschlagnahmung. Deshalb schlug Rosenstiel vor, Baumaterialien bei der Fertigstellung zu bezahlen, das Werk möge für eine kostenlose Lagerung und im Fall einer Beschlagnahmung für Ersatz sorgen.[44] Der Auslastungsrückgang 1923 ließ die Lieferprobleme schließlich nebensächlich erscheinen.

Trotz der schwierigen Situation dürfen positive Aspekte wie zum Beispiel erhebliche technische Fortschritte nicht vergessen werden. Durch eine weitgehende Normierung der Frachtdampfer und das Einarbeiten der Belegschaft wurde der Handelsschiffbau bei Blohm & Voss rationalisiert und ökonomi-

---

40 Material für Ministerialrat Sjöberg, 6.12.20, BArchB R3101/4445.
41 Protokoll, 21.12.21, StA B&V 1288.1.
42 Referat R. Blohms auf der Nachmittagssitzung, 23.5.22, StA B&V 1298.1.

43 Aufstellung über Materialien im besetzten Gebiet, StA B&V 101.1.
44 Protokoll, 21.3.23, StA B&V 1288.2.

siert.[45] Die Firma verfügte über die modernste und vor allem größte Werftanlage in Europa.[46] Die Forschung und Entwicklung an staatlichen Institutionen, auf deutschen Werften und durch die Schiffbautechnische Gesellschaft, auf die Hermann Blohm einen großen Einfluß ausgeübt hatte, schien der britischen inzwischen überlegen zu sein.[47] Sogar heutzutage skurril anmutende Versuche, ein Schiff aus Eisenbeton mit einer Tragfähigkeit von über 500 BRT zu bauen, wurden angestellt.[48]

Beiträge von Blohm & Voss zum technologischen Fortschritt erfolgten vor allem im Bereich der Antriebstechnik von Handelsdampfern. Bisher wurden sie vorwiegend durch Kolbenmaschinen angetrieben. Die Dampfturbinentechnologie stammte aus dem Kriegsschiffbau und erschien für die langsamer fahrenden Handelsschiffe zunächst als ungeeignet. Hermann Frahm entwickelte jedoch schon während des Krieges eine neue Methode, durch ein Rädergetriebe die Kraft der Turbine indirekt auf den Propeller zu übertragen und so die Umlaufgeschwindigkeiten voneinander unabhängig zu machen. Dies ermöglichte, auch Handelsschiffe mit einem Turbinenantrieb auszustatten. Dazu entwickelte die Firma ein eigenes Antriebssystem, das eine beträchtliche Gewichtseinsparung und einen höheren Wirkungsgrad lieferte. Neue Spezialmaschinen zur Herstellung der benötigten Zahnräder und Ritzelwellen für das Getriebe wurden angeschafft, eine bisher im Schiffbau nicht bekannte Präzision war nötig. Der Frachter *Urundi* war der erste Handelsdampfer überhaupt, der auf diese Art und Weise angetrieben wurde.[49] Die neuartigen Antriebsanlagen sicherten der Werft in den folgenden Jahren einen soliden Auftragsbestand. Allein im Geschäftsjahr 1921/22 wurden acht Schiffe mit neuartigen Antriebsystemen an deutsche Reedereien abgeliefert.[50]

Schon vor dem Krieg hat die Werft das erste von einer Verbrennungskraftmaschine angetriebene Motorschiff produziert, während des Krieges wurde mit doppelt wirksamen Dreizylinder-Zweitaktmoren experimentiert, aber erst die aus dem U-Bootbau übriggebliebenen höhertourigen Dieselmotoren brachten einen Durchbruch.[51] Da U-Boote nach dem Waffenstillstand nicht mehr hergestellt, die Motoren aber auch nicht ins Ausland verkauft werden durften, standen sie praktisch nutzlos herum und konnten vom Reichsverwertungsamt zu einem Spottpreis erworben werden. Um diese Motoren in der Handelsschiffahrt einsetzen zu können, mußten allerdings noch große technische Probleme gelöst werden. Bei einem Dieselmotor schwanken die Drehkräfte sehr stark, was im Falle einer Kraftübertragung auf eine Propellerwelle zu einer Verdrehung oder Ver-

45 Vgl. StA Familie Blohm 2, S. 338.
46 Treue, Innovation, Know How and Investment, S. 119.
47 Ebd., S. 121.
48 Schmelzkopf, Die deutsche Handelsschiffahrt, S. 40.

49 Vgl. Prager, Blohm + Voss, S. 118 f.
50 Geschäftsbericht vom Oktober 1922, StA B&V 30.4.
51 Vgl. zum folgenden Prager, Blohm + Voss, S. 119 f. und 124 ff.

windung führt. Wiederum gelang es Hermann Frahm, nach umfangreichen Berechnungen und Reihenversuchen das Problem zu lösen. Mit Hilfe eines verbesserten Getriebes und einer von ihm konstruierten elastischen Kupplung konnten die U-Bootmaschinen eingesetzt werden. Der HAPAG-Frachter *Havelland* war das erste Motorschiff mit einer solchen Kraftübertragung. Ihm folgten ein Schwesterschiff und vier weitere Nachbauten, die ebenfalls von U-Bootdieseln angetrieben wurden. Die Entwicklung von Motorschiffen sollte zukunftsweisend werden, denn schon 1925 bestanden zwei Drittel der deutschen und mehr als ein Drittel der weltweiten Schiffslieferungen aus Motorschiffen.[52]

Die Entwicklungsarbeit und die Erfindungen Hermann Frahms waren ein wichtiges Kapital für das Unternehmen. Neben seinen Leistungen im Bereich des Schiffsantriebs entwickelte er auch die nach ihm benannten Frahm'schen Schlingertanks, die das Schlingern und Schaukeln eines Schiffes deutlich reduzierten. Die Passagierschiffe der *Albert-Ballin*-Klasse waren ein weiteres Beispiel für geschäftlich erfolgreiche Innovation. Im Inflationsjahr 1923 wurde das erste der vier Schiffe dieser Serie, die *Albert Ballin*, für den Nordatlantikverkehr der HAPAG in Dienst gestellt. Sie waren mit solchen Schlingertanks ausgestattet und genossen deshalb einen Ruf als «anti-seasickness ships». Von Pracht und Luxus der Vorkriegszeit wurde Abstand genommen. Die Abgrenzung der einzelnen Passagierklassen erfolgte nicht mehr so kraß wie früher. Das Zwischendeck verschwand. Die Dampfturbinen arbeiteten vergleichsweise sparsam, der Sicherheitsstandard war hoch. Auch die fünf Passagierschiffe der *Monte*-Klasse, die für die Hamburg-Süd-Reederei insbesondere für den Südamerikaverkehr gebaut wurden, genossen einen guten Ruf. Die ersten beiden Motorschiffe dieser Serie wurden 1922 und 1923 für den Transport von Auswanderern und Saisonarbeitern in Auftrag gegeben. Sie sollten auf der Rückfahrt Fracht laden. Angetrieben wurden sie mit U-Bootdieselmotoren.

Eine weitere Ursache für den Erfolg des Unternehmens war sicherlich die Stellung von Rudolf Blohm und in dessen Vertretung von C. G. Gok innerhalb des deutschen Verbandswesens. Ein erhalten gebliebener Sitzungskalender Blohms enthält allein für den März 1923 die Termine von 17 Gremien-Sitzungen innerhalb von neun Tagen.[53] Darunter befanden sich die Vorstandssitzungen der Vereinigung der Deutschen Arbeitgeberverbände, des Gesamtverbandes Deutscher Metallindustrieller und des Reichsverbandes der Deutschen Industrie (RDI). Auch in der Zentralarbeitsgemeinschaft war die Firma vertreten, ebenso wie in zahlreichen anderen Institutionen. Rudolf Blohm trat in die Fußstapfen seines Vaters, wurde auch Vorsitzender der Norddeutschen Gruppe der Metallindustriellen/Abteilung Seeschiffswerften. Aber er konnte nicht eine ganz so einfluß-

---

52 Warren, Kenneth: Steel, Ships and Men: Cammel Laird, 1824–1993, Liverpool 1998, S. 191.

53 Sitzungskalender vom März 1923, StA B&V 436a.

Abbildung 14: Die *Albert Ballin* 1923

reiche Stellung erlangen wie Hermann Blohm. So hatte sich der Geschäftsführer des Werftkartells zu Zeiten eines Hermann Blohm in einer weit größeren Abhängigkeit von diesem befunden als später im Falle des Sohnes. Innerhalb des Kartells, aber auch im Hamburger Arbeitgeberverband regte sich ein gewisser Widerstand gegen die dominierende Position von Blohm & Voss. Die Firma wurde trotzdem nicht von ihrem Platz verdrängt, mußte aber einen Rückgang des Einflusses hinnehmen. Gelegentlich vertrat Rudolf Blohm in politischen oder tariflichen Fragen einen schärferen Standpunkt als die Verbände, was ihm den Ruf eines reaktionären Scharfmachers einbrachte, auf den aber nicht mehr im selben Maße gehört wurde wie auf seinen Vater.

Das vorherrschende Problem des genannten Werftkartells blieb während der Inflation die Abwicklung des Wiederaufbaus der Handelsflotte. Als im Herbst 1920 die Mark gegenüber dem Dollar im Vergleich zum Sommer die Hälfte ihres Wertes verlor, gerieten die bisherige Planung des Wiederaufbaus und die eingegangenen Bestellungen in Gefahr, zu Makulatur zu werden. Die bereits vom Staat an die Reeder gezahlten Abfindungsbeträge reichten nicht aus, das Bauprogramm zu finanzieren, und die Reedereien beabsichtigten, sich vom finanziell bedrängten Reich durch eine einmalige Zahlung abfinden zu lassen. Der Präsident des Reichsausschusses für den Wiederaufbau der Handelsflotte, Kautz, sprach von einem drohenden Ruin der Werften. Die Reedereien wollten nur noch jene Bauten beenden, die bereits auf Kiel lagen, und ansonsten lieber gebrauchte Schiffe im Ausland erwerben. Dies hätte eine Auslastung der Werften für noch etwa ein bis zwei Jahre bedeutet, anschließend würden dann Stillegungen oder zumindest große Einschränkungen des Betriebs erfolgen. Direktor Stahl von der Vulcan-Werft wies darauf hin, daß er lieber weiterbaue wie bisher und kein Interesse daran habe, die Abfindung nur in den Händen der Reeder zu sehen.[54]

Am 30. November 1920 fand eine Krisensitzung statt.[55] Das Überteuerungsabkommen zur Finanzierung des Handelsschiffbaus konnte nicht fortgeführt werden. Das Wirtschaftsministerium hatte erklärt, daß die Finanzmittel bisher durch die Notenpresse bereitgestellt worden seien und daß es nicht so weitergehen könne. Werften, Reeder und Schwerindustrie müßten zu einer Einigung gelangen und den Schiffbau auch aus eigenen Mitteln finanzieren. Die Reeder forderten 15 Milliarden Mark (damals etwa 815 Millionen Goldmark) Entschädigung vom Reich, um ein Drittel der Vorkriegsflotte wiederaufzubauen. Von seiten der Werften galt es, die Geldverteilung zu kanalisieren und zu gewährleisten, daß tatsächlich in Deutschland produziert werde. Weiterhin mußte das geplante Bauprogramm korrigiert werden. Es waren bereits Schiffe mit 2,6 Millionen BRT geordert oder in Bau, während selbst die ursprüngliche Planung nur von 1,9 Millionen BRT ausging und offensichtlich einer Kürzung bedurfte. Bemerkenswert ist, daß einige Werften zu diesem Zeitpunkt offenbar nicht mit einer Fortsetzung des Inflationsprozesses rechneten, sondern längerfristig sogar einen Preisrückgang erwarteten.

Rudolf Blohm unterstützte den Plan einer Abfindung und erklärte: «Jetzt wissen wir nicht, wie lange das Reich noch zahlt. Wir müssen von der Zwangswirtschaft los. Uns kann es nur gut gehen, wenn es den Reedern gut geht. Wir Werften haben ja erst mitzureden, wenn das Programm eingeschränkt wird. Wenn uns gestern erklärt worden ist, dass das Reich nicht in der Lage ist, seinen Verpflichtungen nachzukommen, so müssen wir eben das Programm einschränken. Das können wir doch nicht ablehnen, wir dürfen doch nicht den Kopf in den Sand stecken. Das geht noch ein 1/2 Jahr, dann ist die Katastrophe da.» Blohm hatte recht. Eine Hauptursache der Inflation waren die nur durch die Notenpresse gedeckten, überhöhten Staatsausgaben. Die Werften befanden sich seit 1919 in staatlich finanzierten Beschäftigungsmaßnahmen. Für das Wiederaufbauprogramm hatte das Reich bereits nach Berechnungen des Reichsministeriums für Wiederaufbau 658,4 Millionen Goldmark an die Reeder gezahlt. Aber erst elf Schiffe mit 25.000 BRT waren fertiggestellt und 141 Schiffe mit 586.000 BRT befanden sich in Bau.[56] Das Geld lag auf den Konten der Reeder oder diente als Vorschuß für die Werften und verfiel im Wert.

---

54 Vgl. Monatsversammlung des KA, 23.11.20, StA B&V 249.2.

55 Vgl. zum folgenden die außerordentliche Hauptversammlung des KA, 30.11.20, StA B&V 264.

56 Übersicht des Reichsministeriums für Wiederaufbau ohne Datum, BArchB R3301/ 1836.

Den an der Sitzung Beteiligten schien im November 1920 der denkbare baldige Staatsbankrott und gar die drohende Kontrolle der deutschen Staatsfinanzen durch die Entente ein starkes Argument für die Forderung der raschen Entschädigung zu sein. Eine Anleihe zur Finanzierung des Programms lehnten Reeder und Werften mehrheitlich ab. Der Staat möge entschädigen, und der größte Teil der Summe solle auf deutschen Werften verbaut werden. Eine vom Staat unabhängige Kontrollstelle sei einzurichten, und den Werften seien Bauten auf ausländische Rechnung zu erlauben.[57]

Nach weiteren Verhandlungen kam am 27. Februar 1921 schließlich der Reedereiabfindungsvertrag mit der Reederei-Treuhandgesellschaft zustande, der im März den Reichstag passierte.[58] Im April folgte ein konkreter Ausführungsvertrag, der vorsah, mit der bewilligten Summe von zwölf Milliarden Mark Entschädigung die bereits bis dahin ausgezahlten Gelder zu verrechnen, so daß noch etwa 8,2 Milliarden zur Verfügung standen.[59] Der Betrag entsprach damals etwa 500 Millionen Goldmark.

Tab. 29: Reedereientschädigungen für auf Reparationsrechnung abgelieferte Handelsschiffe

	Betrag in Millionen Papiermark	Teuerungsfaktor	Betrag in Millionen Goldmark
1918	225	1,4	160,7
1919	1.775	4,7	377,7
1920	1.800	15	120,0
1.4.21	767,5	15	51,2
20.6.21	1.000	16,4	61,0
1.7.21	767,5	18,5	41,5
1.10.21	767,5	30	25,6
1921 (Jahresdurchschnitt)*	120	20	6,0
2.1.22	767,5	45	17,1
1.4.22	782	70	11,2
1.7.22	782	100	7,8
21.8.22	2.000	278,6	7,2
13.10.22	346	648	0,5
1922 (Jahresdurchschnitt)*	100	228	0,4
Summe	12.000		887,9

Die Tabelle wurde aus der Quelle übernommen und weist einige Unklarheiten auf.
* Was unter dem Begriff Jahresdurchschnitt verstanden wurde, konnte nicht geklärt werden.
Quelle: Übersicht des Reichsministeriums für Wiederaufbau, ohne Datum, BArchB R3301/1836.

57 Vgl. Abendsitzung des KA, 30.11.20, StA B&V 264.
58 Priester, Der Wiederaufbau, S. 45.
59 Bericht über das erste Geschäftsjahr der Schiffbautreuhandbank, StA B&V 268.

Tab. 30: Ergänzungsentschädigungen	Betrag in Milliarden Papiermark	Teuerungsfaktor	Betrag in Millionen Goldmark
26.9.22	3,0	345	8,7
16.10.22	4,7	685	6,9
15.11.22	11,2	1.790	6,3
15.12.22	14,2	1.768	8,0
Januar 1923	15,2	4.281	3,6
Februar	32,8	6.650	4,9
März	23,0	5.047	4,6
Summe	104,1		43,0

Diese Tabelle wurde ebenfalls aus der Quelle übernommen. Quelle: Geschäftsbericht über das zweite Geschäftsjahr der Schiffbautreuhandbank, StA B&V 268.[60]

Tatsächlich kamen nach Berechnung des Ministeriums für Wiederaufbau durch die Geldentwertung von 1921 bis Ende August 1922 nur 228,6 Millionen Goldmark zur Auszahlung. Per Schiedsgerichtsentscheid vom 23. September 1922 wurde eine Ergänzungsabfindung von weiteren 18 Milliarden gewährt, umgerechnet zu diesem Zeitpunkt noch 51,5 Millionen Goldmark.[61] Eine Gleitskala sollte angewandt werden, um eine weitere Teuerung auszugleichen. So wurden schließlich weitere 104 Milliarden Papiermark gezahlt, die etwa 43 Millionen Goldmark entsprachen. Der Staat entrichtete eine Entschädigung im errechneten Gegenwert von insgesamt 931 Millionen Goldmark. Für diese Summe und aus eigenen Mitteln der Reeder wurden 512 Schiffe mit einer Gesamttonnage von 1,57 Millionen BRT gebaut und 169 Schiffe im Ausland mit einer Tonnage von 572.000 BRT gekauft.[62] Offiziell durften nur 10 % der Abfindungssumme für Auslandskäufe verwendet werden.[63] Welche Beträge wirklich zu diesem Zweck verwendet wurden, bleibt unbekannt. Ein im Ausland gekauftes Schiff kostete weniger als ein Drittel eines neuen. Das Hauptziel, der Wiederaufbau der Handelsflotte, wäre mit Hilfe des Gebrauchtkaufs schneller und preisgünstiger zu erreichen gewesen. Das gesamte Bauprogramm diente aber primär der Arbeitsbeschaffung, war letztlich eine soziale Maßnahme. So konnte Blohm & Voss im Juli 1921 den Vorkriegspersonalstand melden. Während im Oktober des Vorjahres nur 65 % der Beschäftigten auf Abfindungsbauten arbeiteten, lag diese Zahl im April 1921 schon bei 77 %.[64] Die Bauten mußten gar «gestreckt» werden, da finanzielle Mittel nicht rechtzeitig zur Verfügung standen. Insgesamt profitierten die Werften von einer massiven staatlichen Förderung.

60 Zwischen beiden Tabellen bestehen Zahlendifferenzen, die so in den Quellen vorliegen.
61 Bericht über das zweite Geschäftsjahr der Schiffbautreuhandbank, StA B&V 268.
62 Bericht über das Geschäftsjahr 1923 und die Liquidation der Schiffbautreuhandbank, ebd.
63 Wiborg, Klaus/Susanne Wiborg: 1847–1997. Unser Feld ist die Welt. 150 Jahre Hapag-Lloyd, Hamburg 1997, S. 216.
64 Bericht vom 19.7.21, StA B&V 264.

Abbildung 15: Luftaufnahme der Werft 1922

Der Wiederaufbau der Handelsflotte wurde nach dem Inkrafttreten des Über-
teuerungsabkommens durch die Schiffbau-Treuhandbank abgewickelt, einer privatwirtschaftlichen Institution. Somit gelang es den Werften und Reedern, einem
befürchteten direkten Zugriff und der Kontrolle des Staates zu entkommen. Der
Aufsichtsrat dieser GmbH war je zu einem Drittel mit Vertretern der Schiffbauindustrie und der Reedereien besetzt, den Rest stellten Regierung, Reichstag und
Arbeitnehmer. Ein Überwachungsausschuß kontrollierte das gesamte Vorgehen,
der Bauausschuß den Bau und der Verteilungsausschuß die Auftragsvergabe.
Auch diese Ausschüsse waren paritätisch besetzt. Die 54 Gesellschafter stellten
nominell eine Stammeinlage von 100 Millionen Mark, während tatsächlich 25
Millionen eingezahlt wurden, die Hälfte entfiel auf die Werften. Blohm & Voss
hielt 3,7 % der Anteile, wickelte aber 12,6 % der Neubauten ab. Während im
Krieg der Schiffbau von einem relativ großen staatlichen Verwaltungsapparat koordiniert und überwacht worden war, erfüllte die Treuhandbank diese Aufgabe
mit einem Mitarbeiterbestand von maximal 60 Angestellten.[65] Die Wirtschaft

65 Referat von R. Blohm auf der Nachmittagssit-
    zung, 23.5.22, StA B&V 1298.1.

demonstrierte dem Staat, was effektive Organisation bedeutete. Ende 1923 zogen die Werften Bilanz und vertraten die Meinung, «daß die Abwicklung der Baurechnungen und Verträge jedenfalls günstiger erfolgt ist, als nach der allgemeinen finanziellen Lage des Reiches und der Seeschiffahrt erhofft werden konnte».[66]

Ursprünglich war der Wiederaufbau der Handelsschiffkapazität innerhalb von zehn Jahren vorgesehen. Angesichts der Inflationsspirale reagierte die Schiffbau-Treuhandbank angemessen und sorgte durch eine geschickte Zuweisung der finanziellen Mittel dafür, daß der Prozeß innerhalb von nur zweieinhalb Jahren, im Sommer 1923, weitgehend seinen Abschluß fand.[67] Kleinreeder wurden bevorzugt abgefunden. Eine unwirtschaftliche Streckung von Bauten konnte größtenteils vermieden werden. Die Grundlagen ihrer Tätigkeit waren der juristische Anspruch auf Entschädigung, die volkswirtschaftliche Bedeutung der Handelsflotte und die sozialpolitische Dimension einer Beschäftigungspolitik. Somit zählte die Werftarbeiterschaft zu den unmittelbaren Nutznießern. Im Juli 1921 fanden 64,0 % der 86.000 deutschen Werftarbeiter auf Abfindungsbauten Beschäftigung, im Oktober waren es 55,3 % der 77.700 Arbeiter und im Januar 1922 immer noch 55,6 %.[68] Vor dem Krieg hatte der Personalbestand der Werften bei 72.500 Beschäftigten gelegen, von denen fast 30.000 in der Rüstung tätig waren.[69] Ende 1923 sank die Zahl der Werftarbeiter wieder unter das Vorkriegsniveau auf 50.000 ab.[70] Bis dahin bestand ein Primat der Beschäftigung. So sagte Rudolf Blohm anläßlich der Diskussion über eine mögliche Streckung des Neubauprogramms: «Im gegebenen Fall müsse man versuchen, andere Arbeit zu verschaffen, die Arbeitszeit zu strecken und, wenn es sich nicht vermeiden ließe, Arbeiter entlassen.»[71]

Die Auftragsvergabe wurde durch den Kriegsausschuß, später umbenannt in Wirtschaftsausschuß der deutschen Werften (WA), und seinen Geschäftsführer, den späteren Syndikus Georg Howaldt, abgewickelt. Die Kartellbedingungen hatten Howaldt und Hermann Blohm bereits während des Krieges ausgearbeitet, und sie brauchten nur noch modifiziert zu werden. Die Werften reichten auf einem Vordruck ihre Meldungen ein. Meldepflichtig waren sämtliche Neubauten und größere Reparaturen. Die Vereinbarungspflicht bestand ab einem gewissen Auftragsvolumen. Zuerst wurde intern geklärt, wer den Zuschlag erhalten sollte; anschließend wurden Ernst- und Schutzbieter bestimmt und ihre Angebote koordiniert.[72] Maklerfirmen konnten zum größten Teil von der Auftragsvergabe ferngehalten werden.[73] Der Schritt zu einem regelrechten Syndikat wurde aller-

66 Jahresbericht des WA über das Jahr 1923, StA B&V 1289.1.

67 Geschäftsberichte der Schiffbau-Treuhandbank, StA B&V 268.

68 Bericht des Bauausschusses der Schiffbau-Treuhandbank, 30.1.22, StA B&V 264.

69 Entwurf einer Eingabe G. Howaldts, 2.1.22, StA B&V 676.

70 Jahresbericht des WA über das Jahr 1923, StA B&V 1289.1.

71 Sitzung der Norddeutschen Gruppe/Abt. Seeschiffwerften, 16.6.21, StA B&V 1368.

72 Meldepflicht und Auftragsvergabe, Beilage zum Protokoll, 22.11.22, StA B&V 1289.1.

73 Protokoll, 16.11.21, StA B&V 1288.

Tab. 31: Schiffbau in Deutschland 1913–1924

Jahr	Kriegsschiffe		Handelsschiffe (für deutsche Rechnung)		Handelsschiffe in Bau (für deutsche Rechnung)	
	Anzahl	BRT	Anzahl	BRT	Anzahl	BRT
1913	13	52.620	656	423.907	1.011	1.296.812
1914	19	89.772	550	433.547	913	1.184.392
1915	91	59.392	310	242.977	619	967.016
1916	161	102.387	265	183.277	614	1.075.368
1917	257	58.193	186	59.932	570	1.068.992
1918	152	49.568	160	35.587	499	1.080.330
1919			151	150.846	480	763.078
1920			284	241.199	797	1.563.846
1921			326	404.733	1.086	1.667.027
1922			225	598.300	407	1.171.576
1923			147	380.774	278	597.404
1924			93	197.483	189	405.754

Jahr	Handelsschiffe (für fremde Rechnung)		Handelsschiffe in Bau (für fremde Rechnung)		Flußschiffe (soweit nachgewiesen)	
	Anzahl	BRT	Anzahl	BRT	Anzahl	BRT
1913	170	34.848	205	49.065	71	7.957
1914	81	11.997	105	16.744		
1915	12	4.099	31	27.920		
1916	12	7.790	23	19.574		
1917	2	2.072	27	16.826		
1918	11	1.206	24	13.604		
1919	1	1.036	28	40.651		
1920	40	84.723	59	141.567	6	1.805
1921	50	40.667	62	59.372	17	5.184
1922	9	26.536	28	86.450	423	111.762
1923	15	37.024	k. A.		616	92.284
1924	45	52.305	k. A.		263	30.102

Quellen: Statistische Jahrbücher für das Deutsche Reich 1921/22, 1923 und 1923/1924.

dings nicht eingeschlagen. Durch die Kartellgewinne wurden die Geschäftsstelle des Wirtschaftsausschusses und ein Ausgleichsfonds finanziert, der unter anderem dem Kampf gegen ausländische Mitbewerber diente. Eine Schlüsselrolle spielte Howaldt, aber Blohm & Voss profitierte durchaus auch vom Kartell. Dafür waren die Leistungsfähigkeit des Unternehmens, aber auch die guten Beziehungen zum

Kartell ausschlaggebend, das ja von Hermann Blohm ins Leben gerufen worden war. Die Firma war im Aufsichtsrat des Wirtschaftsausschusses ebenso vertreten wie in den Unterausschüssen.[74] Das Schiffbaukartell suchte den Beteiligten Mindestgewinne und einen gewissen Auftragsbestand zu sichern, führte aber dazu, daß der Prozeß einer Umstrukturierung und Modernisierung zu spät gestartet, die notorische Überkapazität künstlich am Leben gehalten wurde. Dies machte sich nach der Inflation durch eine permanente Strukturkrise und das sogenannte «Werftensterben» schmerzhaft bemerkbar.

Selbst wenn der Handelsschiffbau unter den extrem schwierigen Bedingungen der Inflation auch beeindruckend war, so bleibt er doch fragwürdig. Schon 1919 bestand weltweit ein Überangebot an Handelsschiffen, 1924 hätte Blohm & Voss fast allein den Bedarf an deutschen Schiffen decken können.[75] In diesem Jahr verkauften deutsche Reeder erstmals wieder Schiffe ans Ausland, die sie selber nicht nutzen konnten.[76] Der internationale Schiffahrtsmarkt befand sich in einer tiefen Depression, wie der Bericht für den Aufsichtsrat von Blohm & Voss schon 1922 vermerkte.[77] Während in Deutschland der Neubau von Schiffen anlief, stürzten auf dem Weltmarkt die Preise von Schiffen und Frachten in die Tiefe.[78]

Die Werften hatten im Vergleich zu 1913 ihre Kapazitäten um 50 % erhöht,[79] doch der Kriegsschiffbau entfiel. Dabei befand sich die deutsche Schiffbauindustrie schon vor dem Krieg in einer latenten Krise. Durch die Entschädigung der Reeder und den staatlich subventionierten Schiffbau wurde diese Strukturkrise nur verstärkt, und große Mengen knappen Investitionskapitals wurden falsch angelegt. Der Werftenausbau nach dem Krieg war ohne Zweifel eine der umfangreichsten Fehlallokationen von privatem und staatlichem Kapital in dieser Zeit.

Der Staat hatte eine Verpflichtung, die Reeder zu entschädigen, denn ihm wurde die enteignete Handelsflotte auf das Reparationskonto angerechnet, und er trug die Schuld an ihrem Verlust. Aber ein Neubau in großem Maßstab und somit eine Subventionierung der Werften waren fehl am Platze. Fergusons Bewertung ist grundsätzlich zuzustimmen: Die Reedereientschädigung ist ein gutes Beispiel dafür, warum es dem Reich 1920 nicht gelang, seinen Haushalt zu stabilisieren.[80] Durch die allzu großzügige Bewilligung von Geldern mußte die Notenpresse immer schneller laufen und bereitete der Inflation den Weg. Die Werften gewöhnten sich derweil an das süße Gift der Subvention.

Neben dem Handelsschiffbau spielte das Reparaturgeschäft eine wichtige Rolle für Blohm & Voss. Es blühte geradezu durch die niedrigen Einkommen in Deutschland, da der Großteil der Kosten auf Arbeitslöhne entfiel.[81] Besonders

74 Hauptversammlung des KA, 30.3.21, StA B&V 264.
75 So ein Bericht der Deutschen Werft vom Dezember 1924 (Ferguson, Paper and iron, S. 414).
76 Priester, Der Wiederaufbau, S. 59.
77 StA B&V 30.4.
78 Priester, Der Wiederaufbau, S. 91.
79 Ebd., S. 89.
80 Vgl. Ferguson, Paper and iron, S. 280–284.
81 Entwurf einer Eingabe G. Howaldts, 2.1.22, StA B&V 676.

begehrt waren ausländische Auftraggeber, die einen höheren Preis in Devisen entrichteten.[82] Die ausländischen Reeder zahlten aber immer noch weniger als in ihrem Heimatland und versorgten das Unternehmen fortlaufend mit Valuta. «Ohne sie würde die Beschäftigung auf den hamburgischen Werften, die zu sehr grossem Teil auf das Reparaturgeschäft abgestellt sind, brach liegen.»[83] Besonders 1922 und 1923 waren Reparaturen ein wichtiger Auslastungsfaktor, ohne den die Belegschaft deutlich hätte reduziert werden müssen.

Weiterhin reparierte das Unternehmen auch Lokomotiven. In der Maschinenfabrik wurden innerhalb von zwei Jahren rund 400 Lokomotiven instandgesetzt.[84] Unter dem Decknamen «Alster» beteiligte sich die Firma nach dem deutsch-sowjetischen Wirtschaftsabkommen 1921 an den Verhandlungen über den Neubau und die Reparatur von Dampfloks für Sowjetrußland durch ein deutsches Werftenkonsortium.[85] Die Bestellung von 700 Loks war im Gespräch. Es sollten Festpreise in Devisen bezahlt werden. Das Programm fiel kleiner als geplant aus, Blohm & Voss nahm anders als die Deutsche Werft daran nicht teil.[86]

III.3 Die Arbeitsverhältnisse in der Inflationszeit

III.3.1 Die Arbeitsbedingungen und die Auseinandersetzung um die Wiedereinführung der alten Verhältnisse

Die Phase der relativen Stabilisierung und selbst die Zeit der Hyperinflation waren gekennzeichnet durch eine Beruhigung der Arbeitsbeziehungen im Vergleich zu den unruhigen und vom Widerstand der Arbeiter geprägten Monaten nach der Revolution. Selbst aufsehenerregende Ereignisse wie die Märzaktion der KPD 1921 oder der Hamburger Aufstand änderten an dieser Tendenz wenig. Die passive Resistenz der Belegschaft schwand, es wurde «stetiger» gearbeitet, und die Leistungen näherten sich dem Vorkriegsstand schon im Sommer 1920 an.[87] Nur Gewerke mit schwerer körperlicher Arbeit blieben zu diesem Zeitpunkt wegen des Nachholbedarfs durch jahrelange Mangelernährung noch zurück. Im Geschäftsjahr 1921/22 herrschten, abgesehen von einem kleinen Streik mit 300 Beteiligten, ruhige Verhältnisse. Der gewohnte Arbeitsstandard war wieder erreicht.[88] Die Klagen über zu frühes Verlassen des Betriebs oder schlechte Arbeitsmoral wurden seltener. Einzig Währungschaos und Versorgungsengpässe in der Endphase der Hyperinflation 1923 sorgten für ernsthafte Störungen im Betriebs-

82 Vgl. die unterschiedlichen Dock- und Reparaturtarife, StA B&V 1288.2.
83 B&V an den WA, 23.1.22, StA B&V 263.
84 StA Familie Blohm 2, S. 314; Blohm + Voss, S. 14.
85 Vgl. StA B&V 1105.

86 Vgl. Claviez, 50 Jahre Deutsche Werft, S. 39.
87 W. Blohm an den Reichsausschuß für den Wiederaufbau der Handelsflotte, 22.7.20, StA B&V 249.2.
88 Bericht für den Aufsichtsrat 1922, StA B&V 30.4.

ablauf, die sich aber wegen des Auftragsrückganges und des Arbeitskräfteabbaus nicht mehr massiv auswirkten.

Die Ursachen für die Beruhigung waren sicherlich vielfältig. Auf die relativ hohe Auslastung der Werftanlagen, die Entwicklung der Nominal- und Realeinkommen, die geringe Arbeitslosigkeit und die Normalisierung der Versorgungslage ist später genauer einzugehen. Viele Arbeiter erkannten wohl auch den illusionären Charakter ihrer Hoffnungen in der Revolutionszeit, wandten sich enttäuscht von den Radikalen ab, was der deutliche Mißerfolg der KPD-Aktionen belegt, und nahmen eine realistischere Haltung ein. Der Metallarbeiterverband bekämpfte fast ebenso heftig wie die Unternehmensleitung die «radikalen Elemente», die durch ihre Gewaltbereitschaft Sympathien verloren.[89] Die Betriebsräte stellten sich ebenfalls gegen den Radikalismus, vermochten aber aus Sicht der Firmenleitung nur dann Widerstand zu leisten, wenn die Arbeitgeber «entsprechend energisch gegen derartige Elemente» vorgingen.[90] Als nach Überwindung der Revolutionskrise die Betriebsleitungen an Macht zurückgewannen, konnte man auch bei Blohm & Voss versuchen, zu früher gewohnten Arbeitsbedingungen zurückzukehren.

Das gelang sehr früh hinsichtlich der Akkordarbeit. Mit ihr stieg praktisch über Nacht die Arbeitsleistung rapide an.[91] Die Rückkehr zum Stücklohnsystem wirkte ungemein disziplinierend. Im Sommer 1920 machten die Akkordverdienste mehr als ein Drittel des Einkommens aus, wobei erhebliche Unterschiede zwischen den Gewerken bestanden. Durch eine entsprechende Akkordleistung vermochten Facharbeiter den geringen Lohnunterschied zu den An- und Ungelernten zu vergrößern. Diese immer noch zu geringe Differenz in der Bezahlung war der Firmenleitung weiterhin ein Dorn im Auge. So forderte Rudolf Blohm, es müsse eine Bresche in die gleichmachende Bezahlung geschlagen werden.[92] Er konnte sich jedoch vorerst nicht durchsetzen.

Die Arbeiter lehnten die Akkordarbeit ab, aber wahrscheinlich bestanden damals mangels anderer Methoden zur Leistungs- und somit Lohnbemessung kaum Alternativen. Allerdings wurde die Akkordarbeit nicht einheitlich gehandhabt. Im Laufe der Zeit entwickelte sich ein kompliziertes Mischsystem von Stück- und Zeitlohnarbeit. Im März 1922 wurde ein Drittel der Arbeiter nach Stücklöhnen bezahlt, das heißt, sie erhielten einen Grundlohn, der etwa 60 % des Verdienstes ausmachte, und einen leistungsorientierten Akkordzuschlag. Ihr Einkommen lag etwa acht Prozentpunkte über dem der Zeitlohnarbeiter, deren Lohn ein Stundensatz zuzüglich Durchschnittsakkorden auf Basis von drei verschiedenen Berechnungsmodellen zugrunde gelegt wurde.[93]

89 Vgl. Wochenbericht, 18.9.20, StA B&V 235.1.
90 Bericht für den Aufsichtsrat 1921, StA B&V 30.4.
91 Bericht über das Geschäftsjahr 1919/20, ebd.
92 Sitzung der Norddeutschen Gruppe/Abt. Seeschiffswerften, 10.12.20, StA 1368.
93 Meldung der Werften über Akkordverdienste vom März 1922, StA B&V 436a.

Tab. 32: Akkordverdienste einzelner Gewerke bei Blohm & Voss in Prozent des Gesamteinkommens der Arbeiter, Juni bis August 1920

Gewerk	Juni	Juli	August
Maschinenbauer	36,6	40,6	42,0
Schlosser	36,2	37,5	38,4
Dreher	38,6	40,6	42,0
Kupferschmied	35,4	36,0	38,4
Elektriker	35,5	36,7	39,2
Tischler	29,9	31,2	28,2
Modelltischler	36,0	36,2	40,7
Kesselschmied	39,7	42,4	48,0
Schmiede	38,5	38,8	42,0
Winkelschmied	40,4	41,8	39,8
Schiffszimmerer	33,2	35,0	36,0
Maler	34,4	34,0	36,7
Former	42,7	44,6	46,6
Bohrer	32,6	33,3	35,3
Stemmer, Kreuzer	32,5	33,3	35,8
Schiffbauer	32,3	33,9	34,4
Dockarbeiter	30,7	33,9	37,0
Hofarbeiter	33,7	37,4	37,2
Magazinarbeiter	42,3	43,6	41,5
Deckmontage	39,5	41,2	41,5
Durchschnitt	35,8	37,9	38,2
Grundlohn in Mark			
Gelernter	4,50	4,50	4,50
Angelernter	4,40	4,40	4,40
Ungelernter	4,20	4,20	4,20
Durchschnittsstundenlohn	6,10	6,18	6,22

Quelle: BArchB 3901/2591.

Die Arbeiter versuchten die Akkorddrückerei zu unterbinden, also ein Ansteigen der Normen, wenn einmal durch extreme Mehrleistungen gezeigt worden ist, daß die festgesetzten Akkorde leicht zu erfüllen sind. Dies belegt ein Beispiel von der Vulcan-Werft: Ein Nieter wurde vom Arbeiterrat vorgeladen und scharf kritisiert, da er Akkordzuschläge von 45, 60 und 101 % erzielt hatte. Über einen gewissen Prozentsatz hinaus dürfe er einfach nicht weiterarbeiten. Der Mann entgegnete, er habe eine große Familie zu versorgen und sei gezwungen, viel zu verdienen. Daraufhin wurde ihm von Kollegen ein Hut über das Gesicht gezogen, er mußte ein Schild mit der Aufschrift «101 %» hochhalten und wurde mit der Schubkarre vom Betriebsgelände transportiert.[94]

Allmählich konnte die Betriebsleitung ihre Autorität wieder festigen. Als der Arbeiterrat im Sommer 1921 mit der Bitte an die Firmenleitung herantrat, daß Vorgesetzte nicht sofort wegen kleiner Meinungsverschiedenheiten beispielsweise über Akkordbestimmungen mit der Entlassung drohen sollten, entgegnete Rudolf Rosenstiel kühl, «dass der Verkehrston im Betrieb ein anderer sei, als in den Verhandlungen zwischen Direktion und Arbeiterrat».[95] Im Februar 1923 monierte der Betriebsrat, daß im Verhältnis zur Vorkriegszeit Strafen inzwischen häufiger verhängt wurden.[96] Nach der Revolution waren zahlreiche Strafen zeitweilig fortgefallen.

Ein zentrales Problem war die – auch von der Firmenleitung von Blohm & Voss – angestrebte Verlängerung der täglichen und wöchentlichen Arbeitszeit. Die geheimen Zusatzvereinbarungen zum Abkommen der Zentralarbeitsgemeinschaft hatten vorgesehen, daß durch die Arbeitszeitverkürzung keine Verdienstminderung eintreten dürfe.[97] Der Achtstundentag konnte aber nach Meinung der Arbeitgeber nur dann dauerhaft durchgeführt werden, wenn er sich in allen «Kulturländern» durchsetze. Unter den schwierigen Bedingungen von Revolution und Demobilmachung blieb der Achtstundentag ein deutsches Experiment, dem sich andere Industrienationen nicht anschlossen.

Seit Herbst 1919 agitierten die Hamburger Wirtschaftsverbände heftig gegen die reduzierte Arbeitszeit.[98] Blohm & Voss versuchte aber, auch auf Umwegen, den Arbeitstag zu verlängern. So erwirkte sie im Frühjahr 1920 eine Verfügung des Demobilmachungskommissars, die gestattete, die Arbeitszeit von Kran- und Lokomotivführern sowie von einigen Weichenstellern, Heizern und Maschinisten zu verlängern. Diese Regelung betraf 116 Personen. Eine Vollversammlung der betroffenen Arbeiter äußerte sich erregt und verbittert darüber, daß der Demobilmachungskommissar ohne Rücksprache mit den Verbänden diese Maßnahme erlaubte, die eine schleichende Rückkehr zu den alten Verhältnissen ermöglichen könnte.[99]

Aus Sicht des Unternehmens waren die Löhne zu hoch bzw. die Produktivität zu niedrig. Wie die meisten anderen Unternehmensleitungen auch erhoffte sich die Firmenleitung von Blohm & Voss eine Steigerung der Arbeitsleistung und damit die Senkung des Lohnkostendrucks, wenn es gelänge, die tägliche Arbeitszeit wieder auf zehn Stunden zu erhöhen.[100] Dann bestünde die Möglichkeit, wie

94 Besprechung der Hamburger Werften, 29.6. 20, StA B&V 9.4.
95 Aufzeichnungen Rosenstiels, 19.6.21, StA B&V 264.
96 Aktennotiz, 7.2.23, StA B&V 484.
97 Vgl. Steinisch, Arbeitszeitverkürzung und sozialer Wandel, S. 372.

98 Büttner, Die Hamburger freien Gewerkschaften, S. 144.
99 Zentralverband der Heizer und Maschinisten an den DMK, 24.4.20, StA DMK 201a.
100 Kommentar der Personalabteilung zum Gesetzentwurf über die Dauer der Arbeitszeit, 19.7.21, StA B&V 488.

Rudolf Blohm schrieb, auch nach einer Senkung des Stundenverdienstes noch einen (bei eingeschränkter Lebenshaltung) auskömmlichen Wochenverdienst zu erzielen. Der Vorkriegslebensstandard sei nicht zu erreichen.[101] Es kam allerdings bis über das Ende der Inflation hinaus zu keiner prinzipiellen Änderung der Regelungen der Arbeitszeit.

An anderer Stelle war die Betriebsleitung erfolgreicher. Sie erwirkte die Einführung einer neuen Arbeitsordnung, die jene der Revolutionszeit ersetzte.[102] Sie sollte Vorbildcharakter für andere Werften haben und wurde im Rahmen eines Schiedsspruches des Schlichtungsausschusses eingeführt. Als wesentliche Errungenschaft betrachtete die Firmenleitung die erneute Durchsetzung des Rauchverbotes während der Arbeitszeit, das während der Revolution abgeschafft worden war.[103] In einem Punkt verbuchte die Belegschaft einen Erfolg. Das Unternehmen richtete endlich zufriedenstellende Wasch- und Umkleideräume ein.[104]

Die Firmenleitung verbat sich weiterhin jegliche Versuche der Einmischung in die Betriebsabläufe von seiten des Betriebsrates.[105] Doch dessen Einfluß ging ohnehin wegen seiner relativ schwachen Stellung zurück. Der Betriebsrat umfaßte 25 Mitglieder, von denen vier, die von der Arbeit befreit waren, den Betriebsausschuß bildeten.[106] Der Einfluß der Radikalen blieb eher gering. (Darauf ist später noch genauer einzugehen.) Der Rat wirkte in Konfliktfällen oft mäßigend. Im Jahr 1920 wollte sich der Betriebsrat in Tariffragen nicht der Gewerkschaft der Metallarbeiter unterordnen und erkannte bereits getroffene Maßnahmen nicht an.[107] Aus der Kraftprobe ging die Gewerkschaft schließlich siegreich hervor.

III.3.2 Die Arbeiter

Als im Frühling 1920 endlich der heiß ersehnte Wiederaufbau der Handelsflotte begann, führte das zu einem raschen Anstieg der Belegschaft (vgl. Tab. 33). Im März waren erstmals wieder über 6.000, im August über 7.000 und im November mehr als 8.000 Arbeiter beschäftigt. Im März 1921 betrug die Anzahl der Arbeiter schon 10.366. Bis zum Frühjahr 1923 schwankte die zahlenmäßige Stärke zwischen rund 9.000 und 11.000 Arbeitern. Erst in der Endphase der Hyperinflation, die mit dem Fertigstellen der letzten Handelsschiffe auf Entschädigungsbasis einherging, sank die Größe der Arbeiterschaft im Juni 1923 auf 7.146 ab, stieg aber im Folgemonat erneut auf 8.650 an, um im Herbst wieder zu sinken. Dieser

---

101 R. Blohm an die Deutschen Arbeitgeberverbände, 23.8.23, StA B&V 1329.

102 Vgl. Sitzungen der Norddeutschen Gruppe/ Abt. Seeschiffswerften, 24.11.20 und 8.2.21, StA B&V 1368.

103 Wochenbericht, 5.2.21, StA B&V 228.2; Gok an Aly Wassfy Bej, 12.2.21, StA 241.1.

104 Vgl. Berichte für den Arbeiterrat, StA B&V 484.

105 Aktennotiz, 5.5.20, StA B&V 9.4.; Donnerstagssitzung, 6.5.20, StA B&V 13.2.

106 Anlage zum Rundschreiben vom 27.5.21, StA B&V 1368.

107 Wochenbericht, 18.9.20, StA B&V 235.1.

hohe Beschäftigungsstand fand eine Entsprechung in der niedrigen Arbeitslosen-zahl Hamburgs. Im Juni 1922 gab es nur etwa 8.000 Erwerbslose, ein Jahr später 22.000.[108] Die Arbeitslosenrate lag im Juni 1922 somit bei 1,6 % und im Juni 1923 bei 4,4 %. Während der Inflation herrschte also Vollbeschäftigung. 1921/22 bestand sogar zeitweise ein Arbeitskräftemangel in der Stadt.[109]

Tab. 33: «Brutto=Arbeiterbestand am letzten eines jeden Monats»

	1920	1921	1922	1923
Januar	5.936	9.636	9.985	11.263
Februar	5.865	9.953	10.325	10.945
März	6.320	10.366	9.585	10.407
April	6.484	10.319	9.027	10.033
Mai	6.486	10.721	9.036	9.482
Juni	6.521	10.586	8.942	7.146
Juli	6.986	10.367	9.089	8.650
August	7.345	10.100	9.844	8.283
September	7.622	9.654	10.271	8.112
Oktober	7.811	9.325	10.886	7.885
November	8.037	9.507	10.942	7.852
Dezember	8.930	9.748	11.108	7.283
Durchschnitt	7.029	10.024	9.920	9.091

Quelle: StA B&V 2177.

Bei den Neueinstellungen blieb das Unternehmen seiner Devise treu, über eine möglichst qualifizierte und leistungsfähige Belegschaft verfügen zu wollen. Es sollten keine Arbeiter angestellt werden, «die von anderen Betrieben als un-brauchbar entlassen» worden waren.[110] Wer «bummelte», dem konnte im Wie-derholungsfall sofort gekündigt werden.[111] Auffallend war die immer noch sehr hohe Fluktuation vieler Arbeiter, die sich im Hafenbereich die jeweils günstigste Beschäftigung suchten. Schieden in Zeiten relativ hoher Arbeitslosigkeit im drit-ten Quartal 1920 nur 551 Arbeiter aus den Diensten der Firma aus, so stieg diese Zahl später an und erreichte im dritten Quartal 1922 einen Höchststand von 3.977, um ein Jahr später wieder auf 1.602 abzusinken.[112] Bis zum Frühjahr 1923 erfolgte die Mehrzahl der Kündigungen seitens der Arbeiter. Ihnen standen ent-sprechende Neueinstellungen gegenüber. Erst danach begann die Firma, selber Personal abzubauen. Die Abwesenheitsrate lag im Geschäftsjahr 1920/21 bei 7,1 %, ein Jahr später gar bei 9,1 %, 1922/23 wieder niedriger bei 7,5 %, also

108 Büttner, Politische Gerechtigkeit, S. 145.
109 Lyth, Inflation and the Merchant Economy, S. 111.
110 Donnerstagssitzung, 1.4.20, StA B&V 13.2.
111 Donnerstagssitzung, 10.6.20, ebd.

112 Vgl. Vierteljahresberichte der Firmenleitung an den Arbeiterrat, StA B&V 484. Allerdings gibt die Firma die Anzahl der betriebsbe-dingten Kündigungen 1923 deutlich zu niedrig an.

deutlich höher als vor dem Krieg.[113] Die hohe Absenzquote im zweiten Jahr war allerdings weniger ein Indiz für häufigere Krankheiten. Sie läßt sich eher mit den guten Erwerbsmöglichkeiten andernorts wegen der Vollbeschäftigung oder durch das häufigere «Blaumachen» angesichts eines Nachholbedarfs nach Zeiten des Elends erklären.

Im Juni 1920 ereignete sich eine tiefgreifende Neuerung bei der Auszahlung der Einkommen. Erstmals mußten die Arbeitnehmer Lohnsteuern zahlen. Die Arbeitgeber zogen ihnen 10 % vom Einkommen ab.[114] Beschwerden von seiten der Belegschaft wurden aber kaum geäußert. Sie schien anfangs Verständnis für die Besteuerung aufzubringen. Die entscheidende Kernfrage jener Zeit war aber: Wie wirkte sich die Inflation auf die Löhne aus? Für die Zeit bis zum Ende des Jahres 1922 liegt ausreichend statistisches Material vor. Für die Hyperinflation von 1923 gelingt die Rekonstruktion aber nur bruchstückhaft, was unter anderem daran liegt, daß die realen Tageslöhne zu Beginn einer Woche eventuell höher, am Ende derselben Woche jedoch schon deutlich niedriger als der Vorkriegslohn ausfielen.[115]

Die statistisch zuverlässigste Variante der Ermittlung des Realeinkommens ist die Berechnung auf Grundlage des Lebenshaltungskostenindexes (vgl. Tab. 34, Reallohn II und III). Der Index des Statistischen Reichsamtes (Reallohn II) und ein Hamburger Index (Reallohn III) liegen vor. Beide weisen einen etwas unterschiedlichen Verlauf auf. Demnach waren die Lebenshaltungskosten in Hamburg bis zum März 1922 niedriger und in den folgenden Monaten meist höher als im Reichsdurchschnitt. Der reale Stundenlohn (II) stieg von 52,6 Pfennig im April 1920 auf einen Höchststand von 64,1 im Mai 1921 an. Verglichen mit 68,1 Pfennig vor dem Krieg scheint der Zustand also recht erfreulich. Berücksichtigt werden muß jedoch, daß die wöchentliche Arbeitszeit um sieben Stunden verkürzt war, das Wocheneinkommen deshalb deutlich niedriger ausfiel. Der ursprünglich volle Lohnausgleich für die Arbeitszeitverkürzung ließ sich offenbar nicht halten. Da die Lohndifferenz zwischen Gelernten und Ungelernten nur noch ein Siebtel betrug, im Gegensatz zum Eineinhalb- bis Zweifachen der früheren Zeiten, konnten die gering Qualifizierten allerdings einen deutlichen Zugewinn verbuchen, während die Facharbeiter verloren.

Im November 1921 fiel der reale Stundenlohn (II) durch einen Inflationsschub zwar erstmals wieder auf 48 Pfennig, aber ansonsten blieb er bis zum Juli 1922 bei über 50 Pfennig. In der Folgezeit bis zum März 1923 betrug er zwischen 40 und 49 Pfennig, von einem Einbruch im November einmal abgesehen. Im Frühling 1923 gingen die Tarifparteien dazu über, den Schlichtungsausschuß wöchentlich anzurufen, um so der Geldentwertung auf den Fersen bleiben zu können. Verläß-

---

113 Berichte für den Aufsichtsrat 1921, 1922 und 1924, StA B&V 30.4.
114 Wochenbericht, 26.6.20, StA B&V 225.3.

115 R. Blohm an die Handelskammer, 1.9.23, StA B&V 449.

liche Zahlen lassen sich für diese Zeit nicht mehr feststellen, aber von Schwankungen abgesehen sanken die Reallöhne beträchtlich ab, und die Forderung nach einer stabilen Währung wurde immer lauter.

Wird hingegen eine Reallohnreihe (Reallohn III), die mit Hilfe des Hamburger Preisniveaus ermittelt worden ist, betrachtet, so schnitten die Arbeiter bis zum März 1922 noch erheblich besser ab als beim Vergleich auf Reichsebene. Im Mai 1921 gelang es ihnen demnach, mit 80 Pfennig weit über den Vorkriegsstand hinauszukommen. In der Folgezeit sanken die realen Stundenlöhne (III) aber und lagen im November 1922 mit 33 Pfennig am niedrigsten. Auf Goldmarkbasis (Reallohn I) verringerten sich die Einkommen im Laufe der Zeit erheblich und erreichten im November 1922 ebenfalls eine Tiefstmarke von 9,5 Pfennig pro Stunde. Dies belegt die sehr fragliche Anwendbarkeit von Goldlöhnen für die Abschätzung der Entwicklung der Lebenshaltung. Die Steigerung der für den Arbeiterkonsum relevanten Preise ist ja erheblich hinter dem Kursverfall zurückgeblieben.[116] Die von Ferguson dargestellten Goldmarkstundenlöhne fallen desungeachtet zu hoch aus.[117]

Im Zuge der Inflation ist es den Arbeitgebern gelungen, eine gewisse Differenzierung der Löhne durchzusetzen. Arbeiterratsmitglieder erhielten eine Zulage von 3 %, Vorarbeiter von 7–10 % und Spezialfacharbeiter von 5–7 %.[118] Weiterhin existierten noch eine Verheirateten- und eine Kinderzulage.

Die Entwicklung der Stundenlöhne der jugendlichen Arbeiter verhielt sich auf niedrigerem Niveau weitgehend ähnlich wie die der Erwachsenen, aber im Herbst 1922 zeichnete sich eine interessante Tendenz ab (siehe Tab. 35). Betrug der Verdienst eines Jugendlichen in der Phase der gleichmäßigen Geldentwertung noch 42–47 % eines Erwachsenen, so sackte dieser Anteil während der einsetzenden Hyperinflation auf etwas mehr als ein Drittel ab. Allerdings muß berücksichtigt werden, daß die meisten Jugendlichen noch bei ihren Eltern wohnten, viele ihre Einkommen deshalb teilweise abgaben und für sie eigentlich ein anderer Warenkorb galt. Dies vergrößert die Unsicherheit einer Berechnung von Reallöhnen.

Die jugendlichen Arbeiter konnten ihre Lohnforderungen nicht mit dem gleichen Nachdruck vorbringen wie die erwachsenen Beschäftigten. Lehrlinge unterlagen einem Streikverbot. Erst im August 1923 wurde ihr Lohn in ein festes Verhältnis zum Einkommen eines ungelernten Volljährigen gebracht, vorher

116 Beim Lohnkostenvergleich mit dem Ausland bleibt die Goldmark aber ein unverzichtbarer Indikator.

117 Ferguson, Paper and iron, S. 182. Der Autor gibt als Quelle das Firmenarchiv B&V ohne genaueren Quellenhinweis an. Deshalb kann nicht geklärt werden, worauf die Differenzen zurückzuführen sind. Auch die monatlichen Meldungen der Firma an die Schiffbautreuhandbank und den Reichsausschuß für den Wiederaufbau der Handelsflotte sowie den laut Wochenberichten ausgezahlten Lohnsummen lassen die von Ferguson dargestellte Entwicklung der Goldlöhne fraglich erscheinen.

118 Tarifabkommen für die Lohnwoche nach dem 15.7.23, BArchB R3901/2594.

Tab. 34: Nominale und reale Stundenverdienste von Arbeitern der Werft Blohm & Voss nach verschiedenen Methoden der Deflationierung

Monat	Durchschnittlicher nominaler Stundenlohn in Pf.	Reallohn I	Reallohn II	Reallohn III
April/1920	546,7	38,5	52,6	59,3
Mai	575,3	51,8	52,3	60,1
Juni	582,8	62,7	54,0	69,0
Juli	584,3	62,2	55,1	66,3
August	603,4	52,9	59,1	70,7
September	603,4	43,7	59,7	70,3
Oktober	609,8	37,6	57,0	63,3
Dezember	665,2	38,2	57,3	59,5
Januar/1921	681,5	44,0	57,8	65,5
Februar	695,5	47,6	60,5	72,9
März	700,3	47,0	61,4	69,7
Mai	717,8	48,5	64,1	80,3
September	754,6	30,2	55,1	65,0
Oktober	800,9	22,4	53,4	63,4
November	850,0	13,6	48,0	58,3
Dezember	1.206,3	26,4	62,5	68,1
Januar/1922	1.225,9	26,9	60,1	67,2
Februar	1.251,5	25,3	51,1	53,4
März	1.555,8	23,0	53,6	58,1
April	1.841,5	26,6	53,5	52,3
Mai	2.130,5	28,2	56,1	53,7
Juni	2.414,0	31,9	58,2	54,7
Juli	2.717,2	23,1	50,4	51,9
August	3.676,8	13,6	47,4	48,4
September	6.385	18,3	47,9	45,5
Oktober	9.449	12,5	42,8	39,9
November	16.314	9,5	36,6	33,4
Dezember	27.970	15,5	40,8	40,1
Januar/1923	49.620	11,6	44,3	43,9
Februar	109.100	16,4	41,3	40,3
März	140.800	27,9	49,3	53,3

Reallohn I: Nominallohn, deflationiert mit dem Wechselkurs der Mark zum Dollar.
Reallohn II: Nominallohn, deflationiert mit dem Lebenshaltungskostenindex des Stat. Reichsamtes.
Reallohn III: Nominallohn, deflationiert mit einem Hamburger Lebenshaltungskostenindex.
Quellen: Spalte 2: Meldungen an den Reichsausschuß für den Wiederaufbau der Handelsflotte, StA B&V 249.1–2, und an die Schiffsbautreuhandbank, StA B&V 268; Spalten 3, 4: Bry, Wages in Germany, S. 443 ff.; Spalte 5: Hamburger Statistische Monatsberichte Mai 1924, S. 100.

Tab. 35: Nominale und reale Stundenverdienste jugendlicher Arbeiter der Werft Blohm & Voss nach verschiedenen Methoden der Deflationierung

Monat	Durchschnittlicher nominaler Stundenlohn in Pf.	Relation zum Lohn eines Erwachsenen	Reallohn I	Reallohn II	Reallohn III
April/1920	230,4	42,1 %	16,2	22,2	25,0
Mai	245,7	42,7 %	22,1	22,3	25,9
Juni	248,3	42,6 %	26,7	23,0	29,4
Juli	245,9	42,1 %	26,2	23,2	27,9
August	264	43,8 %	23,2	25,9	30,9
September	264	43,8 %	19,1	26,1	30,8
Oktober	266,3	43,7 %	16,4	24,9	27,7
Dezember	292,4	44,0 %	16,8	25,2	26,2
Januar/1921	312,3	45,8 %	20,1	26,5	30,0
Februar	327,8	47,1 %	22,5	28,5	34,4
März	332,9	47,5 %	22,3	29,2	33,1
Mai	326,6	45,5 %	22,1	29,2	36,5
September	320,8	42,5 %	12,8	23,4	27,7
Oktober	343,7	42,9 %	9,6	22,9	27,2
November	371	43,6 %	5,9	20,9	22,5
Dezember	528,8	43,8 %	11,6	27,4	29,8
Januar/1922	526,9	43,0 %	11,5	25,8	25,0
Februar	530,2.	42,4 %	10,7	21,6	22,6
März	669,9	43,1 %	9,9	23,1	25,0
April	757,5	41,1 %	10,9	22,0	21,5
Mai	890,7	41,8 %	12,9	23,4	22,5
Juni	959,2	39,7 %	12,7	23,1	21,7
Juli	1.087	40,1 %	9,3	20,2	20,7
August	1.432,3	39,0 %	5,3	18,5	18,9
September	2.217,8	34,7 %	6,4	16,7	15,8
Oktober	3.230	34,2 %	4,3	14,6	13,7
November	5.560	34,1 %	3,2	12,5	11,4
Dezember	9.800	35,0 %	5,4	14,3	14,1

Reallohn I: Nominallohn, deflationiert mit dem Wechselkurs der Mark zum Dollar.
Reallohn II: Nominallohn, deflationiert mit dem Lebenshaltungskostenindex des Stat. Reichsamtes.
Reallohn III: Nominallohn, deflationiert mit einem Hamburger Lebenshaltungskostenindex.
Quellen: Spalte 2: Meldungen an den Reichsausschuß für den Wiederaufbau der Handelsflotte, StA B&V 249.1–2, und an die Schiffsbautreuhandbank, StA B&V 268; Spalten 4, 5: Bry, Wages in Germany, S. 443 ff.; Spalte 6: Hamburger Statistische Monatsberichte Mai 1924, S. 100.

mußte über ihn jedesmal gesondert verhandelt werden.[119] Die drei bzw. vier im Betrieb verbliebenen Frauen, Kantinen- und Reinigungspersonal, verdienten dagegen etwa ein Zehntel bis ein Fünftel mehr als die Jugendlichen.[120]

In der Hyperinflation wurde die Forderung nach wertstabilen Löhnen immer lauter. Seit der zweiten Hälfte des Jahres 1922 wurde bei den Tarifverhandlungen eine Anpassung an die jeweilige Teuerung mehr oder weniger vereinbart. Die Werftunternehmer weigerten sich aber weiterhin, die Löhne direkt an einen Preisindex zu koppeln, schon gar nicht an den Lebenshaltungskostenindex des Statistischen Reichsamtes oder den Dollarkurs. Daß diese nicht in Frage kamen, ergab sich schon aus der mangelnden Repräsentanz für die Hamburger Verhältnisse – wie aus Tabelle 34 ersichtlich. Um mit der Preissteigerung in etwa Schritt zu halten, wurden ab Sommer 1923 unter der Woche Lohnvorschüsse gezahlt.[121] Im September erfolgte endlich die Anbindung an einen Preisindex, die «Hamburger Wochenzahl».[122] Zum selben Zeitpunkt schlug C. G. Gok den Werften in Norddeutschland vor, das bisherige Lohnsystem abzuschaffen und die Berechnung auf einer Festmark-Grundlage einzuführen, deren Berechnungsbasis aber unklar bleibt. Die anderen Schiffbauunternehmen schlossen sich dem Vorschlag an, nur zwei Wochen später wurden Verhandlungen mit den Gewerkschaften darüber aufgenommen.[123]

Ein erster Schritt in Hinblick auf eine Geldwertstabilität war bereits vorher getan worden. Im Sommer erfolgte die Einrichtung von Goldmarkkonten für die Beschäftigten von Blohm & Voss im Rahmen der Betriebssparkasse.[124] Nach dem Ende der Inflation wurden diese Guthaben noch nachträglich um ein Drittel aufgewertet.[125] Nach der Einführung der Girogoldmark der «Hamburgischen Bank von 1923» Ende Oktober erhielten die Arbeiter ab der ersten Lohnwoche im November harte Zahlungsmittel. Sie wurden erst dann durch die Rentenmark ersetzt, als sich deren Stabilität abzeichnete.[126] Hierbei versuchte die Firmenleitung, die Löhne deutlich unter das Vorkriegsniveau zu drücken, um sie der wirtschaftlichen Situation anzupassen. Rudolf Blohm legte einen Stundenlohn von 50 Goldpfennig als realistisch und gerecht zugrunde.[127] Die tatsächliche Höhe belief sich aber anfangs nur auf etwa 40 Pfennig. Damit betrug der durchschnittliche Monatsverdienst unter Berücksichtung der Arbeitszeitverkürzung 52 % des Vorkriegsstandes.

Ist es schon schwierig, die Entwicklung der Nominal- und der Reallöhne in den Jahren der Inflation exakt zu ermitteln und daraus zutreffende Erkenntnisse

119 Wochenbericht, 25.8.23, StA B&V 232.2.
120 Meldungen an den Reichsausschuß für den Wiederaufbau der Handelsflotte, StA B&V 249.1–2, und an die Schiffbautreuhandbank, StA B&V 268.
121 Wochenbericht, 18.8.23, StA B&V 232.2.
122 Wochenbericht, 15.9.23, StA 235.2.
123 Wochenbericht, 29.9.23, ebd.

124 R. Blohm an den Verband der Eisenindustrie, 6.8.23, StA B&V 1398.2.
125 Bericht für den Aufsichtsrat 1924, StA B&V 30.4.
126 Ebd.
127 R. Blohm an die Handelskammer, 1.9. und 3.10.23, StA B&V 449.

über die Lage der Arbeiter zu gewinnen, so ist es noch schwieriger, die Frage zu beurteilen, ob je – und wann genau – die Lohnentwicklung im Inflationsprozeß für die Werft ein Problem gewesen ist. Über die Relation von Löhnen und Produktivität, d. h. über die Entwicklung der Lohnkosten, gar einen Lohndruck, liegen fast keine einer systematischen Analyse zugänglichen Unterlagen vor. Man kann im Grunde nur anhand einiger Indizien Schätzurteile versuchen.

So hat Niall Ferguson für die Phase der relativen Stabilisierung 1920/21 glaubhaft gemacht, daß es wie in anderen Industriezweigen auch auf den Werften einen massiven Lohndruck gegeben habe. Die Zahl der hier Beschäftigten sei rascher gestiegen als die Produktion. Die Löhne seien – bei nahezu konstanten Konsumentenpreisen und bei sinkenden Produktpreisen der Schiffbauer – weiterhin kräftig in die Höhe gegangen. Weit rascher als der nominale Gewinn seien von 1919 bis 1921 die Lohnsätze gestiegen.[128] Ferguson meint, die wirtschaftlich untragbare Entwicklung, hervorgerufen durch die offizielle Politik der Befriedung der noch immer unruhigen Arbeiterschaft, sei auch politisch untragbar gewesen, denn sie habe im Grunde den Antagonismus zwischen den Vertretungen der Arbeiter und denen der Arbeitgeber nur verstärkt.[129] Abelshauser ist ebenfalls der Auffassung, daß, begründet durch ihre starke Verteilungsposition, die Reallöhne der Industriearbeiter deutlich über dem Niveau des geschrumpften Volkseinkommens lagen.[130]

Selbst wenn die Stundenlöhne, in Devisen gerechnet, niedriger als im Ausland waren, so stand die Produktivität bei Blohm & Voss in einem ungesunden Verhältnis zu den Löhnen. Wenn beispielsweise der Wert der in Bau befindlichen Objekte und der Anzahlungen in den Geschäftsjahren 1920/21 und 1921/22 mit der Lohnentwicklung verglichen wird, dann stiegen die Löhne tatsächlich schneller.[131] Offensichtlich bestand ein erheblicher Lohnkostendruck. Die Forderung nach Lohnsenkung war in dieser wie in einigen anderen Phasen der Inflation nicht unbedingt Ausdruck des mangelnden Verständnisses der Unternehmer für die Nöte der Arbeiterschaft. Sie entsprang durchaus ökonomischen Notwendigkeiten. Belegschaft und Gewerkschaften sahen das anders, sie gaben sich der Illusion hin, trotz der schwierigen Gesamtlage mit einer um 13 % verringerteren Arbeitszeit den gleichen Lebensstandard erreichen zu können wie früher.

Zu den sozialen Errungenschaften der Revolution, die auch die ganze Inflationszeit überlebten, zählte die einer bezahlten Urlaubswoche, allerdings ohne freie Wahl des Zeitpunktes, denn die Firmenleitung legte fest, wann der Betrieb für die Werftferien geschlossen wurde. Allerdings arbeitete selbst in dieser Zeit ein kleines Kontingent an betrieblich dringlichen Aufgaben. 1923 waren es 700

128 Ferguson, Paper and iron, S. 303 ff.
129 Ebd., S. 306.
130 Abelshauser, Verelendung der Handarbeiter?, S. 452.

131 Vgl. Tab. 35 und die Berichte an den an den Aufsichtsrat 1921 und 1922, StA B&V 30.4.

Beschäftigte, die dafür eine zusätzliche Bezahlung erhielten.[132] Das Problem der Diebstähle blieb während der Inflation akut. Erst nach der Währungsstabilisierung gingen sie erheblich zurück.[133] Beteiligt waren aber nicht nur Arbeiter, sondern auch Angestellte, wie die Firma bedauernd feststellte.[134] Wegen der Diebstähle begann der Arbeitgeberverband Hamburg-Altona, vermutlich 1922, wieder damit, schwarze Listen von ertappten Dieben zu führen, um ihnen die Einstellung in anderen Betrieben unmöglich zu machen.[135]

Trotz aller Währungsprobleme setzte das Unternehmen seine Ausbildungspolitik fort. Die Werftschule wurde mit Erfolg betrieben. Hierbei war man bestrebt, weder Schulaufsicht noch Gewerbekammer oder der Zentrale für Berufsberatung Einfluß auf die Lehrverträge zu gewähren.[136] Diesen Institutionen wurde auch der Inhalt der Verträge nicht mitgeteilt mit der Begründung, er gehe sie überhaupt nichts an. Ebenso wurden Verhandlungen mit Gewerkschaftsvertretern über Lehrlingsfragen kategorisch abgelehnt.[137] Das Unternehmen vertrat einen weitgehenden Unabhängigkeitsanspruch in der Ausbildung, gleichzeitig wurde ein besonderer Wert auf die Qualität der Lehre gelegt, ein zu häufiges Vergeben der Note «sehr gut» unterbunden.[138] Wie zahlreiche andere Firmen nahm Blohm & Voss Werkstudenten auf, half die Lücke zwischen Theorie und Praxis zu schließen und ein Studium finanzierbar zu machen. 1922 waren es etwa 100 Studenten, im Folgejahr nur noch die Hälfte.[139]

III.3.3 Die Angestellten

Die exakte Gehaltsentwicklung während der Inflation läßt sich nicht rekonstruieren, da nur wenige Tarifabkommen erhalten sind, die Firma viele Beschäftigte übertariflich bezahlte und die zahlreichen Teuerungs- und Sozialzulagen nicht erfaßt wurden. Auffallend ist die in Tabelle 36 dargestellte weitaus größere Differenzierung der Gehaltsklassen der Angestellten im Vergleich zu den Arbeitern, die nur zwischen Gelernten, Angelernten und Ungelernten unterschieden. Bekannt sind die jährlichen Durchschnittseinkommen der Gesamtheit der Angestellten bei Blohm & Voss. Im Geschäftsjahr 1920/21 lagen sie pro Kopf um 25 %, im Folgejahr um 54 % über denen der Arbeiter.[140] Für die Hyperinflation schätzte Rudolf Blohm den Verdienstvorsprung eines Angestellten auf mindestens ein Fünftel.[141]

132 Wochenbericht, 14.7.23, StA B&V 228.2.
133 Grüttner, Working-class Crime, S. 73.
134 Bericht für den Arbeiterrat über das II. Quartal 1920/21, StA B&V 484.
135 Vgl. Hoebel, Das organisierte Arbeitgebertum, S. 189.
136 R. Blohm an den Verband der Eisenindustrie, 16.6.20, StA B&V 1398.1.

137 Sitzung der Norddeutschen Gruppe/Abt. Seeschiffswerften, 26.1.23, StA B&V 1368.
138 Donnerstagssitzung, 15.4.20, StA B&V 13.2.
139 Wochenbericht, 14.7.23, StA B&V 228.2.
140 Berichte für den Aufsichtsrat 1921 und 1922, StA B&V 30.4.
141 R. Blohm an die Handelskammer, 1.9.23, StA B&V 449.

Tab. 36: Differenzierung der Angestelltenmonatsgehälter bei Blohm & Voss im März 1922 in Mark (*Kursiv:* Mit dem Hamburger Lebenshaltungskostenindex deflationiertes Realeinkommen)

	Anfangs-gehalt	nach 3 Jahren	nach 6 Jahren	nach 9 Jahren	nach 12 Jahren
Kaufmännische Angestellte					
Angestellte mit einfacher Tätigkeit					
a.) unverheiratet ohne Lehrzeit	2.000,–	2.200,–	2.400,–	2.600,–	2.800,–
	74,71	*82,18*	*89,65*	*97,12*	*104,59*
b.) verheiratet oder mit Lehrzeit	2.300,–	2.500,–	2.700,–	2.900,–	3.200,–
	85,92	*93,39*	*100,86*	*108,33*	*119,54*
Fachkundige Angestellte		2.700,–	3.000,–	3.300,–	3.600,–
		100,86	*112,07*	*123,27*	*134,48*
Angestellte mit verantwortlicher Selbständigkeit			3.400,–	3.900,–	4.400,–
			127,–	*145,69*	*164,36*
Technische Angestellte (mit 3jähriger Ausbildung)					
Einfache zeichnerische Tätigkeit					
a.) unverheiratet	2.200,–	2.400,–	2.600,–	2.800,–	
	82,80	*89,65*	*97,12*	*104,59*	
b.) verheiratet	2.600,–	2.800,–	3.000,–	3.200,–	
	97,12	*104,59*	*112,07*	*119,54*	
Schwierigere zeichn. Tätigkeit	2.800,–	3.000,–	3.200,–	3.400,–	
	104,59	*112,07*	*119,54*	*127,–*	
Einfache konstruktive Tätigkeit	3.100,–	3.300,–	3.500,–	3.800,–	
	115,80	*123,27*	*130,74*	*141,95*	
Schwierigere konstr. Tätigkeit	3.600,–	3.900,–	4.300,–	4.700,–	
	134,48	*145,69*	*160,63*	*175,57*	
Klasse I:					
Vorarbeiter, Untermeister, Kontrolleure, Vorzeichner	3.700,–	3.800,–	3.900,–		
	138,21	*141,95*	*145,69*		
Klasse II:					
Werkmeister	4.000,–	4.200,–	4.400,–		
	149,42	*156,89*	*164,36*		
Klasse III:					
Betriebstechniker	3.300,–	3.300,–	3.600,–		
	112,07	*123,27*	*134,48*		
Klasse IV:					
Betriebsassistenten	3.600,–	3.900,–	4.300,–		
	123,–	*145,69*	*160,63*		

Quellen: Schiedsspruch des Hamburger Schlichtungsausschusses vom 24.3.22, BArchB R 3901/2593; Deflationierung: Hamburger Statistische Monatsberichte Mai 1924, S. 100.

Allerdings gehen in den Durchschnitt eben auch die Gehälter von kleinen Buchhaltern und der leitenden Angestellten ein. Der innere Führungszirkel konnte auf Basis des Lebenshaltungskostenindexes des Reichs zwar 1920/21 noch 73 % der realen Vergütungen des ersten Kriegsjahres verbuchen, im Folgejahr aber nur 39 %. Während der Hyperinflation war dieser Wert noch deutlich geringer.[142] Die Grundregel der Vorkriegszeit, nach der die unterste Kategorie der Angestellten mehr verdienen sollte als der Durchschnitt der Arbeiter, besaß in den Inflationsjahren keine Geltung mehr. Teilweise als vorteilhaft, in der Regel aber doch als nachteilig erwies sich die monatliche Auszahlung der Gehälter. Bei einer sprunghaften Teuerung wurde gegebenenfalls mit Vorschüssen ausgeholfen. Seit August 1923 wurden die Angestelltengehälter dreimal monatlich ausgezahlt.[143] Später steigerte sich die Häufigkeit noch, um mit der Geldentwertung irgendwie Schritt zu halten.

Nach dem endgültigen Währungszusammenbruch und der Einführung der Hamburger Girogoldmark über Nacht zahlten die drei Großwerften Vulcan, Deutsche Werft und Blohm & Voss je nach Gehaltsklasse von sich aus Monatseinkommen zwischen 110,– und 250,– Goldmark aus.[144] Jedes Unternehmen legte selber die Sätze fest. Etwa 70 % der Höhe der Vorkriegsgehälter wurde erreicht. Damit war die alte Relation zur Lohnhöhe der Arbeiterschaft wiederhergestellt, wenn auch auf niedrigerem Niveau. Gemessen an der wirtschaftlichen Situation der Werften mögen auch Angestelltengehälter noch zu hoch gewesen sein.

Auch hinsichtlich der Länge des bezahlten Urlaubs waren – und blieben – die Angestellten in der Regel besser gestellt als die Arbeiter.[145] Nach einjähriger Tätigkeit für die Firma standen ihnen sieben, nach drei Jahren 13 und nach zwölf Jahren sogar schon 18 Tage Urlaub zu. Langjährige treue Mitarbeiter konnten auch bei nachlassender Leistungsfähigkeit mit einer Weiterbeschäftigung in den Büros rechnen. Selbst wenn sie den Anforderungen nicht mehr genügten, entließ sie die Firma angesichts der allgemeinen Verhältnisse nicht in die Rente.[146] Solche soziale Rücksichtnahme hatten die Arbeiter nicht zu erwarten. In der Speisehalle wurden die Angestellten zu einem etwas höheren Preis erheblich besser verpflegt, so daß 1923 nahezu alle davon Gebrauch machten, hingegen selbst in dieser kritischen Zeit nur etwa ein Drittel der Arbeiterschaft.[147] Die günstigere Lage sowie eine gewisse Zufriedenheit kommt auch in der geringeren Fluktuationsrate (siehe Tab. 37) im Vergleich zu den Arbeitern zum Ausdruck. Über die Gesamtzahl der Angestellten gibt es hingegen wenig Informationen. Sie belief sich im

---

142 Für 1923 sind keine genauen Daten überliefert, vgl. Berichte für den Aufsichtsrat 1915 und 1921–24, StA B&V 30.2. und 30.4.

143 Wochenbericht, 11.8.23, StA B&V 238.4.

144 Goldmark-Gehälter der Vulcan-Werft im November 1923 und handschriftliche Notiz, BArchB R3901/2599.

145 108. Sitzung des Hamburger Schlichtungsausschusses, 30.4.20, StA DMK 155.

146 Rosenstiel an den Deutschen Handlungsgehilfen-Verband, 25.9.20, StA B&V 236.2.

147 Vierteljährliche Berichte für den Arbeiterrat über das Jahr 1923, StA B&V 484.

	Angestellte		Arbeiter	
Quartal	Eingestellt	Entlassen*	Eingestellt	Entlassen*
III./1920	57	42	1.494	551
IV.	58	41	1.774	611
I./1921	97	40	2.670	1.172
II.	82	31	1.647	1.432
III.	70	45	667	1.530
IV.	118	53	2.648	2.556
I./1922	122	43	3.018	2.865
II.	102	89	3.025	3.977
III.	123	86	4.370	3.225
IV.	87	55	4.237	3.253
I./1923	156	67	2.473	3.174
II.	40	66	400	1.915
III.	47	112	722	1.602
IV.	22	81	183	1.010

Tab. 37: Fluktuation bei Arbeitern und Angestellten bei Blohm & Voss

Gemeint sind Beendigungen des Arbeitsverhältnisses, unabhängig davon, von welcher Seite der Arbeitsvertrag gekündigt wurde.
Quellen: Vierteljahresberichte der Firmenleitung an den Arbeiterrat, StA B&V 484.

Geschäftsjahr 1921/22 durchschnittlich auf 1.285 und verringerte sich bis zum Sommer 1924 auf 1.180.[148]

Weiterhin rechnete sich die Mehrheit der Angestellten zum Bürgertum. Hin und wieder ließ sich sogar noch der alte Begriff «Firmenbeamter» vernehmen. Während bei den Arbeitern die rote Fahne ihre Popularität behielt, zeigten sich die Angestellten eher ungehalten darüber, daß die Firma anläßlich des Todes der ehemaligen Kaiserin nicht auf halbmast flaggte.

III.3.4 Konflikte zwischen Firmenleitung und Beschäftigten

Es muß unterschieden werden zwischen gewalttätigen Konflikten, die oft von außen hereingetragen wurden und über eine politische Dimension verfügten, Streiks der Belegschaft und dem grauen Alltagsgeschäft von Tarifverhandlung und Schlichtung, das besonders während der Hyperinflation weitaus erfolgreicher betrieben wurde und wichtiger für die Beteiligten war als Aufstände oder Streiks.

Am 18. August 1920 erfolgte eine erste, wahrscheinlich von Kommunisten initiierte Aktion im Betrieb: Aufgebrachte Arbeiter versammelten sich vor dem Verwaltungsgebäude und stellten diverse Forderungen. Die von der Betriebsleitung herbeigerufene Polizei reagierte nicht. Die Menge stürmte das Gebäude, verwüstete das Postzimmer und schien Walther und Eduard Blohm sowie Hermann Frahm in die Elbe werfen zu wollen. Im Handgemenge erlitten sie leichte

148 Berichte für den Aufsichtsrat 1922 und 1924,
      StA B&V 30.4.

Verletzungen. Mitglieder des Betriebsrates befreiten die drei in letzter Minute und brachten sie im Arbeiterratsgebäude in Sicherheit. Daraufhin wurde die Werft für einen Tag geschlossen und der Elbtunnel von der Hamburger Sicherheitswehr abgesperrt.[149] Die Arbeiterschaft der Werft versammelte sich am 19. August im Gewerkschaftshaus, verurteilte den Vorfall und «verpflichtete sich, für die Zukunft Ruhe und Ordnung im Betrieb aufrechtzuerhalten».[150] Anschließende Verhandlungen beim Demobilmachungskommissar führten zu einer Wiedereröffnung der Werft, der Arbeiterrat verzichtete auf den entfallenen Lohn.

Der nächste herausragende Vorfall war die sogenannte Märzaktion der KPD im März 1921. Die Hamburger KPD vermochte erst nach der Vereinigung mit dem linken Flügel der USPD einen begrenzten Einfluß auf die Gewerkschaften und in den Betrieben auszuüben.[151] Die Hamburger Kommunisten hielten zu diesem Zeitpunkt als Aktionisten und Maximalisten weiter an der Idee einer Revolution fest, sie befanden sich auf Moskauer Linie.[152] Als Bestandteil eines umfassenderen Aufstandskonzepts sollten bewaffnete Auseinandersetzungen in Hamburg und Mitteldeutschland die Initialzündung für andere Regionen liefern. Möglicherweise diente die ganze Aktion nur dazu, die Aufmerksamkeit der Weltöffentlichkeit von der blutigen Niederschlagung des Aufstandes in Kronstadt abzulenken.[152a] Der Hamburger Plan sah vor, daß 3.000 Erwerbslose am 23. März nach einer Versammlung auf dem Heiligengeistfeld durch eine Betriebsbesetzung ihre Einstellung bei Blohm & Voss erzwingen sollten. Als zweiter Schritt war die Entwaffnung der Ordnungspolizei vorgesehen, um schließlich in einer militärischen Besetzung der ganzen Stadt zu gipfeln. Die SPD warnte im Vorfeld vor etwaigen Putschversuchen. Bei Blohm & Voss wurde gegen den Widerstand von Betriebsräten, die der SPD oder der USPD nahestanden, eine Belegschaftsversammlung einberufen, auf der kommunistische Redner die umgehende Einstellung Arbeitsloser forderten. Dagegen lehnte die Betriebsräteversammlung des Deutschen Metallarbeiterverbandes schon die Diskussion darüber ab.

Am 22. März wollte die deutsche Zentrale der KPD den Aufstandsversuch abbrechen, doch die Hamburger Parteiführung blieb bei ihren alten Plänen, die angeblich Erfolg verhießen. Tatsächlich versammelten sich nur etwa 400 bis 500 Arbeitslose auf dem Heiligengeistfeld. Sie wurden von der Polizei auseinandergetrieben. Überall in der Hansestadt waren die Sicherheitskräfte aktiv. Auch der Werkschutz von Blohm & Voss befand sich in erhöhter Alarmbereitschaft. Nur ungefähr 100 Arbeitslose gelangten aufs Firmengelände. Sie verlangten vom Be-

149 Vgl. StA Familie Blohm 2, S. 326 f.; Prager, Blohm + Voss, S. 123; Bericht für Rosenstiel, 19.9.20, StA B&V 235.1.

150 Vgl. Ergebnis der Verhandlung beim DMK, 19.8.20, StA DMK 201a.

151 Büttner, Die Hamburger freien Gewerkschaften, S. 149.

152 Vgl. zum folgenden Koch-Baumgarten, Aufstand der Avantgarde, S. 188–209.

152a Siehe Pipes, Richard: Die Russische Revolution, Bd. 3: Rußland unter dem neuen Regime, Berlin 1993, S. 315.

triebsrat die umgehende Einstellung, andernfalls wollten sie das Unternehmen besetzen. Die Forderungen wurden an die Firmenleitung weitergeleitet, die eine Räumung des Geländes von sämtlichen Unbefugten bis 11.00 Uhr forderte. Die nichtkommunistischen Betriebsräte lehnten nun jegliche Verantwortung für weitere Aktionen ab. Ein Aktionsausschuß bildete sich, der die Besetzung des Betriebes erklärte. Ein als solcher identifizierter Polizeibeamter wurde schwer mißhandelt, die rote Fahne gehißt. Die Reaktion der Belegschaft war aber gespalten, die Mehrheit stellte sich gegen die Vorkommnisse.[153] Arbeiter brachten beim Sturm der Radikalen auf das Verwaltungsgebäude die Firmenleitung in Sicherheit und verhinderten umfangreiche Plünderungen und Diebstähle.[154] Durch Schlägertrupps und das Verschließen der Tore wurden den Vorgängen abgeneigte Arbeiter am Verlassen des Geländes gehindert. Andere zogen zur geplanten großen Versammlung auf das Heiligengeistfeld.

Die kommunistische «Hamburger Volkszeitung» verbreitete einen Aufruf zum Aufstand, während SPD und Gewerkschaften dagegen steuerten. Die Polizei errichtete Straßensperren, ließ Maschinengewehre aufstellen, das Hafengebiet absperren und das Rathaus sichern. Um 15.45 Uhr wurde der Ausnahmezustand verhängt. Es kam zu zahlreichen Zusammenstößen zwischen Polizei und Demonstranten, bei denen scharf geschossen wurde. Insgesamt gab es 26 Todesopfer. Am Abend war die Aktion beendet, einzig Ernst Thälmann setzte sich in der Hamburger KPD-Leitung für eine Fortführung ein. Fast zwei Drittel der Hamburger KPD-Mitglieder wandten sich wegen dieser Ereignisse anschließend von der Partei ab.[155]

Die Betriebsbesetzung bei Blohm & Voss wurde durch zwei Angriffskolonnen der Polizei, einen Stoßtrupp der Sicherheitspolizei, der durch die Speisehalle eindrang, und den loyalen Teil der Belegschaft beendet.[156] Dabei wurde ein Arbeiter erschossen. Ein Feuer konnte noch rechtzeitig gelöscht werden, es handelte sich vermutlich um Brandstiftung. Anschließend schloß die Firmenleitung das Unternehmen und entließ die gesamte Arbeiterschaft.[157] Ebenso gingen Vulcan-Werft und Deutsche Werft vor. Die Firma nahm das unerhörte Geschehen zum Anlaß, sich unerwünschter Arbeitnehmer zu entledigen, die Belegschaft zu disziplinieren und die eigene Stellung zu stärken. Ferguson vermutet gar, die Unternehmer hätten seit der Revolution sehnlichst auf eine derartige Konfrontation gewartet.[158] Die Werftarbeiterschaft bildete eine Kommission, die von der Mehrheit der Arbeiter das Mandat zu Verhandlungen erhielt. Sie verurteilte die Vorfälle scharf und wollte unter Einbeziehung des Demobilmachungskommissars eine

153 Prager, Blohm + Voss, S. 123; Ferguson, Paper and iron, S. 308; Büttner, Politische Gerechtigkeit, S. 119; Abkommen mit der Verhandlungskommission der Arbeiterschaft, 30.3.20, StA B&V 486b.
154 Prager, Blohm + Voss, S. 123.

155 Büttner, Politische Gerechtigkeit, S. 120.
156 StA Familie Blohm 2, S. 328; Prager, Blohm + Voss, S. 123.
157 Bericht für den Aufsichtsrat 1921, StA B&V 30.4.
158 Ferguson, Paper and iron, S. 308.

Wiedereröffnung des Betriebs erreichen.[159] Ein Abkommen zwischen der Firma und der Kommission wurde geschlossen. Es sah folgendes vor: Die Firma darf an den Unruhen beteiligte Beschäftigte und andere Personen, die den Arbeitsablauf durch Agitation stören, entlassen. Es finden Neuwahlen zum Betriebsrat statt. Dieser beschränkt sich auf betriebliche Fragen und verzichtet auf Parteipolitik. Radikale Strömungen sollten der Firma bekanntgegeben werden. Der Betrieb diene einzig der Produktion. Jede politische Agitation solle unterbleiben.[160] Die Firmenleitung beabsichtigte, etwa 500 Arbeitern zu kündigen.[161] Dies mag aus heutiger Sicht überzogen erscheinen. Angesichts der Unruhen mit zahlreichen Toten ist es jedenfalls nicht unverständlich.

Es ist in der Literatur die Ansicht geäußert worden, eine tiefere Ursache der Märzaktion in Hamburg seien die Verhältnisse auf den Werften gewesen.[162] Zwar wurde die Aktion hauptsächlich von Werft- und Metallarbeitern sowie von Arbeitslosen getragen, aber nur ein Teil der Belegschaft von Blohm & Voss war involviert. Von den Hamburger Werftarbeitern beteiligte sich etwa jeder Dritte am Streik.[163] Schon am Tag nach den Unruhen wollten die Beschäftigten von Blohm & Voss wieder normal arbeiten, was eine erhebliche Unzufriedenheit mit den Verhältnissen, die in einen gewalttätigen Aufstand münden konnte, doch recht unwahrscheinlich erscheinen läßt. Tatsächlich waren die Reallöhne, gemessen an den Lebenshaltungskosten, seit dem Tiefstand im März 1920, um mehr als die Hälfte gestiegen. Die Versorgungslage und das alltägliche Leben hatten sich endlich normalisiert. Das Unternehmen hatte den höchsten Personalstand seit dem Krieg erreicht, und die Werft war endlich relativ gut ausgelastet.

Drei Monate nach Abschluß des Abkommens beschwerte sich das Unternehmen beim Senat über aufhetzende Berichte in der «Hamburger Volkszeitung» mit dem Hinweis, derartigen Artikeln und der Agitation einzelner ehemaliger kommunistischer Mitglieder des Betriebsrates, die inzwischen steckbrieflich gesucht wurden, seien die Unruhen zu verdanken. Daraufhin erklärte Bürgermeister Diestel, der verantwortliche Redakteur genieße als Mitglied der Bürgerschaft zwar parlamentarische Immunität, wenn es jedoch wieder zu Krawallen komme, werde sofort der Ausnahmezustand verkündet und entschlossen reagiert. Außerdem empfahl er, eine eigene unbewaffnete Schutzwache aus loyalen Arbeitern und Angestellten zu bilden, die im Zweifelsfalle von den Fäusten Gebrauch machen könnten. Rudolf Rosenstiel erwiderte, daß sich zu unbewaffneten Verteidigungsaktionen niemand finde, beim nächsten Sturm auf das Hauptgebäude aber rücksichtslos geschossen werde.[164]

159 DMK an die Hamburger Großwerften, 26.3.21, StA DMK 155.
160 Abkommen mit der Verhandlungskommission, 30.3.21, StA B&V 486b.
161 Vertrauliche Notiz, 31.3.21, StA B&V 1368.
162 Koch-Baumgarten, Aufstand der Avantgarde, S. 211. Ferguson geht von langandauernden industriellen Spannungen aus (Ferguson, Paper and iron, S. 307).
163 Koch-Baumgarten schreibt von etwa 10.000 Streikenden (Koch-Baumgarten, Aufstand der Avantgarde, S. 209).
164 Schreiben an den Senat, Gespräch mit Bürgermeister Diestel, 14.7.21, StA B&V 101.1.

Bis zu den Arbeitskämpfen des Jahres 1923 blieb die Firma – abgesehen von kleinen Ausständen wie dem von 300 Bohrern und Stemmern – von großen Streiks vollkommen verschont.[165] Die Firmenleitung betonte selber beständig, die Arbeitsverhältnisse hätten sich deutlich verbessert. Damit soll nicht geleugnet werden, daß durchaus ein gewisses Potential an unzufriedenen Arbeitern bestand. All dies läßt aber eigentlich nur die Folgerung zu, daß die Märzaktion von außen in die Betriebe getragen wurde. Die Führung der Hamburger Kommunisten profilierte sich bei der Moskauer Zentrale mit Aufstandsversuchen, ohne über einen geeigneten Rückhalt und Aussicht auf Erfolg zu verfügen. Dabei wurde keine Rücksicht auf Menschenleben genommen.

Im August 1923 fanden überall im Reich spontane Streiks gegen die Regierung Cuno wegen der inflationsbedingten Not statt. Problematisch war vor allem die zu späte Auszahlung von Löhnen in weiter entwertetem Geld. Am 8. August demonstrierten etwa 4.000 Arbeiter von Blohm & Voss gegen Ende der Mittagspause vor dem Hauptgebäude und nahmen die Arbeit nicht wieder auf.[166] Diesen Protest hatten wahrscheinlich wiederum die Kommunisten initiiert. Die Firmenleitung teilte dem Betriebsrat, der der Demonstration ferngeblieben war, mit, daß sie der wirtschaftlichen Lage der Arbeiter Rechnung tragen wolle, sofern die Zahlungsmittelknappheit dies zulasse. Sie forderte aber eine Wiederaufnahme der Arbeit um 14.00 Uhr und drohte andernfalls mit der Aussperrung. Daraufhin zogen die Demonstranten zu einzelnen Werkstätten und bewogen die Beschäftigten, teilweise unter Gewaltanwendung, zur Arbeitsniederlegung. Die arbeitswillige Belegschaft der Maschinenfabrik hatte die Türen verschlossen, trotzdem drangen Demonstranten ein und mißhandelten einzelne Arbeiter und einen Meister. Abends ließ die Firmenleitung den Betrieb wegen dieser Vorfälle vorerst schließen. Auf der Belegschaftsversammlung am folgenden Tag erhoben die Arbeiter die Forderung nach einem wertbeständigen Wochenlohn von 30,– Goldmark und die Übernahme der zehnprozentigen Lohnsteuer durch das Unternehmen. Verhandlungen mit Vertretern der Arbeiterschaft verliefen ergebnislos. Demgegenüber hatten die Gewerkschaften ein Interesse an der schnellen Beilegung des Konflikts. Doch war deren Rückhalt in der Arbeiterschaft inzwischen relativ gering. Das begünstigte die Kommunisten.

Am 13. August ließ die Unternehmensleitung versuchsweise den Betrieb wieder öffnen, nachdem die Polizei ihre Präsenz und der Senat die Bereitstellung von Papiergeld im gewünschten Umfang zugesagt hatten.[167] Daraufhin proklamierte die KPD den Generalstreik.[168] Die Polizei erwies sich als zu schwach, um den Arbeitswilligen den Zugang zum Betrieb durch den Elbtunnel zu ermöglichen, da die Streikenden die Eingänge des Tunnels blockierten. Es kamen, wie auch am

165 Bericht für den Aufsichtsrat 1922, StA B&V 30.4.

166 Vgl. zum folgenden Wochenbericht, 11.8. 23, StA 238.4.

167 Vgl. zum folgenden Wochenbericht, 18.8. 23, StA 232.2.

168 Büttner, Politische Gerechtigkeit, S. 167.

Folgetag, nur etwa 600 Arbeiter auf die Werft. Ein Sonderschlichtungsausschuß
gelangte zu keinem Schiedsspruch. Die Werftarbeiterversammlung am 15. August verlief hitzig. Es kam zu Prügeleien, und die Kommunisten sprengten
schließlich vor der entscheidenden Abstimmung die Versammlung. Wahrscheinlich fürchtete die KPD, die maßgeblich den Streik gefördert hatte, der sich
schließlich auf das gesamte Hafengebiet erstreckte, eine Abstimmungsniederlage.
Der bereits am 13. August verhängte Ausnahmezustand und das Verbot der
«Hamburger Volkszeitung» führten zu einer Beendigung des Konflikts. Am
16. August wurde die Arbeit wieder aufgenommen; die Lohnauszahlung verlief
störungsfrei. Bei den vorherigen Auseinandersetzungen mit der Polizei waren
wieder vier Tote zu beklagen.[169]

Während eines Werft- und Hafenarbeiterstreiks, der am 20. Oktober 1923 ein-
setzte, sah die Hamburger KPD erneut den Zeitpunkt für eine Revolution gekommen.[170] Mallmann bezeichnete den Vorfall als «die Groteske des völlig isolier-
ten Hamburger Aufstandes».[171] Einige Werftarbeiter waren auch beteiligt. Insgesamt 17 Polizeiwachen in Hamburg und Umgebung wurden gestürmt, in Schiff-
bek und Barmbek Barrikaden errichtet. Die Aufständischen waren bewaffnet.
Aber der sogenannte «Hamburger Aufstand» vom 23. Oktober 1923 brach relativ
schnell zusammen, denn weder die Bevölkerung noch die Arbeiterschaft und
nicht einmal die KPD-Anhänger schlossen sich ihm an. Es kam auch nicht zum
Generalstreik. Am Aufstand nahmen nur über etwa 300 Entschlossene teil – nach
anderen Angaben sogar nur 150 – und er wurde von der Polizei nach zwei Tagen
schließlich unter Kontrolle gebracht.[172] Die Schießereien mit den Sicherheitskräf-
ten forderten über 100 Todesopfer, darunter 61 unbeteiligte Passanten. Im Oktober 1923 war das Ende des Inflationselends der größte Wunsch der Bevölkerung.
Eine neue Währung konnte nur vom Staat in Verbindung mit der Industrie und
dem Finanzwesen herbeigeführt werden. Ein kommunistischer Putsch war offensichtlich fehl am Platze. Die geringe Beteiligung zeigte die mangelnde Unterstützung der Bevölkerung. Im Anschluß verließen etwa zwei Drittel der KPD-Mitglieder die Partei,[173] der sie ohnehin eher aus Protest und nicht aus Überzeugung
hinsichtlich des Programms angehört hatten. Den Verantwortlichen war die Sinn-
losigkeit ihres Unterfangens gewiß von vornherein klar. Obgleich es sich beim
«Hamburger Aufstand» um ein spektakuläres Ereignis gehandelt hat, wurde es von
der Firmenleitung im Bericht für den Aufsichtsrat nur nebenbei erwähnt.[174]

169 Berlin, Staatshüter und Revolutionsverfech-
    ter, S. 126.
170 Vgl. Büttner, Politische Gerechtigkeit, S. 122 f.
171 Mallmann, Klaus-Dieter: Kommunisten in
    der Weimarer Republik, Darmstadt 1996,
    S. 53.
172 Vgl. Berlin, Staatshüter und Revolutionsver-
    fechter, S. 126–129. Mallmann gibt die ge-
    ringere Zahl von 150 Kommunisten in der

Kampflinie an. Allerdings fanden die Kämp-
fenden rund 1.000 Unterstützer, die Barrikaden bauten, Munition und Verpflegung her-
anschafften usw. (Mallmann, Kommunisten
in der Weimarer Republik, S. 163).
173 Büttner, Die Hamburger freien Gewerk-
    schaften, S. 149.
174 Bericht von 1924, StA B&V 30.4.

Während die Unternehmensleitung politisch motivierte Unruhen vehement ablehnte, sah sie Streiks der Arbeiter im Zusammenhang mit Tarifkonflikten als durchaus normal an und nahm sie hin. Partielle Streiks der Kupferschmiede und der Nieter wurden nur als «störend» empfunden, meldet der Bericht für den Aufsichtsrat 1921.[175] Rudolf Rosenstiel charakterisierte die Haltung der Firmenleitung gegenüber den besonders streikfreudigen Nietern folgendermaßen: «Wir haben jedenfalls auf unserer Werft einen recht guten Stamm von Nietern, die wir sehr wohl zu unserem festen Arbeiterstamm rechnen, dass die meisten Streiks von den Nietern ausgehen, ist an sich richtig. Es sind eben diejenigen, die bei der gröbsten Arbeit immer so dumm sind, sich von den anderen vorschicken zu lassen, und schließlich die Kosten des Streiks zu bezahlen haben.»[176]

Weniger gelassen reagierte die Firmenleitung auf einen Tarifkonflikt sowie einen Streik der Angestellten im April/Mai 1920. Die Lage war gespannt, zumal die Untermeister immer noch auf derselben Einkommensstufe standen wie gelernte Arbeiter. Sie wurden lediglich hinsichtlich der Vergütung bei krankheitsbedingtem Fehlen und der Sicherheit ihres Arbeitsplatzes besser als die Arbeiter behandelt.[177] Wegen eines Mangels an Personal in den Büros mußten Angestellte zahlreiche Überstunden leisten, die nach ihrer Ansicht zu gering bezahlt wurden.[178] Der Tarifvertrag war bereits am 1. April 1920 ausgelaufen, und es war noch kein neuer abgeschlossen worden. Am 30. April wurde durch einen Schiedsspruch vorläufig der Konflikt um die Überstunden geschlichtet.[179] Doch entluden sich im Mai die aufgestauten Spannungen in einem neuntägigen Angestelltenstreik. Werkmeister bezogen gemeinsam mit Arbeitern Streikposten, was die Firmenleitung besonders erboste. Die Vereinigung der leitenden Angestellten solidarisierte sich jedoch nicht, da sie den Streik aufgrund der Wirtschaftslage und der Tatsache ablehnte, daß nicht alle Verhandlungsmöglichkeiten ausgeschöpft waren.[180] Sie bot statt dessen an, daß ihre Mitglieder weiter arbeiteten. Der Streik diente wohl hauptsächlich dazu, «Dampf abzulassen», denn die Gehaltserhöhung fiel nach seiner Beendigung eher bescheiden aus.[181] Auf eine Vergütung der Streiktage mußten die Angestellten ebenfalls verzichten. Entlassungen konnten wegen «ungesetzlicher Handlungen», also Handgreiflichkeiten, Beschimpfung oder Bedrohung von Vorgesetzten, nicht jedoch anläßlich der Streikteilnahme ausgesprochen werden. Das Unternehmen setzte sich durch. Etwa ein Dutzend Kündigungen wurden ausgesprochen. Ohnehin verfügte die Firmenleitung über Trümpfe, die die Waffen der Angestelltenvertreter stumpf machten. 60 % der ta-

175 StA B&V 30.4.
176 Rosenstiel an Tirpitz jun., 19.4.21, StA B&V 236.2.
177 Donnerstagssitzung, 15.4.20, StA B&V 13.2.
178 Aufzeichnungen Rosenstiels über Besprechung, 19.4.20, StA B&V 9.4.

179 108. Sitzung des Hamburger Schlichtungsausschusses, 30.4.20, StA DMK 155.
180 Vereinigung leitender Angestellter an den DMK, 11.5.20, ebd.
181 Bericht für den Aufsichtsrat, 9.10.20, StA B&V 28; Schiedsspruch zum Angestelltenstreik, 26.5.20, StA DMK 155.

rifmäßig erfaßten Angestellten wurden nämlich über Tarif bezahlt.[182] Die Unternehmensleitung konnte ihr zu hoch erscheinenden Tarifabschlüssen theoretisch durch Kürzung der außertariflichen Leistungen begegnen. Nach Ansicht der Werftleitung hatte aber die Autorität der Meister durch den Streik erheblich gelitten. Das bedauerte sie.[183]

Insgesamt blieb die Arbeitsruhe, im Vergleich zur unmittelbaren Nachkriegszeit, weitgehend erhalten. Ein Streik der Nieter im Oktober und November 1920 sorgte für ein gewisses Aufsehen. Die Nieter der Hamburger Werften legten die Arbeit am 23. Oktober nieder, um höhere Akkordlöhne und die Wiedereinstellung von wegen zu geringer Arbeitsleistung entlassenen Kollegen zu erreichen.[184] Es lag also nicht nur ein Lohnkonflikt vor, sondern auch ein Fall von Solidarität innerhalb einer Arbeitergruppe. Die Arbeitgeber weigerten sich kategorisch, den Streikenden entgegenzukommen. Der Hamburger Demobilmachungskommissar wünschte die Wiedereinstellung, um die Ruhe auf den Werften wiederherzustellen. Eine Änderung der Akkorde sei jedoch nur im Rahmen einer Tarifverhandlung zu erreichen. Die Nieter befanden sich insofern in einer guten Verhandlungsposition, da ohne sie irgendwann nicht mehr an den Schiffen weitergebaut werden konnte. Nach drei Wochen drohte Kurzarbeit für Teile der Belegschaft.[185] Auch als bei Blohm & Voss schon 222 Beschäftigte kurzarbeiten mußten, lenkten die Nieter immer noch nicht ein.[186] Erst als der Reichsarbeitsminister eingriff, der eine Ausweitung des Streiks befürchtete und die beiden Parteien an den Verhandlungstisch brachte, endete der Konflikt am 20. November, ohne daß große Erfolge erzielt worden wären.[187]

Zwar kam es noch im Frühjahr 1921 zu einem Streik der Werftelektriker, und es sollten noch weitere kleine Arbeitskonflikte folgen,[188] im übrigen blieb es bis zu den großen Streiks in der Hyperinflation relativ ruhig. Eine Ursache war sicherlich die stärkere Verhandlungsposition der Arbeiter in den Zeiten der Vollbeschäftigung, eine andere der Erfolg des Schlichtungswesens. Die ersten Schlichtungsausschüsse waren schon in den Zeiten des vaterländischen Hilfsdienstgesetzes auf Länderebene eingerichtet worden. Im Falle von unlösbaren Tarifkonflikten sollte der unabhängige Vorsitzende zusammen mit je zwei Beisitzern der Konfliktparteien zu einer Lösung des Tarifstreits durch einen Schiedsspruch kommen, der dann in einen rechtskräftigen Tarifvertrag umgewandelt werden sollte.[189] Seit dem Januar 1919 machte die Demobilmachungsverordnung eine

182 Besprechung von Rosenstiel und einem Vertreter des Werkmeisterverbandes, 22.5.20, StA B&V 9.4.

183 Donnerstagssitzung, 27.5.20, StA B&V 13.2.

184 Verband der Eisenindustrie an den DMK, 30.10.20, Besprechung von Senator Schramm mit Werftarbeitern und Werftbesitzern, 30.10.20, StA DMK 156.

185 Senator Schramm an das Reichsarbeitsministerium, 12.11.20, ebd.

186 «Hamburger Echo» vom 16.11.20.

187 DMK an den DMV, 20.11.20, StA DMK 156.

188 Ferguson, Paper and iron, S. 301.

189 Vgl. Bähr, Johannes: Staatliche Schlichtung in der Weimarer Republik, Berlin 1989, S. 2 f.

staatliche Zwangsschlichtung in Deutschland möglich.[190] Damit vermochte der
Staat selber in die Lohnpolitik einzugreifen und die Tarifautonomie zu beenden.
Im Falle einer Zwangsschlichtung konnte der Schiedsspruch ohne Einwilligung
der Beteiligten durchgesetzt werden. Dieses Instrument wurde im Laufe der Zeit
immer häufiger eingesetzt, und Rudolf Blohm machte die Schlichtung mitverantwortlich für die preistreibende Lohnspirale.[191] Andererseits halfen die Schlichtungsausschüsse, Streiks zu vermeiden. Die Firma stellte oftmals einen Beisitzer
für den zuständigen Hamburger Ausschuß.

Besonders im Falle der Angestellten sah Blohm & Voss das Tarifvertragswesen
mit seiner kollektiven Interessenwahrnehmung und erst recht eine Zwangsschlichtung sehr ungern. Angeblich unterstützte auch die Mehrheit der Angestellten der Werft die Absicht der Firmenleitung, wieder zu individuellen
Vereinbarungen zurückzukehren. Deshalb forderte Rudolf Blohm die norddeutschen Werften auf, aus dem Tarifvertrag und gar aus der Zentralarbeitsgemeinschaft auszuscheren. Als die übrigen Werften ihm nicht folgen wollten,
legte er im März 1922 den Vorsitz der Norddeutschen Gruppe/Abteilung Seeschiffswerften nieder.[192] Mit diesem Rücktritt verzichtete er auf einen bedeu-
tenden und einflußreichen Posten und stellte die Nachbarwerften vor die Entscheidung, mit oder ohne einen führenden Betrieb den Gewerkschaften entgegenzutreten. Das mochten diese nicht akzeptieren und sprachen sich in seiner
Abwesenheit einstimmig dafür aus, daß an ihn mit der Bitte herangetreten
werde, erneut den Vorsitz zu übernehmen.[193] Diesem Wunsch entsprach Blohm
dann gerne.

Am 31. März 1922 verlängerte die Firma – zusammen mit der Norddeutschen Gruppe – den abgelaufenen Tarifvertrag mit den Angestellltengewerk-
schaften nicht mehr, sondern regelte die Bezüge auf der Basis individueller Beurteilungen der Einzelfälle.[194] Dagegen machten die betroffenen Gewerkschaften Front. Sie erreichten, daß ein vom Reichsarbeitsminister eingesetzter Sonderschlichtungsausschuß den Abschluß eines Tarifvertrages für verbindlich erklärte. In der Folge wurden immer neue Schiedssprüche erlassen. Allerdings
kümmerte sich die Firma nicht um die so festgelegten Tarifgehälter, zumal die
von der Firma festgesetzten Effektivgehälter ja zumeist über den Tarifgehältern
lagen. So erwies sich der frontale Angriff auf den Tarifvertrag erst einmal als erfolgreich, zumal die Angestellten im Verlauf der Hyperinflation angesichts der
komplizierten Schiedssprüche und der raschen Entwertung früherer Festlegun-
gen immer weniger in der Lage waren zu erkennen, was eigentlich die exakte
Höhe des tariflich bestimmten Einkommens war. Sie fanden sich schließlich mit

190 Ebd., S. 22.
191 Ferguson, Paper and iron, S. 302.
192 Sitzung der Norddeutschen Gruppe/Abt.
      Seeschiffswerften, 6.3.22, StA B&V 1368.
193 Sitzung der Norddeutschen Gruppe/Abt.
      Seeschiffswerften, 15.3.22, ebd.
194 Vgl. Bericht für den Aufsichtsrat 1922, StA
      B&V 30.4.

den tatsächlichen Zahlungen ab, «was vom Standpunkt des Tarifstreits keine Schande» sei.[195]

Im Falle der Arbeiter versuchten die Arbeitgeber keinen derart frontalen Angriff auf den Tarifvertrag und die Schlichtung. Die Unternehmer fanden sich zähneknirschend oder gleichgültig mit dem Zustand ab. Als im Sommer 1923 die norddeutschen Werften nach längerer Diskussion einen als zu hoch eingestuften Schiedsspruch annahmen, kommentierte Walther Blohm: «Die Sitzung selber war ein Musterbeispiel dafür, welche Gleichgültigkeit, um nicht zu sagen, welcher Fatalismus, allmählich weite Kreise der Arbeitgeberschaft ergriffen hat.»[196] Zwei Wochen später beschloß das Reichsarbeitsministerium, die Löhne an den örtlichen Lebenshaltungsindex zu koppeln und wöchentlich im Maß des Lebenshaltungsindex zu steigern, während die Tarifparteien nur monatlich verhandeln sollten.[197] Diese Maßnahme war von den lokalen Schlichtungsausschüssen durchzusetzen, was mit gewisser Verzögerung erfolgte. Spätestens seit September tagte der Schlichtungsausschuß in Hamburg dennoch wöchentlich. Der Montag war für die Firma Schlichtungstag.[198] Es bestand die Forderung von seiten der Arbeitnehmer, die realen Lohneinkommen trotz der reduzierten Arbeitszeit auf etwa 70–80 % des Vorkriegsstandes zu bringen bzw. zu halten.[199] Mit Ausnahme des chaotischen Oktobers konnte tatsächlich ein gewisses Einkommen garantiert werden, wenn es auch ab Sommer 1922 unter den angestrebten 70–80 % lag. Auch insofern war die Schlichtung weitgehend erfolgreich. Sie sorgte zudem dafür, daß die Gewerkschaften während der Hyperinflation nicht funktionslos wurden, sondern als Tarifpartner weiter agieren konnten.[200]

Ob es eine Alternative zur Zwangsschlichtung gegeben hat, erscheint fraglich. Sicherlich hatte sie auch negative Seiten. Die starke Stellung des Schlichters und somit des Staates führte zu zahlreichen Fehlentscheidungen einer primär politisch motivierten Lohnfindung, die ökonomisch kaum zu verantworten war. In der Regel versuchte der Staat, die Arbeiterschaft durch zu günstige Schiedssprüche zu beruhigen und die Last auf die Unternehmer abzuwälzen, die dann ihrerseits durch die mit Hilfe der Notenpresse finanzierte Subventionierung der Werftproduktion in die Lage versetzt wurden, diese Löhne zu zahlen. Er handelte damit aber inflationsbeschleunigend.

195 Wochenbericht, 25.8.23, StA B&V 232.1.
196 Wochenbericht, 7.7.23, StA B&V 238.4.
197 Bähr, Staatliche Schlichtung, S. 66.
198 Wochenberichte vom September 1923, StA B&V 232.2 und 235.2.
199 Bähr, Staatliche Schlichtung, S. 68.

200 Ruck, Michael: Von der Arbeitsgemeinschaft zum Zwangstarif, in: Matthias, Erich/Schönhoven, Klaus (Hg.): Solidarität und Menschenwürde. Etappen der deutschen Gewerkschaftsgeschichte von den Anfängen bis zur Gegenwart, Bonn 1984, S. 151.

III.3.5 Die Versorgungslage

Im Frühjahr 1920 bestand noch immer die staatliche Lebensmittelbewirtschaftung. Das Hamburger Kriegsversorgungsamt verteilte Nahrungsmittel auf Kartenbasis, obwohl sämtliche Waren auch unter der Hand, freilich zu einem etwas höheren Preis, zu beziehen waren. Die Speisehalle von Blohm & Voss wurde immer noch als «Kriegsküche» geführt und unter anderem auch vom Kriegsversorgungsamt beliefert. Das Kantinenpersonal nahm den Beschäftigten jedoch für bezugsscheinpflichtige Produkte keine Karten mehr ab. Damit nicht der Verdacht einer Bevorzugung der Belegschaft entstehe, forderte die Behörde, Lebensmittelkarten einzuziehen, andernfalls könne sie höchstens mit nichtmarkenpflichtigen Produkten aushelfen. Die Firma verwies auf die Unruhe der Belegschaft und meinte, den Arbeitern entgegenkommen zu müssen.[201]

Erst in der Phase der relativen Stabilisierung endete die Bewirtschaftung, erreichte die Lebensmittelversorgung ein vergleichsweise befriedigendes Niveau und konnten die Arbeiter nötige Ersatzanschaffungen an Kleidung und Schuhen tätigen. Doch subventionierte das Unternehmen seine Speisehalle weiterhin, im Geschäftsjahr 1920/21 mit umgerechnet 219.000,– Goldmark, im Folgejahr mit etwa 67.000,– Goldmark.[202] Die Aufwendungen standen in einem Verhältnis von 87,8 % bzw. 52,6 % zum ausgewiesenen Reingewinn. Obwohl kein Hunger mehr herrschte, wandte Blohm & Voss also erhebliche Mittel für soziale Maßnahmen in diesem Bereich auf. Für die Angestellten wurde ein besonderes Essen zubereitet, das im Juli 1920 noch 18, im Juli 1921 nur noch zehn Goldpfennig kostete, während die Arbeiter für ein einfacheres Mahl acht bzw. sieben Goldpfennig bezahlten. Damit hatte sich die für den Erwerb eines Mittagessens in der Speisehalle aufzuwendende Arbeitszeit gegenüber 1914 mehr als halbiert. Für die Zeit der Hyperinflation gibt es keine entsprechenden Daten. Der Anteil der Nutzer der Speisehalle lag unter den Angestellten deutlich höher; in absoluten Zahlen dominierten jedoch die Arbeiter.

Mit der Hyperinflation kehrte das Gespenst des Hungers zurück. Im Sommer 1923 waren die Lebensmittelpreise einerseits zu hoch für die Kunden und andererseits zu niedrig für die Verkäufer. Zahlreiche Geschäfte mußten schließen, der Zusammenbruch des Verteilungsapparats drohte. Der Hamburger Senat bildete eine Notstandskommission und legte Sondervorräte an. Er griff jetzt wiederholt in die Lebensmittelversorgung ein, baute nach den schlechten Erfahrungen des Krieges aber keinen eigenen Verwaltungsapparat auf, sondern spannte bestehende privat- und gemeinwirtschaftliche Institutionen ein.[203]

---

201 Besprechung mit dem KVA, 12.4.20, StA B&V 9.4.

202 Vgl. Berichte für den Aufsichtsrat 1921 und 1922, StA B&V 30.4.

203 Vgl. Büttner, Politische Gerechtigkeit, S. 155 ff.

Als die deutsche Industrie aufgerufen wurde, dem Reichsernährungsministerium für Nahrungsmittelankäufe Devisen zur Verfügung zu stellen, zeichnete auch Blohm & Voss zunächst 20.000,–, später 40.000,– US-Dollar-Schatzanweisungen. Alle Werften stellten auf diese Weise 192.000,– US-Dollar zur Verfügung,[204] alles in allem nur ein Tropfen auf den heißen Stein.

Die Beschäftigten von Blohm & Voss waren in der Hyperinflation anscheinend weniger stark vom Hunger betroffen, denn die Speisehallennutzung stieg nicht außergewöhnlich an.[205] Durch die Beteiligung der Firma an der Girogoldmark verfügte die Belegschaft früher als andere über ein stabiles Zahlungsmittel. Da der Handel in Hamburg vorerst noch überhöhte Preise forderte, begann das Unternehmen, Lebensmittel zum Selbstkostenpreis an seine Beschäftigten zu verkaufen, um die Preise auf einen angemessenen Stand zu drücken.[206] Die Firma nahm mögliche Verluste in Kauf. Nach drei Wochen war das Ziel erreicht, und die aufsehenerregende Aktion konnte abgebrochen werden. In den Schaufenstern des Handels tauchten jetzt Plakate mit der Inschrift auf: «Billiger als bei Blohm!»[207]

III.4 Die Beziehungen zu staatlichen Institutionen

Die Masse der kriegsbedingten staatlichen Eingriffe in das Wirtschaftsleben ließ sich nach Kriegsende nicht rasch zurücknehmen. Die Übel der Kriegswirtschaft, labyrinthartige Prozesse der Entscheidungsfindung, bürokratisches Chaos, Schwäche von internen Kontrollinstanzen und ein Übermaß entscheidungsfindender Körperschaften, wurden vielfach beibehalten.[208] Einzig das administrativ noch inkompetentere Militär hatte seine dominierende Position verloren. Wichtigster Ansprechpartner der Industrie blieb die Ministerialbürokratie des Reichs.[209] Diese setzte sich hauptsächlich aus Beamten zusammen, die sich schon im Kaiserreich in Amt und Würden befunden hatten.

Das Unternehmen wurde vom Staat an mancher Stelle in den Prozeß nationaler und internationaler Problemlösung eingebunden. Rudolf Blohm etwa saß als Vertreter der Wirtschaft in zahlreichen gemischt besetzten Kommissionen. So war er Mitglied der Pariser Sachverständigenkommission, die die Ausführung der Friedensbedingungen aushandelte, stellvertretendes Mitglied der Deputation für

---

204 RDI an B&V, 3.8.23, Antwort, 11.8.23, R. Blohm an Dir. Esser, Bremer Vulkan, 16.8.23, StA B&V 511.
205 Berichte für den Arbeiterrat 1923, StA B&V 484.
206 R. Blohm an den Verband der Eisenindustrie, 9.11.23, Statistik über die Lebensmittelverteilungen, StA B&V 490.

207 Prager, Blohm + Voss, S. 122.
208 Vgl. Ferguson, Paper and iron, S. 271.
209 Vgl. Ullmann, Hans-Peter: Wirtschaftsverbände in Deutschland, in: Zeitschrift für Unternehmensgeschichte (35) 1990, S. 106.

Handel, Schiffahrt und Gewerbe des Hamburger Senats, Beisitzer in der Spruch-
kammer des Reichsentschädigungsamtes in Hamburg und Mitglied des Hamburger Demobilmachungsausschusses.[210] Carl Gottfried Gok repräsentierte die Arbeitgeber im Hamburger Schlichtungsausschuß.[211]

Durch die Beschränkungen des Versailler Vertrages entfiel die Reichsmarine
als Geschäftspartner weitgehend. Die Kontakte spielten sich jetzt eher auf einer
halboffiziellen Ebene im Zusammenhang mit dem illegalen Rüstungsexport ab,
von dem noch zu sprechen ist, oder beschränkten sich auf private Beziehungen zu
in den Ruhestand versetzten Offizieren, die in der Wirtschaft ihr Glück versuchten. Hingegen kristallisierte sich der Hamburger Demobilmachungskommissar
als ein wichtiger Ansprechpartner der Werft heraus. In seine Zuständigkeit fiel
die Schlichtung von Tarifstreitigkeiten durch den Schlichtungsausschuß. Als
Kommissar fungierte Senator Dr. Schramm, der u. a. vermittelnd in den Nieterstreik im Herbst 1920 eingriff. Wenn Schramms Bemühungen nicht von Erfolg
gekrönt waren, intervenierte der Reichsarbeitsminister, der wiederholt die Werften zum Einlenken bewegte.[212] In späteren Zeiten kam das Instrument der
Zwangsschlichtung hinzu. Dem Staat boten sich bis zum Absturz in die Hyperinflation beständig Chancen, regulierend auf die Lohnpolitik einzuwirken. Der
Demobilmachungskommissar ergriff im Falle der Übernahme von Lokomotivreparaturen durch Blohm & Voss auch die Chance zu einer aktiven Beschäftigungspolitik.[213] Die Kohlebewirtschaftung fiel ebenfalls in seinen Kompetenz-
bereich. Da in Hamburg die Wege kurz waren und sich die Entscheidungsträger
untereinander gut kannten, leistete die Firma gegen den lokalen Staatsinterven-
tionismus weit weniger Widerstand als gegen die zentralen Maßnahmen des
Reichs.

Von den örtlichen Sicherheitsbehörden fühlte sich das Unternehmen enttäuscht, da sie nicht im gewünschten Maße Ruhe und Ordnung aufrechterhalten
konnten.[214] So wandte sich die Werft an private Detektivbüros und unterstützte
unter Vermittlung des Hamburger Arbeitgeberverbandes Bürgerwehren und
Freikorps. Die Unruhen und Aufstände untergruben das Gewaltmonopol und
die Autorität des Staates. Dies war mit ein Grund, weshalb sich die leitenden Herren von Blohm & Voss von den Nationalliberalen ab- und dem rechten Spektrum
zuwandten. Man lehnte zunehmend die Republik ab.

Die wichtigste staatliche Institution für die Werft war in jener Zeit aber der
Reichsausschuß für den Wiederaufbau der Handelsflotte. Dieser versuchte anfangs, den Handelsschiffbau durch eigene Bauaufsichten und penibelste Nach-
prüfung der Preiskalkulation und des Produktionsablaufs zu kontrollieren. Dage-

---

210 Vgl. StA B&V 58.13 und 273.
211 Vgl. StA B&V 139.
212 Vgl. Besprechung von Schramm mit Werftar-
    beitern und Werftbesitzern, 30.10.20, Reichs-
    arbeitsminister an die Norddeutsche Gruppe/

Abt. Seeschiffswerften, 15.11., StA DMK
156.
213 Vgl. StA B&V 201.a.
214 Vgl. StA Familie Blohm 2, S. 326 f.

gen wehrte sich die Firma.[215] Der Staat sollte diesen Wiederaufbau zwar finanzieren, aber eben nicht bis ins kleinste Detail überwachen. Die Werften setzten sich für eine sogenannte privatwirtschaftlich organisierte Abwicklung ein. Rudolf Blohm brachte seine Einstellung auf den Punkt: «Mit dem Reich will ich nichts zu tun haben, mit den Reedern bin ich nicht ablehnend.»[216] Der Kampf gegen die Staatskontrolle war schließlich erfolgreich. Die privatwirtschaftliche Schiffbau-Treuhandbank (siehe oben) verteilte die Gelder und agierte weitaus rationeller und effektiver als der Staat.

In einem anderen Zusammenhang ließ sich die staatliche Regulierung nicht so leicht abschütteln: Drei Jahre lang, bis 1923, hatte die Außenhandelsstelle für den Schiffbau Bestand. Diese paritätisch besetzte Institution betrachtete Rudolf Blohm als einen ersten Schritt in Richtung Planwirtschaft.[217] Er hielt sie für inkompetent und forderte die Übertragung ihrer Funktionen auf das Werftkartell.[218] Deshalb boykottierten die deutschen Werften für fast zwei Jahre die Mitarbeit an dieser Einrichtung. Wollte der Reichsbevollmächtigte Steinbach einmal eine Antwort erhalten, blieb ihm nichts anderes übrig, als zu schreiben: «Wir bitten in diesem Falle die bisherige Praxis der Nichtbeantwortung unserer Schreiben ausser Acht zu lassen.»[219] Die Industrie verfügte durchaus über wirksame Gegenmittel gegen staatliche Regulierungs- und Organisierungswut.

Noch immer bestand ein Ausfuhrverbot für Schiffe. Im Falle des Exports war eine Ausnahmegenehmigung des zuständigen Reichskommissars nötig.[220] Die Ausfuhr von Schiffbaumaterialien wurde im Interesse der Werften reguliert. Eine Ausfuhrabgabe auf bei Reparaturen ausländischer Schiffe verwendete Bauteile wurde von den Werften abgelehnt. Schließlich wurde dadurch das lukrative Reparaturgeschäft gegen Devisen geschädigt. Wiederholt traten Schwierigkeiten bei der Reparatur ausländischer Schiffe auf.[221] Die staatliche Regulierung erwies sich durchaus als kontraproduktiv, hätten die Deviseneinnahmen der Werften doch geholfen, das Handelsbilanzdefizit des Reichs auszugleichen.

Die kritische Haltung der Firma gegenüber der jungen Republik zeigte sich auch bei der sogenannten Kreditaktion des Reichsverbandes der Deutschen Industrie (RDI) im Herbst 1921. Zu diesem Zeitpunkt gab die Währung sehr stark nach, und der Staat schien die Reparationszahlungen nicht entsprechend leisten zu können. Daraufhin entstand die Idee, die von einer Mehrheit im RDI unterstützt wurde, dem Staat und damit auch der Währung unter bestimmten Auflagen durch einen Kredit seitens der Industrie zu helfen. Dagegen wandte sich Rudolf Blohm voller Emotionen: «Wenn die Industrie dem Teufel (Reichskanzler)

215 R. Blohm an die Bauaufsicht, 7.7.20, StA B&V 249.2.
216 Außerordentliche Hauptversammlung des KA, 30.11.20, StA B&V 264.
217 R. Blohm an den VdS, 9.3.20, StA B&V 111.
218 R. Blohm an den KA, 10.12.20, ebd.

219 Schreiben an den WA, 3.9.21, ebd.
220 Verordnung des Reichswirtschaftsministers, 5.2.20, StA Senat-Kriegsakten BIIb121z8.
221 Hauptversammlung, 1.3.22, StA B&V 1316.1.

einmal den Finger gereicht hat, will er sofort die Hand haben und wird auch das
übrige noch verlangen.»[222] Er vertrat die Auffassung, diese Kredithilfe stelle eine
außerordentliche Gefahr für die deutsche Industrie dar.[223] Blohm malte wiederholt die Gefahr eines Staatsbankrotts an die Wand, in den die Industrie mit hin-
eingezogen werden könne.[224]

Im Verlaufe der Hyperinflation erregten im Sommer 1923 insbesondere auch
Vorschriften der Devisenbewirtschaftung den Protest der Werften. Rudolf
Blohm wies darauf hin, «dass die Beachtung der papierenen Vorschriften einfach
unmöglich wäre, da die deutsche Wirtschaft ein eigenes Zahlungsmittel zur Zeit
nicht besässe.»[225] Die Firma ignorierte diese Vorschriften weitgehend. Sie waren
sowieso teilweise Makulatur, weil sich die Behörden selber nicht daran hielten. So
gab es den Fall einer Werft, die von einer Reichsbehörde anstelle von Papiermark
zum Tageskurs den Scheck einer britischen Bank in Pfund erhielt.[226] Der Wäh-
rungsverfall sowie das Chaos der Hyperinflation untergruben das Ansehen des
Staates sehr, und auch Blohm & Voss setzte sich 1923 immer stärker über seine
Regelungen hinweg.

Während Blohm & Voss einerseits Nutznießer staatlicher Unterstützung war,
beklagte sich das Unternehmen über die wachsende direkte Besteuerung. Von
1914 bis 1924 wuchs die direkte Steuerbelastung nach einer Berechnung der
Firma um das 30fache an. Es drohe die Gefahr einer «Erdrosselung der Wirtschaft».[227] Auch die wachsenden Sozialabgaben sah sie sehr negativ. Je Arbeiter
fielen nach der Inflation schließlich soziale Aufwendungen von fast 100,– Mark
im Jahr an, etwa 8 % des Jahreslohns, dadurch werde die Konkurrenzfähigkeit des
Lohnes gefährdet.[228] Rudolf Blohm lehnte die Sozialpolitik der Republik scharf
ab. Sie war seiner Meinung nach nicht zu finanzieren und werde für parteipoliti-
sche Ziele mißbraucht. Sie drücke durch Zwang und Schematismus den Arbeiter
herab, anstatt «dass die Freiheit, das Verantwortungsgefühl und die Selbständigkeit des Einzelnen gefördert» werde.[229] Diese Polemik war sicherlich überzogen,
enthielt aber ein Körnchen Wahrheit: Die Sozialpolitik der Weimarer Republik
war während der Inflation nicht finanzierbar und verschlechterte noch die Ge-
samtsituation durch überhöhte Staatsausgaben.

Rudolf Blohm wünschte sich einen schlanken Staat mit ausgeglichenem Bud-
get, einem Gleichgewicht in der Handelsbilanz, geringen Steuersätzen und einem einfachen Steuersystem sowie einer Einschränkung der Sozialausgaben auf

---

222 R. Blohm an Dr. Bang, 22.11.21, StA B&V
    64.
223 R. Blohm an Dir. Sorge, 10.12.21, StA B&V
    64.
224 Referat von R. Blohm auf der Nachmittags-
    Sitzung, 23.5.22, StA B&V 1298.1.
225 Außerordentliche Monatssitzung des WA,
    19.9.23, StA B&V 538.

226 Ebd.
227 R. Blohm an den Präses der Finanzdeputa-
    tion, 26.1.24, StA B&V 447.
228 Geschäftsbericht 1924/25.
229 Schreiben an Senator Dr. Matthaei, 21.10.
    22, StA B&V 230.3.

Abbildung 16: Die *Deutschland* 1923. Es handelt sich um ein Schwesterschiff der *Albert Ballin*

das Nötigste.[230] «Man wird sich noch einmal nach den Zeiten zurücksehnen, als die Staatsmaschinerie in Deutschland so billig und rasch gearbeitet hat wie vor dem Krieg», schrieb er 1919 nostalgisch.[231] Blohm beabsichtigte jedoch keineswegs, zu einem liberalen «Nachtwächterstaat» zurückzukehren, und hielt staatliche Interventionen in einem vernünftigen Rahmen, insbesondere wenn sie den Interessen der Werftindustrie dienten, für gerechtfertigt.

Die Haltung der Werft zum neuen Staat zeigte die Einladung von Hindenburg und Ludendorff zum Stapellauf der *Hindenburg* im Februar 1921.[232] Der vielfach spürbare Gegensatz zwischen Blohm & Voss und der Republik wurde später zumindest symbolisch durch den Besuch von Reichspräsident Ebert auf der Werft im April 1923 gemildert, der nun wie früher der Kaiser bei einem Stapellauf, in diesem Fall des Passagierschiffes *Deutschland,* zu Gast war.[233]

230 Schreiben an Dr. Bang, 8.11.23, StA B&V 230.3.
231 Schreiben an Kapitän Pfundheller, 14.3.19, StA B&V 58.13.
232 Ferguson, Paper and iron, S. 307.
233 Wiborg, Walther Blohm, S. 46; Witthöft, Tradition und Fortschritt, S. 163.

III.5 Die Umgehung des Versailler Vertrages

Ein weniger bekanntes Kapitel der deutschen Marinegeschichte sind die Umgehung des Versailler Vertrages und die deutsche Kriegsschiffproduktion im Ausland. Das liegt zum einen an der Geheimhaltung der Vorgänge und der Verschlüsselung der Unterlagen, zum anderen aber an der gezielten Vernichtung von Akten. In der Literatur lassen sich manche, allerdings mitunter widersprüchliche Informationen finden.[234] Beteiligt waren neben der Reichsmarine auch zahlreiche Unternehmen der Schiffbauindustrie, ebenso wie viele Unterlieferanten. Absicht war, die Bedingungen des Friedensvertrages zu unterlaufen, der u. a. den U-Bootbau untersagte und die Marine auf die Größe von 15.000 Mann beschränkte. Man wollte den technischen Anschluß an die internationale Entwicklung im Kriegsschiffbau, insbesondere im U-Bootbau, halten und in der Zukunft die Marine wieder aufbauen. Offiziell war die Reichsmarine nicht beteiligt. Sie förderte diese Bestrebungen aber so weit als möglich. So sagte Admiral Zenker, der spätere Chef der Marineleitung, vor Industrievertretern zum Thema Auslandsaktivitäten: «Ich habe natürlich die amtliche Parole ausgegeben, daß die Marineleitung damit nichts zu tun haben dürfe; aber ebenso natürlich sind wir an ihnen inoffiziell ebenso interessiert. Ganz abgesehen von militärpolitischen Einwirkungen wäre es für uns von größtem Vorteil, wenn wir durch die Weiterentwicklung der uns verbotenen Waffen auch unsere Pläne vorwärtstreiben u. neue Erfahrungen suchen können.»[235]

In den Jahren 1920 bis 1923 versuchte die Interalliierte Marinekontrollkommission, die *Naval Inter-Allied Commission of Control* (NIACC), noch, die deutsche Marinerüstung zu überwachen. Doch es kam zwischen ihr und der Marinefriedenskommission der Reichsmarine wegen der gezielten deutschen Obstruktion ständig zu Konflikten.[236] Die NIACC konnte allerdings nur eine einzige Firma beim Bau von U-Bootmaterial ertappen.[237] Später stellte sie ihre Tätigkeit ein. Wie der schnelle Fortschritt und der hohe Standard der deutschen Marinerüstung der 30er Jahre belegen, konnten sich die Marine und die Rüstungsindustrie trotz vieler Beschränkungen technologisch weiterentwickeln. Auch Blohm & Voss gehörte zu den Betrieben, die an den geheimen Aufrüstungsbemühungen beteiligt waren. Zu diesem Zweck bildete sich schon 1922 ein Werftenkonsortium zur Be-

---

234 Vgl. besonders Carsten, Francis L.: Reichswehr und Politik 1918–1933, Berlin/Köln
1964; Dülffer, Jost: Weimar, Hitler und die
Marine. Reichspolitik und Flottenbau 1920–
1939, Düsseldorf 1973; Rahn, Werner: Verteidigungskonzeption und Reichsmarine in
der Weimarer Republik, Hamburg 1976; Salewski, Michael: Entwaffnung und Militär-

kontrolle in Deutschland 1919–1927, München 1966.
235 Zitiert nach Dülffer, Weimar, Hitler und die
Marine, S. 72.
236 Vgl. Salewski, Entwaffnung und Militärkontrolle, S. 94 ff.
237 Ebd., S. 207.

arbeitung von U-Bootentwürfen. Dem war eine Kooperation zwischen der Germania-Werft mit der AG Weser vorausgegangen, der die Vulcan-Werke, aber offenbar nicht Blohm & Voss offiziell beitraten.[238] Die Geschäfte wurden zum Teil im Alleingang oder in Zusammenarbeit mehrerer Unternehmen getätigt. Diese Aktivitäten erstreckten sich nicht nur auf das neutrale Ausland, sondern sogar auf ehemalige Kriegsgegner.

So trat der Marineattaché der USA, Commander W. P. Behler, im Herbst 1922 mit der Bitte an C. G. Gok heran, Offerten für eine U-Bootkonstruktion abzugeben. Bei einer Besprechung mit Hermann Frahm hinterließ er dann eine Entwurfszeichnung und die gewünschten Daten. Die Amerikaner waren insbesondere an U-Bootmotoren und einer Tandemanordnung derselben interessiert, um das U-Boot auf eine Geschwindigkeit von 24 Knoten zu bringen. Nach einer Besprechung mit Behler am 14. Dezember 1922 in Hamburg reichte Blohm & Voss erste Vorplanungen zusammen mit ihrer Preisvorstellung von insgesamt 125.000,– US-Dollar bei erfolgreichem Einbau der Motoren ein. Im Frühjahr 1923 sagte die amerikanische Seite auf Entscheidung des Navy Departments wegen zu hoher Kosten ab.[239]

Auch mit Argentinien lassen sich Kontakte in Rüstungsfragen nachweisen. Dort waren ehemalige Mitarbeiter des Reichsmarineamtes tätig. Ob es jedoch zu einem Geschäftsabschluß mit Blohm & Voss gekommen ist, läßt sich in Deutschland heute nicht mehr ermitteln.[240] Von niederländischer Seite gab es ebenfalls Anfragen bezüglich der Konstruktion von Kriegsschiffen.[241] Blohm & Voss zeigte sich interessiert, aber nicht nur an der Konstruktion, sondern sie wollte auch als Zulieferer tätig werden. Das Werftenkonsortium für die Bearbeitung von U-Bootentwürfen hatte immerhin mit der Fijenoord- und mit der de Schelde-Werft schon konkrete Vereinbarungen über die Aufnahme des U-Boot- und Torpedobootbaus getroffen, kam über dieses Stadium aber vorerst nicht hinaus.[242] Erst in der zweiten Hälfte der 20er Jahre lieferte die Fijenoord-Werft Bauteile für den U-Bootbau unter deutscher Anleitung nach Spanien.[243]

Auch in Schweden bestand Interesse, die deutschen technologischen Errungenschaften des Kriegsschiffbaus auszuwerten. Ein ehemaliger Baurat des Reichsmarineamtes, Dr. Werner, arbeitete als Direktor einer Werft in Landskrona, der Aktiebolaget Oeresundvarvet. Werner sollte als Vermittler dienen. Prof. Krell von den Siemens-Schuckert-Werken schrieb im Mai 1921 an Blohm & Voss, es hätten sich in Schweden alle größeren Werften zusammengeschlossen, um die

238 Besprechung des Werftenkonsortiums am 29.9.22, StA B&V 46.
239 Vgl. StA B&V 1044.
240 Aufzeichnung: Weftenkonsortium für Bearbeitung von Ubootsentwürfen. Besprechung von Dir. Buschfeld (Germania) und Frahm, 29.9.22, StA B&V 46; Besprechung

bei Siemens-Schuckert, 28.5.21, StA B&V 1041.2.
241 Vgl. Schriftwechsel, StA B&V 65.
242 Gesprächsnotizen Werftenkonsortium, 28.9.22, StA B&V 46.
243 Rössler, Eberhard: Die deutschen U-Boote und ihre Werften, München 1979, S. 77.

deutschen Kriegserfahrungen zu verwerten. Sie suchten Kontakt zu einer deutschen Werft, wofür nur Blohm & Voss in Frage komme. Krell weiter: «Ich versprach Herrn Jensen, mich mit Ihnen in Verbindung zu setzen, sobald die Siemens-Schuckert-Werke in irgendeiner Weise die Möglichkeit vor sich sehen, Unterseebootmaterial zu liefern. Dieser Zeitpunkt ist nun in greifbare Nähe gerückt, denn wir werden in allernächster Zeit ein ausländisches Werk an uns bringen, in dem wir auch U-Bootsmaschinen bauen können und wollen.»[244] Kurze Zeit später reiste Werner nach Deutschland, um das Projekt zu besprechen.

Da die Werft in Landskrona, die hauptsächlich von dem mit Stinnes in Verbindung stehenden, dänischen Reeder Albert Jensen[245] kontrolliert wurde, unterbeschäftigt war, suchte sie im U-Bootbau mit deutscher Unterstützung ein neues Betätigungsfeld. Insbesondere benötigte sie technische Zeichnungen und Zubehör für einen spanischen U-Boot-Auftrag.[246] Anläßlich von Besuchen Werners und Jensens bei Blohm & Voss Anfang Juni 1921 wurden weitere Fragen der Zusammenarbeit besprochen und Blohm & Voss als alleiniger deutscher Partner bestätigt.[247] Die Firma lieferte dann tatsächlich Projektzeichnungen und Beschreibungen und half der Werft in Landskrona bei der Bewerbung um den Bau von Minensuchern für Argentinien mit technischen Zeichnungen aus. Mit Siemens-Schuckert herrschte Übereinstimmung, «dass der Hauptzweck des ganzen Unternehmens sei, für die beteiligte deutsche Industrie in Berührung mit dem Weltkriegsschiffbau zu bleiben und die eigenen Erfahrungen zu erhalten und auszugestalten. Auf ein beträchtliches finanzielles Ergebnis sei unmittelbar nicht zu rechnen.»[248]

Ein anderer potentieller Handelspartner war Sowjetrußland. Lenin wandte sich schon im März 1921 an die Reichswehr und bat um Hilfe bei der Reorganisierung der Roten Armee.[249] Im April empfahl Viktor Kopp, ein Freund Trotzkis und halboffizieller diplomatischer Vertreter in Berlin, der sowjetischen Regierung, Blohm & Voss sollte Personal und Produktionsanlagen für die Herstellung von U-Booten bereitstellen. Von deutscher Seite seien Kredite und technische Hilfe angeboten worden. Eine deutsche Gruppe von Sachverständigen möge Rußland bereisen. Im Sommer befand sich Leonid Krassin, einer der wenigen Bolschewiki mit Erfahrungen in der Wirtschaft und Vorsitzender des Rats für Außenhandel, zu Unterhandlungen in Deutschland. Dort verhandelte er mit Al-

---

244 Schreiben von Prof. Krell an B&V, 13.5.21, StA B&V 1041.2.
245 Jensen war Leiter der Kopenhagener Stinnes-Niederlassung und sein wichtiger Kontaktmann in Skandinavien während des Krieges (Feldman, Hugo Stinnes, S. 423).
246 Vgl. Besprechung bei Siemens-Schuckert, 28.5.21, StA B&V 1041.2.
247 Wochenberichte, 4. und 11.6.21, StA B&V 225.3.

248 Besprechung mit Siemens-Schuckert, 2.8.21, StA B&V 1041.2; Besprechung mit Dr. Werner, 28.7.21, StA B&V 1041.3.
249 Vgl. zum folgenden Carsten, Reichswehr und Politik, S. 141; Pipes, Die Russische Revolution, S. 376 und 683; Groehler, Olaf: Selbstmörderische Allianz. Deutsch-russische Militärbeziehungen 1920–1941, Berlin 1992, S. 31.

bert Jensen, der als Vermittler der Interessen der deutschen U-Bootbauer, insbesondere von Blohm & Voss, auftrat.[250] Die erwähnte Sachverständigengruppe, bestehend aus Offizieren, befand den Zustand der russischen Fabriken und Werften für ungenügend, und der Plan wurde nicht realisiert.

Erst nach Abschluß des Vertrages von Rapallo im April 1922 kam das Militär wieder auf die Überlegungen eines U-Bootbaus in Sowjetrußland zurück. C. G. Gok wurde direkt vom Chef der Heeresleitung, von Seeckt, angesprochen, ob die Firma nicht bereit sei, in Rußland U-Boote zu produzieren.[251] Das Unternehmen verhielt sich jedoch zurückhaltend, da es die möglicherweise nötig werdenden Investitionen selber vorschießen sollte. Eine Gruppe von 15 Industrievertretern reiste dann vom 27. Mai bis zum 19. Juni 1922 unter Leitung von Kapitän Lohmann nach Rußland. Auch Gok befand sich unter ihnen.[252] Lohmann hatte seit Ende 1921 im Auftrag der Marineleitung Kontakt mit Moskau aufgenommen.[253] Unter anderem wurde die Putilov-Werft in Petrograd besichtigt, und es kam zu Verhandlungen mit Ismajlov, dem politischen Kommissar der Flotte. Es gelang jedoch nicht, zu Trotzki vorgelassen zu werden. Erstaunt waren die Industrievertreter über die Naivität der Bolschewiki in Wirtschaftsfragen. Sie verfügten über wenig praktische Erfahrungen, und ihre ideologisch geprägten Vorstellungen von Ökonomie ließen sich kaum mit dem Realismus der deutschen Delegation in Übereinkunft bringen. Insgesamt blieb das Ergebnis negativ, weil «es mit den Grundsätzen eines soliden Geschäftsgebarens nicht vereinbar ist, sich in irgendeiner Form mit den einstweilen noch dort am Ruder befindlichen Marxisten einzulassen», wie Gok ein Jahr später an Kapitän Lohmann schrieb.[254] Die Zeit sei für einen Handel mit Rußland noch nicht reif, da die Regierung «von der Neigung zur Vergewaltigung wirtschaftlicher Vorgänge selbst nicht frei» sei.[255] Erst später sollten die deutsche und die sowjetische Marine enger zusammenarbeiten.[256]

Im als Folge des Weltkrieges unabhängig gewordenen Finnland sah die Situation erfolgversprechender aus. Viele jüngere und einflußreiche Armeeoffiziere waren während des Krieges in Deutschland ausgebildet worden und setzten ihre Hoffnungen auf deutsches Rüstungsmaterial.[257] Gerade beim U-Bootbau sollte sich eine umfassende deutsch-finnische Kooperation herausbilden.[258] Der deut-

250 Besprechung bei Siemens-Schuckert, 28.5. 21, StA B&V 1041.2.

251 Lebenserinnerungen Gok, BArchK N1034/ 1, S. 264 f.

252 Vgl. zum folgenden seine Reiseberichte, StA B&V 207b.

253 Zeidler, Manfred: Reichswehr und Rote Armee 1920–1933. Wege und Stationen einer ungewöhnlichen Zusammenarbeit, München 1993, S. 61.

254 Gok an Kap. Lohmann, 30.5.23, StA B&V 207b.

255 Gok an den Reichswirtschaftsminister, 30.8.22, StA B&V 241.1.

256 Vgl. Philbin, Tobias R.: The Lure of Neptun. German-Soviet Naval Collaboration and Ambitions, 1919–1941, Columbia 1994.

257 Hentillä, Seppo/Osmo Jussila/Jukka Nevakivi: Finlands politiska historia 1809–1998, Helsinki 1998, S. 172.

258 Siehe Forsén, Björn/Anette Forsén: Saksan ja Suomen salainen sukellusveneyhteistyö, Porvoo/Helsinki/Juva 1999.

sche U-Boot-Konstrukteur und Korvettenkapitän a.D. Rusche arbeitete seit einiger Zeit bei der Aktiebolaget Vulcan in Turku (schwedisch Åbo) und auf der finnischen Staatswerft in Helsinki.[259] Auf beiden Werften lag jeweils ein reparaturbedürftiges russisches U-Boot der Zarenzeit im Dock. Da es den finnischen Technikern an Erfahrung mangelte, sollten diese Boote mit deutscher Hilfe instandgesetzt werden. Weiterhin war die Entwicklung eigener finnischer U-Boote geplant. Schon 1919 entstand in der finnischen Marineleitung der Plan, vier U-Boote zu bauen.[260] Rusche stellte über die Reichsmarine im Frühjahr 1922 Kontakte zu Blohm & Voss her und hielt sich im Juli in Hamburg auf. Im August reiste Ingenieur Schöbel von Blohm & Voss nach Finnland, um die U-Boote, aber auch die finnischen Werften zu besichtigen, in der Hoffnung, den Reparaturauftrag zu erhalten und einen deutschen U-Bootbau in Finnland vorzubereiten. Schöbel konnte nicht nur die Werften inspizieren und eine etwaige Zusammenarbeit mit der Vulcan-Werft in Turku vorbereiten, er traf sich auch mit hochrangigen finnischen Offiziellen. Oberst Solin von der finnischen Reichswehr, Kommodore von Schoultz, der Chef der Marineleitung, und Oberst Heyno, der Leiter der Staatswerft in Helsinki, waren nicht nur an einer Zusammenarbeit bei den Bootsreparaturen interessiert, sondern schlossen auch Neubauprojekte nicht aus. Daraufhin bereitete Blohm & Voss im Herbst zusammen mit der Turkuer Werft ein konkretes Reparaturangebot vor und klärte bei den Unterlieferanten die Frage der Ersatzteillieferungen. Zurückgekehrt kam Schöbel zu dem Schluß: «Die infragestehende Werft ist sehr wohl in der Lage, neue Schiffe zu bauen.»[261]

Die Vorbereitungen für die Produktion wurden in der Folge noch konkreter. Die japanische Regierung beabsichtigte in Finnland, vier «Motortankschiffe», gemeint waren U-Boote, nach deutschen Entwürfen von deutschen Konstrukteuren und mit deutschen Baumaterialien herstellen zu lassen.[262] Beteiligt waren die Firmen MAN, Siemens-Schuckert, Goerz-Optik und die Vulcan-Werft in Turku sowie die Reichsmarine. Die Generalunternehmerschaft sollte bei Blohm & Voss liegen. Siemens-Schuckert ließ zu diesem Zeitpunkt schon Rüstungsgüter, deren Erzeugung durch den Versailler Vertrag in Deutschland verboten war, in Österreich produzieren. Goerz erwog die Einrichtung einer Zweigniederlassung in Finnland. Ende Dezember 1922 entschieden sich die beteiligten Parteien allerdings für Spanien als geeigneteren Ort.[263] Im Sommer 1923 hielt sich Rudolf Blohm zu einer Urlaubs- und Geschäftsreise in Finnland auf.[264] In der zweiten Hälfte der 20er Jahre wurden dann in Finnland tatsächlich U-Boote mit deutscher Hilfe in Turku auf der Vulcan-Werft und in Helsinki gebaut.[265] Vor Ort waren

---

259 Vgl. zum folgenden StA B&V 994.
260 Vgl. Kijanen, Kalevo: Finlands Ubåtar i fred och krig, Karlskrona 1986, S. 14.
261 Wochenbericht, 26.8.22, StA B&V 232.2.
262 Vgl. Besprechungen, 6. und 9.11.22, StA B&V 1043.

263 Imanuel Lauster (MAN) an B&V, 29.12.22, ebd.
264 Telegramme vom Juli 1923, StA B&V 228.2.
265 Rössler, Die deutschen U-Boote, S. 88 und 90.

deutsche Ingenieure tätig.[266] Sämtliche finnische Neubauten erfolgten mit deutscher Hilfe und teilweise auch deutschen Materiallieferungen. Inwiefern Blohm & Voss beteiligt war, läßt sich nicht mehr ermitteln. In der ersten Phase der Kontaktaufnahme war die Werft jedoch federführend.

Im Zentrum der geheimen U-Bootrüstung des Deutschen Reichs stand das im Juli 1922 von der Germania-Werft, der AG Weser und der Vulcan-Werft gegründete Ingenieurskantor voor Scheepsbouw (IvS).[267] Das IvS war ein Konstruktionsbüro mit offiziellem Firmensitz in Den Haag, wo es sich allerdings erst 1925 niederließ. Ein Stamm erfahrener U-Boot-Konstrukteure legte dort die technischen Grundlagen für den deutschen U-Bootbau im Ausland. Die ersten Anregungen für die Gründung eines solchen Büros stammten schon aus dem Juli 1920 vom Geheimen Marine-Oberbaurat Dr. Bürkner, der, getarnt als ein privates Unternehmen, die besten Konstrukteure bei voller Bezahlung zu nicht-kommerziellen Zwecken sammeln wollte.[268] Da nicht anzunehmen ist, daß Bürkner dieses Projekt selber finanzieren konnte, agierte er wahrscheinlich als Strohmann der Reichsmarine. Aus dem Mai 1921 stammte ein Entwurf Wehrlins, des Direktors der Accumulatorenfabrik AG (Afag), eines U-Bootzulieferers, in dem der Zweck eines solchen Büros explizit formuliert wurde: »Gründung eines Bureaus zur Verwertung und Erhaltung der deutschen U-Booterfahrungen [...]. Die Erfahrungen des deutschen U-Bootbaus und Betriebs repräsentieren einen hohen Wert. Dieser muss im Interesse der deutschen Wirtschaft in Geld umgesetzt werden. Die Erfahrungen müssen ferner im Interesse einer evtl. späteren Wiederaufrichtung der deutschen Seemacht stets aufrecht- und in Fortschritt erhalten werden. Dieses kann nur geschehen durch Bau von Booten im Ausland. Geschäftsmöglichkeiten sind heute noch vorhanden: Japan, Spanien, Holland, Schweden, evtl. Südamerika und später Russland.«[269] Die Reichsmarine leistete bei der Gründung des IvS Schützenhilfe und war dank der illegalen Aktivitäten des Leiters der Seetransportabteilung, Lohmann, im Jahre 1925 gar mit 28 % finanziell beteiligt.[270] Blohm & Voss arbeitete zwar mit dem IvS wiederholt eng zusammen, trat aber dem Konsortium nie bei, um in Fragen des U-Bootbaus unabhängig bleiben zu können.

Zu einer erfolgreichen Kooperation von IvS und Blohm & Voss kam es in Spanien. Der spanische Staat hatte nach dem Krieg ein umfangreiches Marinebauprogramm aufgelegt. Daran waren vor allem zwei spanische Werften interessiert, die Constructora Naval, die über gute Verbindungen zu Krupp verfügte und die zu 49 % dem britischen Vickers-Konzern gehörte,[271] sowie Echevarrietta y Larri-

266 Vgl. Kijanen, Finlands Ubåtar, S. 23 f.
267 Vgl. Rössler, Die deutschen U-Boote, S. 74.
268 Abschrift des Schreibens Bürkners an die AG Weser, 2.7.20, StA B&V 47.
269 Entwurf von Dir. Wehrlin, 18.5.21, StA B&V 1041.3.

270 Vgl. Rahn, Verteidigungskonzeption und Reichsmarine, S. 215 ff.
271 Besuch von Dir. Wehrlin und Weydemann von der Afag, 1.9.21, StA B&V 1041.3.

naga, die 1920 mit Blohm & Voss in Verbindung trat. Im November 1920 wurde
eine Vereinbarung zwischen beiden Firmen entworfen, die eine umfangreiche
Zusammenarbeit vorsah,[272] nachdem Blohm & Voss sich vorher noch beim Bankier Warburg über die Vermögensverhältnisse des Besitzers Don Horacio Eche-
varietta erkundigt hatte. Dieser hatte durch Erzgruben in Bilbao ein Vermögen
gemacht und anschließend eine alte Werft in Cadiz erworben, die mit deutscher
Hilfe modernisiert werden sollte. Wegen der Ermordung des spanischen Mini-
sterpräsidenten Dato im März 1921 wurde das Marineprogramm jedoch erst
einmal überflüssig, die geheimen Vorbereitungen liefen in Deutschland jedoch
weiter.

Durch Vermittlung des spanischen Vertreters der MAN, Guillermo Pasch,
kam es schließlich im Juni 1924 zum Vertragsabschluß zwischen Blohm & Voss
und Echevarrietta y Larringa.[273] Vorgesehen waren eine Unterstützung bei der
Modernisierung der Werft in Cadiz, die Lieferung von Bauplänen für Kriegsschiffe und eine personelle Hilfe. Blohm & Voss sollte eine Provision von 10 %
des Verkaufspreises des ersten Kriegsschiffes jeder Baureihe und 7,7 % des Preises
jedes weiteren Schiffes erhalten. Die spanische Werft baute in der Folge tatsächlich mit Unterstützung der Firma sowie des IvS U-Boote. Von seiten der Reichsmarine war Korvettenkapitän Canaris, der spätere Chef der Abwehr, zuständig.[274] Die Bauteile wurden entweder über holländische Mittelsmänner aus
Deutschland nach Spanien geliefert oder auf der Fijenoord-Werft in den Nieder-
landen produziert und von dort weiterverschickt. Doch brachte die Werft in Cadiz nicht den erhofften Gewinn und ging 1929 pleite. Bis dahin war sie aber ein
ideales Übungsfeld für die deutschen U-Bootexperten.

Ebenso intensiv waren die Geschäftskontakte zum ehemaligen Kriegsgegner
Japan. Schon eine Woche nach dem Waffenstillstand bestanden bei der Firma
Überlegungen, komplette U-Boote, die jetzt nicht mehr gebraucht wurden,
dorthin zu veräußern: «Wir hatten an einen Verkauf der Uboote gedacht; Japan
ist Käufer.»[275] In Japan wurde – wie wenige Jahrzehnte vorher in Deutschland –
auf allen Gebieten versucht, die jeweils führende Technologie erst zu kopieren
und sie sich danach anzueignen. Besonders interessant war für Japan der deutsche
U-Bootbau. Zwischen 1920 und 1922 zerlegten japanische Experten fachmän-
nisch sieben deutsche U-Boote, die ihnen die Alliierten zur Verfügung gestellt
hatten, darunter auch die Blohm & Voss-Bauten U-125 und UC-90.[276] Die japa-

272 Vgl. Entwurf vom 16.11.20, StA B&V 1041.1.
273 Vertrag vom 17.6.24, ebd.
274 Vgl. Carsten, Reichswehr und Politik,
    S. 264 f.; Rahn, Verteidigungskonzeption
    und Reichsmarine, S. 182; Rössler, Die deut-
    schen U-Boote, S. 75 ff.
275 W. Blohm bei Verhandlungen mit dem
    RMA und der U-Bootinspektion, 18.11.18,
    StA B&V 812.3.

276 Pauer, Erich: Deutsche Ingenieure in Japan,
    japanische Ingenieure in Deutschland in der
    Zwischenkriegszeit, in: Kreiner, Josef/Re-
    gine Mathias (Hg.): Deutschland – Japan in
    der Zwischenkriegszeit, Bonn 1990, S. 294;
    Carpenter, Dorr/Norman Polmar: Subma-
    rines of the Imperial Japanese Navy, Anna-
    polis 1986, S. 85 f.

nischen Vertreter in der Interalliierten Marinekontrollkommission (NIACC) konnten vor Ort den technischen Stand des deutschen U-Bootbaus erkunden. Die NIACC traf im Januar 1920 auf zahlreiche japanische Agenten, die in größerem Umfang und unter Ignorierung der Bestimmungen des Friedensvertrages Kriegsmaterial aufkauften.[277] Enge Kontakte bestanden zwischen der japanischen Marine und der eigenen Werftindustrie. So reiste der Präsident der Kawasaki-Schiffswerft in Kobe persönlich 1921 nach Europa, um Pläne von der deutschen Industrie zu erhalten.[278] Schon im Dezember 1919 bestanden, vermittelt durch den Schiffsmakler C. Illies & Co, Kontakte zu Blohm & Voss.[279] In Japan sollten drei U-Boote nach deutschen Plänen gebaut werden.

Hierfür waren sechs 3.000-PS-Dieselmotoren nötig. Die MAN weigerte sich jedoch wegen des Friedensvertrages, solche zu liefern. Das eröffnete Blohm & Voss die Chance, noch auf seinem Werksgelände befindliche Original-MAN-Motoren zu verkaufen. Diese Motoren waren in Deutschland nur unter großen Schwierigkeiten als Antrieb in Handelsschiffen zu nutzen. Sie wurden teilweise als Generatoren eingesetzt oder standen nutzlos herum. Formal waren sie noch immer Eigentum des Reiches.

Die Werft stand allerdings nicht allein, mehrere deutsche Unternehmen veräußerten ihre Dieselmotoren nach Japan.[280] Empfänger der von Blohm & Voss gelieferten Motoren waren Mitsubishi/Kawasaki und die japanische Marineverwaltung.[281] Der geforderte Kaufpreis belief sich auf 1,5 Millionen US-Dollar, worin angeblich 900.000,– Dollar Lizenzgebühren enthalten waren. Der Vermittler sollte 10 % Provision erhalten. Am 4. März 1920 erklärte sich die japanische Seite einverstanden.[282] Sogar einer Lizenzgebühr für eine weitere Verwertung der Technik wurde zugestimmt. Die Motoren wurden als Antriebsmaschinen für Handelsschiffe deklariert.

Das Geschäft wurde unter Mithilfe des Reichsverwertungsamtes geplant, das aber nur 350.000,– Papiermark, also keine 10.000,– Dollar laut damaligem Wechselkurs, je Motor erhielt. Pikanterweise kam es nach einer Preisprüfung dann schließlich noch zu einem Prozeß mit der Reichstreuhandgesellschaft, der sich bis 1921 erstreckte, aber erfolgreich für die Firma endete.[283] Sie konnte mehr als 1,2 Millionen US-Dollar als Profit verbuchen. Das war erheblich mehr als der ausgewiesene Reingewinn dieses Geschäftsjahres. Um sich die Höhe der Marge zu verdeutlichen, genügt ein kleiner Vergleich: Er entsprach in etwa dem offiziellen Reingewinn der Zeit vom Juli 1915 bis Juni 1920. Wenn die Schiffsbauunter-

277 Sander-Nagashima, Berthold J.: Die deutsch-japanischen Marinebeziehungen 1919 bis 1942, Diss. phil., Hamburg 1998, S. 59.
278 Pauer, Deutsche Ingenieure in Japan, S. 292.
279 Besprechung mit Herrn J., 23.12.19, StA B&V 259.

280 Sander-Nagashima, Die deutsch-japanischen Marinebeziehungen, S. 60.
281 B&V an Illies, 7.1.20, StA B&V 259.
282 B&V an Illies, 1.3.20, Mitsubishi an Illies, 4.3., ebd.
283 Lebenserinnerungen Gok, BArchK N1034/1, S. 282 ff.

nehmen ihre Mitarbeit an illegalen Rüstungsprojekten auch als «vaterländische Pflicht» deklarierten, so handelten sie in Wirklichkeit oftmals nur als besonders erfolgreiche Profiteure.

Den U-Bootbau in Japan unterstützten umfangreiche Zulieferungen deutscher Unternehmen, die im September 1922 gar die Einrichtung einer zentralen Beschaffungsstelle für Bauteile erwogen.[284] Das Unternehmen verlief aber nicht so gut wie erwartet. Die Japaner waren mit dem Fortgang der Neubauten nach deutschen Plänen innerhalb Japans nicht zufrieden. Sie beabsichtigten deshalb, nach deutschem Muster in Europa zu bauen.[285] Zuerst wurde Finnland, später Spanien als geeigneter Ort angesehen. Schließlich war der Bau in Japan selbst erfolgreich, und bis 1928 wurden insgesamt acht U-Boote nach deutschem Baumuster und mit Hilfe deutscher Ingenieure fertiggestellt.[286] Damals arbeiteten neun deutsche Spezialisten und 64 ehemalige Kriegsgefangene aus Deutschland für die japanische Marine.[287]

Aber auch die Entente bereicherte sich an deutscher Kriegstechnologie. Beschlagnahmte Kriegsschiffe und Bauteile wurden erst gründlich auseinandergenommen, untersucht und für die eigene Entwicklung ausgewertet oder später auf dem Weltmarkt an neutrale Staaten weiter verkauft. Dies geschah auch mit deutschen U-Boot-Dieselmotoren,[288] was durch den Friedensvertrag untersagt war.

Die Frage der geheimen deutschen Marinerüstungsbestrebungen bedarf mit Sicherheit noch genauerer Untersuchungen bei anderen Unternehmen, soweit dies überhaupt aufgrund der Quellenlage möglich ist. Auf jeden Fall war die Industrie, darunter Blohm & Voss, auf Wunsch staatlicher Stellen, zum Teil aber auch ohne deren Wissen, in umfangreichem Maße beteiligt und konnte mitunter erhebliche Gewinne realisieren. Die Reichsmarine verfolgte dagegen ihr Nahziel, nämlich die Aufhebung der im Versailler Vertrag festgelegten Rüstungsbegrenzung und die Wiedergewinnung der Großmachtstellung Deutschlands.[289] Der beängstigend schnelle Aufbau der Marine und insbesondere der U-Bootwaffe im Dritten Reich hatte seine Ursache in dieser geheimen Rüstung. Die U-Bootkonstrukteure sind in «Übung» geblieben.

284 Aufzeichnung und Notizen: Werftenkonsortium für die Bearbeitung von Ubootsentwürfen; Besprechungen von Dir. Buschfeld (Germania) und H. Frahm, 28. und 29.9.22, StA B&V 46.
285 Besprechung in Berlin, 23.10.22, StA B&V 1043.
286 Pauer, Deutsche Ingenieure in Japan, S. 296.
287 Sander-Nagashima, Die deutsch-japanischen Marinebeziehungen, S. 65.

288 Besprechung mit Herrn Noma (Mitsubishi), Herrn Hausenblas (MAN), Vertretern von Illies & Co. sowie B&V, 22.5.21, StA B&V 259.
289 Schreiber, Gerhard: Reichsmarine, Revisionismus und Weltmachtstreben, in: Müller, Klaus-Jürgen/Eckardt Opitz (Hg.): Militär und Militarismus in der Weimarer Republik, Düsseldorf 1978, S. 152.

III.6 Politische Aktivitäten der Firmenleiter

Auf der einen Seite war die Firmenleitung von Blohm & Voss der Auffassung, Politik habe am Arbeitsplatz nichts zu suchen und störe nur den Ablauf der Produktion. Andererseits wurde sie oftmals politisch aktiv. Zwar vertraten nicht alle Mitglieder der Geschäftsleitung die gleichen politischen Ansichten, aber allen gemeinsam war eine nationale bis nationalistische Einstellung, die zwischen der rechtsliberalen und deutschnationalen Richtung variierte. Prägend für die Mitglieder der Führungsebene waren sicherlich die permanenten Spannungen und Auseinandersetzungen mit der Belegschaft, die Erfahrungen der Revolution und der wechselhaften Nachkriegszeit sowie das Wissen um die Greuel in Rußland und die Angst vor einer Wiederholung in Deutschland. Hinzu kamen Enttäuschungen durch den verlorenen Krieg und die «Erfüllungspolitik» der Regierung sowie die Sozialisation in einer nationalistisch geprägten Gesellschaft und innerhalb der wirtschaftlichen Elite. Manches darf allerdings nicht überbewertet werden. Denn beispielsweise die Mitgliedschaft im Flottenverein war in bestimmten Kreisen vor dem Ersten Weltkrieg fast schon eine Selbstverständlichkeit und bedeutete nicht unbedingt, daß die Ideologie dieser Vereinigung ohne jede Einschränkungen übernommen wurde.

Während des Krieges fiel die Firmenleitung nicht durch ein besonders annektionistisches Engagement auf. Sie lag eher auf der Linie der freihändlerisch gestimmten Reedereien, die im Frieden ebenso zurück auf den Weltmarkt drängen und es sich durch eine aggressive Kriegszielpolitik nicht mit ehemaligen und zukünftigen Geschäftspartnern im Ausland verderben wollten. Aber das Unternehmen förderte wie große Kreise der Wirtschaft die Durchhaltepropaganda nationalistischer Medien und des Staates. Ein Propagandafilm namens «Hammer und Schwert», der in Kooperation von Stellvertretendem Generalkommando, dem Einberufungs- und Schlichtungsausschuß und der Kulturfilm-Gesellschaft gedreht wurde, erhielt im letzten Kriegsjahr eine Unterstützung von 3.000,– Mark.[290] Werft- und Hafenarbeit sollten als Teil der Kriegsanstrengungen heroisiert werden. Da die Firma dem ganzen Projekt aber eher ablehnend gegenüberstand, verband sie die finanzielle Förderung mit der Auflage, nicht selbst gefilmt zu werden.

Bei der Beteiligung an der Vera-Verlagsanstalt GmbH verhielt sich die Firma weniger zurückhaltend. Im April 1918 hatte Blohm & Voss erste Anteile gezeichnet. Einen Geschäftsanteil im Nennwert von 50.000,– Mark erwarb die Werft im Juli, und sie sollte die Vera bis in die Mitte der 20er Jahre hinein unterstützen.[291] Das Projekt ging auf nationalistische Wirtschaftskreise unter Leitung Hugenbergs

---

290 Vgl. die Korrespondenz über den Film,   291 Vgl. StA B&V 218.
   7.8.17 bis zum 19.2.18, StA B&V 58.17.

zurück, die gegen die Friedensbestrebungen in Reichstag und Presse agitierten.[292] Zwar wurde kein ausgesprochener Eroberungsfrieden, aber doch ein «starker» Frieden angestrebt. Zu diesem Zweck wurde die Förderung einzelner Zeitungen ins Auge gefaßt. «Eine direkte Einflußnahme auf die Schriftleitungen soll nicht erfolgen», sie besäßen freie Hand, sofern sie national eingestellt seien. Ein Grundkapital von drei Millionen Mark war für die Vera GmbH geplant, führende Industrielle wie Kirdorf unterstützten das Projekt.[293] «Der zersetzenden Wirkung der linksstehenden Presse» sei entgegenzutreten. In Hamburg warb Hermann Blohm bei Standesgenossen wie R. Krogmann, Max von Schinckel und Edmund Siemers für die Unternehmung und präzisierte die Vorgehensweise.[294] National eingestellte Zeitungen, die sich nicht auf der Linie des ultranationalistischen Alldeutschen Verbandes befanden, sollten finanziell durch kleine Beiträge, aber auch fachlich durch Hilfen bei Vertrieb oder Anzeigenakquisition unterstützt werden. An einen direkten Erwerb einzelner Blätter wurde nicht gedacht. Die Vera bildete praktisch den Schutzmantel, um die Beeinflussung der Presse durch die Industrie zu verschleiern. Aber nicht nur in Hamburg, sondern ebenso im Verein deutscher Schiffswerften warb Hermann Blohm für die Vera und empfahl eine finanzielle Beteiligung.[295] Nach dem Krieg setzten sich diese Medienaktivitäten fort. Eine Unterstützung der «Neuen Preußischen Zeitung», besser bekannt als «Kreuz-Zeitung», durch das Schalten von Anzeigen lehnte Blohm & Voss jedoch ab, da die Firma grundsätzlich nur in Fachzeitschriften annonciere.[296]

Übrigens probierte die Firma ihren Einfluß auch außerhalb von Politik und Wirtschaft geltend zu machen. Bei der Berufung von Professoren für die neugegründete Universität Hamburg versuchte die Werft zusammen mit der AG Weser, einen eigenen Kandidaten für die Seerechts-Professur durchzusetzen.[297]

Wie alle großen Industrieunternehmen war auch Blohm & Voss in zahlreichen Vereinen und Verbänden politischen Charakters vertreten. Durch den Krieg änderten sich Ausrichtung und Funktion mancher Institution. So verteilte der «Reichsverband gegen die Sozialdemokratie» nur noch Rundschreiben und betrieb Fürsorge, unterließ wegen des «Burgfriedens» aber jegliche anderen Aktivitäten.[298] Der Deutsche Flottenverein, dem sowohl die Firma als auch zahlreiche Mitglieder der Firmenleitung angehörten und in dessen Hamburger Vorstand Hermann Blohm saß,[299] verlor nach dem unglücklichen Kriegsausgang seine ursprüngliche Aufgabe und benannte sich in «Deutscher Seeverein» um. Ähnliche

292 Vera-Memorandum, 10.8.17, ebd.; Holzbach, Heidrun: Das «System Hugenberg». Die Organisation bürgerlicher Sammlungspolitik vor dem Aufstieg der NSDAP, Stuttgart 1981, S. 264.
293 Dr. von Rieppel, MAN, an H. Blohm, 11.8. 17, StA B&V 218.
294 H. Blohms an Edmund Siemers, 19.8.18, ebd.
295 Rundschreiben des VdS, 26.6.18, ebd.

296 Brief Graf Westarps, 4.11.22, Antwort R. Blohms, 2.12., StA B&V 391.
297 R. Blohm an Bürgermeister von Melle, 3.6. 19, StA B&V 58.19.
298 Vgl. Schriftwechsel, StA B&V 58.18.
299 Vgl. Mitgliederverzeichnis, StA Deutscher Flottenverein 1; Schriftwechsel, StA B&V 224.6.

Veränderungen ihrer unmittelbaren Aufgabenstellung, wenn auch nicht der zu-grundeliegenden Ideologien, erfuhren der Alldeutsche Verband und die Deut-sche Kolonialgesellschaft, bei denen Blohm & Voss Mitglied war.

Nach dem Waffenstillstand formierten sich neue Parteien und Vereine. An-fangs standen die leitenden Herren der Firma eher der rechtsliberalen Deutschen Volkspartei (DVP) nahe. Hermann Blohm trat, wie andere Mitglieder der Ge-schäftsleitung, im Frühjahr 1919 dieser Partei bei.[300] Bis 1924 erhielt die DVP vom Unternehmen nachweislich kleinere Summen als Wahlkampfspenden, selbst wenn die Mitglieder der Firmenleitung immer deutlicher nach rechts tendier-ten.[301] Man wandte sich von der jungen Republik ab und der Deutschnationalen Volkspartei (DNVP) zu, die in Hamburg unter dem Einfluß der Alldeutschen stand.[302] Hermann Blohm trat ihr im Januar 1921 bei.[303] Sein Sohn Rudolf ließ sich im Herbst 1919 zu einer Kandidatur für die DNVP für die Reichstagswahl an zweiter Stelle der Liste des Wahlkreises Hamburg-Bremen-Stade überreden, ob-wohl er sich bis dahin noch nicht politisch betätigt hatte.[304] Später zog er die Kan-didatur zurück, da er wegen der Erkrankung Hermann Frahms keine Zeit für Po-litik hätte.[305] Werftdirektor Carl Gottfried Gok zählte seit 1920 zu den führen-den, aber nicht besonders kämpferischen Persönlichkeiten der Hamburger DNVP.[306] Die Partei nominierte ihn 1924 als Spitzenkandidat der Hansestadt für die Reichstagswahlen,[307] und er wurde gewählt. Gok war, mit Unterbrechungen, bis 1936 Mitglied des Reichstags. Rudolf Blohm saß wohl in den 20er Jahren im Arbeitsausschuß Deutschnationaler Industrieller, aber er lehnte im März 1924 die ihm von Gok angebotene Kandidatur für die Reichstagswahlen ab.[308] Auch Wal-ther Blohm wurde wegen seiner negativen Einstellung zur Republik Mitglied der DNVP.[309] Er wurde dann Mitte der 20er Jahre als Abgeordneter in die Hambur-ger Bürgerschaft gewählt.[310]

Die politischen Sympathien der Firma waren klar. Die finanzielle Unterstüt-zung von Bürgerwehren und Freikorps wurde bereits an anderer Stelle angespro-chen. Jedoch traten auch zahlreiche andere Gruppen an das Unternehmen heran und baten um Förderung, die häufig gewährt wurde, so die nationalistische Deutsche Vereinigung, der Oberschlesische Hilfsbund, das Oberschlesier-Hilfs-werk, die Fichte-Gesellschaft und die von ihr unterhaltene «Führerschule für deutsche Politik».[311] Für die letztere engagierte sich Rudolf Blohm ganz beson-ders. Sie beabsichtigte bei ihrer Zielgruppe, Arbeitern und Angestellten, den «na-

---

300 Anmeldung zur Mitgliedschaft, 24.4.19, StA
    B&V 224.6.
301 Vgl. StA B&V 1207.
302 Holzbach, Das «System Hugenberg», S. 213.
303 Die Aufnahme erfolgte am 29.1.21, StA
    B&V 225.3.
304 R. Blohm an die DNVP, 16.11.19, StA B&V
    1203.
305 R. Blohm an Dr. Lienau, 10.1.20, ebd.

306 Behrens, Die Deutschnationalen in Ham-
    burg, S. 297.
307 Schreiben der DNVP-Hamburg, 19.3.24,
    StA B&V 1210.1.
308 Lebenserinnerungen Gok, BArchK N1034/
    1, S. 299.
309 Wiborg, Walther Blohm, S. 43.
310 Witthöft, Tradition und Fortschritt, S. 172.
311 Vgl. StA B&V 1206.

tionalen Gedanken» zu erwecken und zu fördern.[312] Auch den Ruhrkampf unterstützte Blohm & Voss finanziell.[313] Rudolf Rosenstiel war als Kaufmännischer
Direktor wiederholt Ansprechpartner für den Deutschnationalen Handlungsgehilfen-Verband und engagierte sich selber im Boykott-Ausschuß zur Bekämpfung von «Feindbundware».[314]

Der politische Rechtsruck in der Firmenleitung war ab 1920 deutlich zu spü-
ren, die Enttäuschung über den Versailler Vertrag, die Schwäche Deutschlands
und die «Erfüllungspolitik» bildeten die Hauptmotive. Auseinandersetzungen
mit der Arbeiterschaft und die gewalttätigen Bestrebungen der Kommunisten kamen erschwerend hinzu. Die neue Republik erschien unerwünscht. So weigerte
sich Rudolf Blohm, den nationalen Trauertag für den ermordeten Rathenau zu
begehen,[315] der auch ein Industrieller, aber eben ein «Erfüllungspolitiker» war.
Das Judentum Rathenaus dürfte in diesem Zusammenhang nicht von Bedeutung
gewesen sein, denn abgesehen von Goks Haltung lassen sich keine Belege für An-
tisemitismus in der Firmenleitung finden.

Ein interessanter Fall war die politische Einstellung des Juden Rudolf Rosenstiel, der sich selber eine «sehr stark rechts gerichtete Anschauung» attestierte.[316]
Wiederholt rief er nach einem starkem Mann, der es der Entente zeigen und die
Ordnung wiederherstellen würde. Im März 1922 sah er die gegenwärtige Regierung als das Hauptproblem Deutschlands an. Es gelte, sie so schnell als möglich zu
beseitigen, wobei er selber gerne mitarbeiten wollte.[317] Als mit Hitler der ersehnte «starke Mann» an die Regierung kam, mußte Rosenstiel wegen seiner jü-
dischen Herkunft emigrieren. Er hätte durch die Einführung einer Art von Arier-
paragraphen durch die ihm politisch sympathische Hamburger DNVP 1923
durchaus gewarnt sein können.[318]

Im Jahre 1923 war die Stimmung besonders aufgeheizt. Im Februar vertrat
Gok die Meinung, daß «die Befreiung der Arbeiterschaft von ihren marxistisch
eingeschworenen Führern die wichtigste Aufgabe» sei.[319] Sie werde gelöst, sobald
die außenpolitische Lage dazu geeignet sei.

Die leitenden Persönlichkeiten von Blohm & Voss standen mit ihrer politischen Einstellung und ihrem Engagement nicht allein in der deutschen Wirtschaft. Weite Kreise teilten diese Auffassungen. Die Hamburger Arbeitgeberver-
einigungen verfolgten eine ähnliche Linie. Besonders heftig wurde vor den Kommunisten und der Sowjetunion gewarnt, was die Firma aber nicht hinderte, sich
um sowjetische Aufträge zu bemühen. Im Betrieb setzte die Firmenleitung dagegen durchaus auf eine gewisse politische Toleranz. Da sie die Belegschaft nicht

---

312 Schreiben R. Blohms an den Propagandaaus-
   schuß der Deutschen Arbeitgebervereini-
   gung, 7.1.22, StA B&V 1330.
313 Vgl. Schriftwechsel, StA B&V 1211.
314 Vgl. StA B&V 236.2.
315 Ferguson, Paper and iron, S. 352.

316 Rosenstiel an Guido Richter, 8.12.22, StA
   B&V 236.2.
317 Rosenstiels an Dir. Bruhn (Krupp), 29.3.22,
   ebd.
318 Büttner, Politische Gerechtigkeit, S. 59.
319 Gok an Prof. Spahn, 24.2.23, StA B&V 241.1

politisch überzeugen konnte, dies auch gar nicht versuchte, ermunterte sie die Arbeiter, andere politische Auffassungen zu tolerieren und auf keinen Fall aus politischen Gründen Andersdenkende zu hassen.[320]

Rudolf Blohm war wohl das, was man einen Reaktionär nennen könnte, insbesondere auch hinsichtlich seiner wirtschaftspolitischen Grundüberzeugungen. Freilich, seine Forderung nach Abschaffung des Achtstundentages, nach Senkung der Löhne und einem entschiedeneren Rückzug des Staates aus der Lenkung der Wirtschaft basierten im gegebenen historischen und wirtschaftlichen Kontext auf nachvollziehbaren, ja vernünftigen ökonomischen Überlegungen. Aber die Unternehmensleitung suchte keinen zufriedenstellenden Ausgleich mit der Belegschaft. Sie versuchte statt dessen durch Konfrontation und Disziplinierung die alten Verhältnisse der Vorkriegszeit wiederherzustellen. Die Ablehnung der Errungenschaften der Republik, die Unnachgiebigkeit in Reparationsfragen und die zunehmende Betonung nationalistischer Ideen ließen die führenden Männer von Blohm & Voss zu Repräsentanten der Wirtschaft auf der politischen Rechten werden.

III.7 War die Werft ein Inflationsgewinnler?

Die Frage, wie sich die Inflation auf die wirtschaftliche Lage des Unternehmens auswirkte, ist von großer Bedeutung. Um die Folgen der Inflation abzuschätzen, ist eine kurzfristige und eine langfristige Perspektive der Betrachtung nötig. Kurzfristig waren die inflatorisch finanzierten Aufträge oder der relativ hohe Beschäftigungsstand sicherlich die Lösung für viele Probleme. Wie so oft in der Geschichte stellte sich aber auch 1919–1924 heraus, daß kurzfristige Erfolge langfristige Belastungen mit sich bringen können.

1922 lieferten die deutschen Werften soviel Schiffsraum ab wie nie zuvor in ihrer Geschichte, über 730.000 BRT (siehe Tab. 31). Hiermit wurde der Höhepunkt des Schiffbaubooms der Inflationszeit erreicht. Ähnlich wie hinsichtlich des Ersten Weltkrieges ist sich die Forschung aber nicht darüber einig, ob die Schiffbauindustrie durch die Inflation hohe Gewinne realisieren konnte oder ob sie Verluste einstecken mußte. «Handel, Schiffahrt und Schiffbau profitierten wie nie», meint Schmelzkopf.[321] Büttner charakterisiert die Hamburger Unternehmer als Gewinner der Inflation, weil sie ihren Anteil am Volkseinkommen halten konnten.[322] Ferguson schätzt die Nettoprofite von Blohm & Voss in der Inflation dagegen als erheblich unter dem Vorkriegsniveau. Er bewertet den Substanzverlust der Firma auf etwa 20 Millionen Goldmark.[323] Petzina unterstellt für die ge-

---

320 «Unsern Lehrlingen zum Geleit», ohne Datum, aus den 20er Jahren, StA Werftschule 1.
321 Schmelzkopf, Die deutsche Handelsschiffahrt, S. 61.

322 Büttner, Politische Gerechtigkeit, S. 180.
323 Ferguson, Paper and iron, S. 412 f.

samte deutsche Industrie in der Zeit von 1919 bis 1923 einen Kapitalstockzu-
wachs von einem Drittel.[324] Er meint, die Geldentwertung und das «deficit spen-
ding» hätten die wirtschaftliche Rekonstruktion vorangetrieben.

Bis zum Sommer 1922 liefern die Bilanzen von Blohm & Voss noch einiger-
maßen nachvollziehbare Angaben. Der Absturz in die Hyperinflation ist dagegen
nur schwer zu rekonstruieren, denn «die Papiermarkzahlen der Bilanz lassen irgendwelche Schlüsse und Vergleiche nicht zu».[325] Im Sommer 1924 erfolgte die
Umstellung der Bilanz auf die Reichsmark, zwei Geschäftsjahre, 1922/23 und
1923/24, bleiben finanziell wegen der Inflation weitgehend undurchsichtig. An
dieser Stelle kann nur eine Annäherung versucht werden.[326]

Blohm & Voss hatte Wert auf eine solide Finanzierung gelegt. Bis zum Sommer 1922 überstiegen die Forderungen der Firma an andere stets die Forderungen der Gläubiger, auch wenn diese schließlich fast ein Drittel der Bilanzsumme
ausmachten. Anzahlungen auf in Bau befindliche Schiffe übertrafen allerdings
nicht mehr den Wert der in Arbeit befindlichen Projekte und der Lagervorräte.
Der zinslose Kredit der Auftraggeber entfiel somit. Das Unternehmen zehrte von
seinen Rücklagen und besonders von den Deviseneinnahmen, deren Größenordnung sich nicht mehr beziffern lassen. Das Valutageschäft, besonders Reparaturen für ausländische Reedereien, bildete ein wichtiges Standbein. Die nominale Höhe der Rücklagen betrug 1921 28,3 Millionen Mark (etwa 1,5 Millionen
Goldmark) und 1922 84 Millionen (etwa 0,7 Millionen Goldmark). Die alte Vorrechtsanleihe von 1908 wurde 1920 gekündigt und ausbezahlt, wobei die Gläubiger einen inflationsbedingten Verlust von 5,2 Millionen Goldmark hinnehmen
mußten. Eine neue Vorrechtsanleihe in Höhe von 20 Millionen Mark, etwa 2,1
Millionen Goldmark, wurde aufgelegt, brachte dem Unternehmen eine Geld-
spritze und bescherte den Anlegern einen Verlust, denn sie wurde nach der Inflation nur noch mit 320.000,– Reichsmark bewertet.

Während der Hyperinflation war das Unternehmen erneut auf Vorschüsse,
aber offensichtlich auch auf Kredite angewiesen. Die Banken erhielten von der
Reichsbank Geld zu einem geradezu lächerlich niedrigen Diskontsatz und gaben
es zu einem relativ geringen Zinssatz an die Wirtschaft weiter. Zum Zeitpunkt
der Rückzahlung war jeder Kredit aber bereits entwertet.

Die Bewertung des Anlagevermögens sank 1920/21 um ein Zehntel auf 24,6
Millionen Mark und blieb im nächsten Jahr konstant. Nach der Umstellung auf

324 Petzina, Dieter: Staatliche Ausgaben und de-
    ren Umverteilungswirkungen – das Beispiel
    der Industrie- und Agrarsubventionen in der
    Weimarer Republik, in: Blaich, Fritz (Hg.):
    Staatliche Umverteilungspolitik in histori-
    scher Perspektive, Berlin 1980, S. 63.
325 Bericht für den Aufsichtsrat 1924, StA B&V
    30.4.

326 Vgl. zu den folgenden Daten die Geschäfts-
    berichte des Zeitraums 1919 bis 1924, die
    Reichsmark-Eröffnungsbilanz 1924 sowie
    die internen Berichte für den Aufsichtsrat,
    StA B&V 28, 30.3–4. Die Umrechnung auf
    Goldmark erfolgt jeweils nach dem Kurs
    vom Juli, da das Geschäftsjahr am 30.6. en-
    dete. Sie dient aber allenfalls der Illustration.

die Reichsmark wurde es noch mit 12,6 Millionen taxiert. Für den Zeitraum von 1914 bis 1924 rechnete das Unternehmen mit einem Rückgang des Kapitalstocks um zwei Drittel. Tatsächlich weist die Bilanz des Geschäftsjahres 1920/21 nur Anlageergänzungen im Gegenwert von 300.000,– Goldmark bzw. 1921/22 von 100.000,– Goldmark aus. Die Investitionstätigkeit auf der Werft erlahmte, da in Deutschlands Schiffbauindustrie bereits große Überkapazitäten vorhanden waren. Die Rücklage zur Sicherung und Erhaltung der Betriebsanlagen belief sich jeweils auf die dreifache Summe. Die Werft hatte zwar ihre Baukapazität seit 1905 durch einen planmäßigen Ausbau auf 120.000 BRT jährlich verdoppelt, aber 1924 lieferte sie nur 36.000 BRT ab.[327] Sie erhoffte sich bestenfalls eine Auslastung von 50 %. Gleichzeitig begannen die früheren Erweiterungsbauten rapide zu veralten. Um die Bilanz nicht unnötig zu belasten, war diese niedrige Bewertung des Anlagevermögens notwendig.

Wie verhielt sich aber nun die Gewinnentwicklung? Der ausgewiesene Betriebsgewinn wurde besonders durch Rücklagen vermindert. Der Reingewinn belief sich laut Bilanz für das Geschäftsjahr 1920/1921 auf 4,6 Millionen Mark. Gemäß der Satzung wies die Bilanz aber die Vergütung für die Komplementäre, also Hermann Blohm und seine Söhne, nicht aus. Die Blohms erhielten eine Million Papiermark Dividende für ihre Stammaktien und 2,1 Millionen Mark Vergütungen (zusammen etwa 170.000,– Goldmark), die Besitzer der Vorzugsaktien 550.000,– Papiermark. Die Gewinnausschüttung lag somit bei einem Sechstel des Vorkriegsstandes.

Ein Jahr später sollte sich die finanzielle Situation weiter verschlechtern. Der ausgewiesene Reingewinn belief sich auf 15 Millionen Papiermark, etwa 130.000,– Goldmark. Wieder bezogen die Besitzer der Vorzugsaktien 550.000,– Mark Dividende. Vergütungen und Tantiemen für der Firmenleitung betrugen 5,4 Millionen Mark und sollten das Schrumpfen der Gehälter ausgleichen. Die Einnahmen der Blohms betrugen ungefähr 6,5 Millionen Mark bzw. weniger als 60.000,– Goldmark, präzisere Angaben lassen sich nicht machen. In der Hyperinflation hatten die Zahlen der Bilanz, wie oben bemerkt, keine Aussagekraft mehr.

Wenn Geschäftsberichte gerade in Fragen der Gewinnausschüttung nicht unbedingt die Wahrheit sagen müssen, scheint die allgemeine Tendenz doch klar. Die Gewinne schrumpften. Schmelzkopfs Vermutung, die Werften hätten finanziell besonders von der Inflation profitiert, geht deshalb fehl. Auch Büttners These, die Unternehmer hätten ihren Anteil am Volkseinkommen halten können, trifft für Blohm & Voss nicht zu. Dort schrumpfte das Unternehmereinkommen, während die Werft 1922 das erste Mal in ihrer Geschichte mehr als 100.000 BRT ablieferte. Die Kapitalbesitzer wurden durch die Geldentwertung vorerst relativ stärker getroffen als die Beschäftigten. Die Firmenleitung mußte ebenso

---

327 Vgl. Reichsmark-Eröffnungsbilanz 1924.

einen Rückgang der Einkünfte hinnehmen. Die Besitzer der Anleihen erlitten allerdings den größten Verlust.

Nach der Umstellung auf die Reichsmark mußten Aktiva, Passiva und auch das Aktienkapital neu bewertet werden. Die Anteile wurden im Verhältnis von zehn zu sieben in Reichsmark umgewandelt. Das Kapital der KGaA betrug demnach noch 14 Millionen Reichsmark. Bei dieser Umwandlung kam es erstmals in der Firmengeschichte zu einem Konflikt mit den Aktionären, der schließlich vor Gericht ausgetragen wurde.[328] Wer 1910 zum Beispiel 20.000,– Mark investiert und mit 1.100,– Mark Vorzugsdividende jährlich gerechnet hatte, besaß 1925 Aktien im Nennwert von 14.000,– Reichsmark und erhielt bei einer Dividende von 2,5 % 350,– Mark. Die Vorzugsaktionäre erlitten zwar keinen Totalverlust, aber sie mußten eine Vermögenseinbuße hinnehmen. Auch 1925 wurde keine Dividende auf die Stammanteile ausgeschüttet.[329]

Kurzfristig hatte der Staat durch inflatorisch finanzierte Aufträge das Fortbestehen der Werften gesichert. Bis 1922 konnte Blohm & Voss ja sogar einen – wenn auch schrumpfenden – realen Gewinn ausweisen und wies einen hohen Beschäftigungsstand auf. Insofern profitierte die Firma von der Inflation. Es ließe sich auch die spekulative Frage stellen, ob das Unternehmen unter den Bedingungen des Versailler Friedensvertrages überlebt hätte, wenn der Staat nicht die Möglichkeit zur inflatorischen Finanzierung des Wiederaufbaus der Handelsflotte genützt hätte.

Langfristig förderte die Inflation aber, ebenso wie Krieg und Demobilmachung, die Fehlallokation von Kapital und führte in Wirklichkeit zu großen Substanzverlusten, die Ferguson mit etwa 20 Millionen Goldmark im Falle von Blohm & Voss realistisch einschätzt. Die Inflation mag gesamtwirtschaftlich den Übergang in den Frieden ermöglicht haben, für die Zukunft der Werften wirkte sie eher verheerend. Gesundschrumpfung und Modernisierung wären nötig gewesen, nicht der Ausbau und das Am-Leben-erhalten von überdimensionierten Anlagen. Ein großer Teil des Betriebsgeländes von Blohm & Voss war bis zum Ende der Weltwirtschaftskrise eine Investitionsruine. Die wirtschaftliche Position von Blohm & Voss wurde dadurch langfristig untergraben. Dabei überstand die Firma die Hyperinflation angeschlagen, aber in einem besseren Zustand als die meisten Konkurrenten.

---

328 Bericht für den Aufsichtsrat 1924, StA B&V
     30.4.
329 Geschäftsbericht 1924/25.

Ausblick in eine unsichere Zukunft

Nach der Wiederherstellung stabiler Währungsverhältnisse und in der erkennbaren Konkurrenzsituation bestand für die Firmenleitung die absolute Notwendigkeit, unbedingt die Kosten zu senken. Aus Sicht der Arbeiter schien eine Arbeitszeitverlängerung unnötig. Schließlich waren die Werften unterbeschäftigt. Wirtschaftlich gesehen war eine Steigerung der Realeinkommen jedoch nur über einen größeren Umfang der Arbeitszeit und nicht durch einen höheren Stundenverdienst in Verbindung mit einem Anwachsen der Lohnkosten möglich. Eine Errungenschaft der Revolution, der Achtstundentag bei vollem Lohnausgleich, schien für Blohm & Voss vorerst nicht finanzierbar.

Laut Verordnung vom 21. Dezember 1923 sollte der Achtstundentag zwar die Norm bleiben, aber Ausnahmen in Tarifverträgen wurden zugelassen.[1] Kurz darauf kündigten die Werftunternehmer den Tarifvertrag, und das Reichsarbeitsministerium bewirkte einen Schiedsspruch, der eine 54-Stundenwoche vorsah. Da die Arbeitgeber jedoch einen vorigen Schiedsspruch mißachtet und trotz einer gerichtlichen Entscheidung eine Lohnerhöhung nicht ausgezahlt hatten, ignorierten die Werftarbeiter ihrerseits den neuen Schiedsspruch und verließen jeweils nach acht Stunden den Arbeitsplatz. Daraufhin setzten ab dem 26. Februar 1924 Aussperrungen ein. Verhandlungen scheiterten. Der Streik griff auf die gesamte deutsche Schiffbauindustrie über.[2] Da Blohm & Voss bei weitem nicht durch Aufträge ausgelastet war, stellte der Arbeitskampf keine wirkliche Belastung für das Unternehmen dar. Nach sieben Wochen erging ein Angebot der Arbeitgeber, die Betriebe wieder zu öffnen, wenn zusammen mit einer kleinen Lohnerhöhung die 54-Stundenwoche akzeptiert werde. Dieser Vorstoß scheiterte dank der Intervention des Reichsarbeitsministers. Erst ein erneuter Schiedsspruch, der eine größere Einkommenssteigerung vorsah, beendete den Konflikt nach 13 Wochen.[3] Bis zum 31. März 1925 sollte noch die 54-, erst danach die 48-Stundenwoche gelten. Diese Entwicklung betraf freilich nicht nur den Schiffbau. Überall in der deutschen Industrie wurden die Zehnstundenschichten wieder eingeführt.[4]

Als das größte Problem für Blohm & Voss erwies sich schon am Ende der In-

---

1 Vgl. zum folgenden Büttner, Politische Gerechtigkeit, S. 176 ff.

2 Schmelzkopf, Die deutsche Handelsschiffahrt, S. 64.

3 Bericht für den Aufsichtsrat 1924, StA B&V 30.4.

4 Steinisch, Arbeitszeitverkürzung und sozialer Wandel, S. 483.

flation, noch mehr aber danach die mangelnde Auslastung. Von 1924 bis 1926 wurde nur ein Drittel der Produktionsanlagen genutzt.[5] Weite Flächen des Betriebes lagen brach. Überall im Schiffbau bestanden erhebliche Überkapazitäten.

Den Anstoß hatte vor dem Krieg das Reichsmarineamt gegeben, das die Werften zu abenteuerlicher Expansion drängte. Während des Krieges setzten die Unternehmen in Erwartung eines Nachkriegsbooms im Handelsschiffbau den Betriebsausbau fort. Das Reichsmarineamt duldete, ja förderte noch die Erweiterung der Werftanlagen auch für die zivile Produktion sowie Firmenneugründungen wie die Deutsche Werft. Blohm & Voss schätzte die Situation wohl etwas realistischer ein, aber nach dem Motto «Wachsen oder Weichen» folgte die Firma dem vorgegebenen Trend. Das Werftkartell führte ja auch zu einem Aussetzen der Marktkräfte und hielt nicht konkurrenzfähige Unternehmen künstlich am Leben.

Während der Demobilmachung wurden die Werften auch dann in Betrieb gehalten, wenn sie kaum etwas produzierten. Zu wichtig war es, eine größere Arbeitslosigkeit um jeden Preis (also auch um den Preis eines beschleunigten Inflationsprozesses) zu vermeiden. Damit erfüllte der Staat sowohl die Forderungen der Vertreter der Arbeiterschaft als auch die der Unternehmen. Jedenfalls hatten die Werften keinen Anlaß, ihre Kapazitäten rasch nach unten anzupassen. Im Gegenteil: Der Wiederaufbau der Handelsflotte erfolgte weitgehend durch teure Neubauten auf deutschen Werften, anstatt viel günstiger Gebrauchtschiffe zu erwerben. Aber auf einen Arbeitsplatz in der Werftindustrie kamen schätzungsweise noch drei weitere bei den Zulieferern.[6] Es gab also nach wie vor gute politische Gründe, die Werften in Betrieb zu halten, ja einen weiteren Ausbau zu unterstützen. Bis 1922 wurden Anlagen erweitert. Noch im Februar 1922 wollte Blohm & Voss sein Betriebsgelände durch einen Grundstückskauf abrunden.[7]

Die deutschen Werften beschäftigten 1921 fast 50 % mehr Personal als 1914.[8] Die Kapazitäten reichten aus, um praktisch die gesamte in der Weimarer Zeit zur Verfügung stehende Handelsflotte innerhalb von drei Jahren aufzubauen. Dafür und für Überbrückungsarbeiten hat der Staat zwischen 1918 und 1923 mehr als eine Milliarde Goldmark in einen Industriezweig gepumpt, der nach dem an sich vorhersehbaren Fortfall der besonderen Umstände eine höchst fragliche Zukunft haben sollte.

Die Schwerindustrie hatte ihren Anteil am Aufbau der Überkapazitäten. Ohne viel vom Schiffbau zu verstehen, erwarb sie Einfluß und Beteiligungen an

---

5   Statistik der abgelieferten Tonnage, StA B&V 192.2.
6   Berechnung des RMA von 1912 für ein Kriegsschiff der Ostfriesland-Klasse (Leckebusch, Die Beziehungen, S. 93), ähnlich dürfte es sich bei Handelsschiffen verhalten.
7   R. Blohm an den Aufsichtsrat, 17.2.22, StA B&V 29.
8   Priester, Der Wiederaufbau, S. 87 ff.

Werften sowie an Reedereien und setzte auf eine beständige Expansion. Man hoffte auf entsprechenden Absatz der eigenen Produktion. Ohne dieses Drängen wäre der Kapazitätsausbau der Werften gewiß geringer gewesen, zumal die Lobbyarbeit der Schwerindustrie für das Ausmaß der staatlichen Subventionen vermutlich mitbestimmend war. Auch die Reeder besaßen ein Interesse an einer eher zu großen Werftindustrie, ließen sich doch dank der Konkurrenz der Anbieter dann die Preise drücken. So konnten die Reeder auch erwarten, daß der Staat dann leichter veranlaßt werden könnte, mit Subventionen auszuhelfen.

Zu welch phantastischen Ergebnissen der anhaltende Kapazitätsausbau bei Blohm & Voss geführt hat, geht aus Tabelle 38 hervor.

Tab. 38: Der Ausbau der Werft von 1905 bis 1926

	1905	1926
Gesamtfläche	210.000 m²	516.000 m²
Kailänge	1.150 m	2.240 m
Bebaute Fläche: Schiffbau	8.771 m²	33.740 m²
Maschinenbau	4.275 m²	14.840 m²
Kesselschmiede	3.188 m²	8.790 m²
Schmiede	2.490 m²	2.970 m²
Schlosserei	1.530 m²	6.175 m²
Holzbearbeitung	5.312 m²	10.810 m²
Wohlfahrtsgebäude	1.668 m²	5:256 m²
Beamtenwohnungen	480 m²	1.373 m²
Gießerei	–	10.743 m²
Sonstige Bauten	12.707 m²	46.710 m²
Gesamte bebaute Fläche	40.401 m²	142.407 m²
Helgen: Anzahl	6	9
Gesamtfläche	20.380 m²	51.920 m²
Gleise	9.304 m	31.780 m
Docks: Anzahl	4	7
Gesamttragfähigkeit	42.200 t	140.200 t
Loks	6	15
Kräne: Ortsfeste Kräne	6	7
Fahrbare Kräne	8	18
Helgenkräne	–	36
Wagen: Transportwagen	–	286
Speisetransportwagen	–	11
Lok-Anhänger	6	15
Kippwagen	–	78
Spänetransportwagen	–	28

Quelle: StA B&V 192.2.

So kurzfristig vorteilhaft die Umstände in der unmittelbaren Nachkriegszeit zweifelsohne für die Werften gewesen sein mochten, insbesondere die Politik eines staatlich garantierten, inflatorisch finanzierten Schiffbaus, sie trugen dazu bei, daß die schon vor dem Weltkrieg spürbaren strukturellen Probleme verschärft wurden. Die schon lange latente Werftkrise konnte allenfalls verschoben werden. Um so heftiger mußte sie angesichts der bis 1922 akkumulierten Überkapazitäten dann ausfallen, zumal vom Weltmarkt für Handelsschiffe keine Entlastung zu erwarten war.

Im internationalen Schiffbau hatten die USA die britischen Werften durch konsequenten Einsatz des Serienschiffbaus während des Ersten Weltkrieges aus ihrer Führungsposition verdrängt.[9] Es galt, ein «amerikanisches Wunder» zu bestaunen. Auch erwies sich, daß die deutsche Schiffbauindustrie nach der Inflation durchaus mit der britischen konkurrieren konnte.[10] Niedrigere Löhne, längere Arbeitszeiten, eine höhere Leistung von Belegschaft und Management, eine stärkere Normierung der Produktion, keine Beschränkungen beim Einsatz arbeitssparender Maschinen, offenbar bessere Betriebsabrechnungsmethoden usw. auf den deutschen Werften trugen dazu bei. Aber das half angesichts der insgesamt geringen Weltnachfrage nach Schiffen nicht, um die Kapazitäten der deutschen Industrie mit Auslandsaufträgen auszulasten.

Zwar flossen auch nach der Währungsstabilisierung noch staatliche Mittel direkt oder indirekt in den Schiffbau, so stellte das Reich 1924 ein Darlehen über 50 Millionen Mark für die Werftindustrie zur Verfügung und leitete damit erneut eine Subventionspolitik ein,[11] aber das waren jetzt eher Tropfen auf den heißen Stein, zumal das hohe Zinsniveau und der Mangel an liquidem Betriebskapital den Bewegungsspielraum der Werften weiter einschränkten.

Ein Abbau von Kapazitäten war unvermeidlich geworden. Die Zahl von 44 Seeschiffswerften (darunter einige riesige) war einfach zu groß.[12] Zuerst mußte die Danziger Reichswerft schließen. Auch den Nordseewerken Emden drohte die Schließung, die Tönninger Werft wurde stillgelegt.[13] Die Hamburger Vulcan-Werft, einst der direkte Konkurrent von Blohm & Voss, wurde vorläufig stillgelegt. Hier rettete ein Eingreifen des Hamburger Senats die Betriebsanlagen vor der vollkommenen Verschrottung. Zwei Docks übernahm Blohm & Voss.[14] Die Deutsche Werft machte 1924 und 1925 jeweils über eine Million Mark Verlust.[15] Die AG Weser, die Tecklenborg-Werft, beide Vulcan-Werke in Hamburg und Stettin und die Rostocker Werft fusionierten schließlich zu einer Notgemein-

---

9 Paetau, Zwischen Boom und Depression, S. 223.
10 Vgl. Warren, Steel, Ships and Men, S. 191 f.
11 Vgl. Paetau, Zwischen Boom und Depression, S. 224; Ferguson, Paper and iron, S. 414.
12 Schmelzkopf, Die deutsche Handelsschiffahrt, S. 74.

13 Prager, Blohm + Voss, S. 124.
14 StA Familie Blohm 2, S. 424, Witthöft, Tradition und Fortschritt, S. 187.
15 Geschäftsberichte 1924 und 1925, StA Deutsche Werft 11.

schaft, der Deutschen Schiffs- und Maschinenbau AG (DESCHIMAG).[16] Das Werk in Stettin wurde aufgelöst. Der Staat förderte die Bildung des «Monsterkonzerns» durch Bürgschaften. So stellte er dem Hamburger Vulcan für den Zweck der Sanierung eine Reichsbürgschaft in Höhe von bis zu 15 Millionen Mark zur Verfügung.[17]

Blohm & Voss war die einzige deutsche Großwerft, die von der Schwerindustrie unabhängig blieb, nicht einer überdimensionierten Notgemeinschaft beitreten mußte und im Durchschnitt der folgenden Jahre sogar Gewinne erzielte. Das Unternehmen vermochte eine wirtschaftliche und technologische Führungsposition zu halten. Allerdings ging sein Einfluß auf andere Firmen, vermittelt über die führende Rollen der Mitglieder der Familie Blohm in den Verbänden, zurück. Eine volle langfristige Auslastung erreichte Blohm & Voss erst wieder im «Dritten Reich».[18]

16 StA Familie Blohm 2, S. 423.
17 Stand vom 1.1.27, Petzina, Staatliche Ausgaben, S. 78.
18 Siehe zur weiteren Geschichte des Unternehmens: Meyhoff, Blohm & Voss im «Dritten Reich».

Anhang

Abkürzungsverzeichnis

AEG	Allgemeine Elektrizitäts-Gesellschaft
AG	Aktiengesellschaft
BArchK	Bundesarchiv in Koblenz
BArchB	Bundesarchiv in Berlin
BArchM	Bundesarchiv/Militärarchiv in Freiburg
B&V	Blohm & Voss
CVDI	Centralverband Deutscher Industrieller
DHSG	Deputation für Handel, Schiffahrt und Gewerbe
DESCHIMAG	Deutsche Schiffs- und Maschinenbaubau AG
DMK	Demobilmachungskommissar
DMV	Deutscher Metallarbeiterverband
DOW	Deutsch-Osmanische-Werftvereinigung
GmbH	Gesellschaft mit beschränkter Haftung
HAPAG	Hamburg-Amerikanische-Paketfahrt Aktiengesellschaft
HkH	Handelskammer Hamburg
IvS	Ingenieurskantor voor Scheepsbouw
KA	Kriegsausschuß der deutschen Werften
KEA	Kriegsernährungsamt
KGaA	Kommanditgesellschaft auf Aktien
KVA	Kriegsversorgungsamt in Hamburg
MAN	Maschinenfabrik Augsburg-Nürnberg
Nateko	Nautisch-technische Kommission der Mittelmächte in der Ukraine
NIACC	Naval Inter-Allied Commission of Control
OHL	Oberste Heeresleitung
PA	Politisches Archiv des Auswärtigen Amtes
StA	Staatsarchiv Hamburg
RDI	Reichsverband der Deutschen Industrie
RM	Reichsmarine
RMA	Reichsmarineamt
VdS	Verein deutscher Schiffswerften
WA	Wirtschaftsausschuß der deutschen Werften
WUMBA	Waffen- und Munitionsbeschaffungsamt
ZAG	Zentralarbeitsgemeinschaft der industriellen und gewerblichen Arbeitgeber und Arbeitnehmer Deutschlands

Abbildungsverzeichnis

Verzeichnis der Tabellen

Quellen- und Literaturverzeichnis

Archivalien

Bundesarchiv Berlin (BArchB)
- Reichsfinanzministerium (R 2)
- Reichskanzlei (R 43I)
- Reichsschatzamt (R 2201)
- Reichswirtschaftsministerium (R 3101)
- Reichsministerium für Wiederaufbau (R 3301)
- Reichsarbeitsministerium (R 3901)
Bundesarchiv-Militärarchiv, Freiburg (BArchM)
- Reichsmarineamt (RM3)
- Marinekommandoamt (RM20)
- Marinedienststellen in Rußland (RM41)
Bundesarchiv Koblenz (BArchK)
- Nachlaß Carl Gottfried Gok (N/1034)
Politisches Archiv des Auswärtigen Amtes (PA)
- Innere Verhältnisse Hamburgs R3008 – R3010
Archiv der Handelskammer Hamburg (HkH)
- Industriekommission
- Abgabe von Hafenmaterial an die Entente
  (44.H.2)
Staatsarchiv Hamburg (StA)
- Senat-Kriegsakten (111–2)
- Demobilmachungskommissar (DMK, 356–1)
- Werftschule Blohm & Voss (362–6/18)
- Deputation für Handel, Schiffahrt und Gewerbe
  (DHSG, 371–8)
- Kriegsversorgungsamt (KVA, 377–6)
- Deutscher Flottenverein (614–2/1)
- Blohm & Voss (B&V, 621–1)
- Deutsche Werft (621–1)
- Familie Blohm (622–1)

Gedruckte Quellen und Literatur

Abelshauser, Werner: Verelendung der Handarbeiter? Zur sozialen Lage der Arbeiter in der großen Inflation der frühen zwanziger Jahre, in: Mommsen, Hans/Winfried Schulze (Hg.): Vom Elend der Handarbeit, Stuttgart 1981, S. 445–476

Abelshauser, Werner (Hg.): Die Weimarer Republik als Wohlfahrtsstaat, Stuttgart 1987

Afflerbach, Holger: Die militärische Planung des Deutschen Reiches im Ersten Weltkrieg, in: Michalka, Wolfgang (Hg.): Der Erste Weltkrieg, München 1994, S. 280–318

Ambrosius, Gerold: Die öffentliche Wirtschaft als Instrument der Wirtschaftspolitik in der Weimarer Republik, in: Blaich, Fritz (Hg.): Die Rolle des Staates für die wirtschaftliche Entwicklung, Berlin 1982, S. 11–75

Angress, Werner T.: Stillborn Revolution. The Communist Bid for Power in Germany, 1921–1923, Princeton 1963

Armeson, Robert B.: Total Warfare and Compulsory Labor, Den Haag 1964

Asmussen, Georg (Hg.): Ernst Voß. Lebenserinnerungen und Lebensarbeit des Mitbegründers der Schiffswerft von Blohm & Voss, Berlin 1924

Aubin, Hermann/Wolfgang Zorn (Hg.): Handbuch der deutschen Wirtschafts- und Sozialgeschichte, Bd. 2, Stuttgart 1976

Bähr, Johannes: Staatliche Schlichtung in der Weimarer Republik, Berlin 1989

Bajohr, Stefan: Die Hälfte der Fabrik. Geschichte der Frauenarbeit in Deutschland 1914 bis 1945, Marburg 1979

Balderston, Theo: War Finance and Inflation in Britain and Germany, 1914–1918, in: The Economic History Review 42 (1989), S. 222–244

Bauche, Ulrich/Ludwig Eiber/Ursula Wamser/Wilfried Weinke (Hg.): «Wir sind die Kraft». Arbeiterbewegung in Hamburg von den Anfängen bis 1945, Hamburg 1988

Behrens, Reinhard: Die Deutschnationalen in Hamburg 1918–1933, Diss. phil., Hamburg 1973

Berghahn, Volker R.: Navies and Domestic Factors, in: Hattendorf, John B. (Hg.): Doing Naval History: Essays Toward Improvement, Newport 1995, S. 53–66

Berghoff, Hartmut: Unternehmenskultur und Herrschaftstechnik. Industrieller Paternalismus: Hohner von 1857 bis 1918, in: Geschichte und Gesellschaft 23 (1997), S. 167–204

Berghoff, Hartmut: Zwischen Kleinstadt und Weltmarkt, Hohner und die Harmonika 1857–1961. Unternehmensgeschichte als Gesellschaftsgeschichte, Wien/Zürich 1997

Berlin, Jörg: Staatshüter und Revolutionsverfechter. Arbeiterparteien in der Nachkriegskrise, in: Bauche, Ulrich/Ludwig Eiber/Ursula Wamser/Wilfried Weinke (Hg.): «Wir sind die Kraft». Arbeiterbewegung in Hamburg von den Anfängen bis 1945, Hamburg 1988, S. 103–130

Bessel, Richard: «Eine nicht allzu große Beunruhigung des Arbeitsmarktes». Frauenarbeit und Demobilmachung in Deutschland nach dem Ersten Weltkrieg, in: Geschichte und Gesellschaft 9 (1983), S. 211–229

Bessel, Richard: Mobilization and demobilization in Germany, 1916–1919, in: Horne, John (Hg.): State, society and mobilization during the First World War, Cambridge 1997, S. 212–222

Bessel, Richard: Germany after the First World War, Oxford 1993

Bieber, Hans-Joachim: Bürgertum in der Revolution, Hamburg 1992

Bieber, Hans-Joachim: Die Entwicklung der Arbeitsbeziehungen auf den Hamburger Großwerften zwischen Hilfsdienstgesetz und dem Betriebsrätegesetz (1916–1920), in: Mai, Gunther (Hg.): Arbeiterschaft 1914–1918 in Deutschland. Studien zu Arbeitskampf und Arbeitsmarkt im Ersten Weltkrieg, Düsseldorf 1985, S. 77–154

Bieber, Hans-Joachim: Gewerkschaften in Krieg und Revolution, 2 Bände, Hamburg 1981

Blaich, Fritz: Der Schwarze Freitag. Inflation und Wirtschaftskrise, München 1985

Blaich, Fritz: Staat und Verbände in Deutschland zwischen 1871 und 1945, Wiesbaden 1979

Blohm & Voss (Hg.): Blohm & Voss. Hamburg 1877–1927, Hamburg 1927

Blohm & Voss: Geschäftsberichte über die Geschäftsjahre 1910/11–1924/25

Blohm & Voss: Reichsmark-Eröffnungsbilanz vom 1. Juli 1924

Blohm + Voss (Hg.): Blohm + Voss 1877–1977, Hamburg 1977

Böhm, Ekkehard: Anwalt der Handels- und Gewerbefreiheit. Beiträge zur Geschichte der Handelskammer Hamburg, Bd. 2, Hamburg 1981

Borchardt, Knut: Die Erfahrung mit Inflationen in Deutschland, in: Borchardt, Knut: Wachstum, Krisen, Handlungsspielräume der Wirtschaftspolitik, Göttingen 1982, S. 151–161

Borowsky, Peter: Deutsche Ukrainepolitik 1918 unter besonderer Berücksichtigung der Wirtschaftsfragen, Lübeck 1970

Bracher, Karl Dietrich/Manfred Funke/Hans-Adolf Jacobsen (Hg.): Die Weimarer Republik 1918–1933. Politik. Wirtschaft. Gesellschaft, Bonn 1987

Bresciani-Turroni, Constantino: The Economics of Inflation, London ²1953

Bry, Gerhard: Wages in Germany 1871–1945, Princeton 1960

Burchardt, Lothar: Friedenswirtschaft und Kriegsvorsorge. Deutsche wirtschaftliche Rüstungsbestrebungen vor 1914, Boppard 1968

Burchardt, Lothar: Zwischen Kriegsgewinnen und Kriegskosten: Krupp im Ersten Weltkrieg, in: Zeitschrift für Unternehmensgeschichte 32 (1987), S. 71–123

Büsch, Otto/Gerald D. Feldman (Hg.): Historische Prozesse der deutschen Inflation 1918–1923, Berlin 1978

Buschmann, Birgit: Unternehmenspolitik in der Kriegswirtschaft und in der Inflation. Die Daim-ler-Motoren-Gesellschaft 1914–1923, Stuttgart 1998

Büttner, Ursula: Hamburg zur Zeit der Weimarer Republik, Hamburg 1996

Büttner, Ursula: Die Hamburger freien Gewerkschaften in der Zeit der Weimarer Republik, in: Bauche, Ulrich/Ludwig Eiber/Ursula Wamser/Wilfried Weinke (Hg.): «Wir sind die Kraft». Arbeiterbewegung in Hamburg von den Anfängen bis 1945, Hamburg 1988, S. 131–168

Büttner, Ursula: Politische Gerechtigkeit und sozialer Geist: Hamburg zur Zeit der Weimarer Republik, Hamburg 1985

Büttner, Ursula: Der Stadtstaat als demokratische Republik, in: Jochmann, Werner (Hg.): Geschichte der Stadt Hamburg und ihrer Bewohner, Bd. 2, Hamburg 1986, S. 131–264

Büttner, Ursula/Angelika Voß/Hermann Weber: Vom Hamburger Aufstand zur politischen Isolierung, Hamburg 1983

Carpenter, Dorr/Norman Polmar: Submarines of the Imperial Japanese Navy, Annapolis 1986

Carsten, Francis L.: Reichswehr und Politik 1918–1933, Berlin/Köln 1964

Cattaruzza, Marina: Arbeiter und Unternehmer auf den Werften des Kaiserreiches, Stuttgart 1988

Cattaruzza, Marina: Das «Hamburgische Modell» der Beziehung zwischen Arbeit und Kapital. Organisationsprozesse und Konfliktverhalten auf den Werften 1890–1914, in: Herzig, Arno/Dieter Langewiesche / Arnold Sywottek (Hg.): Arbeiter in Hamburg. Unterschichten, Arbeiter und Arbeiterbewegung seit dem ausgehenden 18. Jahrhundert, Hamburg 1983, S. 247–260

Chickering, Roger: Das Deutsche Reich und der Erste Weltkrieg, München 2002

Chernow, Ron: The Warburgs, New York 1993

Christiansen, Harro: Der Bau von Kriegsschiffen auf Hamburger Werften 1871–1945, in: Duppler, Jörg (Hg.): Hamburg zur See, Herford 1989, S. 143–158

Claviez, Wolfram: 50 Jahre Deutsche Werft 1918–1968, Hamburg 1968

Comfort, Richard A.: Revolutionary Hamburg, Stanford 1966

Daniel, Ute: Arbeiterfrauen in der Kriegsgesellschaft. Beruf, Familie und Politik im Ersten Weltkrieg, Göttingen 1989

Dehning, Ernst: Schiffbauindustrie, in: Handwörterbuch der Staatswissenschaften, Bd. 7, 4. Auflage, Jena 1926, S. 213–225

Deist, Wilhelm: Flottenpolitik und Flottenpropaganda. Das Nachrichtenbüro des Reichsmarineamtes, Stuttgart 1976

Die deutsche Okkupation der Ukraine. Geheimdokumente, Straßburg 1937

Dieckmann, W.: Die Behördenorganisation in der deutschen Kriegswirtschaft 1914–1918, Hamburg 1937

Dix, Arthur: Wirtschaftskrieg und Kriegswirtschaft, Berlin 1920

Dönhoff, Friedrich/Jasper Barenberg: Ich war bestimmt kein Held. Die Lebensgeschichte von Tönnies Hellmann, Hafenarbeiter in Hamburg, Hamburg 1998

Dülffer, Jost: Weimar, Hitler und die Marine. Reichspolitik und Flottenbau 1920–1939, Düsseldorf 1973

Ehlert, Hans Gotthard: Die wirtschaftliche Zentralbehörde des Deutschen Reiches 1914 bis 1919, Wiesbaden 1982

Epkenhans, Michael: Die kaiserliche Marine im Ersten Weltkrieg: Weltmacht oder Untergang, in: Michalka, Wolfgang (Hg.): Der Erste Weltkrieg, München 1994, S. 319–340

Epkenhans, Michael: Krupp and the Imperial German Navy, 1898–1918: A Reassessment, in: The Journal of Military History 64 (2000), S. 335–370

Epkenhans, Michael: Die wilhelminische Flottenrüstung 1908–1914. Weltmachtstreben, industrieller Fortschritt, soziale Integration, München 1991

Eulenburg, Franz: Die sozialen Wirkungen der Währungsverhältnisse, in: Jahrbücher für Nationalökonomie und Statistik (122), Jena 1924, S. 748–794

Facius, F.: Wirtschaft und Staat. Die Entwicklung der staatlichen Wirtschaftsverwaltung in Deutschland vom 17. Jahrhundert bis 1945, Boppard 1959

Faust, Anselm: Arbeitsmarktpolitik im Deutschen Kaiserreich, Stuttgart 1986

Feldenkirchen, Wilfried: Die Eisen- und Stahlindustrie des Ruhrgebiets 1879–1914, Wiesbaden 1982

Feldenkirchen, Wilfried: Siemens 1918–1945, München 1995

Feldman, Gerald, D.: Army, Industry and Labor in Germany, 1914–1918, Princeton 1966

Feldman, Gerald, D.: Gegenwärtiger Forschungsstand und künftige Forschungsprobleme zur deutschen Inflation, in: Büsch, Otto/Gerald D. Feldman (Hg.): Historische Prozesse der deutschen Inflation 1918–1923, Berlin 1978, S. 3–21

Feldman, Gerald, D.: The Great Disorder. Politics, Economics, and Society in the German Inflation, 1914–1924, New York/Oxford 1993

Feldman, Gerald, D.: Hugo Stinnes. Biographie eines Industriellen. 1870–1924, München 1998

Feldman, Gerald, D.: Iron and Steel in the German Inflation 1916–1923, Princeton 1977

Feldman, Gerald, D.: Vom Weltkrieg zur Weltwirtschaftskrise: Studien zur deutschen Wirtschafts- und Sozialgeschichte 1914–1932, Göttingen 1984

Feldman, Gerald, D./Heidrun Homburg: Industrie und Inflation, Hamburg 1977

Feldman, Gerald, D. / Elisabeth Müller-Luckner (Hg.): Die Nachwirkungen der Inflation auf die deutsche Geschichte 1924–1933, München 1985

Feldman, Gerald, D./Irmgard Steinisch: Industrie und Gewerkschaften 1918–1924. Die überforderte Zentralarbeitsgemeinschaft, Stuttgart 1985

Feldman, Gerald, D./Carl-Ludwig Holtfrerich/ Gerhard A. Ritter/Peter-Christian Witt (Hg.): Die Anpassung an die Inflation, Berlin/New York 1986

Feldman, Gerald, D./Carl-Ludwig Holtfrerich/ Gerhard A. Ritter/Peter-Christian Witt (Hg.): Die deutsche Inflation. Eine Zwischenbilanz, Berlin/New York 1982

Feldman, Gerald, D./Carl-Ludwig Holtfrerich/ Gerhard A. Ritter/Peter-Christian Witt (Hg.): Die Erfahrung der Inflation im internationalen Zusammenhang und Vergleich, Berlin/New York 1984

Feldman, Gerald, D. / Carl-Ludwig Holtfrerich / Gerhard A. Ritter / Peter-Christian Witt (Hg.): Konsequenzen der Inflation, Berlin 1989

Ferguson, Niall: Constraints and room for manoeuvre in the German inflation of the early 1920s, in: The Economic History Review 49 (1996), S. 635–666

Ferguson, Niall: Der falsche Krieg. Der Erste Weltkrieg und das 20. Jahrhundert, Stuttgart 1999

Ferguson, Niall: Paper and iron. Hamburg business and German politics in the era of inflation 1897–1927, Cambridge 1995

Fiebig-von Hase, Ragnhild: Der Anfang vom Ende des Krieges: Deutschland, die USA und die Hintergründe des amerikanischen Kriegseintritts am 6. April 1917, in: Michalka, Wolfgang (Hg.): Der Erste Weltkrieg, München 1994, S. 125–158

Fischer, Fritz: Griff nach der Weltmacht, Düsseldorf ³1964

Fischer, Fritz: Krieg der Illusionen. Die deutsche Politik von 1911–1914, Düsseldorf ²1970

Fock, Harald: Kampfschiffe. Marineschiffbau auf deutschen Werften – 1870 bis heute, Hamburg 1995

Foerster, Ernst: Schiffbau I. Technologie, in: Handwörterbuch der Sozialwissenschaften, Bd. 9, Stuttgart/Tübingen/Göttingen 1956, S. 120–123

Forsén, Björn/Anette Forsén: Saksan ja Suomen salainen sukellusveneyhteistyö, Porvoo/Helsinki/Juva 1999.

Försterling, Manfred: Die Hamburgische Bank von 1923, in: Hamburger Wirtschaftschronik 3 (1965), Heft 1

Freyberg, Thomas von: Industrielle Rationalisierung in der Weimarer Republik, Frankfurt/Main/New York 1989

Führer, Karl Christian: Arbeitslosigkeit und die Entstehung der Arbeitslosenversicherung in Deutschland 1902–1927, Berlin 1990

Fukuzawa, Naoki: Staatliche Arbeitslosenunterstützung in der Weimarer Republik und die Entstehung der Arbeitslosenversicherung, Frankfurt/Main u. a. 1995

Gabler, Ulrich: Unterseebootbau, Koblenz [3]1987

Gall, Lothar u. a.: Die Deutsche Bank 1870–1995, München 1995

Gall, Lothar: Krupp. Der Aufstieg eines Industrieimperiums, Berlin 2000

Gall, Lothar (Hg.): Krupp im 20. Jahrhundert, Berlin 2002

Geiss, Imanuel: Das Deutsche Reich und der Erste Weltkrieg, München 1978

Geyer, Martin H.: Verkehrte Welt. Revolution, Inflation und Moderne. München 1914–1924, Göttingen 1998

Goebel, Otto: Deutsche Rohstoffwirtschaft im Weltkrieg, Stuttgart 1930

Gordon, Harold J.: The Reichswehr and the German Republic 1919–1926, Princeton 1957

Graham, Frank D.: Exchange, Prices and Production in Hyper-Inflation: Germany, 1920–1923, Princeton 1930

Grießmer, Axel: Massenverbände und Massenparteien im wilhelminischen Reich. Zum Wandel der Wahlkultur 1903–1912, Düsseldorf 2000

Groehler, Olaf: Selbstmörderische Allianz. Deutsch-russische Militärbeziehungen 1920–1941, Berlin 1992

Groener, Wilhelm: Lebenserinnerungen, Göttingen 1957

Grüttner, Michael: Arbeitswelt an der Wasserkante. Sozialgeschichte der Hamburger Hafenarbeiter 1886 bis 1914, Göttingen 1984

Grüttner, Michael: Working-class Crime and the Labour Movement: Pilfering in the Hamburg Docks, 1888–1923, in: Evans, Richard J. (Hg.): The German working class 1888–1933, London 1982, S. 53–79

Güth, Rolf: Die Marine des Deutschen Reiches 1919–1939, Frankfurt/Main 1972

Güth, Rolf: Von Revolution zu Revolution. Entwicklungen und Führungsprobleme der Deutschen Marine 1848 bis 1918, Herford 1978

Hagemann, Karen: Frauenalltag und Männerpolitik, Bonn 1990

Halpern, Paul G.: A Naval History of World War I, Annapolis (Maryland) 1994

«Hamburger Echo»

Hamburger Statistische Monatsberichte 1924

Hansen, Ernst Willi: Reichswehr und Industrie. Rüstungswirtschaftliche Zusammenarbeit und wirtschaftliche Mobilmachungsvoraussetzungen 1923–1932, Boppard 1978

Hardach, Karl: Wirtschaftsgeschichte Deutschlands im 20. Jahrhundert, Göttingen 1979

Hartewig, Karin: Das unberechenbare Jahrzehnt. Bergarbeiter und ihre Familien im Ruhrgebiet 1914–1924, München 1993

Hartwich, Hans-Hermann: Arbeitsmarkt, Verbände und Staat 1918–1933. Die öffentliche Bindung unternehmerischer Funktionen in der Weimarer Republik, Berlin 1967

Heitmann, Jan: Unter Wasser in die Neue Welt. Handelsunterseeboote und kaiserliche Unterseekreuzer im Spannungsfeld von Politik und Kriegsführung, Berlin 1999

Heinrich, Thomas R.: Ships for the Seven Seas: Philadelphia Shipbuilding in the Age of Industrial Capitalism, Baltimore 1997

Hentillä, Seppo/Osmo Jussila/Jukka Nevakivi: Finlands politiska historia 1809–1998, Helsinki 1998

Hentschel, Volker: Wirtschaft und Wirtschaftspolitik im wilhelminischen Deutschland. Organisierter Kapitalismus und Interventionsstaat, Stuttgart 1978

Hentschel, Volker: Wirtschaftsgeschichte der Maschinenfabrik Esslingen AG 1846–1918, Stuttgart 1977.

Herbert, Ulrich: Geschichte der Ausländerbeschäftigung in Deutschland 1880 bis 1980, Berlin/Bonn 1986

Herbert, Ulrich: Zwangsarbeit als Lernprozeß. Zur Beschäftigung ausländischer Arbeiter in der westdeutschen Industrie im Ersten Weltkrieg, in: Archiv für Sozialgeschichte XXIV (1984), S. 285–304

Herwig, Holger H.: The German Naval Officer Corps. A Social and Political History 1890–1914, Oxford 1973

Herwig, Holger H.: «Luxury» Fleet. The Imperial German Navy 1888–1918, London 1980

Herwig, Holger H.: The United States in German Naval Planing, 1889–1941, Boston/Toronto 1976

Hesse, Friedrich: Die deutsche Wirtschaftslage von 1914 bis 1923, Jena 1938

Hieke, Ernst: H.C. Stülcken Sohn. Ein deutsches Werftschicksal, Hamburg 1955

Hildebrand, Hans H.: Die organisatorische Entwicklung der Marine nebst Stellenbesetzung, 3 Bde., Osnabrück 2000

Hildermeier, Manfred: Geschichte der Sowjetunion 1917–1991. Entstehung und Niedergang des ersten sozialistischen Staates, München 1998

Hoebel, Heinrich: Das organisierte Arbeitgebertum in Hamburg-Altona, Diss. jur., Hamburg 1923

Holtfrerich, Carl-Ludwig: Die deutsche Inflation 1914–1923, Berlin/New York 1980

Holtfrerich, Carl Ludwig: Zu hohe Löhne in der Weimarer Republik?, in: Geschichte und Gesellschaft 10 (1984), S. 122–141

Holzbach, Heidrun: Das «System Hugenberg». Die Organisation bürgerlicher Sammlungspolitik vor dem Aufstieg der NSDAP, Stuttgart 1981

Homburg, Heidrun: Scientific Management and Personel Policy in the Modern German Enterprise, 1918–1939: The Case of Siemens, in: Gospel, Howard F./Craig R. Littler (Hg.): Managerial Strategies and Industrial Relations, London 1983, S. 137–156

Hopbach, Achim: Der Erste Weltkrieg in der Erfahrungswelt württembergischer Unternehmer, in: Hirschfeld, Gerhard/Gerd Krumeich/Dieter Langewiesche/Hans-Peter Ullmann (Hg.): Kriegserfahrungen. Studien zur Sozial- und Mentalitätsgeschichte des Ersten Weltkriegs, Stuttgart 1997, S. 247–261

Hopbach, Achim: Unternehmer im Ersten Weltkrieg. Einstellungen und Verhalten württembergischer Industrieller im ‹Großen Krieg›, Leinfelden-Echterdingen 1998

Howaldtswerke Hamburg AG (Hg.): Entstehung und Entwicklung unseres Werkes, Hamburg 1952

Hubatsch, Walther: Der Admiralstab und die obersten Marinebehörden in Deutschland 1848–1945, Frankfurt/Main 1958

Hughes, Michael L.: Paying for the German Inflation, Chapel Hill 1988

Jindra, Zdenék: Der Rüstungskonzern Fried. Krupp AG 1914–1918, Prag 1986

Jochmann, Werner: Handelsmetropole des Deutschen Reiches, in: Jochmann, Werner (Hg.): Hamburg. Geschichte der Stadt und ihrer Bewohner. Bd. 2. Vom Kaiserreich zur Gegenwart, Hamburg 1986, S. 15–130

Johnman, Lewis/Hugh Murphy: British Shipbuilding and the State since 1918. A political economy of decline, Exeter 2002

Jones, Nigel H.: Hitler's Heralds. The Story of the Freikorps 1918–1923, London 1987

Kaelble, Hartmut: Industrielle Interessenpolitik in der Wilhelminischen Gesellschaft. Centralverband Deutscher Industrieller 1895–1914, Berlin 1967

Kappeler, Andreas: Kleine Geschichte der Ukraine, München 1994

Kassel, Brigitte: Frauen in einer Männerwelt. Frauenerwerbsarbeit in der Metallindustrie und ihre Interessenvertretung durch den DMV (1891–1933), Köln 1997

Kersten, Dietrich: Die Kriegsziele der Hamburger Kaufmannschaft im Ersten Weltkrieg, Diss. phil., Hamburg 1963

Kijanen, Kalevo: Finlands Ubåtar i fred och krig, Karlskrona 1986

Kirchner, Walther: Die deutsche Industrie und die Industrialisierung Rußlands 1815–1914, St. Katharinen 1986

Klessmann, Eckart: Geschichte der Stadt Hamburg, Hamburg 1981

Koch-Baumgarten, Sigrid: Aufstand der Avantgarde. Die Märzaktion der KPD 1921, Frankfurt/Main/New York 1986

Kocka, Jürgen: Die Angestellten in der deutschen Geschichte 1850–1980, Göttingen 1981

Kocka, Jürgen: Klassengesellschaft im Krieg. Deutsche Sozialgeschichte 1914–1918, Frankfurt/Main ²1978

Kocka, Jürgen: Unternehmensverwaltung und Angestelltenschaft am Beispiel Siemens 1847–1914, Stuttgart 1969

Kohlhaus, Heinz-Helmut: Die HAPAG, Cuno und das Deutsche Reich, 1920–1933, Diss. phil., Hamburg 1952

Kolb, Eberhard: Die Arbeiterräte in der deutschen Innenpolitik 1918–1919, Würzburg ²1978

Kollbach, Paul: Deutsche Handelsflotte und Versailler Vertrag, Diss. jur., Rostock 1927

Knips, Achim: Deutsche Arbeitgeberverbände der Eisen- und Metallindustrie: 1888–1914, Stuttgart 1996

Kral, Helmut: Die Streikkämpfe der Arbeiter der deutschen Seeschiffswerften vor dem Ersten Weltkrieg und die Haltung des Metallarbeiterverbandes, Diss. phil., Berlin (Ost) 1962

Krause, Andreas: Scapa Flow. Die Selbstversenkung der wilhelminischen Flotte, Berlin 1999

Kresse, Walter: Aus der Vergangenheit der Reiherstiegwerft in Hamburg, Hamburg 1961

Krüger, Peter: Deutschland und die Reparationen 1918/19, Stuttgart 1973

Krüger, Wolfgang: Der Entschluß zum uneingeschränkten U-Bootkrieg im Jahre 1917, Berlin/Frankfurt/Main 1959

Krumeich, Gerd: Versailles 1919. Ziele – Wirkung – Wahrnehmung, Essen 2001

Kunz, Andreas: Civil Servants and the Politics of Inflation in Germany, 1914–1924, Berlin/New York 1986

Kunz, Andreas: Verteilungskampf oder Interessenkonsensus?, in: Feldman, Gerald D. u. a. (Hg.): Die deutsche Inflation. Eine Zwischenbilanz, Berlin/New York 1982, S. 347–384

Laas, Walter: Der Weltschiffbau und seine Verschiebungen durch den Krieg, in: Jahrbuch der Schiffbautechnischen Gesellschaft 1920, S. 125–180

Lamar, Cecil: Albert Ballin. Wirtschaft und Politik im deutschen Kaiserreich 1888–1918, Hamburg 1969

Lambsdorff, Hans Georg Graf: Die Weimarer Republik: Krisen – Konflikte – Katastrophen, Frankfurt/Main u. a. 1990

Laursen, Karsten/Jørgen Pedersen: The German Inflation, Amsterdam 1964

Leckebusch, Günther: Die Beziehungen der deutschen Seeschiffswerften zur Eisenindustrie an der Ruhr in der Zeit von 1850 bis 1930, Diss. wiss. soz., Köln 1963

Lewis, Wallace Leigh: The Survival of the German Navy 1917–1920: Officers, Sailors and Politics, Diss. phil., Iowa 1969

Longerich, Peter: Deutschland 1918–1933. Die Weimarer Republik, Hannover 1995

Lüdtke, Alf: Eigen-Sinn: Fabrikalltag, Arbeitererfahrung und Politik vom Kaiserreich bis zum Faschismus, Hamburg 1993

Lyth, Peter J.: Inflation and the Merchant Economy. The Hamburg Mittelstand, 1914–1924, München/New York/Oxford 1990

Mai, Gunther: Arbeitsmarktregulierung oder Sozialpolitik? Die personelle Demobilmachung in Deutschland 1918 bis 1920/24, in: Gerald D. Feldman u. a. (Hg.): Die Anpassung an die Inflation, Berlin/New York 1986, S. 202–236

Mai, Gunther: Das Ende des Kaiserreichs. Politik und Kriegführung im Ersten Weltkrieg, München ²1993

Mai, Gunther: Kriegswirtschaft und Arbeiterbewegung in Württemberg 1914–1918, Stuttgart 1983

Mai, Gunther: «Wenn der Mensch Hunger hat, hört alles auf», in: Abelshauser, Werner (Hg.): Die Weimarer Republik als Wohlfahrtsstaat, Stuttgart 1987, S. 33–62

Maier, Charles S.: Coal and Economic Powers in the Weimar Republic, in: Mommsen, Hans/Dietmar Petzina/Bernd Weisbrod (Hg.): Industrielles System und politische Entwicklung in der Weimarer Republik, Düsseldorf ²1977 Bd. 2, S. 530–542

Maier, Charles S.: Zwischen Taylorismus und Technokratie, in: Stürmer, Michael (Hg.): Die Weimarer Republik, Frankfurt/Main ³1993, S. 188–213

Mallmann, Klaus-Dieter: Kommunisten in der Weimarer Republik, Darmstadt 1996

Marchtaler, Hildegard von: Hundert Jahre Stülcken-Werft, Hamburg 1940

Marine-Archiv (Hg.): Der Krieg zur See. Der Handelskrieg mit U-Booten. Bd. 1–3, bearbeitet von Arno Spindler, Berlin 1932–1934

Mark, Rudolf A.: Die gescheiterten Staatsversuche, in: Golczewski, Frank (Hg.): Geschichte der Ukraine, Göttingen 1993, S. 172–201

Marwick, Arthur: War and Social Change in the Twentieth Century, London 1974

Maschke, Erich: Grundzüge der deutschen Kartellgeschichte bis 1914, Dortmund 1964

Meerwarth, Rudolf/Adolf Günther/Waldemar Zimmermann: Die Einwirkung des Krieges auf Bevölkerungsbewegung, Einkommen und Lebenshaltung in Deutschland, Stuttgart 1932

Merton, Richard: Erinnernswertes aus meinem Leben, das über das Persönliche hinausgeht, Frankfurt/Main 1955

Meyer-Lenz, Johanna: Schiffbaukunst und Werftarbeit in Hamburg 1838–1896, Frankfurt/Main 1995

Meyhoff, Andreas: Blohm & Voss im «Dritten Reich». Eine Hamburger Großwerft zwischen Geschäft und Politik, Hamburg 2001

Michalka, Wolfgang (Hg.): Der Erste Weltkrieg, München 1994

Miller, Susanne: Die Bürde der Macht. Die deutsche Sozialdemokratie 1918–1920, Düsseldorf 1978

Miller, Susanne: Burgfrieden und Klassenkampf. Die deutsche Sozialdemokratie im Ersten Weltkrieg, Bonn 1974

Mises, Ludwig von: Die Gemeinwirtschaft. Untersuchungen über den Sozialismus, Jena 1922

Möller, Eberhard/Werner Rahn/Wilhelm Treue: Deutsche Marinerüstung 1891–1942, Herford 1992

Mommsen, Hans (Hg.): Arbeiterbewegung und industrieller Wandel. Studien zum gewerkschaftlichen Organisationsproblem im Reich und an der Ruhr, Wuppertal 1980

Mommsen, Hans (Hg.): Der Erste Weltkrieg und die europäische Nachkriegsordnung, Köln/Weimar/Wien 2000

Mommsen, Hans/Dietmar Petzina/Bernd Weisbrod (Hg.): Industrielles System und politische Entwicklung in der Weimarer Republik, 2 Bände, Düsseldorf ²1977

Mommsen, Wolfgang J: Der autoritäre Nationalstaat. Verfassung, Gesellschaft und Kultur im deutschen Kaiserreich, Frankfurt/Main 1990

Mommsen, Wolfgang J: Bürgerstolz und Weltmachtstreben. Deutschland unter Wilhelm II. 1890 bis 1918, Berlin 1995

Nauticus – Jahrbuch für Deutschlands Seeinteressen 15 (1914)

Neue Deutsche Biographie, Bd. 2, Berlin 1955

Niehuss, Merith: Arbeiterschaft in Krieg und Inflation, Berlin/New York 1985

Nipperdey, Thomas: Deutsche Geschichte 1866–1918. Zweiter Band. Machtstaat vor der Demokratie, München ³1995

Nolan, Mary: Visions of Modernity. American Business and the Modernization of Germany, New York/Oxford 1994

Oertzen, Peter von: Betriebsräte in der Novemberrevolution, Düsseldorf 1963

Ortlieb, Franz Xaver: Zur Werften-Konzentration in den zwanziger Jahren, in: Kuckuck, Peter/Hartmut Roder/Hochschule Bremen (Hg.): Von der Dampfbarkasse zum Containerschiff. Werften und Schiffbau in Bremen und der Unterweserregion, Bremen 1988, S. 50–70

Owen, Richard: Military-Industrial Relations: Krupp and the Imperial Navy Office, in: Evans, Richard J. (Hg.): Society and Politics in Wilhelmine Germany, London 1978, S. 71–89

Paetau, Rainer: Zwischen Boom und Depression – Zum Strukturwandel der Kieler Werften im Wilhelminischen Kaiserreich und in der Weimarer Republik, in: Zeitschrift der Gesellschaft für Schleswig-Holsteinische Geschichte 122 (1997), S. 210–242

Pauer, Erich: Deutsche Ingenieure in Japan, japanische Ingenieure in Deutschland in der Zwischenkriegszeit, in: Kreiner, Josef / Regine Mathias (Hg.): Deutschland – Japan in der Zwischenkriegszeit, Bonn 1990, S. 289–324

Petzina, Dieter: Die deutsche Wirtschaft in der Zwischenkriegszeit, Wiesbaden 1977

Petzina, Dieter: Staatliche Ausgaben und deren Umverteilungswirkungen – das Beispiel der Industrie- und Agrarsubventionen in der Weimarer Republik, in: Blaich, Fritz (Hg.): Staatliche Umverteilungspolitik in historischer Perspektive, Berlin 1980, S. 59–105

Petzina, Dieter (Hg.): Zur Geschichte der Unternehmensfinanzierung, Berlin 1990

Peukert, Detlev: Jugend zwischen Krieg und Krise, Köln 1987

Philbin, Tobias R.: The Lure of Neptun. German-Soviet Naval Collaboration and Ambitions, 1919–1941, Columbia 1994

Pierenkemper, Toni: Unternehmensgeschichte. Eine Einführung in ihre Methoden und Ergebnisse, Stuttgart 2000

Pipes, Richard: Die Russische Revolution, Bd. 3: Rußland unter dem neuen Regime, Berlin 1993

Plagemann, Volker: Industriekultur in Hamburg. Des Deutschen Reiches Tor zur Welt, München 1984

Plumpe, Gottfried: Die I.G. Farbenindustrie AG. Wirtschaft, Technik und Politik 1904–1945, Berlin 1990

Plumpe, Werner: Die Betriebsräte in der Weimarer Republik: Eine Skizze zu ihrer Verbreitung, Zusammensetzung und Akzeptanz, in: Plumpe, Werner/Christian Kleinschmidt (Hg.), Unternehmen zwischen Markt und Macht, Essen 1992, S. 42–60

Plumpe, Werner: Stichworte zur Unternehmensgeschichtsschreibung, in: Plumpe, Werner/Christian Kleinschmidt (Hg.), Unternehmen zwischen Markt und Macht, Essen 1992, S. 9–13

Pohl, Manfred: Unternehmen und Geschichte, Mainz 1992

Polonska-Vasylenko, Natalija: Geschichte der Ukraine, München 1988

Pothof, Heinrich: Gewerkschaften und Politik zwischen Revolution und Inflation, Düsseldorf 1979

Prager, Hans Georg: Blohm + Voss. Schiffe und Maschinen für die Welt, Herford 1977

Priester, Hans E.: Der Wiederaufbau der deutschen Handelsschiffahrt, Berlin 1926

Pross, Helge: Manager und Aktionäre in Deutschland, Frankfurt/Main 1965

Rahn, Werner: Kriegführung, Politik und Krisen. Die Marine des Deutschen Reiches 1914–1933, in: Deutsches Marine Institut (Hg.): Die deutsche Flotte im Spannungsfeld der Politik 1848–1985, Herford 1985, S. 79–104

Rahn, Werner: Strategische Probleme der Seekriegsführung 1914–1918, in: Michalka, Wolfgang (Hg.): Der Erste Weltkrieg, München 1994, S. 341–365

Rahn, Werner: Verteidigungskonzeption und Reichsmarine in der Weimarer Republik, Hamburg 1976

Reichsarchiv (Hg.): Der Weltkrieg 1914 bis 1918, Kriegsrüstung und Kriegswirtschaft, 1. Bd., Berlin 1930

Remer, Claus: Die Ukraine im Blickfeld deutscher Interessen, Frankfurt/Main u. a. 1997

Ritter, Gerhard A. (Hg.): Entstehung und Wandel der modernen Gesellschaft, Berlin 1970

Ritter, Gerhard A.: Der Kaiser und sein Reeder, in: Zeitschrift für Unternehmensgeschichte (42) 1997, S. 137–162

Ritter, Gerhard A./Klaus Tenfelde: Arbeiter im Deutschen Kaiserreich 1871–1914, Bonn 1992

Rosenbaum, Eduard/A. J. Sherman: Das Bankhaus M. M. Warburg & Co. 1798–1938, Hamburg 1976

Rössler, Eberhard: Die deutschen U-Boote und ihre Werften, München 1979

Rössler, Eberhard: Geschichte des deutschen U-Bootbaus, Bd. 1, Koblenz ²1986

Roth, Regine: Staat und Wirtschaft im Ersten Weltkrieg. Kriegsgesellschaften als kriegswirtschaftliche Steuerungsinstrumente, Berlin 1997

Ruck, Michael: Von der Arbeitsgemeinschaft zum Zwangstarif, in: Matthias, Erich/Klaus Schönhoven (Hg.), Solidarität und Menschenwürde. Etappen der deutschen Gewerkschaftsgeschichte von den Anfängen bis zur Gegenwart, Bonn 1984, S. 133–152

Ruppert, Wolfgang: Die Fabrik. Geschichte von Arbeit und Industrialisierung in Deutschland, München 21993

Ruppert, Wolfgang (Hg.): Die Arbeiter. Lebensformen, Alltag und Kultur, München 1986

Rustow, Dankwart: Djemal Pasha, in: Encyclopedia of Islam, Leiden/London 1965, S. 530–532

Rustow, Dankwart: Enver Pasha, in: Encyclopedia of Islam, Leiden/London, 1965, S. 698–702

Salewski, Michael: Entwaffnung und Militärkontrolle in Deutschland 1919–1927, München 1966

Sander-Nagashima, Berthold J.: Die deutsch-japanischen Marinebeziehungen 1919 bis 1942, Diss. phil., Hamburg 1998

Saul, Klaus: Staat, Industrie, Arbeiterbewegung im Kaiserreich. Zur Innen- und Sozialpolitik des Wilhelminischen Deutschland, Düsseldorf 1974

Saul, Klaus: «Verteidigung der bürgerlichen Ordnung» oder Ausgleich der Interessen? Arbeitgeberpolitik in Hamburg-Altona 1896–1914, in: Herzig, Arno/Dieter Langewiesche/Arnold Sywottek (Hg.): Arbeiter in Hamburg. Unterschichten, Arbeiter und Arbeiterbewegung seit dem ausgehenden 18. Jahrhundert, Hamburg 1983, S. 261–282

Schäfer, Hermann P.: Regionale Wirtschaftspolitik in der Kriegswirtschaft. Staat, Industrie und Verbände während des Ersten Weltkriegs in Baden, Stuttgart 1983

Schiffmann, Dieter: Von der Revolution zum Neunstundentag. Arbeit und Konflikt bei BASF 1918–1924, Frankfurt/New York 1983

Schmelzkopf, Reinhart: Die deutsche Handelsschiffahrt 1919–1939, Bd. 1, Hamburg/Oldenburg 1975

Schneider, Michael: Deutsche Gesellschaft in Krieg und Währungskrise 1914–1924. Ein Jahrzehnt Forschungen zur Inflation, in: Archiv für Sozialgeschichte XXVI (1986), S. 301–319

Schneider, Michael: Zwischen Machtanspruch und Integrationsbereitschaft: Gewerkschaften und Politik 1918–1933, in: Bracher, Karl Dietrich/Manfred Funke/Hans-Adolf Jacobsen (Hg.): Die Weimarer Republik 1918–1933.

Politik. Wirtschaft. Gesellschaft, Bonn 1987, S. 179–217

Scholl, Lars U.: Im Schlepptau Großbritanniens. Abhängigkeit und Befreiung des deutschen Schiffbaus von britischem Know-how im 19. Jahrhundert, in: Technikgeschichte 50 (1983), S. 213–223

Scholl, Lars U.: Technikgeschichte des industriellen Schiffbaus in Deutschland. Bd. 1. Handelsschiffe. Marine-Überwasserschiffe. U-Boote, Hamburg 1994

Schönhoven, Klaus: Die deutschen Gewerkschaften, Frankfurt/Main 1987

Schreiber, Gerhard: Reichsmarine, Revisionismus und Weltmachtstreben, in: Müller, Klaus-Jürgen/Eckardt Opitz (Hg.): Militär und Militarismus in der Weimarer Republik, Düsseldorf 1978, S. 149–176

Schudnagies, Christian: Der Kriegs- oder Belagerungszustand im Deutschen Reich während des Ersten Weltkrieges, Frankfurt/Main u.a. 1994

Schulze, Hagen: Freikorps und Republik 1918–1920, Boppard 1969

Schulze, Hagen: Weimar. Deutschland 1917–1933, Berlin 41994

Schult, Johannes: Geschichte der Hamburger Arbeiter 1890–1919, Hannover 1967

Schwarz, Egbert F.: Vom Krieg zum Frieden. Demobilmachung in Zeiten des politischen und sozialen Umbruchs im Ruhrgebiet, Frankfurt/Main 1995

Shaw, Stanford J.: History of the Ottoman Empire and Modern Turkey, Vol. II, Cambridge 1977

Siegrist, Hannes: Vom Familienbetrieb zum Managerunternehmen, Göttingen 1981

Skalweit, August: Die deutsche Kriegsernährungswirtschaft, Stuttgart 1927

Soutou, Georges-Henri: L'or et le sang. Les buts de guerre économiques de la Première Guerre mondiale, Paris 1989

Spasskogo, I. D. (Hg.): Sudostroenie v načale XX vv., Bd. 3, St. Petersburg 1995

Spindler, Arno: Wie es zum Entschluß zum uneingeschränkten U-Boot-Krieg 1917 gekommen ist, Göttingen 1961

Spoerer, Mark: Von Scheingewinnen zum Rüstungsboom. Die Eigenkapitalrentabilität der deutschen Industriegesellschaften 1925–1941, Stuttgart 1996

Stammer, Wilhelm: Hamburgs Werften 1635–1993, Hamburg 21994

Statistische Jahrbücher für das Deutsche Reich, 1912–1924

Statistisches Reichsamt (Hg.): Zahlen zur Geldentwertung in Deutschland 1914 bis 1923, Berlin 1925

Stavorinus, Günter: Die Geschichte der Königlichen/Kaiserlichen Werft Danzig 1844–1918, Köln/Wien 1990

Stegemann, Bernd: Die deutsche Marinepolitik 1916–1918, Berlin 1970

Steinisch, Irmgard: Arbeitszeitverkürzung und sozialer Wandel, Berlin/New York 1986

Stürmer, Michael: Das ruhelose Reich 1866–1918, Berlin 1983

Sywottek, Arnold: Deutsche Nachkriegszeiten in einer Stadtregion: Hamburg nach 1918 und nach 1945, in: Niedhart, Gottfried/Dieter Riesenberger (Hg.), Lernen aus dem Krieg. Deutsche Nachkriegszeiten 1918 und 1945, München 1992, S. 178–206

Tänzler, Fritz: Die deutschen Arbeitgeberverbände 1904–1929, Berlin 1929

Techel, Hans: Der Bau von Unterseebooten auf der Germaniawerft, Berlin 1940

Tooze, J. Adam: Statistics and the German State, 1900–1945, Cambridge 2001

Treue, Wilhelm: Innovation, Know How and Investment in the German Shipbuilding Industry 1860–1930, in: Pohl, Hans (Hg.): Innovation, know how, rationalization and investment in the German and the Japanese economies, Wiesbaden 1982, S. 103–123

Trumpener, Ullrich: Germany and the Ottoman Empire 1914–1918, Princeton 1968

Tschirbs, Rudolf: Tarifpolitik im Ruhrbergbau 1918–1933, Berlin/New York 1986

Uhle-Wetter, Franz: Alfred von Tirpitz in seiner Zeit, Hamburg/Berlin/Bonn 1998

Ullmann, Hans-Peter: Interessenverbände in Deutschland, Frankfurt/Main 1988

Ullmann, Hans-Peter: Wirtschaftsverbände in Deutschland, in: Zeitschrift für Unternehmensgeschichte (35) 1990, S. 95–115

Ullrich, Volker: Die Hamburger Arbeiterbewegung am Vorabend des Ersten Weltkrieges bis zur Revolution 1918/19, 2 Bde., Diss. phil., Hamburg 1976

Ullrich, Volker: Der Januarstreik 1918 in Hamburg, Kiel und Bremen, in: Zeitschrift des Vereins für Hamburgische Geschichte 71 (1985), S. 45–74

Ullrich, Volker: Kriegsalltag. Hamburg im Ersten Weltkrieg, Köln 1982

Ullrich, Volker: Massenbewegungen in der Hamburger Arbeiterschaft im Ersten Weltkrieg, in: Herzig, Arno/Dieter Langewiesche/Arnold Sywottek (Hg.): Arbeiter in Hamburg. Unterschichten, Arbeiter und Arbeiterbewegung seit dem ausgehenden 18. Jahrhundert, Hamburg 1983, S. 407–418

Ullrich, Volker: Vom Augusterlebnis zur Novemberrevolution, Bremen 1999

Ullrich, Volker: Weltkrieg und Novemberrevolution. Die Hamburger Arbeiterbewegung 1914–1918, in: Berlin, Jörg (Hg.): Das andere Hamburg. Freiheitliche Bestrebungen in der Hansestadt seit dem Spätmittelalter, Hamburg 1983, S. 181–208

Ullrich, Volker: Zwischen Burgfrieden und Novemberrevolution. Arbeiter und Arbeiterbewegung in Hamburg 1914–1919, in: Bauche, Ulrich/Ludwig Eiber/Ursula Wamser/Wilfried Weinke (Hg.): «Wir sind die Kraft». Arbeiterbewegung in Hamburg von den Anfängen bis 1945, Hamburg 1988, S. 81–102

Venner, Dominique: Histoire d'un fascisme allemand. Les corps-francs du Baltikum et la révolution, Paris 1996

Vincent, Paul C.: The Politics of Hunger, Athens (Ohio) 1985

Wagenführ, Rolf: Die Industriewirtschaft. Entwicklungstendenzen der deutschen und internationalen Industrieproduktion 1860 bis 1932, Berlin 1933

Warren, Kenneth: Steel, Ships and Men: Cammel Laird, 1824–1993, Liverpool 1998

Webb, Steven B.: Hyperinflation and Stabilization in Weimar Germany, Oxford/New York 1989

Wehler, Hans-Ulrich: Deutsche Gesellschaftsgeschichte. Bd. 3. 1849–1914, München 1995

Wehler, Hans-Ulrich: Das deutsche Kaiserreich 1871–1918, Göttingen [5]1983

Wehler, Hans-Ulrich: Krisenherde des Kaiserreichs 1871–1918, Göttingen [2]1979

Weniger, Heinz: Schiffbau (II). Wirtschaft des Schiffbaus, in: Handwörterbuch der Sozialwissenschaften, Bd. 9, Stuttgart/Tübingen/Göttingen 1956, S. 123–131

Weidenfeld, Kurt: Die Organisation der Kriegsrohstoffbewirtschaftung im Weltkriege, Hamburg 1936

Weir, Gary E.: Building the Kaiser's navy: the Imperial Navy Office and German industry in the von Tirpitz era 1890–1919, Annapolis 1992

Weisbrod, Bernd: Schwerindustrie in der Weimarer Republik, Wuppertal 1978

Wendt, Bernd-Jürgen: «Deutsche Revolution» – »Labour Unrest». Systembedingungen der Streikbewegungen in Deutschland und England 1918–1921, in: Archiv für Sozialgeschichte XX (1980), S. 1–55

Wiborg, Klaus/Susanne Wiborg: 1847–1997. Unser Feld ist die Welt. 150 Jahre Hapag-Lloyd, Hamburg 1997

Wiborg, Susanne: Walther Blohm. Schiffe und Flugzeuge aus Hamburg, Hamburg 1993

Wiegmann, Karlheinz: Textilindustrie und Staat in Westfalen 1914–1933, Stuttgart 1993

Winkler, Heinrich August: Der lange Weg nach

Westen. Bd. 1. Deutsche Geschichte vom Ende des Alten Reiches bis zum Untergang der Republik von Weimar, München 2000

Winkler, Heinrich August (Hg.): Organisierter Kapitalismus. Voraussetzungen und Anfänge, Göttingen 1974

Winkler, Heinrich August: Die Sozialdemokratie und die Revolution 1918/19, Berlin/Bonn 1979

Winkler, Heinrich August: Von der Revolution zur Stabilisierung. Arbeiter und Arbeiterbewegung in der Weimarer Republik, Bd. 1. 1918–1924, Berlin/Bonn 1984/85

Winkler, Heinrich August: Weimar 1918–1933, München 1993

Winter, Jay/Jean-Louis Robert (Hg.): Capital cities at war. Paris, London, Berlin 1914–1919, Cambridge 1997

Witt, Friedrich-Wilhelm: Die Hamburger Sozialdemokratie in der Weimarer Republik, Hannover 1971

Witt, Peter-Christian (Hg.): Wealth and Taxation in Central Europe, Leamington Spa/Hamburg/New York 1987

Witthöft, Hans Jürgen: Tradition und Fortschritt. 125 Jahre Blohm + Voss, Hamburg 2002

Wixforth, Harald: Banken und Schwerindustrie in der Weimarer Republik, Köln/Weimar/Wien 1995

Wulf, Peter: Hugo Stinnes. Wirtschaft und Politik 1918–1924, Stuttgart 1979

Wulf, Peter: Schwerindustrie und Schiffahrt nach dem 1. Weltkrieg: Hugo Stinnes und die HAPAG, in: Vierteljahresschrift für Sozial- und Wirtschaftsgeschichte 67 (1980), S. 1–21

Wulle, Armin: Der Stettiner Vulcan. Ein Kapitel deutscher Schiffbaugeschichte, Herford 1989

Wupper-Tewes, Hans: Rationalisierung als Normalisierung. Betriebswissenschaft und betriebliche Leistungspolitik in der Weimarer Republik, Münster 1995

Zeidler, Manfred: Reichswehr und Rote Armee 1920–1933. Wege und Stationen einer ungewöhnlichen Zusammenarbeit, München 1993

Zunkel, Friedrich: Industrie und Staatssozialismus. Der Kampf um die Wirtschaftsordnung in Deutschland 1914–1918, Göttingen 1974

Register